LES CHRONIQUES DE VICTOR PELHAM
TOME 5

L'ENGRENAGE DU MÉTRONOME

Pierre-Olivier Lavoie

Éditeur : François Doucet
Révision linguistique : Féminin pluriel
Correction d'épreuves : Nancy Coulombe, Carine Paradis
Montage de la couverture : Tho Quan
Photo de la couverture : © Thinkstock
Mise en pages : Sébastien Michaud
ISBN papier 978-2-89667-488-6
ISBN PDF numérique 978-2-89683-500-3
ISBN ePub 978-2-89683-501-0
Première impression : 2012
Dépôt légal : 2012
Bibliothèque et Archives nationales du Québec
Bibliothèque Nationale du Canada

Éditions AdA Inc.
1385, boul. Lionel-Boulet
Varennes, Québec, Canada, J3X 1P7
Téléphone : 450-929-0296
Télécopieur : 450-929-0220
www.ada-inc.com
info@ada-inc.com

Diffusion

Canada :	Éditions AdA Inc.
France :	D.G. Diffusion Z.I. des Bogues 31750 Escalquens — France Téléphone : 05.61.00.09.99
Suisse :	Transat — 23.42.77.40
Belgique :	D.G. Diffusion — 05.61.00.09.99

Imprimé au Canada

Participation de la SODEC. SODEC
Nous reconnaissons l'aide financière du gouvernement du Canada par l'entremise du Programme d'aide au développement de l'industrie de l'édition (PADIÉ) pour nos activités d'édition.
Gouvernement du Québec — Programme de crédit d'impôt pour l'édition de livres — Gestion SODEC.

Catalogage avant publication de Bibliothèque et Archives nationales du Québec et Bibliothèque et Archives Canada
Lavoie, Pierre-Olivier, 1986-

L'engrenage du métronome
Tome 5 de la série Les chroniques de Victor Pelham.
ISBN 978-2-89667-488-6
I. Titre. II. Collection: Lavoie, Pierre-Olivier, 1986- . Chroniques de Victor Pelham.

PS8623.A865E53 2012 C843'.6 C2011-942678-1
PS9623.A865E53 2012

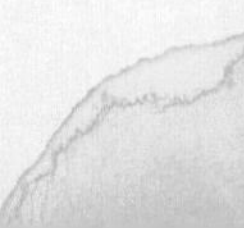

Table des matières

Chapitre 1

Une nouvelle piste

Quelque part dans les Antilles, sur une île baignant sous un ciel étoilé et violet, Victor et ses camarades étaient installés autour d'un feu de camp, qu'ils avaient allumé depuis déjà quelque temps. Leur journée avait été assez rude et n'avait certainement pas manqué d'action. Dès leur arrivée, les amis de Victor avaient d'abord été capturés par une bande d'Agas, mais heureusement, le jeune homme avait réussi à les libérer bien avant qu'ils aient quitté la plage. Ils avaient ensuite malencontreusement rencontré un briar, énorme créature qui ressemblait au croisement d'un lézard et d'une grenouille, avant que Victor soit confronté à une Liche, Eduardo Mortaz, aristocrate et comptable d'autrefois dont la santé mentale frisait la folie et qui avait, un siècle auparavant, été gouverneur de l'île.

La soirée qui avait suivi ne s'était pas vraiment révélée meilleure, car un trio d'ogres mercenaires avait débarqué de nulle part, attaquant leur campement avec la claire intention de leur écraser la tête avec leurs armes lourdes. Heureusement, Victor et ses camarades ne déploraient que quelques blessures ; personne n'avait été mortellement atteint. Le jeune homme, lui, avait eu la poitrine blessée durant le combat ; l'un des ogres lui avait brisé quelques côtes, mais par chance, Udelaraï avait été en mesure de les lui réparer en utilisant le pouvoir de ses mystérieuses bagues. Cependant, leur sous-marin n'avait pas eu autant de chance : les moteurs, qui avaient déjà subi quelques dégâts à cause des mines électromagnétiques, avaient été plus encore endommagés lorsque l'un des ogres avait lancé son arme dessus. Ce qui avait ainsi scellé leur sort, les coinçant sur cette île jusqu'à ce qu'ils parviennent à réparer les moteurs.

Victor, dont le visage était recouvert d'une petite barbe piquante et souillée de saletés, fixait les flammes qui dansaient devant ses yeux. Son cerveau repassait en boucle les événements qui s'étaient produits tout récemment. Il tenait toujours dans sa main la radio, qu'il comptait bien utiliser afin de joindre sa douce, si toutefois il découvrait comment utiliser convenablement sa bague maya.

Non loin du jeune homme, Udelaraï dormait sur le côté, épuisé par son état précaire, mais surtout par l'utilisation des bagues mayas afin de guérir les blessures de Victor et de Baroque. À quelques pas, Pakarel et Caleb observaient toujours le parchemin récupéré dans les affaires des ogres, leurs yeux scintillant à la lueur des flammes. Rudolph, l'homme-lézard à la crête jaune, fumait sa pipe tranquillement, tout en ajustant les lanières de cuir qui retenaient les plaques de fer sur son tibia, récemment soigné. Le lozrok avait eu la jambe brisée dans l'affrontement contre les ogres, mais Udelaraï la lui avait mystérieusement réparée.

Juste à côté, Rudolph, le hobgobelin à la gueule carrée, au teint foncé et aux oreilles percées affichait une expression pensive qui ne lui allait vraiment pas, lui donnant plutôt un air stupide.

— Encore ces initiales, hein? grommela-t-il.

Ces propos piquèrent la curiosité de Victor, qui sortit de ses pensées. Le hobgobelin voulait parler des initiales *L* et *D* trouvées tout au bas du parchemin, ainsi que sur la carte mère de l'un des robots abattus par Victor et qu'on avait envoyés afin de le tuer.

— Comment ça, *encore*? intervint Pakarel, l'air interloqué. Vous avez déjà vu ces initiales quelque part?

Le regard du hobgobelin se durcit. Observant Victor, il lui demanda :

— Tu ne le leur as pas mentionné?

Tous les regards se tournèrent vers le pianiste, qui réalisa qu'il s'était abstenu de leur raconter qu'il avait déjà vu ces initiales, auparavant. Soupirant, le jeune homme passa donc aux aveux :

— Lorsque j'étais en Égypte, j'ai été attaqué par un robot assassin...

— Nous le savions, intervint Caleb. Ton grand-père nous l'a dit.

— J'ai ensuite récupéré sa carte mère, continua le jeune homme en envoyant un bref regard, qui en disait long, vers le demi-gobelin, afin de l'inciter à se taire. Un peu avant notre départ, le soir de votre arrivée, je me suis installé dans mon atelier et je suis parvenu à décrypter ces initiales, *L* et *D*.

— Les mêmes que sur ce parchemin ! comprit aussitôt Pakarel, qui semblait avoir été illuminé. Cela voudrait dire qu'une seule et même personne aurait créé ces robots et engagé ces ogres ?

— Tu n'as pas pu vérifier les autres cartes mères que tu as trouvées, n'est-ce pas ? demanda Caleb à l'intention de Victor.

— Non, pas encore. Je n'ai pas d'équipement pour ce genre de chose.

Le demi-gobelin hocha la tête et, l'air songeur, murmura :

— *L* et *D*...

— En tout cas, ajouta Pakarel avant de lâcher un long bâillement, nous savons où nous rendre pour la suite ! Il faudra remercier nos gros copains les ogres de ne pas avoir détruit la lettre comme ils étaient censés le faire !

— Casablanca, hein ? dit Rudolph d'un air songeur, massant son gros menton de son index et de son pouce. Ce n'est pas bon signe.

— Pourquoi ? s'étonna Pakarel. Qu'est-ce qu'il y a ?

— Casablanca est peut-être une ville majestueuse et hautement technologique, intervint Caleb, mais elle n'en reste pas moins très sécurisée et contrôlée. Et armés comme nous le sommes..., nous n'irons pas loin.

— Je dois ajouter que mon dernier séjour en cette ville a été désastreux ! intervint Ichabod, qui donnait l'impression de vouloir bien faire valoir son point de vue. J'ai eu la chance — ou la malchance — d'y donner un concert, voilà quelques années. On m'a dérobé mes six valises entre le hall de réception de l'hôtel et ma chambre. Et je n'ai rien vu.

— Ça, c'est parce que tu as l'habitude de dormir debout, dès qu'il manque de soleil, lui fit savoir Caleb en levant les yeux au ciel.

— Je ne veux pas être rabat-joie, interrompit Baroque, s'immisçant dans la conversation, mais je crois que nous devrions nous concentrer sur notre tâche actuelle.

— D'un autre côté, intervint Victor, Udelaraï n'a jusqu'à présent aucune idée de la localisation de la dernière Liche. Rester ici et ne rien faire ne serait pas vraiment plus productif.

Baroque resta silencieux pendant quelques secondes, l'air froid et inébranlable, fixé par Pakarel, Ichabod, Rudolph et Caleb. Victor, quant à lui, posa les yeux sur son grand-père, qui dormait profondément.

— Nous devrions quand même attendre l'éveil du vieil homme et lui demander son avis, continua Baroque après avoir balayé le groupe du regard. C'est lui qui nous guide depuis le début et, jusqu'à maintenant, il ne nous a pas fait faux-bond.

— Je suis d'accord, affirma Caleb. Attendons l'avis d'Udelaraï avant de prendre une décision à ce sujet.

— Je ne voudrais pas vous froisser, les gars, fit la voix de Rauk, mais vous parlez dans le vide.

Les regards se tournèrent vers l'homme chauve à la barbe hirsute, qui, d'un pas boiteux, venait d'arriver à leurs côtés. Son nez et ses pommettes étaient rougis, et ses yeux étaient humides. On aurait dit qu'il venait de pleurer. Soudain, alors même qu'il était immobile, il manqua de perdre l'équilibre. L'air sérieusement étourdi, le bonhomme lâcha un rot puissant et guttural.

— Le sous-marin est brisé, bordel, continua-t-il d'une voix bourrue. Qu'est-ce que vous voulez qu'on fasse, hein ? Qu'on nage, peut-être ? Sale journée…

Après avoir lâché quelques jurons supplémentaires, le vendeur d'armes s'effondra sur le sable, avant d'émettre un ronflement sonore.

— Il est saoul comme un mort, dit Victor, qui se redressa en s'aidant de sa canne. Aidez-moi, on va le coucher près du feu.

Rudolph et Caleb prêtèrent main-forte au jeune homme afin de ramener Rauk près du feu et le couchèrent sur le côté, la tête

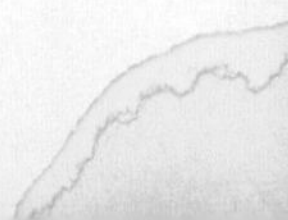

appuyée sur une bûche recouverte de feuilles de palmier, pour qu'il ne s'étouffe pas au cas où il vomirait.

– Où est-ce qu'il a déniché cet alcool ? s'étonna Caleb, qui s'essuya le front une fois leur corvée accomplie.

– On parle de Rauk, là, lui fit savoir Victor avec un sourire en coin. Ce vieux bonhomme a toujours une bouteille ou deux cachées quelque part.

– Il a dû entrer dans le sous-marin et se servir une gorgée ou douze pendant qu'il se morfondait et que nous étions ici, lança Pakarel en observant Rauk d'un air dégoûté. C'est quoi, ces trucs jaunes sur sa barbe ?

Après une rapide vérification, le demi-gobelin avança d'un air plutôt détaché :

– Des coulées de morve, je crois…

– Beurk ! lâcha Pakarel.

Quelques petits rires se firent entendre. Victor sortit ensuite sa gourde, qu'il fit circuler après y avoir bu une bonne gorgée.

– Alors, demanda Ichabod d'un air incertain, vous croyez que nous sommes réellement coincés ici ?

– Je n'en suis pas si sûr, répondit Caleb, à la surprise de tous.

Les regards se tournèrent vers lui.

– Le moyen de transport utilisé par les ogres, envoya Ichabod, dont les yeux venaient de s'illuminer.

– Voilà, acquiesça Caleb. Je sais même où il se trouve. Naveed et moi l'avons vu, plus loin sur la plage, lorsque nous sommes allés fouiller les ogres. Je dois admettre que ce n'est pas un moyen de transport ordinaire, mais je crois que nous pourrons l'utiliser.

– Vraiment ? s'exclama Pakarel avec excitation. On va tous pouvoir quitter cette île ? Pourquoi n'avez-vous pas ramené leur engin ici ?

Le demi-gobelin se mordit la lèvre inférieure, avant de plisser les yeux et de détourner le regard.

– Parce qu'on ne sait pas vraiment comment le faire fonctionner, admit-il finalement en haussant les épaules. Mes talents de pilote sont limités, puisque j'ai toujours volé avec Hol.

– Alors, on pourra repartir à l'aventure ? ajouta Pakarel d'un ton fébrile. Super !

En portant son regard sur le visage de Caleb, Victor sentit que ce dernier n'avait pas tout dit. En fait, le demi-gobelin faisait semblant de sourire, comme s'il tentait de s'empêcher de continuer à parler... Peut-être était-ce pour ne pas enterrer les espoirs qu'il venait de susciter. Il y avait forcément autre chose.

– Nous irons voir ce vaisseau dans une heure, déclara Victor. Pour l'instant, reposons-nous. Nous en avons tous besoin.

Cette décision fit l'affaire de tout le monde. Dans les minutes qui suivirent, Victor et ses camarades s'arrangèrent des lits artisanaux en utilisant leur sac à dos comme oreiller et quelques feuilles de palmier en guise de matelas. Rauk, assommé par l'alcool, ne cessait de marmonner des phrases incompréhensibles tout en laissant échapper de longues coulées de bave sur sa barbe hirsute.

Ayant fait mention de sa faim, Pakarel convainquit Rudolph de l'aider à capturer quelques poissons... ou, plutôt, de le faire entièrement à sa place. S'éloignant du groupe afin de trouver un peu de quiétude, Victor s'approcha du rivage, la radio à la main.

Une fois installé près des vagues, le jeune homme retira ses bottes ainsi que ses chaussettes, avant de rouler le bas de son pantalon. Toutes les dix secondes environ, les vagues d'eau tiède venaient lui chatouiller les pieds. Il récupéra les deux bagues mayas qui se trouvaient au fond de son sac. Après les avoir brièvement observées, il décida de n'en utiliser qu'une seule, qu'il glissa à son index droit.

Victor s'était attendu à ce que quelque chose se produise, même s'il ne savait pas trop quoi, mais ce ne fut pas le cas.

– Utilise ta tête, se dit-il en marmonnant. Recréer un objet...

Le jeune homme ferma alors les yeux et tenta de faire le vide dans son esprit, ce qui s'avéra plus dur que prévu, puisqu'il ne cessait de voir des images de Maeva, de Clémentine, de Nika et de Nathan. Puis, lorsqu'il fut en mesure de se déconnecter de la réalité, il parvint enfin à faire le vide. Les yeux fermés, Victor visualisa la radio, sur laquelle il canalisait maintenant toutes ses pensées.

Évidemment, même au bout d'une minute de concentration extrême rivée sur la radio, rien ne s'était produit. Ouvrant à nouveau les yeux, Victor se passa la main gauche sur le visage, avant de soupirer. Pourquoi Udelaraï ne lui avait-il pas simplement donné des instructions simples et claires ? Il fallait que la radio fonctionne comme il le voudrait… Il suffisait que les ondes de cette radio puissent atteindre la radio de Béatrice…

Soudain, alors qu'une vibration secouait la bague qu'il portait à son index, l'antenne de la radio prit une couleur bleue translucide. Les yeux écarquillés, incapable d'expliquer ce qui venait de se produire et ne sachant pas trop comment s'y prendre, Victor porta rapidement la radio à son oreille.

— Allô ? dit-il, incertain. Il y a quelqu'un ? Allô ?

De toute évidence, la radio ne fonctionnait pas mieux qu'avant. Alors que les pensées du jeune homme dérivaient, laissant place à la frustration, l'antenne de la radio reprit sa couleur normale. Que devait-il faire ? Le pianiste observa les alentours, comme s'il espérait que la vue de la plage des Antilles et de la jungle lui donne la réponse. Il vit Pakarel en train de tenter d'encourager Rudolph, qui pêchait le poisson à coups de fusil à canon scié, en lui criant quoi faire.

— Non, pas comme ça ! lui lança Pakarel. Rudolph, tu dois leur viser la tête, parce que c'est la partie que nous ne mangeons pas ! Attends, ne tire pas tout de suite !

— Tu veux bien te taire ? envoya le hobgobelin, furieux, à l'intention du pakamu.

Souriant devant cette scène, Victor ramena son regard vers l'avant. La mer s'étendait à perte de vue, et il pouvait voir, sous le ciel violet et parsemé d'étoiles, de nombreuses petites îles, au loin. Le jeune homme entendit de lourds pas saccadés s'approcher de lui. Il s'agissait de Baroque, qui fixait lui aussi l'océan.

— Comment va ta jambe ? lui demanda Victor.

— Sensible, répondit le reptile en s'installant doucement au sol, avec une légère grimace de douleur. Et toi, les côtes ?

— Ça va, admit le jeune homme en se massant le ventre.

En fait, son ventre était un peu sensible, mais rien de grave. Le pianiste et le capitaine de la milice des sept lames restèrent côte à côte pendant un moment, en silence. Puis, au bout d'un moment, Victor lui demanda simplement :

– Qu'est-ce que je dois savoir à propos de toi et de Naveed ?

Le jeune homme tourna la tête vers Baroque, qui observait toujours l'océan.

– Mmmh ? insista Victor.

Après un court moment, le lozrok ouvrit la bouche pendant quelques secondes avant d'avouer :

– C'est à cause de lui que j'ai perdu la tête, cette journée-là.

Observant son ami reptilien, Victor plongea dans sa propre mémoire. Une année auparavant, lorsqu'il cherchait à recruter des camarades pour sa tâche à venir, Marcus et Nathan avaient recommandé à Victor d'engager un capitaine de la milice des sept lames nommé Baroque Darrows. Ce nom lui avait aussitôt évoqué quelque chose, puisque c'était à lui qu'il avait payé la dette des Kobolds après leur retour de Paris. Darrows était un nom bien connu et, surtout, respecté. Âgé de 43 ans, le lozrok s'était forgé un nom en tant que chasseur de créatures à son compte, avant de se joindre à la milice.

Baroque était connu pour avoir terrassé un wyrm des montagnes en combat singulier, tué de nombreuses wyvernes ainsi que quelques loups-garous âgés. Combattant aguerri, expérimenté et surtout aux connaissances incomparables concernant les créatures en tout genre, Baroque s'était révélé indispensable pour Victor.

Un beau matin, alors qu'il déjeunait, avant d'aller rencontrer Baroque, Victor avait appris en lisant le journal que celui-ci avait été arrêté par les forces de l'ordre, dès son arrivée à Québec… pour crimes de guerre. Incrédule, le jeune homme s'était donc rendu au donjon des forces de l'ordre de la ville, afin de rencontrer le lozrok. Cet endroit humide, sombre et crasseux lui avait rappelé la prison où Dujardin avait été enfermé par les gnolls, des années auparavant.

Lorsque Victor lui avait mentionné son désir de l'inviter à se joindre à lui, Baroque lui avait fait savoir qu'il allait être exécuté à la fin de la semaine. Évidemment, Victor lui avait demandé pourquoi, et la raison était plus que surprenante : Baroque avait été envoyé, avec une douzaine d'autres miliciens, afin de protéger une ville du Moyen-Orient – dont Victor avait oublié le nom –, qui allait bientôt être assiégée. Étant des mercenaires dont les activités étaient approuvées par les gouvernements, les membres de la milice des sept lames devaient jurer de ne jamais agir par impulsion ou intérêt personnel, ce que Baroque avait malheureusement fait.

Après avoir défendu la ville contre l'attaque d'une tribu de barbares, Baroque avait semble-t-il refusé de revenir à Québec, comme le contrat le stipulait. La suite était troublante. Baroque avait lui-même avoué à Victor qu'il avait forcé ses hommes à l'accompagner jusqu'aux terres des envahisseurs, où il aurait commis plus d'une centaine de meurtres. Seulement, il avait toujours refusé d'expliquer pourquoi.

En regardant Baroque, assis près de lui sur la plage, Victor se souvint du sentiment qu'il avait ressenti quand le lozrok lui avait avoué ses crimes, lorsqu'il attendait son exécution derrière les barreaux. Victor avait ressenti une totale incrédulité. Il ne croyait pas une seconde que Baroque, qu'il ne connaissait pourtant qu'à peine à ce moment-là, puisse être à l'origine de tous ces crimes sordides, même s'il le lui avait avoué. Par peur de rater l'occasion d'avoir Baroque dans son équipe ou par simple naïveté de croire que tout le monde méritait une seconde chance, Victor s'était quand même arrangé pour faire sortir le lozrok de prison et faire annuler les accusations qui pesaient contre lui.

Le jeune homme aurait simplement pu verser quelques pots-de-vin, mais sa morale l'avait empêché d'agir ainsi. Victor avait donc pris un risque ; il avait, sous une fausse identité, engagé le meilleur avocat qui soit, et ce dernier était parvenu à rendre invalides les témoignages portés contre le grand reptile. Cela n'avait pas été très difficile, considérant le fait que la moitié des membres de la milice des sept lames étaient peu crédibles, continuellement ivres ou simplement pas très vifs d'esprit.

Une fois que les accusations avaient été abandonnées, le lozrok et le pianiste n'en avaient plus jamais reparlé. Baroque était retourné dans la milice, après avoir changé d'unité, et avait promis à Victor de l'aider dès qu'il en aurait besoin. En réalité, le jeune homme n'avait jamais redouté un seul instant que Baroque ait pu tuer autant de gens. C'était peut-être pour cette raison qu'il avait tardé à lui en parler..., parce qu'inconsciemment, Victor ne voulait pas vraiment savoir si oui ou non, il avait fait libérer un tueur. S'il avait fait côtoyer à ses amis un monstre sanguinaire... Et voilà que Baroque venait de lui reconfirmer, pour la première fois depuis cette discussion dans le donjon crasseux, qu'il avait perdu la tête.

– As-tu réellement tué ces gens, Baroque ? lui demanda Victor, dont la gorge s'était resserrée comme un étau.

Le lozrok baissa la tête.

– Oui, Pelham, j'ai tué des gens. Je te l'ai déjà dit. Je n'ai jamais cherché à te faire croire l'inverse.

Une boule d'écœurement monta à la gorge de Victor. Depuis tout ce temps, il s'était persuadé que Baroque était blanc comme neige..., ce n'était qu'une question de temps avant que ses yeux soient ouverts. Et cela arrivait maintenant. Qu'avait-il fait ?

– Mais pas comme on le raconte, ajouta Baroque.

– Qu'est-ce que... qu'est-ce que tu veux dire ? balbutia Victor, qui se sentait tout retourné.

Chapitre 2

L'appel

– Naveed est la cause de cette... mauvaise journée, continua Baroque. J'avais été chargé, en compagnie de mes hommes, de défendre un village. C'était notre objectif, ce pour quoi nous avions été payés.

– Que s'est-il passé ? demanda Victor. En quoi Naveed est-il responsable ?

Le reptile humanoïde ouvrit la bouche pour parler, mais rien n'en sortit. Son visage donnait l'impression que les propos qu'il voulait tenir lui étaient difficiles, voire douloureux. Victor songea à lui offrir de ne rien ajouter, mais il tenait absolument à savoir ce qui s'était passé, afin d'éclaircir la situation. Avait-il réellement demandé à un tueur de se joindre à lui et à ses amis ? Pour ces raisons, le jeune homme décida de laisser Baroque poursuivre son histoire, même si ce dernier n'aimait visiblement pas sortir les squelettes de son placard.

– Le démon orangé a tué un enfant sous mes yeux, dit-il finalement.

Victor fronça les sourcils. Il aurait dû être choqué d'apprendre une telle chose, mais pour une raison qu'il ignorait, le jeune homme se garda de réagir avant d'avoir entendu toute l'histoire.

– Le combat contre ces créatures barbares venues des terres avoisinantes, des gnolls des sables, avait débuté tôt le matin, avant même le lever du soleil, raconta Baroque, dont le regard se perdit au loin. Nous protégions l'enceinte d'une ville fortifiée entourée d'un désert interminable, et ces maudits rats hybrides nous ont attaqués de tous côtés. Nous avons quand même repoussé l'attaque dans l'heure qui suivit, et tous mes hommes étaient en vie. C'était une victoire facile..., nous étions mieux armés qu'eux.

Baroque plissa ses yeux vitreux et absents, comme s'il voyait dans sa tête les images qu'il décrivait.

— Après de lourdes pertes, l'ennemi a décidé de battre en retraite, expliqua Baroque. Nous les avons laissé faire, car l'objectif de notre contrat était de protéger, pas d'attaquer. La milice des sept lames n'attaque jamais..., nous ne sommes pas des soldats.

Victor pensa alors au Consortium. Ce groupe et la milice des sept lames n'étaient peut-être pas si différents, après tout.

— Après le combat, mes hommes et moi sommes revenus au centre de la ville, où se trouvait une espèce d'hôtel de ville dans lequel se réfugiaient les civils. C'est là que j'ai entendu ce cri, continua-t-il. Le cri d'une petite fille.

La mâchoire puissante du lozrok se mit à trembler ; il serra alors les dents.

— Je l'ai vu, murmura-t-il. Le démon orangé. Debout, devant le cadavre de cette fillette..., avant de fuir en bondissant par-dessus la muraille de pierre de la ville. J'ai perdu la tête. Je me suis lancé à ses trousses. Le démon courait en direction de l'armée de gnolls qui fuyait. J'ai pensé qu'ils étaient ensemble..., qu'ils l'avaient envoyé afin de tuer les civils dans notre dos, pendant que nous étions en plein combat. Peu importe s'ils étaient ou non ensemble. Ça ne changeait rien au meurtre de cette enfant.

Baroque lâcha un soupir avant d'abaisser la tête. Victor put facilement discerner le regret qui pesait sur les épaules du capitaine.

— Nous devions retourner aux gyrocoptères, expliqua le lozrok, qui semblait avoir de la difficulté à finir ses phrases, comme si ses dires lui rappelaient de trop mauvais souvenirs. Mais j'étais fou de rage. J'ai ordonné à mes hommes de me suivre. C'étaient de bons gars. Ils ont accepté. Nous avons trouvé leur village, à ces barbares. Comme prévu, le démon s'y trouvait, et j'ai lancé l'attaque. Nous étions une douzaine. Au début, le démon ne participait pas au combat, il se contentait d'observer..., pendant que ces gnolls des sables mouraient sous nos lames et nos fusils. Au bout d'un moment, le démon s'est joint au combat... et a tué à lui seul chacun de mes hommes. Quant à moi..., il m'a désarmé..., humilié et laissé partir.

Il y eut un silence. Baroque avait donc effectivement mené une attaque contre un groupe de gnolls. Seulement, une grave question taraudait Victor, et il se devait de la poser.

– As-tu réellement tué leurs femmes et leurs enfants ? demanda-t-il d'un air sérieux.

Baroque étouffa un grognement.

– Je ne suis pas un monstre, Pelham. Nous avons tué ceux qui étaient armés. Jamais de femmes ni d'enfants.

Victor hocha la tête en guise d'acquiescement. C'était déjà un soulagement d'avoir la version de Baroque de sa bouche même. Mais, comme une médaille a deux revers, toute histoire possède deux versions. Avant de conclure quoi que ce soit, le jeune homme allait devoir entendre la version du démon orangé..., s'il voulait bien lui en faire part.

Les deux camarades restèrent assis côte à côte pendant un moment, jusqu'à ce que Baroque finisse par se lever, sans mettre de poids sur sa jambe encore affaiblie, avant de retourner au feu de camp. En l'observant s'en aller, Victor se demanda si le lozrok n'était pas venu à lui justement pour lui avouer ses fautes.

Une vague vint mourir aux pieds du jeune homme, qui venait de reprendre sa radio. Après l'avoir activée, il la porta à nouveau à son oreille. Se remémorant les instructions de son grand-père, Victor marmonna :

– Utilise ta tête...

À cet instant, une lumière s'alluma dans le cerveau du jeune homme. Il venait de comprendre. Victor ferma les yeux, avant de faire le vide dans sa tête. Il imagina mentalement le chemin que les ondes devaient emprunter, utilisant un corridor particulier, entouré d'étoiles et de nuages noirs et violets, puis l'établissement d'un contact avec l'appareil de Béatrice. Sa bague résonna tout doucement autour de son index.

Après avoir patienté un moment, le pianiste perdit sa concentration et ouvrit les yeux... rien ne s'était produit. Que devait-il faire, exactement ? Comment allait-il être en mesure de joindre Maeva, sa douce compagne… ? Alors qu'il pensait à la jeune femme, à son sourire et à son regard chaleureux, la radio prit une teinte bleue translucide et émit un bruit. Quelqu'un avait répondu et se trouvait au bout de la ligne.

– Oui ? marmonna une voix féminine endormie.

Les yeux grands ouverts, tendu et trop surpris pour répondre quoi que ce soit de cohérent, Victor balbutia quelques grognements de confusion. Qu'avait-il fait ?

– Qui… qui est-ce ? demanda la voix, avec cette fois-ci une certaine froideur.

Le pianiste pouvait entendre la voix avec une qualité auditive remarquable. Tous les défauts causés par l'instabilité et les interférences des ondes radiophoniques avaient disparu. Il avait l'impression de parler à quelqu'un qui se trouvait juste à côté de lui.

– Allô ? dit finalement le jeune homme, qui avait reconnu la voix de son interlocutrice. Béatrice ?

– Qui êtes-vous ? lui retourna la voix féminine d'un ton coupant et glacial.

– Béatrice…, c'est Victor.

– Vi… Victor ? lui lança la voix de Béatrice avec étonnement. Mon Dieu, attends-moi un instant.

– Béatrice… ? Attends ! Béatrice ?

Il n'y avait plus de réponse. Le cœur de Victor battait d'excitation et de hâte. Quelques secondes interminables s'écoulèrent et, soudain, le jeune homme entendit quelqu'un au bout de la ligne… C'était Maeva.

– Victor ? dit-elle d'une voix à la fois endormie et énervée. C'est bien toi, mon amour ?

Le jeune homme ferma les yeux, apaisé d'entendre la voix de son amoureuse. Un profond sourire s'afficha sur son visage. Levant les yeux au ciel tout en hochant rapidement la tête, même si elle ne pouvait pas le voir, il lui répondit :

– Oui, Maeva, c'est moi. Je suis désolé, si je…

— Victor, l'interrompit-elle, ne t'excuse pas, je sais que tu étais dans l'impossibilité de m'appeler.

— Ah ? répondit Victor, surpris. Alors..., tu ne m'en veux pas de ne pas t'avoir appelée avant ?

— Pas du tout, répondit-elle. De mon côté, j'ai essayé plusieurs fois, mais j'étais incapable de te joindre.

Fronçant les sourcils, embêté, Victor lui demanda :

— Hein ? Tu m'as appelé ? Quand ?

— Oui, affirma la voix de la jeune femme, mais la connexion ne cessait de rompre... Mais peu importe, comment se fait-il que je t'entende aussi bien ? Es-tu près de Québec ?

— En fait... non.

— Où es-tu, alors ?

— Sur une île des Antilles, lui fit-il savoir. Écoute, j'en ai long à te raconter. Mais avant, comment vas-tu ? Et Clémentine, elle va bien ?

— Tu lui manques beaucoup, et à moi aussi, d'ailleurs, mais nous allons bien.

Cette simple phrase allégea le cœur de Victor, qui, ensuite, pendant une vingtaine de minutes, résuma tout ce qui s'était passé depuis son départ. Il avait l'impression d'être parti depuis une éternité, mais en racontant son propre récit, il réalisa qu'il était en fait parti depuis un peu plus de vingt-quatre heures seulement. Une fois qu'il eut terminé, Maeva sembla choquée.

— Tu es au courant que la chance ne te sourira pas tout le temps ? lui dit-elle sur un ton de reproche.

— Ça ira, lui répondit Victor en tentant d'adopter un ton rassurant. Tout le monde va bien et...

— Tu as été irradié, Victor ! lui rappela Maeva avec férocité. Tu aurais pu te faire tuer par ce briar, cet Eduardo je-ne-sais-qui et ces ogres ! Et maintenant, tu es coincé sur cette île !

Victor grimaça, regrettant un peu d'avoir été aussi honnête. Voilà qu'il venait d'inquiéter son amoureuse encore plus. « Beau travail », se félicita-t-il sarcastiquement. Au moins, il ne lui avait rien dit au sujet de ses côtes brisées...

Maeva soupira et lui demanda, d'une voix exaspérée :

– Qu'est-ce qui va arriver, maintenant ? Comment comptez-vous quitter cette île ? Tu veux que je joigne Marcus ? Il pourrait probablement t'envoyer un gyrocoptère.

– Non, ça va, répondit Victor. En fait, les ogres sont venus avec un moyen de transport que Caleb et moi allons inspecter dans une demi-heure, afin de voir s'il peut nous servir.

– Est-ce qu'il vous est possible de dormir un peu ? lui demanda Maeva.

Un peu surpris par le changement de sujet, Victor rétorqua :

– Euh… oui. Je crois que nous allons être tranquilles pendant un moment. L'île n'est pas déserte et peut-être que d'autres ogres se cachent dans les buissons, et…

– Ce n'est pas drôle, Victor Pelham, lui fit froidement savoir Maeva.

Quand son amoureuse l'appelait ainsi, par son nom entier, c'est qu'elle était plus que sérieuse. Le jeune homme opta donc pour se retenir de faire de l'humour.

– Je veux que tu dormes, reprit la jeune femme d'un ton plus doux. C'est important. Tu n'es ni un soldat ni un guerrier, Victor. Tu dois dormir.

Victor aurait voulu protester, mais il préféra abonder dans son sens ; il ne voulait pas empirer ses inquiétudes.

– D'accord, répondit-il. Nous attendrons plus tard, dans la matinée.

Prenant conscience de l'avertissement de son grand-père au sujet de l'utilisation prolongée de sa bague, le jeune homme fit savoir à sa douce qu'ils allaient bientôt devoir mettre un terme à leur conversation. Un peu étonnée, la jeune femme demanda :

– Mais… pourquoi ?

– Je ne connais pas la fréquence radiophonique de Béatrice, lui fit savoir Victor. C'est Udelaraï qui m'a permis de te joindre. En fait… c'est un peu compliqué, ajouta le jeune homme, qui n'avait pas l'intention d'expliquer le fonctionnement de sa bague maya, que lui-même ne comprenait pas totalement.

Maeva sembla déçue, mais elle resta compréhensive et ne demanda pas plus d'information ; elle devait savoir que, lorsqu'il s'agissait d'Udelaraï, il valait mieux ne pas chercher à comprendre. Avant d'interrompre la communication, la jeune femme fit savoir qu'elle retournerait à leur maison en fin de journée et qu'elle pourrait être jointe depuis cet endroit. Lorsqu'il eut décollé la radio de son oreille, son antenne perdit aussitôt son éclat luminescent. Ayant terminé son appel, Victor rangea la bague maya au fond de son sac, jugeant qu'il valait mieux ne pas porter cet objet trop longtemps, juste au cas où.

Le jeune homme resta ensuite assis à cet endroit pendant quelques secondes supplémentaires. Il avait fait savoir à Maeva qu'il prendrait du repos avant d'aller jeter un coup d'œil au véhicule des ogres, mais c'était un risque que Victor n'était pas prêt à prendre. Car, après tout, était-ce une bonne idée de laisser un tel moyen de transport sans surveillance ?

Après avoir repris ses chaussettes, Victor revint pieds nus en direction du campement. Il était parfaitement conscient qu'il avait menti à son amoureuse, et cette pensée le rongeait déjà. Une fois arrivé près du feu, le jeune homme salua Ichabod d'un sourire forcé avant de s'installer auprès de Caleb, qui aiguisait l'une de ses épées.

— Elle va bien ? lui demanda le demi-gobelin, sans lever les yeux de son occupation.

— Inquiète, lui répondit simplement Victor, mais pour le reste, ça va.

— J'ai entendu des bribes de votre conversation, poursuivit Caleb, qui envoya un bref regard au jeune homme. Tu veux vraiment attendre demain ?

Victor hocha la tête de gauche à droite avant de dire :

— Non. Mieux vaut ne pas prendre un tel risque. Nous irons vérifier dans 10 minutes. Au fait, c'est loin ?

— Pas vraiment, répondit Caleb. En marchant, nous ne devrions pas mettre plus de 15 minutes.

À cet instant, Pakarel revint vers le feu de camp, au pas de course, tenant quatre gros poissons. Rudolph marchait derrière, son fusil à canon scié dans la main, l'air morose.

– Regardez ce que j'ai ramené ! s'exclama le pakamu avec joie en brandissant bien haut ses poissons.

– Tu les feras cuire pour qu'ils soient prêts à notre retour, d'accord ? demanda Caleb à l'intention du pakamu.

– À votre retour ? répéta le raton laveur, qui avait baissé les bras, le visage grimaçant de confusion. De quoi parles-tu ? Vous allez quelque part ?

– On va voir le moyen de transport des ogres, lui fit savoir Victor. Il faut trouver un moyen de quitter cette île au plus vite.

– Alors, moi aussi, je viens ! s'exclama Pakarel d'un air plus que décidé. Je ne suis plus fatigué !

– Et les poissons ? lui lança Caleb avec amusement. J'ai faim, moi !

Pakarel lui envoya un regard assassin. Ne voulant pas entendre de chamailleries, Victor s'interposa aussitôt :

– Bon, dit-il, les yeux fermés, en pinçant l'os de son nez. Pakarel, Caleb et moi irons voir cet engin.

Le pakamu tira bruyamment la langue au demi-gobelin, qui leva les yeux au ciel.

– Euh... intervint Ichabod en affichant un air inquiet sur son visage de pantin. Il serait préférable que tu restes, Victor...

– Ça va, Ichabod, lui assura le jeune homme. Ça ne devrait pas être bien long. De plus, je ne suis pas vraiment fatigué.

C'était étrangement vrai. Après avoir affronté les ogres, puis s'être fait casser et réparer les côtes, il ne ressentait plus aucune fatigue.

– Reposez-vous, dit Victor à l'intention d'Ichabod, de Baroque et de Rudolph. Ça ne devrait pas être bien long.

– Comme tu veux, lui répondit l'épouvantail en tirant la manche de son manteau avant de fermer sa batterie solaire. Mais moi, je suis crevé, ajouta-t-il en se couchant sur le côté, dos au feu. Je vais imiter Udelaraï et vous souhaiter...

Ichabod lâcha un grand bâillement avant de terminer :

— … une bonne nuit.

— Je vais monter la garde, se proposa Baroque, qui était en train d'allumer sa pipe. Je n'ai pas sommeil, tout comme toi, Pelham. Soyez prudents et partez armés. On n'est jamais trop prudents.

— Ah, euh… dit Rudolph, qui cherchait visiblement ses mots au fur et à mesure qu'il parlait, quant à moi…, je vais… euh… faire cuire les poissons.

Le pianiste l'observa d'un regard appuyé, un sourcil levé.

— Ouais, ajouta Rudolph en hochant la tête de haut en bas, c'est ce que je vais faire.

On aurait dit qu'il confirmait lui-même ses propres dires. Après avoir observé le lozrok et le hobgobelin, Victor leur dit :

— Comme vous voulez.

En fait, Victor savait très bien que le lozrok restait éveillé dans le simple but de garder un œil sur Naveed, qui dormait un peu plus loin, sur la plage. Quant au hobgobelin, sa décision était probablement motivée par le refus de laisser Baroque obtenir tout le mérite pour avoir monté la garde.

Quelques minutes plus tard, Victor, Pakarel et Caleb étaient préparés et armés, prêts à quitter le camp. Laissant Rudolph et Baroque avec Udelaraï et Ichabod endormis, les trois camarades s'éloignèrent, longeant la plage, laissant trois longues traînées de sable derrière eux.

— Tu n'amènes pas ton arbalète ? demanda le pakamu à l'intention du pianiste.

— Je n'ai plus de carreaux, lui rappela Victor.

— Oh, lâcha Pakarel. Hé, les gars !

Victor et Caleb lui envoyèrent un regard.

— Quoi ? lui demanda le demi-gobelin.

— C'est trop cool, on est tous réunis ensemble ! expliqua Pakarel, qui semblait d'une humeur radieuse.

Caleb envoya un regard dubitatif et moqueur à Victor pardessus le pakamu, qui ne s'aperçut de rien.

– De quoi parles-tu, Pakarel ? lui demanda Victor.

– Nous sommes réunis tous les trois ! s'exclama le raton laveur en faisant un bond énergique. Le trio indestructible ! Moi, Caleb et Victor !

Le demi-gobelin lâcha un petit rire. Clairement, il riait de Pakarel. Mais ce dernier, qui avait devancé le groupe de plusieurs pas afin de récupérer un bâton de bois qui traînait sur la plage, ne l'avait, encore une fois, pas remarqué. En effet, le raton laveur s'était mis à pourfendre des ennemis invisibles à l'aide de son bâton tout en imitant des bruits de combat.

– Pourquoi *toi* en premier ? continua le demi-gobelin d'un ton amusé. Pourquoi pas Caleb, Victor et Pakarel ? Ça sonne gagnant, non ?

– Oh oui, confirma sarcastiquement le jeune homme, qui avait un sourire plaqué sur le visage. Complètement !

Le raton laveur cessa alors son combat imaginaire avant de se retourner vers ses amis. Son visage semblait crispé par une réflexion particulièrement ardue.

– Non ! répondit Pakarel après un moment, ça ne sonne pas aussi bien. Hé, les gars !

Caleb soupira, mais son visage était souriant.

– Quoi, encore ? lui répondit-il avec bonne humeur.

– Pourquoi est-ce qu'on est toujours éveillés à des heures comme celles-ci ? demanda le pakamu, qui était retourné aux côtés de ses deux amis. Vous avez remarqué ?

Caleb tourna la tête vers Victor et lui dit, feignant la surprise :

– Tu avais remarqué, toi ?

– Hé ! protesta Pakarel, qui affichait un visage boudeur. Vous vous moquez de moi !

– Nous n'oserions jamais ! nia Victor, aussitôt trahi par le large sourire qui lui fendit le visage.

Les trois camarades longèrent ainsi la plage en discutant de tout et de rien, sous le ciel mauve et étoilé qui allait bientôt s'éclaircir. Au bout d'un moment, puisque Victor, Pakarel et Caleb contournaient l'île, le feu de camp disparut de leur champ de vision.

— On arrive bientôt? demanda Pakarel, marchant à reculons, au bout d'une dizaine de minutes.

— Si tu marchais normalement, lui fit savoir le demi-gobelin, tu pourrais répondre à ta propre question.

Loin devant, une masse noire était échouée sur la plage, légèrement inclinée. Victor supposa que la silhouette devait être celle d'un bateau, car il discernait une voile, particulièrement haute.

— Oh! s'exclama Pakarel, qui s'était retourné vers l'avant.

Dans sa hâte de découvrir le moyen de transport qui allait peut-être les sortir de là, le pakamu devança encore une fois ses deux amis.

— Un vrai gamin, commenta Caleb après un soupir.

— Je crois que c'est sa plus grande qualité, dit Victor en accordant un regard sincère et bienveillant au petit raton laveur, qui courait devant eux. Pakarel est resté jeune dans son cœur, et je crois que c'est l'une des plus belles choses qui peut nous arriver.

Caleb afficha une expression de surprise. Clairement, il ne s'attendait pas à ce genre de commentaire de la part de Victor.

— Tu es devenu philosophe 50 ans trop tôt? ricana le demi-gobelin.

Victor le bouscula amicalement de sa main. Un peu plus loin, sur la plage, il trébucha sur quelque chose et faillit tomber.

— Qu'est-ce que tu as? lui demanda Caleb, un peu surpris.

Victor s'inclina légèrement afin de mieux voir sur quoi il avait mis le pied. Il s'agissait d'un os.

— Un os? commenta Caleb, qui leva un sourcil. Étrange, je ne me souviens pas avoir vu d'os. J'ai dû manquer d'attention.

— Bizarre, se dit le pianiste, qui n'y porta pas plus d'attention et poursuivit sa marche jusqu'au véhicule marin.

Une fois arrivé près de l'engin aquatique, Victor vit bien qu'il ne s'agissait pas du tout d'un bateau classique; on aurait plutôt dit un hydroglisseur, mais Victor n'était pas prêt à le considérer comme tel. Presque entièrement construit en bois, l'engin donnait l'impression d'être à la fois rudimentaire et élégant, surtout à cause des nombreux boucliers barbares et des ornements osseux qui décoraient sa coque, semblable à celle d'un drakkar. Le seul mât de l'étrange bateau était situé à l'arrière, et celui-ci retenait une longue voile lattée, très semblable à celles qui étaient traditionnellement utilisées sur les jonques, ces navires que l'on trouvait surtout en Asie. Le crâne d'une créature aux dents pointues et aux longues défenses était peint en rouge sur la voile.

En passant sa main sur la coque, Victor comprit que l'engin avait été façonné par des mains habiles. Cependant, le plus surprenant était le type de moteur utilisé par l'étrange bateau. Juste à l'arrière de l'engin se trouvait, creusée dans la coque en bois, une cavité circulaire dans laquelle était logé un genre de bulbe vitreux. Deux anneaux étaient superposés autour de la cavité, et Victor savait que ces derniers allaient tourner autour du bulbe dès leur activation, par injection d'un carburant spécial, créant ainsi une considérable force de propulsion.

Quelques mois auparavant, le pianiste avait déjà lu dans la section des technologies du journal qu'un nouveau type de moteur avait été développé par une société irlandaise. Ce qui avait étonné Victor n'était pas le moteur en tant que tel, mais plutôt sa présence sur un moyen de transport utilisé par ces ogres barbares.

— Vous avez vu ça ? dit Victor, qui observait le moteur à l'arrière de l'engin, incliné vers l'avant.

Pakarel le rejoignit aussitôt, l'air curieux.

— Ah, dit Caleb qui s'avança vers eux, j'ai oublié de t'en faire part, Victor. Tu as déjà vu un moteur comme ça ?

— Pas en vrai, répondit le jeune homme, qui s'était redressé. Mais j'en ai déjà entendu parler.

— Qu'est-ce que c'est ? s'étonna le pakamu. Je n'ai jamais rien vu de tel !

— Je ne connais pas son nom exact, expliqua Victor, mais ce moteur a été conçu par des mains irlandaises.

Caleb fronça les sourcils, interloqué.

— Peut-être que les Irlandais ont simplement vendu leur technologie ? proposa Pakarel.

— J'en doute, dit Caleb. Les ogres sont racistes. Ils haïssent tout ce qui ne commence pas par « o » et ne finit pas par « gre ».

Pakarel, juste à côté, semblait coincé dans un effort de concentration particulièrement intense. Puis, après un court instant, il lâcha :

— Oh ! je viens de comprendre ! *Ogre* ! Elle est bonne !

Caleb sembla dépité. Quant à Victor, il resta silencieux, les bras croisés, l'air songeur. Soudain, toujours perdu dans ses pensées et le regard vide, le jeune homme dit :

— Ces ogres ne haïssent peut-être pas les autres races à ce point.

Caleb et Pakarel l'observèrent avec un point d'interrogation plaqué sur le visage.

— Que veux-tu dire ? lui demanda le demi-gobelin.

— La personne qui veut me tuer est bien parvenue à acheter leurs services, non ?

Le demi-gobelin ouvrit la bouche avant de la refermer.

— C'est… vrai, admit-il, un peu surpris.

— Je parie que ce L. D. est d'ailleurs irlandais, dit Victor d'un air songeur. Ça expliquerait comment ces ogres se sont retrouvés avec un tel engin. Enfin bon, ce n'est qu'une supposition comme une autre.

Pakarel, qui avait visiblement décidé de ne plus suivre la conversation, grimpa sur le véhicule aquatique afin de mieux l'observer. Il lança ensuite à ses amis :

— Vous croyez qu'il y aura assez de place pour tout le monde, sur ce bateau ?

Ni Victor ni Caleb ne répondirent directement à la question du pakamu. En fait, les deux amis échangèrent un regard incertain.

— Il faut admettre que cette étrange barque n'est pas très grande, avoua Victor.

L'air hésitant, tout en grattant sa chevelure bleutée, le demi-gobelin dit avec une grimace d'hésitation :

— C'est un peu pour cette raison que je ne sautais pas de joie, lorsque je suis revenu au feu de camp.

Le pianiste ramena son regard vers l'engin, qu'il observa en silence pendant quelques longues secondes. Le manque d'enthousiaste de Caleb et de Naveed, à leur arrivée au camp, un peu plus tôt, était en effet justifié. Même si l'étrange bateau était assez grand pour trois ogres, il était difficile de prévoir si ce serait le cas pour neuf personnes, sans compter Manuel, qui séjournait toujours au fond du sac du demi-gobelin.

— Je crois que l'on pourra tous rentrer, dit Pakarel en balayant l'engin marin d'un regard convaincu.

— Mais on va être serrés, ajouta Caleb, ça, c'est certain. Victor, dis-moi…

Le jeune homme observa son ami aux yeux d'un jaune presque surnaturel.

— Tu veux vraiment te rendre au Maroc avec ce bateau ? lui demanda Caleb d'un air soucieux, avant de ramener son regard vers le bateau à voile unique. Ce véhicule est sans doute convenable pour de petites distances, mais pour de plus grandes, c'est autre chose.

En guise de réponse, Victor ne put s'empêcher de lâcher un long bâillement à s'en disloquer la mâchoire. Il fut ensuite traversé par un frisson qui lui fit secouer la tête. Caleb l'observa, un sourcil levé, amusé par la réaction de son ami.

— Désolé, dit le pianiste en se passant la main sur le visage. Je crois que je suis fatigué, contrairement à ce que je croyais… Avec tous ces événements, depuis ce matin… vous savez, les Agas, la Liche…

— Pas besoin de te justifier, le coupa Caleb d'un air rassurant. Nous avons vécu l'enfer, aujourd'hui. Et personne n'a profité d'un bon sommeil…, nous sommes tous crevés.

— Ouais ! ajouta Pakarel, qui venait de bondir sur la plage. Nous sommes fatigués, Victor ! Il est normal que nous n'ayons pas toute notre tête ! Pas même pour les êtres pourvus d'un code génétique supérieur et originaires d'Orion, comme toi, ajouta-t-il avec un grand sourire.

Le sourire qui s'étira également sur le visage de Victor ne dura pas bien longtemps, car quelques secondes plus tard, le jeune homme remarqua un détail inquiétant du coin de l'œil. Quelque chose venait de bouger dans le sable, dans le dos de Caleb et de Pakarel. Une expression alarmée sur le visage, Victor vit plusieurs masses osseuses se lever de la plage ; il s'agissait de squelettes de petites personnes, comme des gnomes ou des gobelins, les yeux verts et luminescents, du sable s'écoulant de tous leurs orifices. De nombreuses lianes étaient entremêlées entre leurs os, faisant office de nerfs et joignant ainsi les os dans une imitation grotesque, disproportionnée et parfois méconnaissable de la créature originale.

Il s'agissait de squelevignes, ces créatures que Victor et ses amis avaient déjà rencontrées auparavant, lors de leur dangereuse expédition au Belize. Les squelevignes étaient des plantes qui trouvaient principalement refuge dans des carcasses osseuses en tous genres et qui avaient la faculté d'utiliser ces squelettes afin de se mouvoir. Malgré leur rapidité, les squelevignes étaient généralement maladroits, incapables de faire des mouvements précis. Remarquant la grave expression sur le visage de son ami, Caleb pivota sur lui-même en marmonnant :

— Victor, qu'est-ce que tu…

Découvrant alors la quinzaine de squelevignes qui s'étaient levés du sol, le demi-gobelin dégaina aussitôt deux de ses trois épées.

— Qu'est-ce que vous avez ? leur demanda le pakamu, qui tournait le dos à la scène. Pourquoi est-ce que…

Suivant le regard de ses amis, Pakarel pivota sur lui-même. Au lieu d'être effrayé par l'apparition soudaine des créatures, le pakamu eut plutôt l'air incrédule et presque amusé par leur vue.

— Des nains morts-vivants ? dit-il. Vraiment ? Oh ! regardez, ajouta le raton laveur en pointant un squelevigne qui tentait de déloger son pied du sable, celui-là a la tête qui pend sur le côté !

— Pakarel, recule ! l'avertit rapidement Victor en tirant son propre glaive de son étui. Ce sont des squelevignes, il faut…

Avant même qu'il ait pu terminer sa phrase, un squelevigne en forme de gobelin bondit sur Victor, trop distrait par ses propres paroles pour l'éviter. Le jeune homme fut renversé au sol, avant de se mettre à se débattre furieusement contre son assaillant, qui, agrippé à sa poitrine, tentait de lui attaquer le visage à l'aide de ses doigts pointus. Fort heureusement, le nabot squelettique ne resta pas sur Victor plus de quelques secondes, car Pakarel vint à sa rescousse, bousculant le squelevigne par terre.

– Ne touche pas à Victor ! lui cria Pakarel.

À son tour, le pakamu bondit sur le squelevigne en forme de gobelin, sa dague bleutée levée bien haut, avant de l'abattre dans la tête de sa cible. Profitant du moment, Victor parvint à se remettre sur pied assez rapidement, malgré sa jambe affaiblie, pour balancer un coup de canne à un autre nabot squelettique qui s'était rué vers lui pour s'en prendre à sa jambe.

– Il faut entièrement leur briser les os pour les tuer ! dit finalement le jeune homme tout en plantant son glaive dans la poitrine recouverte de vignes d'un autre petit assaillant.

– Je croyais que ces trucs étaient maladroits ? lâcha Caleb, qui avait tenté à trois reprises de trancher un petit gnome squelettique, qui bondissait de gauche à droite. Saleté, arrête de bouger une seconde…

Le squelevigne qui avait évité, jusqu'à maintenant, tous les coups du demi-gobelin, reçut un sérieux coup de pied au derrière, avant de faire un vol plané qui l'envoya à trois ou quatre mètres de là.

– Sale petit monstre, lâcha Caleb avec un grognement de satisfaction.

Juste à côté, au grand étonnement du demi-gobelin, Pakarel ne semblait avoir aucun problème à faire face à l'opposition. En effet, malgré son gros chapeau et son énorme sac à dos, le raton laveur parvenait à se mouvoir avec agilité et adresse, se faufilant agilement entre leurs adversaires, les poignardant de sa dague bleutée au passage.

— Tu dois être ravi de faire face à des adversaires de ta taille, lui envoya Caleb d'un air bougon en plantant son épée dans le corps de l'un des derniers nabots squelettiques.

— Tu ne mérites même pas de réponse ! lui répondit Pakarel, qui venait de déloger sa dague du crâne d'un squelette de gnome particulièrement agressif.

Victor était quant à lui engagé dans un combat plutôt fatigant contre un squelevigne particulièrement agile. Ce dernier, qui possédait l'ossature grotesquement disjointe d'un gobelin, bondissait de gauche à droite comme un singe avant de s'arrêter net. Le jeune homme avait, à plusieurs tentatives, essayé de l'atteindre avec son glaive, mais sans succès. Soudain, Pakarel attaqua la créature par-derrière, enfonçant ainsi sa dague dans son ventre recouvert de plantes frétillantes. Irrité et blessé, le squelevigne ouvrit la gueule, dévoilant ses longues canines (un trait qui était commun, chez les gobelins) avant de cracher comme un chat en colère.

— Ce n'est pas poli de cracher ! lui envoya Pakarel, fâché, avant de l'achever en lui envoyant un coup de poing particulièrement bien placé au visage, délogeant au passage sa tête frêle du reste de son squelette, qui s'effondra ensuite dans le sable.

Les trois camarades, qui se tenaient debout dans une mare d'os, de plantes déchirées et de crânes brisés, pouvaient enfin respirer un peu. C'est du moins ce que pensa le jeune homme pendant un court instant, avant de se remémorer que, pour tuer un squelevigne, il fallait lui briser tous les os.

Chapitre 3

Un bateau peu commun

Le ciel s'était un peu éclairci, rendant les étoiles à demi visibles, et un vent matinal s'était levé sur l'île tropicale, poussant une brise tiède contre le visage de Victor, de Caleb et de Pakarel. Quelques oiseaux s'étaient déjà mis à gazouiller des chants peu familiers. D'ici peu, le soleil se lèverait, signifiant le début d'une nouvelle journée. Victor balaya la mer de ses yeux verts, réalisant avec peu d'enjouement qu'il allait encore très probablement vivre une autre journée pauvre en sommeil.

— Il faut briser les os de leurs zones vitales, suggéra le pakamu, qui époussetait son manteau et son gros chapeau du sable qui s'y trouvait. Ça ne devrait pas être difficile..., puisque leurs os ont perdu leur propriété de dureté. Regardez !

Pakarel bondit à pieds joints sur un crâne, à l'aide de ses bottes trop grandes. Le crâne céda comme s'il s'agissait d'un vulgaire objet creux en porcelaine.

— Il faudrait aussi détruire tous leurs membres, dit le pakamu en grattant son petit front. Juste au cas où.

Victor se mit dès lors au travail, brisant crânes, bras, jambes et cages thoraciques d'un solide coup de son pied droit. En effet, il était remarquablement facile de briser les structures osseuses infectées par des squelevignes.

— Comment se fait-il que l'on puisse briser leurs os aussi facilement ? demanda le jeune homme. La dernière fois, lorsque nous étions au Belize, j'ai oublié de poser la question...

— Les squelevignes vident les os de toutes leurs propriétés physiques, expliqua Pakarel en brisant un bras d'un bond bien centré. C'est comme ça qu'ils se nourrissent. Les squelevignes sont des plantes dotées d'intelligence et sont des proies faciles pour les prédateurs. Mais en parasitant un squelette, les squelevignes parviennent à l'animer en liant leurs nerfs et muscles à la structure osseuse de leur hôte. Cependant, une fois le squelette entièrement vidé…, les squelevignes meurent.

– Un vrai petit livre informatif sur pattes ! commenta Caleb avec son habituel air sarcastique.

Le pianiste ne put s'empêcher de faire la comparaison avec les crustacés, sauf pour l'assimilation des propriétés de leur carapace.

– Donc, on peut déterminer leur âge avec la dureté du squelette ? devina Victor.

Pakarel lui confirma d'un sourire et d'un hochement de tête.

– Vous avez déjà vu à quoi ressemble un squelevigne sans son hôte ? leur demanda Caleb, qui était accroupi, dos à Victor et à Pakarel.

Avant même que le jeune homme ou le raton laveur aient pu répondre, le demi-gobelin s'était redressé en pivotant. Il tenait fièrement une masse feuillue qui devait être grosse comme un chat, recouverte de rameaux qui faisaient presque office de tentacules.

– N'ayez pas peur, c'est mort ! leur précisa Caleb en secouant doucement la créature, qu'il observait avec intérêt.

Il y eut un silence assez explicite.

– C'est dégueulasse, dit Pakarel avec dégoût et mauvaise humeur. Ne joue pas avec ces pauvres créatures.

– Je partage l'avis de Pakarel, répondit Victor avec une expression répugnée.

Le demi-gobelin se mit à sourire comme un petit espiègle ; visiblement, il s'était trouvé bien amusant. Après avoir balancé la créature dans la jungle, le demi-gobelin se remit à la tâche.

– Pourquoi est-ce que ces monstres nous ont attaqués ? demanda Caleb, qui les observait par-dessus son épaule, ses longs cheveux bleutés ballottant au vent. Je croyais que ces bêtes étaient de nature gentille ?

– Je ne sais pas, répondit le jeune homme, qui tentait pour la cinquième fois de démolir un crâne particulièrement résistant.

Victor n'ajouta rien d'autre. Une petite voix dans son for intérieur lui disait que ces squelevignes avaient été dérangés par quelque chose. Pendant un certain temps, seul le bruit d'ossements écrasés comme des brindilles de bois sous les coups de pied se fit entendre.

— À quoi penses-tu ? demanda Caleb.

— Les squelevignes sont de nature pacifique, dit Victor en écrabouillant une troisième cage thoracique. Je ne comprends pas pourquoi ceux-ci nous ont attaqués.

— On leur marchait dessus ? suggéra Caleb d'un air sarcastique. À leur place, moi aussi, j'aurais été fâché de me faire piétiner par trois types.

Victor pressa de tout son poids sur un fémur de gnome, qui se brisa aisément. Puis, il répondit :

— Non, Caleb, ces créatures nous attendaient. Elles savaient que nous allions venir ici. Tout à l'heure, lorsque je me suis pris le pied dans un os, tu m'as dit ne pas t'être souvenu d'avoir vu des ossements dans le coin…

— Non, en effet, répondit le demi-gobelin avec un certain scepticisme. Mais il faisait bien plus noir, je ne les ai donc sûrement pas vus et j'ai simplement été chanceux de ne pas trébucher dessus. Victor, ajouta-t-il en tentant d'avoir l'air raisonnable, ce sont des animaux. Pas des maîtres stratèges.

— Leurs yeux étaient verdoyants, fit remarquer Pakarel, bottant un crâne comme un ballon, qui éclata en pièces. Ce n'est pas normal, ça.

— Ouais, comme ceux des arbres qui entourent la maison de Leafburrow et comme ceux d'Ichabod, dit Caleb en guise de contre-attaque. Ce n'est pas vraiment ce que je considère comme « normal » non plus, expliqua-t-il en mimant des guillemets avec ses doigts. Ça ne veut rien dire.

Le demi-gobelin posa ensuite son regard tour à tour entre Victor et Pakarel, comme s'il cherchait un appui à sa conclusion. Cependant, ni le jeune homme, ni le pakamu au gros chapeau ne le lui offrirent.

— Nous en parlerons aux autres, dit Victor. Pour l'instant, concentrons-nous sur notre tâche.

Au bout de quelques minutes, tous les squelevignes avaient été détruits ; ne restaient que des morceaux d'os et de plantes à demi ensevelis sous le sable.

— Enfin, lâcha Caleb en soufflant un bon coup. En tout cas, j'espère que cette île n'a plus de surprises pour nous. Des Agas, un briar, une Liche dérangée mentalement, des ogres et des squelevignes… Il ne manque plus que cette tortue-dragon que vous aviez vue au Belize. Version zombie. Avec du feu. Et des tentacules, tiens.

Victor et Pakarel envoyèrent un regard insistant à l'intention du demi-gobelin.

— Je rigole, dit aussitôt Caleb avec un sourire qui s'évapora presque aussitôt. En fait, ajouta-t-il d'un ton plus neutre et pessimiste, avec notre chance, mieux vaut ne pas invoquer ce genre de choses… D'accord, d'accord, je me tais.

Victor et Pakarel lâchèrent un petit rire.

— Bon, allez, dit le pakamu en jetant un coup d'œil par-dessus son épaule en direction du navire des ogres, tentons de ramener ce truc au camp.

— Euh… tu es sérieux ? lui demanda Caleb, dont le ton indiquait qu'il était bien peu convaincu par la proposition du raton laveur.

Victor lui accorda un regard.

— Bien sûr ! répondit-il simplement avant de descendre la plage en direction de l'étrange navire.

— Mais tu ne sais même pas comment il fonctionne ! lui envoya Caleb.

— On trouvera bien ! lança vivement Pakarel avec un geste las de la main, sans même se retourner, tout en continuant sa marche. Venez !

Après s'être hissé sur le bateau à demi enfoncé dans le sable, Pakarel colla l'un de ses petits poings sur sa hanche avant de mettre son autre main sur son front, donnant l'impression d'observer l'horizon.

— Que voyez-vous, cher capitaine ? lui envoya Caleb d'un faux air amical.

Pakarel porta son index à sa bouche, humectant son doigt de sa langue, avant de le lever en l'air. En voyant cela, Victor étouffa un rire.

— Qu'est-ce que la direction du vent te permet de conclure ? lui demanda-t-il.

Pakarel resta muet pendant un moment, balayant la mer d'un regard fier et profond, comme l'aurait fait un grand capitaine. Finalement, le pakamu pivota sur lui-même et répondit :

— Que nous devons trouver comment faire bouger ce truc !

— Perspicace, murmura Caleb à l'intention de Victor. Écoute, Paka-boule-de-poils, ce bateau a été enfoncé dans le sable par des ogres qui étaient forts comme des titans. Il est impossible pour nous trois de le déloger de là. Alors, descends de ton trône, nous reviendrons au petit matin avec les autres, là, nous aurons plus de chance.

Ayant l'air d'un enfant cruellement privé de friandises, Pakarel descendit de l'étrange barque à voile lattée en affichant un air bougon.

— Ne fais pas cette tête, lui dit Caleb d'un air amusé. Tu penses que quelqu'un va venir voler ce bateau dans les heures qui viennent ? Une tortue-dragon, peut-être ?

Pakarel tenta de botter le pied du demi-gobelin, qui esquiva le coup au dernier moment, tout en ricanant.

— Caleb a raison, dit Victor en observant le ciel. Nous ferions mieux de retourner au feu de camp, nous ne pouvons rien faire pour le moment. Il fera jour d'ici peu, alors autant récupérer un peu, et nous reviendrons dans quelques heures.

Pakarel ne sembla pas tout à fait convaincu, affichant toujours un air désappointé et grognon.

— Il y a probablement des poissons qui nous attendent ! lui rappela Caleb en enfonçant amicalement son chapeau sur la tête de Pakarel.

Lorsqu'il releva son chapeau, le pakamu affichait un petit sourire qui trahissait sa bonne humeur. Sur le chemin du retour, Victor pensa qu'il n'était pas tout à fait à l'aise avec le fait de laisser le bateau des ogres sur la plage, tout comme l'avait fait savoir Pakarel, un peu plus tôt. Certes, Victor aurait préféré trouver un moyen de l'amener directement, mais à eux seuls, il aurait été impossible de le déloger du sable, il fallait bien l'admettre.

Une fois revenus au feu de camp, qui était nettement moins vif et visiblement laissé ainsi volontairement, Victor, Pakarel et Caleb furent accueillis par les poissons cuisinés par Rudolph, ce qui s'avéra une lourde erreur. Non seulement les poissons étaient à moitié cuits, mais le hobgobelin avait aussi trouvé le moyen de les faire brûler. Lorsque les trois compagnons eurent fait part à Baroque et à Rudolph de leur découverte, ainsi que de la vilaine surprise des squelevignes, les deux capitaines de la milice des sept lames s'offrirent pour aller y jeter un coup d'œil à leur tour, aux premières heures du matin.

Après la brève et peu savoureuse collation, Victor s'étendit sur le dos et, avant même qu'il eût terminé de bien ajuster son manteau d'hiver, qui lui servait de couverture provisoire, le jeune homme s'endormit.

Lorsqu'il rouvrit les yeux, dérangé par un bruit de marteau frappant contre du métal, Victor vit un ciel d'un rose orangé, tirant presque sur le violet, parsemé d'étoiles, couvertes par quelques timides, mais élégants nuages qui s'étiraient en spirales. À première vue, le ciel était somptueux, mais quelque chose ne tournait pas rond. La position du soleil... était alarmante. Le jeune homme se redressa difficilement, tellement ankylosé qu'il avait l'impression d'avoir dormi pendant deux semaines.

— On a fait la grasse matinée, mon vieux ? dit la voix de Caleb.

Cherchant son ami du regard en tournant son cou raidi et douloureux, Victor repéra le demi-gobelin à sa droite, non loin de lui. Caleb était bien assis contre une caisse en bois qu'on avait dû ramener du calmar mécanique, les jambes étendues et croisées, mangeant avec nonchalance une banane. Ses longs cheveux bleutés étaient attachés en une queue de cheval, tandis qu'une mèche bleue lui traversait le visage.

— Quelle heure est-il ? demanda Victor d'une voix pâteuse, tout en grattant sa joue picotée de barbe.

— Près de 8 h, répondit le demi-gobelin en mastiquant.

— Du soir ?

— Oh ! non, du matin, lui répondit Caleb d'un air trop sarcastique, il fait noir parce que le système solaire s'est inversé durant la nuit.

En voyant l'air embêté sur le visage de Victor, le demi-gobelin lâcha un soupir exaspéré et dit :

— Bien sûr, du soir.

Deux fois plus alarmé, Victor se redressa d'un bond, son humeur s'assombrissant instantanément.

— Du calme, lui dit Caleb, qui l'observait en mangeant sa banane. Où vas-tu, comme ça ? Aux toilettes ?

— Le bateau des ogres ! lâcha Victor avec un geste du bras.

— Du calme, répéta simplement le demi-gobelin, qui semblait trouver amusant le comportement de son ami.

Le fait que Caleb lui parle d'une façon aussi nonchalante ne fit qu'offenser Victor encore plus.

— Qu'est-ce qui t'amuse ? lui renvoya le jeune homme d'un air noir.

Le demi-gobelin pointa du menton quelque chose qui se trouvait derrière le pianiste.

— Regarde.

Pivotant brusquement sur lui-même, Victor vit le navire des ogres accosté sur la plage, près du calmar. La grande voile lattée de l'étrange barque gonflait et dégonflait doucement au gré du vent. Juste à côté, Rauk et Rudolph étaient en pleine réparation du sous-marin ; le bonhomme barbu se trouvait sur le cockpit, une paire de lunettes protectrices sur le visage tout en maniant une lampe à souder. Le hobgobelin, lui, donnait des coups de marteau sur une paroi métallique. C'était ce bruit qui avait réveillé Victor.

L'air abasourdi, le pianiste se retourna vers Caleb, balbutiant :

— Que... Comment...

En voyant le visage perdu du jeune homme, Caleb éclata de rire avant d'expliquer :

— Ton grand-père est parvenu à déloger le bateau du sable en faisant quelques tours de passe-passe avec ses bagues. Naveed et lui l'ont ensuite manœuvré jusqu'ici.

À la mention d'Udelaraï, Victor balaya la plage du regard. Il vit Pakarel, un peu plus loin, jouant aux cartes avec Baroque dans une discussion inaudible, mais qui semblait légère. Ichabod, lui, se trouvait juste à côté du pakamu et du lozrok, discutant visiblement avec ceux-ci, tout en lavant des vêtements qu'il fixait ensuite sur une corde à linge improvisée. Seuls Naveed et Udelaraï manquaient à l'appel.

— Où sont-ils ? demanda simplement Victor, sachant très bien que le demi-gobelin comprendrait de qui il voulait parler.

Caleb balança la peau de banane en direction de la jungle avant de répondre :

— Partis dans la jungle.

En un instant, l'humeur du pianiste devint massacrante.

— Quoi ? répondit-il en s'approchant du demi-gobelin d'une démarche encore plus claudicante que d'habitude ; ses membres étaient encore ankylosés par un sommeil trop long.

— Ton grand-père a parlé d'une affaire qu'il devait régler en privé, dit Caleb. Et avant que tu le demandes, ajouta-t-il en levant un doigt pour faire taire Victor, qui s'était apprêté à parler, non, il ne voulait pas que nous l'accompagnions.

Le jeune homme passa rapidement sa main sur son visage, l'air exaspéré. Dans un élan de frustration, il dit :

— Vous auriez quand même dû...

Victor s'interrompit, car la raison venait de l'emporter sur son humeur.

— Udelaraï nous a ordonné de rester ici, poursuivit Caleb d'un ton calme.

— Rester ici? répéta froidement le jeune homme. Tu sais très bien que cette île est dangereuse! Quelle idée de le laisser partir seul avec Naveed!

— Il voulait qu'on veille sur toi pendant ta récupération, lui dit Caleb en gardant toujours son calme.

Victor afficha une expression d'interrogation au son du mot «récupération». Voyant bien la réaction de son meilleur ami, le demi-gobelin lâcha un soupir et lui expliqua :

— Tes côtes. Elles ont été brisées et réparées en un court laps de temps. Ton grand-père nous a expliqué que le processus de réparation des os causait des périodes de sommeil prolongées. Donc, quand tu t'es endormi, tu es parti pendant un bon moment. Ton grand-père nous a formellement interdit de te réveiller.

— Et pour Baroque? demanda Victor, jetant un regard vers le lozrok qui semblait, par son expression victorieuse, avoir marqué un point contre Pakarel.

— Il s'est éveillé il y a une heure à peine, lui dit Caleb.

Sous les yeux du demi-gobelin, le jeune homme se mit à marcher en cercle, l'air perdu. En fait, Victor laissait à son cerveau le temps d'assimiler la situation, et aussi, de se réveiller entièrement.

— Tu en as terminé avec ta mauvaise humeur matinale? lui demanda Caleb. Parce que j'ai des choses à te dire.

Victor se retourna vers son meilleur ami.

— Quoi?

Toujours bien assis contre la caisse de bois, Caleb s'inclina vers la gauche avant d'étirer son bras dans la caisse. Il en tira une banane, qu'il lança vers Victor. Le jeune homme attrapa la banane des deux mains, contre sa poitrine.

— Viens t'asseoir, lui dit le demi-gobelin. On va parler.

S'étant en effet remis de sa mauvaise humeur, Victor retourna auprès de son ami avant de s'asseoir à ses côtés.

— Où as-tu trouvé ces bananes? demanda le jeune homme, qui en déchira la peau.

— C'est Naveed qui les a ramenées de son propre campement, quelque part sur la côte ouest de l'île, expliqua le demi-gobelin.

Avec quelques mangues, mais Pakarel les a toutes mangées. Oh, ajouta-t-il sur un ton presque étonné, tu savais que Naveed vivait littéralement ici, sur cette île ?

Victor mordit dans sa banane et, ignorant la question de Caleb, lui demanda directement :

— Que voulais-tu me dire ?

— Premièrement, les squelevignes. Plus tôt dans la journée, Naveed nous a dit en avoir déjà vu sur l'île, mais jamais qui avaient des yeux verts luminescents, et encore moins qui avaient la présence d'esprit de tendre une embuscade.

Victor haussa un sourcil tout en croquant une autre bouchée de sa banane. Le demi-gobelin continua alors :

— Ton grand-père est alors intervenu en disant qu'il avait peut-être une idée de la raison de leur agissement, mais tu le connais, il s'est contenté d'avoir l'air mystérieux et de ne rien révéler.

Étirant un sourire en coin sur son visage, le jeune homme ne savait que trop bien ce dont Caleb voulait parler.

— Ensuite ?

— Ensuite, le calmar mécanique ne sera pas réparé de sitôt et, selon Rauk, il sera impossible de réactiver l'alimentation nucléaire des moteurs. Ce qui veut dire…

Le pianiste se chargea de terminer la phrase de Caleb.

— … que le calmar redevient le sous-marin lent d'autrefois, qui prenait plusieurs semaines pour traverser l'océan. C'est ça ?

Le demi-gobelin observa Victor pendant quelques secondes avant de répondre de manière plutôt détachée :

— Ouais, à peu près.

Tout en mastiquant la dernière bouchée de sa banane, Victor maugréa.

— Je vois, dit-il ensuite d'un ton morne, avant de lancer à son tour sa peau de banane en direction de la jungle.

Le jeune homme envoya un regard vers l'hydroglisseur des ogres. C'était donc avec cet engin qu'ils quitteraient l'île. L'idée de traverser l'océan avec un tel véhicule aquatique ne lui plaisait guère ; le bateau n'était pas très grand, ils seraient donc serrés les uns sur les autres, sans ajouter qu'il n'avait aucune idée de son fonctionnement. Opteraient-ils plutôt pour le calmar, une fois sa réparation terminée ? Désappointé, Victor soupira longuement.

— Et maintenant, la bonne nouvelle ! lâcha Caleb avec une fausse excitation, attirant ainsi l'attention de son ami vers lui. Ton grand-père ne sait plus où se trouve la dernière Liche.

Victor observa son meilleur ami pendant quelques secondes, et comprit que ce dernier s'attendait à ce qu'il soit plus surpris.

— J'étais au courant, répondit le jeune homme.

— Comment ça, tu savais ? s'étonna le demi-gobelin en s'efforçant visiblement de ne pas s'impatienter.

— Pour l'instant, on ne fait rien. Il faudra attendre le retour de mon grand-père et de Naveed.

— Ah, le sympathique Naveed ! lança Caleb d'un ton sec et sarcastique.

Victor s'efforça de garder son calme, mais son visage affichait une expression qui frôlait l'irritation. Caleb, quant à lui, soupira bruyamment et se releva. Il s'étira longuement et d'un ton calmé, ajouta :

— Ah, j'oubliais. Ton grand-père voulait te parler, à ton réveil. Je crois qu'il avait en tête de t'expliquer la situation dans ses propres mots. Ce qui est une très bonne chose. Considérant son…

Caleb fit osciller sa tête de gauche à droite, comme s'il tentait de trouver le bon mot.

— … mysticisme, finit-il d'un air satisfait.

Le demi-gobelin pivota sur lui-même et fit face au navire des ogres.

— Pakarel a passé un bon moment à tenter de faire fonctionner ce truc, raconta Caleb, qui jeta ensuite un coup d'œil à son ami pardessus son épaule. Tu viens ? On a trouvé un ou deux trucs marrants.

Voyant bien qu'il n'avait rien de mieux à faire que de passer le temps et de se changer les idées, Victor se leva à son tour, tout en faisant bien attention de ne pas forcer sur sa jambe gauche. Il se rendit jusqu'au navire des ogres, et Rauk, qui l'avait remarqué depuis le haut du cockpit du calmar, cessa de souder et leva ses lunettes protectrices avant de lui faire un vigoureux signe de la main.

— Ça va, bonhomme ? lui envoya l'homme à la barbe hirsute.

— Pas trop mal ! lui répondit Victor en s'efforçant de sourire dans une tentative d'améliorer son humeur désagréable. Et toi, le vieux ?

— Vraiment mieux qu'hier, Hector ! lui rétorqua Rauk. La boisson m'a fait perdre la boule, pendant la soirée. Désolé, hein !

Tout en continuant sa route, le jeune homme leva la main afin de lui indiquer qu'il n'y avait rien de grave. Arrivé devant le bateau à la voile lattée, Victor remarqua que ce dernier avait été amarré au calmar mécanique à l'aide d'une corde impressionnante, et non tiré sur le sable de la plage comme l'avaient fait les ogres.

Une échelle avait été disposée contre la coque de la barque afin de faciliter l'embarquement. Caleb bondit sur le premier barreau de l'échelle et se mit à l'escalader.

— L'échelle venait avec cet engin ? commenta Victor. Ils sont gentils d'avoir pensé à tout, ces ogres !

— Mais non, lui renvoya Caleb d'un air jovial pendant qu'il passait par-dessus la coque du navire, c'est une échelle que Rauk a ramenée du fond de la remise du calmar.

— Le calmar possède une remise ? s'étonna Victor, qui se mit à monter les barreaux un à un.

— Faut croire, répondit Caleb en tendant la main à son ami pour l'aider à passer par-dessus la coque. Tiens-toi bien..., c'est ça.

Une fois sur le bateau, Victor réalisa à son grand étonnement qu'il n'y avait absolument rien, mis à part de vieux filets usés dans un coin et un compartiment à hameçons dans un autre. Autre détail qui lui sembla bizarre : le pont du bateau était particulièrement haut et droit, le navire pourrait donc aisément prendre l'eau...

— C'est... vide, dit Victor, qui s'était attendu à voir une quelconque salle qui aurait servi à manœuvrer l'hydroglisseur.

— Ça, c'est ce que tu crois, lui renvoya Caleb d'un air mesquin. Regarde.

Le demi-gobelin pressa un bouton sur le mât, à la hauteur de leur taille. Un bruit de mécanisme se fit entendre, sonnant comme du bois lourd, et le sol se mit à trembler sous les pieds de Victor. Aussitôt, juste à côté de lui, une trappe que le jeune homme n'avait pas du tout remarquée auparavant s'ouvrit, dévoilant une porte métallique circulaire, sur laquelle se trouvait une poignée en forme de roue. Caleb s'agenouilla près de la porte avant de se mettre à tourner la poignée circulaire. Le demi-gobelin tira ensuite sur celle-ci, et le couvercle s'ouvrit, dévoilant un escalier d'une demi-douzaine de marches, s'enfonçant deux mètres plus bas, dans une obscurité totale.

— Wouah ! lâcha le pianiste à mi-voix.

— Pas mal, hein ? rétorqua Caleb, plutôt fier de son coup. Reste ici.

Le demi-gobelin passa devant Victor et dévala l'escalier qui plongeait dans l'obscurité.

— Attends..., je vais éclairer les lieux, précisa Caleb, que le jeune homme ne pouvait plus voir.

Un instant plus tard, une lumière s'était allumée, permettant à Victor de descendre l'escalier sans risque. La lumière provenait de plusieurs ampoules fixées au plafond de la cale, éclairant la pièce qui était meublée de cinq sièges faisant face aux parois de l'engin. Le plafond était recouvert de tuyaux humides et luisants. Afin de ne pas se cogner, Victor baissa la tête et s'avança jusqu'au siège du pilote. Celui-ci, qui était d'ailleurs bien trop petit pour les ogres, était situé à l'avant, devant un tableau de bord. Lorsque Victor y prit place, une lumière bleutée apparut sous ses yeux, le faisant sursauter.

— Qu'est-ce que... !

Il s'agissait d'une représentation holographique miniature de l'étrange hydroglisseur, tournoyant sur place.

— Du calme, lui dit Caleb, qui s'était installé dans un siège au hasard. Ce sont des écrans automatisés, qui s'activent dès qu'ils sentent une certaine chaleur sur le siège. Et je dois dire que ce n'est pas une technologie commune.

En effet, se dit le jeune homme, il ne se trouvait pas dans un bateau de bois simple et rudimentaire, comme son apparence le laissait croire, il s'agissait bien au contraire d'un véhicule équipé d'une technologie avancée. Seulement, un détail important dérangeait Victor.

— Comment ces ogres ont-ils pu embarquer dans ce bateau… ? demanda-t-il en tournant son siège afin de faire face à Caleb, incrédule.

Le demi-gobelin, qui faisait pivoter son siège avec nonchalance lui répondit :

— Ton grand-père pense qu'ils sont restés sur le pont, puisque le moteur peut être activé manuellement depuis un panneau caché dans le mât. Avec leur poids, ils n'avaient qu'à s'incliner sur la gauche ou sur la droite afin de se diriger. Enfin, c'est ce qu'Udelaraï croit. Et puis, les ogres sont de bons marins. Ils n'ont pas peur de se mouiller, certains traversent les océans en chaloupe !

— Mmmh…, c'est possible, admit Victor. Mais pourquoi utiliser un engin aussi peu pratique pour eux ? Je veux dire, trois ogres entassés sur ce bateau, ça ne doit pas être très confortable. Et surtout pas sur une longue distance. Ces ogres, ils n'étaient pas très loin.

Un sourire s'étira sur le visage sombre du demi-gobelin.

— C'est ce qu'Udelaraï croit aussi, dit-il. Il pense qu'ils devaient attendre notre arrivée sur l'une des îles de l'archipel, ou quelque chose du genre.

Victor fit alors pivoter le siège afin de faire face aux commandes.

— La seule chose qui nous échappe, dit Caleb, c'est qu'il ne doit pas être très évident de conduire ce bateau sans savoir où l'on va. On ne voit rien, dans cet habitacle. Il n'y a aucune vitre et tout est sombre.

Tout en écoutant son ami, Victor observait l'hologramme du bateau, qui tournoyait sur l'un des écrans devant lui. Il remarqua alors un détail particulier, pendant que le demi-gobelin continuait de parler derrière lui.

— Moi et les autres, nous avons pensé que les écrans pouvaient émettre une représentation visuelle de ce qui se trouve devant, dit Caleb, mais à moins que ça nous soit passé sous le nez, nous n'avons rien trouvé. Je suppose qu'il faudra conduire à l'aveuglette.

Sans répondre à son ami, Victor pressa sur un bouton lié au fonctionnement de l'hologramme et soudain, la représentation miniature du bateau se transforma sous ses yeux en une tout autre machine. C'est avec le plus grand des étonnements que le jeune homme réalisa que le navire était, en fait, une machine volante.

En effet, sur la représentation holographique du vaisseau, le mât s'était incliné vers l'arrière, érigeant la voile lattée en même temps, et deux ailes munies d'hélices s'étaient déployées de chaque côté de la coque. Les sourcils froncés, n'en croyant pas ses yeux, le pianiste se pencha jusqu'à ce que son nez frôle l'hologramme du navire des ogres.

— Victor ? lui demanda Caleb. Tu m'écoutes ?

— Alors, ça… c'est incroyable, marmonna le jeune homme, qui ne l'écoutait visiblement pas.

— De quoi est-ce que tu parles, Victor ?

Victor se redressa avant de tourner son siège vers le demi-gobelin. Ses yeux étaient écarquillés.

— On dirait que tu as vu un fantôme, lui fit savoir Caleb, un sourcil levé.

— Caleb, lui dit Victor en pointant le plancher afin de désigner le bateau. Ça, ce n'est pas un bateau.

— C'est… un navire ? proposa le demi-gobelin sur un ton humoristique. Un hydroglisseur ?

Le pianiste secoua vigoureusement la tête.

— Non. Cette machine peut voler.

À la suite de cette déclaration, le demi-gobelin eut un mouvement de recul, comme s'il avait été aspergé d'eau, l'air confus.

— Hein ? Tu veux rire ?

Victor tourna de nouveau son siège vers le tableau de bord, qui affichait l'hologramme.

— Caleb, regarde l'hologramme.

Le demi-gobelin s'approcha du tableau de bord, sur lequel il s'appuya afin d'observer l'image holographique de l'engin, qui tournoyait devant eux. Les visages de Victor et de Caleb étaient éclairés par la lumière bleutée du tableau de bord.

– Ce vaisseau peut se transformer en machine volante ! lui dit le pianiste avec une certaine fascination, tout en l'observant droit dans les yeux.

Chapitre 4

Celui qui peut joindre les fragments

Victor et Caleb retournèrent sur la plage afin d'annoncer aux autres leur découverte plutôt surprenante. Il n'en fallut pas plus pour surexciter Pakarel, qui s'offrit pour tenter d'apprendre à piloter l'engin volant. Évidemment, Victor refusa gentiment, car lui-même doutait de ses propres capacités à faire fonctionner un tel engin. Puisqu'Udelaraï et Naveed n'étaient toujours pas revenus, le jeune homme tenta d'entrer en contact avec Maeva, chez eux.

À son grand soulagement, son amoureuse lui répondit aussitôt. Elle était amère. Apparemment, elle avait essayé de le joindre plus tôt dans la journée, mais puisqu'il dormait, Pakarel avait répondu à sa place. Bien sûr, le pakamu avait tout raconté au sujet de ses côtes brisées et du sommeil prolongé qu'avait entraîné sa guérison peu commune. Pakarel avait même divulgué qu'ils étaient allés voir l'engin des ogres, la nuit dernière.

Coincé par les révélations du pakamu, Victor n'eut d'autre choix que d'avouer ses torts. Heureusement, Maeva n'en sembla pas fâchée. Elle lui fit simplement comprendre qu'elle aurait préféré savoir la vérité, coûte que coûte. Pour le reste, leur conversation fut apaisée, mais rapidement écourtée, puisque la batterie de la radio allait bientôt mourir. Après avoir échangé quelques mots doux, les amoureux durent rompre la connexion radiophonique.

– Désolé, dit Pakarel, qui marchait vers Victor en fixant le sol. Si j'avais su, je ne lui aurais pas dit ces choses…

– Ne t'excuse pas, lui répondit le jeune homme. Je n'avais pas à lui mentir. Tu as bien fait de lui dire la vérité. C'est plutôt moi qui te remercie d'avoir pris les devants et de lui avoir fait savoir les choses telles qu'elles se sont déroulées.

Le pakamu releva la tête, affichant un air radieux, presque fier. Clairement, il en fallait peu pour le rendre heureux. Victor remarqua que les poils de son petit visage de raton laveur étaient humides et hérissés. De plus, une faible odeur de savon flottait dans l'air…

— Dis-moi, Pakarel, te serais-tu lavé, par hasard ?

— Oui ! affirma le pakamu avec énergie. Nous nous sommes tous lavés, ce matin. Nous y allions deux par deux. Il n'y a que toi qui sens mauvais !

Sous le rire enfantin de Pakarel, Victor plissa les yeux.

— Tu aimerais que je t'amène à la rivière où nous nous sommes lavés ? lui proposa le pakamu. C'est tout près ! Comme ça, ton odeur serait moins désagréable, et Ichabod pourrait laver tes vêtements !

En effet, Victor se sentait plus souillé que jamais, il accepta donc que Pakarel le mène à la rivière qui serpentait à travers l'île. Après avoir récupéré un savon auprès d'Ichabod, son sac ainsi que son glaive et sa canne, le jeune homme disparut dans la jungle, en compagnie du raton laveur.

Au bout de cinq minutes de marche dans la jungle, Pakarel poussa une fougère et déclara :

— Voilà ! C'est ici !

Avançant de quelques pas supplémentaires, Victor et Pakarel arrivèrent au pied d'une petite chute d'eau qui déferlait dans un bassin, lequel, un peu plus loin, se divisait en deux petits cours d'eau, qui serpentaient à travers la jungle. L'étang était si peu profond que l'on pouvait y voir la multitude de petites pierres qui se trouvaient au fond, éclairées par les rayons orangés du soleil couchant qui perçaient le dense feuillage des arbres.

— Tu ne m'avais pas dit qu'il n'y avait qu'un mètre d'eau dans ce bassin, commenta le jeune homme avec peu d'enjouement.

— C'est bien assez pour se laver, non ? lui répondit le pakamu.

Après avoir poussé un grand soupir, Victor ordonna à Pakarel :

— Allez, tourne-toi.

Réalisant que le jeune homme allait se dénuder, le pakamu courut s'asseoir sur un tronc d'arbre, dos à Victor, avant de se masquer les yeux à l'aide de ses paumes. Même si Pakarel était relativement loin, Victor s'éloigna quand même d'une dizaine de mètres encore, avant de se dévêtir à la vitesse de la lumière.

— Je peux regarder ? lui envoya Pakarel, toujours dos à lui.

— Tu ne regarderas pas du tout. Je ne suis pas haut comme trois pommes, moi.

Relativement mal à l'aise à l'idée de se laver dans un bassin naturel, en plus d'être dos à Pakarel, qui pouvait se retourner à tout moment, Victor se lava avec une rapidité étonnante, savonnant vigoureusement son corps et ses joues recouvertes d'un début de barbe.

Une fois sorti de l'eau, il se dépêcha de se rhabiller, même si ses vêtements étaient sales et lui collaient à la peau. Juste pour être certain qu'il n'avait rien laissé tomber lorsqu'il s'était changé, Victor fouilla dans son sac. Il réalisa alors avec horreur que son fragment ne s'y trouvait plus. Le cœur battant la chamade dans sa poitrine, il déversa le contenu de son sac sur l'herbe.

— Qu'est-ce que tu fais ? lui demanda Pakarel, intrigué par les agissements de son ami.

— Mon fragment ! Il n'est plus là ! Merde !

— Oh, c'est ton grand-père qui l'a pris, ce matin, lui répondit Pakarel avec bonne humeur.

Victor cligna des yeux par trois fois, à la fois surpris et alarmé. Udelaraï ne pouvait pas manipuler les fragments, pas même dans leur pochette, alors comment diable s'était-il emparé du sien ?

— Hein ? Il a pris… *Il a pris mon fragment* ? balbutia Victor, qui n'en croyait pas ses oreilles. Mais… je ne comprends pas…

— En fait, lui expliqua Pakarel, ce n'est pas ton grand-père qui t'a pris ton fragment, mais bien Rudolph, à sa demande, parce qu'il ne peut pas les manipuler lui-même. On ne te l'a pas déjà dit ? lui renvoya-t-il en l'observant maintenant d'un air curieux.

— N… non, répondit Victor, frappé de surprise. On ne m'a rien dit… Pourquoi aurait-il fait cela ? Je croyais qu'il avait besoin d'aide pour le réparer ?

Pakarel haussa ses petites épaules.

— Je sais ! répondit-il avec un sourire radieux. Tu verras très bientôt !

Le jeune homme observa le pakamu d'un air soupçonneux. Il était certain que Pakarel en savait plus qu'il le prétendait.

— Mais pour l'instant, reprit le raton laveur, on devrait retourner au campement avant que la nuit tombe.

À peine 10 minutes plus tard, Victor et Pakarel étaient revenus à la plage. Le jeune homme vit son grand-père, non loin du feu de camp éteint, assis sur la plage en compagnie de Naveed, avec lequel il semblait avoir une discussion légère.

— Je te laisse aller voir ton grand-père ! lui dit Pakarel.

Avant même que Victor ait pu lui répondre quoi que ce soit, le pakamu s'était déjà mis à trotter en direction du calmar. Remarquant la présence de son petit-fils, non loin de lui, le vieil homme tourna la tête vers lui et lui envoya un sourire.

— Ah, Victor, lui dit Udelaraï d'un air chaleureux. Comment te portes-tu ? Tes côtes, sont-elles aussi sensibles qu'hier ?

— Ce n'est presque plus sensible, avoua Victor avec bonne humeur. Ça va très bien. Et vous ?

— Beaucoup mieux qu'hier soir, en tout cas ! répondit le vieillard avec un petit rire. Pourquoi ne t'assois-tu pas avec nous ?

— Je vais vous laisser, dit aussitôt Naveed, et, avant qu'Udelaraï ait pu protester, il s'était déjà levé. J'ai à faire.

Saluant Naveed d'un signe de tête, le jeune homme l'observa s'éloigner pendant un instant. En réalité, le fait que le démon s'en aille un peu plus loin convenait à Victor. Il voulait parler à son grand-père, seul à seul. Soudain, on l'interpella :

— Victor !

Pivotant sur lui-même, le jeune homme vit Ichabod qui marchait vers lui, une serviette à la main. Le pianiste l'interrogea du regard.

— Voudrais-tu que je lave tes vêtements ? lui proposa l'épouvantail, les mains jointes.

Il y eut un instant de silence un peu gênant pour Victor, qui regarda tour à tour Ichabod et Udelaraï. Il devait admettre que ses vêtements souillés et collés sur sa peau lui étaient bien inconfortables.

– Hem…, bien sûr, pourquoi pas ? lui répondit finalement le jeune homme, un peu mal à l'aise. Je… Il faudrait juste que je me change.

– En fait, Ichabod, intervint Udelaraï, je crois que Victor va avoir besoin de ses vêtements, pour les moments à venir… peut-être pourrais-tu lui refaire cette offre un peu plus tard ?

Victor échangea un regard étonné avec l'épouvantail, qui sembla tout aussi surpris que lui. Pourquoi Udelaraï tenait-il à ce qu'il garde ses vêtements ?

– Bon, alors, dit l'épouvantail un peu embêté. Victor…, tu sais où me trouver, lorsque tu voudras laver tes vêtements.

Le jeune homme lui confirma d'un signe de tête. Alors qu'Ichabod s'éloignait sur la plage, Udelaraï dit à son petit-fils :

– Avant que je t'explique ce dont il s'agit, je vois que tu portes une bague maya à la main… As-tu été en mesure de joindre ta douce ?

– Euh…, oui, oui, j'ai réussi, répondit le pianiste, jetant un coup d'œil à son index tout en parlant.

– Avec le temps, dit le vieillard, tu apprendras à t'en servir pour faire à peu près tout ce que tu désires, tant que cela reste dans la mesure du possible. Les bagues utilisent les influx nerveux de ton cerveau afin de déchiffrer ce que tu essaies de percevoir mentalement. Une fois qu'elles ont déterminé ce à quoi tu penses, elles utilisent les voies du néant afin de matérialiser les particules nécessaires à la construction de ce que tu visualises dans ta tête. Il faut toutefois prendre garde à ne pas trop les utiliser, car elles drainent ton énergie vitale afin de fonctionner. Une utilisation exagérée pourrait être fatale.

Victor répondit à cette explication scientifique d'un simple hochement de tête. Certes, les renseignements divulgués par son grand-père étaient fascinants, mais le jeune homme avait la tête à autre chose.

Il y eut un court silence, pendant lequel Victor et son grand-père fixèrent l'horizon. Un vent tiède s'était levé, caressant et asséchant la peau humide du pianiste. Les étoiles étaient devenues très visibles, et le ciel perdait sa teinte rosée pour laisser place au violet.

– Pakarel m'a fait savoir que vous avez réparé la roue de l'engrenage ? demanda finalement le jeune homme.

– En effet, répondit Udelaraï sans détacher son regard de l'horizon. Partiellement réparé, je dois dire.

– N'aviez-vous pas besoin de quelqu'un en particulier ? demanda Victor avec précaution, un peu confus. Je croyais que les imperfections des fragments devaient causer un quelconque problème pour leur réparation immédiate ?

Le vieil homme croisa le regard de son petit-fils avant de le reporter au loin.

– C'est le cas, répondit le vieillard, dont les cheveux, poussés par le vent, s'entremêlaient sur son front.

Victor leva un sourcil, l'air curieux.

– Qu'est-ce que vous voulez dire par « c'est le cas » ? Je ne suis pas certain de vous comprendre…

Udelaraï tourna à nouveau son visage vers son petit-fils et l'observa avec un grand sourire. Ouvrant la bouche pendant une ou deux secondes, il dit finalement :

– Naveed est cet individu qui allait pouvoir nous aider à réparer le métronome, Victor. C'est avec son aide que j'ai pu souder les fragments afin de recréer la quasi-totalité de la roue d'engrenage manquante.

Victor hocha lentement la tête. Il aurait dû être plus surpris, mais quelque chose au fond de lui l'avait préparé à ce genre de révélation… ou bien était-ce simplement parce que la présence du démon des sables parmi eux avait été un peu trop mystérieuse à son goût ?

– Naveed, hein ? répéta le jeune homme d'un air songeur en observant le démon disparaître dans la jungle. Mmmh. Voilà donc pourquoi vous teniez tant à le sauver.

– Je pensais que tu aurais été plus surpris que ça, lui fit savoir Udelaraï avec un certain étonnement.

Victor lâcha un grand soupir en haussant les épaules.

– Comment avez-vous su qu'il fallait l'aide de Naveed, en particulier ? Qu'il se trouve ici, sur cette île bien précise qui abritait aussi la Liche, n'est forcément pas une coïncidence.

– En effet, ce n'est pas une coïncidence. Naveed vient d'une race très particulière : les rahks. Comme tu as pu le voir, le corps de Naveed peut générer assez de chaleur pour créer du feu, jusqu'à une température frôlant le point de fusion. En dosant délicatement la chaleur et avec une précision manuelle incomparable, il possède la capacité de réunir à nouveau certains métaux segmentés…, par exemple, les fragments.

– Pourquoi lui ? Pourquoi Naveed ?

– Parce qu'en plus de ses talents manuels, Naveed est un guerrier aguerri. Le rahk que je devais envoyer ici devait être un maître guerrier, capable de survivre dans des conditions dangereuses.

Une question importante émergea soudain dans la tête du pianiste.

– Pourquoi nous avoir attaqués et avoir fait semblant de ne pas nous reconnaître, alors ? C'était un peu radical, non ? Pourquoi nous a-t-il menti ?

Udelaraï resta silencieux un moment, observant l'horizon de son regard émeraude. Puis, d'une voix qui laissait transparaître un certain regret, il répondit :

– Naveed ne nous a pas menti, Victor. En fait, il ne sait pas qu'il est ici pour une raison bien précise. Il n'a aucune idée que sa présence sur cette île a été orchestrée… par nul autre que moi.

Victor observa le visage de son grand-père avec questionnement, l'air songeur. En fait, il ne cherchait pas quoi dire, mais plutôt comment le faire.

– Vous… vous savez que Baroque ne tient pas Naveed en grande estime, n'est-ce pas ? dit-il finalement en faisant attention de bien choisir ses mots.

Udelaraï baissa la tête, évitant de croiser le regard de son petit-fils, qui l'observait toujours.

— Vous êtes au courant des accusations que Baroque porte envers Naveed ? continua-t-il d'un air presque désolé pour son grand-père. Ce n'est pas très... *joli*, disons.

— Hélas, soupira Udelaraï, je n'étais pas au courant des tensions qui existent entre ces deux-là. Votre monde est petit, il faut croire. Et si j'avais su... si j'avais su...

Le vieil homme n'avait pas répété cette dernière phrase par remords, mais bien parce qu'il n'avait pas le courage de dire ce qu'il pensait réellement.

— Vous n'auriez rien changé, hein ? déduisit Victor en fronçant les sourcils.

— Je n'aurais pas agi différemment, en effet.

Un peu froissé, Victor détourna son regard de son grand-père, observant plutôt les flammèches de la lampe à souder maniée par Rauk, qui se trouvait toujours au sommet du calmar que Rudolph et lui réparaient.

— Je sais que cela te déplaît, Victor, lui avoua son grand-père. Mais parfois, il faut laisser nos petites querelles personnelles de côté et nous concentrer sur un objectif plus grand et plus important que nous. C'est là que nous voyons la grandeur du cœur des hommes et des femmes de toutes races.

Victor ne répondit pas. Il ramena simplement son attention vers la conversation, démontrant ainsi son écoute. En fait, si le jeune homme était resté muet, c'était parce qu'il comprenait où son grand-père voulait en venir. Mais un bien étrange côté de lui refusait de l'admettre. Non pas par orgueil, mais par camaraderie envers Baroque, et même Naveed, qu'il ne connaissait pourtant qu'à peine.

— Revenons à Naveed, dit-il d'un air presque froid, sans pourtant vouloir l'être, comment l'avez-vous entraîné jusqu'ici ?

— Lorsque je cherchais un rahk capable d'accomplir la lourde tâche de réparer les fragments...

Victor l'interrompit aussitôt :

— Vous êtes allé en Perse ? demanda-t-il à voix basse, surpris.

— Bien sûr que non. J'étais encore dans mes quartiers de ministre, là d'où je viens. Je me suis permis… d'*épier* certaines choses. C'est ainsi que je suis parvenu à amener Naveed ici, voilà presque un an.

Udelaraï insista sur le mot « épier », comme s'il l'avait judicieusement choisi. Cela ne surprit pas Victor, qui avait lui-même été observé par son grand-père, selon les révélations d'Edward Leafburrow.

— Et comment vous y êtes-vous pris, hein ? C'est vous qui êtes derrière l'attaque du village que Baroque était censé protéger avec ses hommes ?

— Pas du tout, répondit Udelaraï avec fermeté. Je n'y suis pour rien. Lorsque j'ai trouvé Naveed, il allait être mis à mort par les siens, pour trahison.

— Trahison ? répéta Victor, qui ne s'était pas vraiment attendu à cette déclaration.

Udelaraï prit une longue inspiration.

— C'est une longue histoire, jeune homme. Veux-tu l'entendre depuis le début ?

Victor confirma d'un hochement de tête.

— Très bien.

Après avoir pris une grande inspiration, le vieil homme entama son récit :

— Lorsque j'épiais la cité de Babylone, en quête d'un rahk assez habile qui serait en mesure de ressouder les fragments du métronome, j'en ai repéré plus d'un qui aurait pu faire l'affaire. Mais c'est sur un modeste artisan que mon attention s'est arrêtée…

— Naveed était un artisan ? répéta le jeune homme, un peu surpris.

Udelaraï confirma d'un sourire et continua :

— Aussi étrange que cela puisse être, Naveed était un potier et sculpteur de renom, avant de devenir un renégat condamné à mort. Sa dextérité était… simplement incomparable. Tout comme toi, Victor, Naveed était un artiste.

Après avoir pris une brève pause, comme s'il tentait de mettre de l'ordre dans son esprit, Udelaraï reprit :

— Alors..., un beau jour, pour une raison que j'ignore, Naveed a fermé son échoppe pour se joindre à un groupe de barbares qui partait en direction de l'Ouest. Persuadé que je ne le reverrais pas, je l'ai laissé partir, concentrant mes efforts, avec déception, sur un autre rahk. Seulement..., une semaine plus tard, il est revenu à Babylone. Quelque chose l'avait changé. Il n'était plus calme et posé..., mais bien hargneux, irritable et... énervé. Je savais que quelque chose d'horrible allait se produire. J'aurais voulu venir à lui directement... J'aurais voulu intervenir, mais il m'aurait été impossible de venir en ce monde, à cette époque.

Voyant bien que son grand-père marquait une longue pause, le pianiste demanda d'un air sérieux :

— Grand-père, que s'est-il passé ensuite ?

Udelaraï plongea son regard dans celui de son petit-fils et murmura :

— Naveed a assassiné un ministre et vétéran de guerre hautement décoré, lors d'un événement public. En plein jour. En le voyant combattre la garde personnelle du ministre avec une grâce incroyable, j'ai su qu'il était un grand guerrier, et qu'il allait être en mesure de survivre seul sur une île.

Le vieil homme hocha la tête, démontrant bien son incompréhension, tout en ajoutant :

— Il aurait pu sauver sa peau..., il aurait pu fuir..., mais il est resté là, auprès du cadavre du ministre babylonien. Il s'est laissé prendre par les gardes. Le lendemain, son exécution publique avait été ordonnée. C'est là que j'ai su que je devais intervenir.

Victor fronça les sourcils.

— Je croyais que vous n'étiez jamais allé en Perse ?

— Jamais, confirma le vieil homme. Comment ai-je convaincu le roi sans me présenter moi-même ? En te l'avouant, je te divulgue comment j'ai pu prendre de tes nouvelles et espionner bien des choses durant toutes ces années, ajouta-t-il d'un air ricaneur. Tant pis. C'est grâce à un robot-espion microscopique que j'ai envoyé sur votre monde voilà bien des années, avant même ta naissance, Victor.

Cette révélation, aussi surprenante fût-elle, soulagea le pianiste. Être espionné par un robot lui était beaucoup plus facile à digérer et rassurant que se faire espionner d'une manière surréaliste comme la télépathie. C'était déjà mieux.

— Avec ce robot, de la taille d'un vulgaire insecte, j'ai pu glisser un poison spécial dans la nourriture du roi. Ce poison permet d'infiltrer des paroles et des pensées dans la tête de la victime. Comme... un message, si l'on veut. Drogué, le roi s'est cru sous l'emprise d'une force obscure qui lui ordonnait d'épargner la vie de Naveed, au péril de son royaume. J'ai convaincu le roi de Perse d'annuler l'exécution et de plutôt bannir Naveed à la dérive sur l'océan, sur une barque sans voiles ni rames, mais bondée de vivres. Évidemment..., la barque était contrôlée par mon petit robot, qui lui a fait prendre une direction bien précise. C'est ainsi que Naveed s'est retrouvé sur cette île, attendant sans le savoir l'éveil de la Liche et notre venue à lui.

Voilà donc pourquoi Naveed habitait cette île, songea Victor, qui se mordit la lèvre inférieure. Sans même en être conscient, le démon des sables avait été épargné d'un sort cruel... et avait été délaissé sur l'océan, croyant que sa barque l'avait amené ici par pur hasard...

— Comment... comment Naveed est-il parvenu à reconstituer la roue ? Je croyais que joindre les fragments était... une très mauvaise idée, car une décharge radioactive pouvait s'ensuivre ?

— En les manipulant un à un et en augmentant leur température jusqu'au point de fusion, Naveed a été en mesure d'assembler les fragments. Certes, il aurait pu y avoir une décharge de radioactivité, si la reconstitution n'avait pas été faite avec la plus grande précaution, mais sous ma supervision, Naveed a été en mesure de procéder sans le moindre risque.

Victor répondit d'un grognement avant de demander :

— Naveed n'a aucune idée que c'est vous qui lui avez sauvé la vie ?

— Et j'ose espérer qu'il ne le saura jamais, ajouta le vieillard en observant son petit-fils d'un regard plus que sérieux. Je compte sur toi, Victor. Il ne doit pas savoir. Sinon…, il risquerait de mettre fin à ses jours.

Udelaraï dirigea son regard vers l'horizon. Puis, d'une voix incertaine, il dit :

— Il n'est pas difficile de voir que Naveed ne tient pas particulièrement à sa propre vie. Il se croit blessé intérieurement, pour des motifs que je ne saurais expliquer, puisque j'ai cessé d'observer ses agissements pendant près d'une semaine…, grave erreur de ma part.

Le jeune homme se mit à réfléchir. Naveed était-il rongé par les remords d'avoir tué cette fillette, ce crime que Baroque l'accusait d'avoir commis ?

— Naveed est un être très spirituel, continua Udelaraï, comme j'ai pu le déduire en le voyant souvent embrasser les pendentifs et ornements qui pendent à la sangle en cuir qu'il porte autour de la poitrine. Je crois que le fait d'avoir été envoyé ici lui a donné l'espoir que quelque chose veille sur lui…, que l'univers l'a pardonné et a d'autres plans pour lui. C'est d'ailleurs pour cela qu'il a accepté de réparer l'engrenage, malgré les risques que cela présentait pour sa vie. Lui révéler la vérité pourrait être une grave erreur… Qui sait ce qu'il pourrait faire ?

Le grand-père de Victor n'ajouta rien, mais ce n'était pas vraiment nécessaire. Le jeune homme avait compris. Il détestait l'idée de manipuler les gens, surtout lorsqu'il s'agissait d'abuser d'eux. Il n'approuvait pas les méthodes de son grand-père ; ce mystérieux personnage qu'il avait toujours tenu en haute estime lui paraissait maintenant… imparfait.

Udelaraï avait dissimulé trop d'éléments à son goût dans sa tâche, songea le jeune homme en observant ses amis, qui vaquaient à leurs occupations sur la plage. Lui-même, à la demande de son grand-père, avait convaincu chacun d'entre eux de se joindre à lui dans cette quête périlleuse. Et dans quel but ? Sauver l'écosystème de la Terre ? Réparer un métronome maya ? C'était sans queue ni tête. En fait, d'un côté, tout ce qui venait d'Udelaraï n'avait que très peu de sens, et cela le frustrait profondément. Mais d'un autre côté, c'était aussi lui, le problème. C'était lui qui avait convaincu ses amis de risquer leur vie pour une tâche dont ils ne connaissaient pas la réelle nature…

À cet instant, le pianiste réalisa que Pakarel, Caleb et Baroque les observaient, plus loin sur la plage. À en juger par la tête qu'ils faisaient, Victor avait l'impression qu'ils étaient sérieusement choqués par quelque chose… N'y portant pas plus attention, il répondit à son grand-père :

— Je ne le lui dirai pas, soupira-t-il à contrecœur. Je n'approuve pas vos méthodes, grand-père, mais je ne dirai rien à Naveed. Ce n'est pas à moi de le faire, de toute façon. Changeons de sujet. Les squelevignes, Caleb m'a fait savoir que vous aviez une idée de la raison de leur embuscade ?

Un peu surpris par le brusque changement de sujet imposé par son petit-fils, le vieil homme hésita un instant avant de répondre :

— En effet, je crois avoir découvert la raison de leur présence dans le sable, tout près du moyen de transport utilisé par nos amis les ogres.

Comme pour l'inciter à continuer, Victor inclina légèrement la tête.

— Ils ont reçu l'ordre de protéger l'embarcation des ogres. Par qui ? Je crois que ces squelevignes ont été créés par les ogres eux-mêmes.

Victor haussa un sourcil.

— Ce matin, expliqua Udelaraï, lorsque je me suis offert pour ramener le bateau des ogres à notre campement, j'en ai profité pour évaluer les alentours. J'ai découvert d'imposantes traces, celles des ogres, qui menaient jusqu'à la jungle, plus précisément, dans un très vieux cimetière. Savais-tu qu'une colonie avait séjourné sur cette île, voilà bien longtemps ?

— Oui, répondit aussitôt Victor, Eduardo Mortaz et sa famille en étaient les gouverneurs.

– Or, continua le vieil homme, ce cimetière avait été entièrement profané. Ses tombes avaient toutes été ouvertes.

– Il s'agissait peut-être de l'œuvre des Agas, qui voyaient Mortaz comme un être divin ? proposa Victor, se rappelant l'histoire qu'Eduardo lui avait racontée. Il m'a dit que c'est lui qui leur avait ordonné de retrouver divers membres de sa famille...

– Ce n'est pas tout à fait faux, acquiesça le vieil homme. Avec l'aide de Naveed, qui m'accompagnait, j'ai compris que ce cimetière était réservé aux domestiques des Mortaz. Ils n'employaient apparemment que des êtres de petite taille, comme des gnomes et des gobelins. Cela dit, les ogres s'y sont rendus.

– Probablement lorsqu'ils ont tenté d'entrer en contact avec Mortaz, comme le disait la lettre écrite avec du sang que Caleb et Naveed ont retrouvée sur leur corps...

– Probablement, mais toujours est-il qu'ils sont tombés sur les ossements déterrés de ces nombreuses personnes. Ils les ont ramenés à la plage, près de leur bateau, avant d'y faire pousser des squelevignes.

– Faire pousser des squelevignes ? répéta Victor, un peu surpris.

– Oui, confirma le vieil homme. Hier soir, Naveed a trouvé une bouteille de fertilisant dans l'une des bourses que les ogres traînaient à leur ceinture.

– Mmmh, grommela le jeune homme. Des squelevignes comme chiens de garde.

Victor et son grand-père restèrent silencieux pendant une minute, durant laquelle ils observèrent autour d'eux, toujours assis sur la plage. Le soir était tombé. Cependant, une question importante obnubilait le jeune homme.

– Grand-père, où se trouve la roue de l'engrenage ?

– Mets ta main dans ta poche gauche, lui dit alors le vieillard. Allez, insista-t-il, lorsque son petit-fils l'interrogea du regard.

Ce dernier obéit alors. Ses doigts touchèrent une surface étrange, dont les contours étaient dentés. On aurait dit... une pièce de monnaie imparfaite. Tout en observant son grand-père avec curiosité, le jeune homme tira l'étrange objet de sa poche.

Il s'agissait de la roue de l'engrenage, presque toute reconstituée. Seul un fragment était encore manquant.

— Tu peux la manipuler sans risque, lui dit alors Udelaraï. Ses propriétés radioactives ont été nettement diminuées lors de sa fusion.

Sur la surface, on pouvait voir quelques fractures qui divisaient les quatre pièces soudées ensemble. Étonnamment, celle-ci était restée complètement lisse ; il était impossible pour Victor de sentir les fractures entre les pièces fendues, même en passant son pouce dessus. Évidemment, avec le fragment manquant, Victor et les siens seraient en mesure de compléter la roue en entier. Le pianiste reconnut son fragment, celui qu'il avait possédé pendant de nombreuses années, situé au milieu de la roue imparfaite, entre deux autres, plus grands. Les glyphes qui se trouvaient sur son fragment se mêlaient maintenant aux autres, leurs dessins se joignant parfaitement, même si le jeune homme n'en comprenait pas le moindre sens.

— Que veulent dire ces glyphes ? demanda Victor, qui observait toujours la roue entre son index et son pouce.

— Je n'en ai pas la moindre idée, répondit Udelaraï. C'est un vieux langage que nous n'utilisons plus depuis bien longtemps. Mais à ta place, je ne m'en ferais pas trop avec cela. Ça doit simplement être la marque de commerce du créateur de la roue. Je doute fortement que ce soit un message mystique aux significations si importantes qu'elles pourraient avoir des implications sur l'existence même de l'Univers, comme dans les contes de fées et les histoires fantastiques…

— Depuis… depuis quand la roue se trouve-t-elle dans ma poche ? demanda ensuite Victor, incrédule.

— Depuis cet après-midi.

Victor continua d'observer la roue de l'engrenage du métronome de Maébiel pendant un certain temps, jusqu'à ce qu'il porte son regard vers l'horizon surplombant l'océan assombri.

— Pourquoi avoir reconstitué cette roue avec quatre fragments sur cinq ? demanda-t-il en agitant l'objet. Je veux dire, il nous manque toujours un fragment, non ? Pourquoi ne pas avoir attendu ?

— Un peu plus tôt aujourd'hui, répondit le vieil homme, Pakarel a émis l'idée que si nous étions en mesure de réparer la roue de l'engrenage, même avec seulement quatre fragments, peut-être pourrions-nous quand même faire fonctionner le mécanisme défectueux du métronome... C'est-à-dire, la fonction de fracture moléculaire qui servirait à ramener l'écosystème sous effet de stase à son état primaire. J'ai donc demandé à Naveed de joindre les fragments, afin de mettre à l'épreuve l'idée de notre ami poilu.

— Vous avez testé le métronome ? s'étonna Victor, qui réalisa alors qu'on avait dû fouiller dans ses affaires toute la journée. Vous l'avez pris dans mon sac ?

— Pakarel s'en est chargé. À voir ton expression, je comprends que l'idée qu'on ait fouillé dans tes affaires ne te plaît guère, et je m'en excuse.

— Ça ira, grommela le pianiste en observant les îles tropicales que l'on pouvait voir au loin, sous le ciel obscurci. Alors, ça a marché ?

— Hélas, non, répondit le vieil homme, dont la chevelure argentée voltigeait sous le doux vent tropical. Le gadget de Maébiel ne retrouvera pas toutes ses capacités avant que nous trouvions le dernier fragment. Je tiens aussi à te faire savoir que j'ai remis le métronome dans tes affaires.

Le jeune homme répondit d'un hochement de tête, avant de détourner son regard vers le calmar mécanique.

— Tu sais que le sous-marin ne sera pas réparé avant longtemps, n'est-ce pas ? lui fit ensuite savoir son grand-père.

— C'est ce que j'ai cru comprendre, répondit Victor sans détourner son regard de l'engin. Alors, devrions-nous joindre nos amis afin qu'ils viennent nous chercher en machine volante ?

— Ce serait une bien mauvaise idée. Mais si nous ne trouvons pas de moyen de quitter cette île, nous n'aurons pas vraiment le choix…, car, n'oublie pas, je tiens fortement à éviter tout transport aérien, afin de réduire le risque que nous nous fassions attaquer, comme Nathan. Il vaudrait mieux nous débrouiller nous-mêmes… et, de toute façon, je n'ai pas encore pu trouver la trace de la dernière Liche.

Victor grogna machinalement.

– Je vois, dit-il. Comment avez-vous trouvé les autres, au juste ?

Udelaraï leva la main droite, les doigts tendus vers le haut, comme s'il tenait un plateau invisible. Soudain, une sphère se matérialisa, bleutée, translucide et tournoyante, exactement comme un hologramme. Victor reconnut la Terre. Mis à part un tracé complet des continents et des océans, rien ne sortait de l'ordinaire. Du moins, pas jusqu'à ce que le jeune homme ait remarqué un tout petit point orangé… sur l'archipel des Antilles.

Avec son autre main, le vieil homme appuya sur l'hologramme, exactement là où se trouvait le petit point orangé. Tout à coup, l'image de la Terre disparut, remplacée aussitôt par une vue d'ensemble de l'île, à échelle réduite, démontrant un seul point orangé, situé sur une plage.

– C'est nous ? demanda le pianiste en jetant un regard impressionné à son grand-père.

– Non, Victor, il s'agit de la signature thermique de la roue d'engrenage partiellement réassemblée que tu tiens dans ta main droite en ce moment même.

Le vieil homme se passa la main sur le visage et massa ses joues creuses avant de reprendre :

– Je suis parvenu à découvrir l'emplacement des Liches en isolant la signature thermique de leur fragment, expliqua le vieil homme en contemplant la sphère tournoyante, au bout de nombreuses années de travail. Peu avant mon arrivée sur Terre, j'étais sur le point de déterminer la position du dernier fragment. Or, avant que j'aie pu être en mesure de trianguler sa position exacte, sa signature thermique s'est complètement évaporée. Cela n'a aucun sens ! lâcha-t-il avec frustration.

Le fait que la dernière Liche soit passée dans l'ombre, invisible sur la carte particulière d'Udelaraï, n'était pas un fait très étonnant pour Victor. Il se souvenait en effet qu'Abim-Kezad lui avait révélé qu'il pouvait sentir la présence de plusieurs autres êtres comme lui, ce qui amena le pianiste à une réflexion bien simple.

– Les Liches sont peut-être liées les unes aux autres ? proposa le jeune homme en étant à demi perdu dans ses pensées. La dernière Liche a peut-être ressenti la mort des autres et s'est décidée à disparaître…

– Je crois que c'est ce qu'il faut présumer, concéda le vieil homme. Mais une question reste inexpliquée.

– Laquelle ?

– Comment ont-elles pu savoir que je les pistais à l'aide de leur signature thermique ?

– Honnêtement, je ne comprends même pas ce dont vous parlez.

– Les Liches dégagent une chaleur unique, expliqua aussitôt Udelaraï tout en accompagnant ses dires de gestes calmes de sa main droite. Leur signature thermique varie sans cesse du froid au chaud, sans jamais se stabiliser. C'est ainsi que j'ai découvert leur présence. Évidemment, c'est avec Abim-Kezad, le prisonnier d'Hansel Hainsworth, que j'ai pu confirmer ma théorie.

Le vieil homme attarda alors son attention sur la représentation holographique de la Terre, qui flottait au-dessus de sa main.

– Tout ce que je sais maintenant, continua-t-il en posant un doigt sur une partie du globe, c'est qu'avant de disparaître de ma carte, le fragment se situait… dans ces environs.

Plissant les yeux, Victor s'approcha et observa la zone du monde désignée par son grand-père.

– Alors, laissez-moi voir… Il s'agit… du Portugal, de l'Espagne, de l'Algérie, de la Mauritanie et du… Maroc.

Avant même que Victor ait prononcé le mot « Maroc », une étincelle avait jailli dans sa tête. Il venait de réaliser quelque chose. Il tourna alors son regard à la fois illuminé et absent vers son grand-père.

– Qu'as-tu en tête, jeune homme ? lui demanda Udelaraï, qui avait bien remarqué l'expression de son petit-fils.

Chapitre 5

La séparation

– Casablanca… au Maroc, marmonna Victor, qui venait de faire le rapprochement. C'est là que l'individu dénommé L. D. se trouve !

Udelaraï leva un sourcil et afficha un air désapprobateur.

– Victor, débuta-t-il, je…

– Non, écoutez, l'interrompit le pianiste en levant la main. Je sais très bien que ce type n'est pas notre priorité, mais nous n'avons pas mieux à faire, grand-père ! Nous sommes coincés sur cette île, ajouta-t-il en comptant sur ses doigts, vous ne voulez pas que nous appelions à l'aide et, en plus, nous n'avons aucune certitude sur l'endroit où se trouve la dernière Liche. Au moins, en réglant son compte à cette personne qui nous en veut autant, nous nous débarrasserons d'un problème. De plus, nous serons à proximité des pays dans lesquels la Liche pourrait se trouver !

Après avoir lâché tout ce qu'il avait à dire, la respiration haletante, Victor observa son grand-père pendant quelques secondes dans l'espoir d'une réponse – qui ne vint pas. Détournant alors le regard vers la mer tropicale qui s'étendait devant lui, le pianiste sut ce qu'il lui restait à faire. Il rangea la roue de l'engrenage dans son sac, où se trouvaient également le métronome, son régulateur de température et sa gourde, avant de se relever.

– Où vas-tu ? le questionna alors son grand-père, qui trouvait étrange son comportement.

– Pour le moment, je vais porter mes vêtements à Ichabod. Je suis tout crasseux. Des vêtements propres me feraient le plus grand bien. Ensuite, eh bien…, vous connaissez la suite des événements.

Le vieil homme hocha alors la tête à plusieurs reprises.

– Mmmh, grommela-t-il d'un air songeur. Je suppose que c'est la meilleure chose à faire.

Le jeune homme, qui se tenait debout devant son grand-père, fut assez surpris par la réaction de ce dernier, si bien qu'il ouvrit la bouche pour parler avant de la refermer aussitôt, incrédule. Il s'était réellement attendu à une quelconque forme de protestation.

– Vous… croyez que c'est une bonne idée ? Tout à l'heure, vous n'en sembliez pas si certain, pourtant.

– Je crois que c'est la meilleure chose à faire. Tout porte à croire que l'assassin qui t'en veut se trouve à cet endroit. Au moins, ce sera une chose de réglée. Et puis, Victor, nous n'avons pas mieux à faire, puisque je n'ai aucune idée d'où peut se trouver la dernière Liche. Pourquoi fais-tu cette tête ?

– Je m'étais attendu à ce que vous me disiez que je devrais rester ici, avoua le pianiste. Ou quelque chose du genre…

– Vu ton âge, Victor, lui répondit Udelaraï, qui se leva à son tour, je n'ai pas à te dire ce que tu dois faire. Tu es un homme, quoique jeune et parfois un peu naïf, mais un homme quand même. Alors, crois-tu pouvoir faire fonctionner le bateau des ogres ?

Le jeune homme hocha la tête positivement.

– Je le crois. Ça ne devrait pas être sorcier.

– Bien, bien, répondit le vieil homme, dont les cheveux argentés dansaient au vent. Quand comptes-tu partir ?

– Dès que mes vêtements seront lavés, lui répondit Victor en lui envoyant un clin d'œil.

Udelaraï se rapprocha de son petit-fils avant de poser la main sur son épaule. À voix basse, il lui fit savoir :

– Tu es au courant que tu ne pourras pas amener avec toi tous tes camarades ?

– Je sais. L'embarcation n'est pas très grande. Je vais devoir choisir.

– Avant de te laisser à tes occupations, reprit le vieillard, je voudrais te poser une question. Veux-tu que je garde le métronome en ma possession ?

— Non, répondit Victor sans hésitation. Je préfère le garder sur moi. À moins que… cela pose problème ?

— Pas du tout ! rétorqua Udelaraï avec un sourire énergique.

Intrigué par la question, le pianiste observa son grand-père, qui, après lui avoir chaleureusement tapoté l'épaule, s'éloignait en direction de la caisse remplie de bananes sur laquelle Caleb s'était adossé un peu plus tôt. Après avoir pris l'un des fruits jaunes, Udelaraï marcha en direction du calmar tout en l'épluchant.

N'accordant plus d'attention à l'étrange question d'Udelaraï, Victor alla rejoindre Ichabod au feu de camp, avant de lui demander s'il voulait toujours laver ses vêtements. L'épouvantail, qui semblait pris d'un ennui mortel, lui fit savoir avec enthousiasme que l'offre tenait toujours. Une fois qu'Ichabod lui eut donné une serviette, Victor s'éloigna de la plage jusqu'à un buisson, afin de s'y changer. Ses vêtements sales maintenus en boule contre son ventre et vêtu d'une simple serviette, le pianiste revint alors sur ses pas jusqu'au campement, avant de donner ses vêtements à l'épouvantail. Ce dernier les savonna dans l'eau de mer, avant de les emporter à l'intérieur du calmar, plus précisément dans la salle des machines, où il les fit sécher près d'un moteur que Rauk avec activé à cet effet.

Un peu plus tard, Ichabod vint retrouver Victor, qui patientait près du feu de camp, afin de lui remettre ses vêtements bien secs. Après avoir remercié l'épouvantail, le jeune homme reprit ses habits et se dirigea vers la jungle, pour se changer à l'abri des regards.

Puisque ses pieds étaient maculés de sable et de boue, le jeune homme fut dans l'impossibilité d'enfiler ses chaussettes en tout confort. Une fois habillé de ses vêtements propres et confortables, Victor alla s'installer au bord de la mer calme, bien assis sur la serviette qu'il avait portée plus tôt, afin de se rincer les pieds dans l'eau tiède de la mer.

— Qu'est-ce que tu fais ? lui demanda Rudolph, qui passait par là, buvant le contenu de sa gourde à grandes gorgées.

— Je me lave les pieds, lui répondit Victor en pleine action, d'un ton évident. Quoi d'autre ?

Le hobgobelin lâcha un petit rire avant de s'éloigner sans rien dire.

— Tu peux bien rire, lui renvoya amicalement le jeune homme.

Une fois ses pieds propres et bien rincés, Victor les essuya sur sa serviette avant d'enfiler ses chaussettes ainsi que ses bottes en cuir noir, confectionnées par le père de Caleb.

— Voilà qui est mieux, lâcha-t-il avec satisfaction.

Après avoir rendu sa serviette à Ichabod, Victor alla rejoindre Caleb, qui, un peu plus loin, s'occupait à ramener des branches sur la plage afin d'alimenter le feu de camp que Baroque avait allumé 10 minutes plus tôt.

— Ça ira, Caleb, lui dit le lozrok. Merci pour le bois.

Le demi-gobelin répondit d'un hochement de tête avant de porter son attention sur Victor, qu'il observa avec inquiétude pendant un long silence.

— Qu'est-ce qu'il y a ? lui demanda Victor, qui ne comprenait pas pourquoi son ami l'observait ainsi.

— Viens plus loin, lui dit Caleb.

Un peu surpris, Victor suivit le demi-gobelin, qui l'amena près de l'eau, à l'écart des autres.

— Qu'est-ce que tu as ? lui demanda encore une fois le jeune homme.

Caleb sembla chercher la meilleure façon d'aborder le sujet pendant plusieurs secondes, jetant des regards furtifs autour de lui.

— Bon, écoute, je n'irai pas par quatre chemins : depuis quand parles-tu cette langue ?

Le pianiste observa le demi-gobelin d'un air neutre pendant quelques secondes, avant de réaliser que la question, aussi étrange et incohérente fût-elle, lui était adressée.

— Hein, quoi ? lui renvoya Victor, confus.

L'air irrité, Caleb lui dit alors à voix basse :

— Tu ne parlais pas français, avec ton grand-père.

— Comment ça, je ne parlais pas français avec...

Victor s'interrompit. Il venait de se souvenir que Maeva lui avait fait la même réflexion, lorsqu'il avait eu une discussion avec son grand-père, chez lui.

— Je... je n'ai pas parlé français ? demanda le jeune homme avec une grimace de confusion, même s'il connaissait très bien la réponse qu'il allait recevoir.

Caleb lui fit signe que non, de la tête.

— Tu veux me faire croire que tu ne t'en rendais même pas compte ? lui demanda le demi-gobelin, observant son ami en plissant les yeux.

— Non ! répondit Victor, sur la défensive. Pas du tout !

Le pianiste avait la désagréable impression que son meilleur ami ne le croyait pas. Puis, Caleb détourna le regard, avant de poser les mains sur ses hanches.

— Écoute, mon vieux, dit-il en soupirant. Je ne te mentirai pas ; c'est *vraiment* bizarre. Pakarel, Baroque et moi, nous t'avons entendu. Tu parlais dans cette langue étrangère avec une facilité déconcertante.

— Je ne sais pas quoi te dire, Caleb ! lui renvoya Victor d'un ton sec, encore sur la défensive, tout en gesticulant avec nervosité. Je ne sais même pas comment je fais pour parler une autre langue que le français ! Je n'ai jamais appris d'autres langues de ma vie ! Pourquoi est-ce que je te cacherais ça, Caleb ?

— À toi de me le dire, lui répondit le demi-gobelin, qui semblait peu convaincu.

Victor réalisa alors qu'il avait inconsciemment levé les bras. Démoralisé par l'incrédulité de Caleb, le jeune homme les laissa retomber avec nonchalance. Il regardait le demi-gobelin avec déception.

— Laisse tomber, lui dit Victor, avant de s'éloigner en direction du bateau des ogres.

Tout en marchant, il s'attendit à ce que Caleb le rejoigne, mais il n'entendit pas ses pas s'approcher de lui. Simplement par orgueil,

Victor ne jeta pas de regard derrière lui, même s'il aurait voulu le faire. C'était le genre de situation qu'il détestait ; lorsqu'un malentendu menait à une confrontation et que les deux parties se séparaient sur une note amère, même si, au fond, il n'en voulait pas à Caleb.

Victor gravit l'échelle posée contre l'embarcation des ogres avant d'appuyer sur le bouton situé sur le mât. Une fois la cale ouverte, il descendit l'escalier qui menait au cockpit de l'étrange véhicule. Laissant de côté la discussion frustrante qu'il venait d'avoir avec Caleb, Victor s'installa sur le siège du pilote. Il devait apprendre à manœuvrer cet engin.

– Alors, alors..., comment est-ce que tu fonctionnes ? marmonna-t-il en direction du tableau de bord.

Au bout de 10 minutes, le jeune homme avait découvert la fonction de la plupart des manivelles, des boutons et des leviers du tableau de bord. Certes, il restait quelques interrupteurs dont il ignorait l'utilité, mais Victor était du moins persuadé qu'il savait comment démarrer, manœuvrer et transformer le véhicule. Ce qui était déjà un bon début en soi. Satisfait de ses découvertes, il ne porta plus aucune attention au froid qu'il venait d'avoir avec Caleb.

– Retournons voir les autres, se dit le jeune homme en faisant pivoter son siège.

Il tomba alors nez à nez avec une silhouette de petite envergure qui se tenait devant lui, à demi dissimulée dans l'ombre. Avant que l'information se soit rendue à son cerveau, il sursauta, et l'émotion fut si forte que sa poitrine se contracta avec douleur.

– Pakarel ! grogna-t-il, une main plaquée sur le cœur. Nom de... !

– Quoi ? lui renvoya le pakamu d'une petite voix, sursautant lui-même d'un air confus.

Les poils du visage du pakamu s'étaient hérissés, et ses yeux étaient grands ouverts de stupéfaction ; visiblement, il n'était pas du tout au courant de la peur qu'il venait de causer à son ami. Après avoir soupiré, le cœur décontracté, le pianiste lâcha :

– Merde... j'ai fait un de ces sauts...

— J'ai bien vu ça, répondit Pakarel, encore mal à l'aise.

— Alors..., que fais-tu ici?

— Je suis venu te chercher, lui répondit Pakarel, qui semblait maintenant plus à l'aise. Je voulais te parler de ce qui s'est passé avec Caleb.

Un voile de déception tomba sur le jeune homme, qui répondit d'une voix monocorde :

— Oh.

— Il a mal agi, affirma Pakarel d'un air décidé. Si tu dis que tu ne t'en rends pas compte, lorsque tu parles une autre langue, alors, moi, je te crois.

— Tu as suivi notre conversation? lui demanda le pianiste, un sourcil levé.

— Tout le monde vous a entendus, toi et Caleb, lui répliqua Pakarel en haussant les épaules. En tout cas, ce n'est pas grave. Udelaraï est un vieux bonhomme bizarre.

— Ah? Et moi qui croyais que tu aimais les vieilles personnes. C'est parce qu'il ne t'a pas cuisiné de tartes que tu le trouves bizarre, c'est ça? ajouta-t-il d'un air taquin.

— Ce qu'il te fait faire est difficile, lui répondit Pakarel, étrangement sérieux. Et il ne te donne pas beaucoup d'information. Je parie que c'est la même chose, lorsque vous parlez cette langue bizarre. Ai-je tort?

Victor sourit. Il lui fit ensuite non de la tête.

— Alors! lâcha le raton laveur sur un tout autre ton, observant autour de lui, ses petits poignets plaqués sur ses hanches. Que fait-on, Victor?

— Eh bien, commença le pianiste, qui réajusta sa position sur sa chaise pour se donner le temps de formuler ce qu'il voulait dire. J'étudiais... la façon dont cet étrange véhicule fonctionne. Parce que j'ai l'intention de partir dès que je saurai piloter cet engin. Pour Casablanca.

— On part cette nuit? lança Pakarel, surexcité. Pour de vrai? Waouh!

– Je… je n'ai pas encore décidé qui allait m'accompagner, balbutia le jeune homme, un peu mal à l'aise.

L'excitation du pakamu sembla s'évaporer en un instant. Son petit visage, à demi masqué par l'ombre de son énorme chapeau, lui envoyait un regard noir.

– Pourquoi est-ce que tu ne veux pas que je vienne ? lui demanda le raton laveur d'une voix glaciale.

– Je n'ai jamais dit ça, rétorqua Victor d'une voix plus douce. Je n'ai simplement pas encore…

Avant même qu'il ait pu terminer sa phrase, Pakarel s'était avancé vers lui d'un air menaçant. Malgré la petite stature de ce dernier, Victor s'enfonça dans son siège. Appuyant son petit doigt sur la poitrine du jeune homme, Pakarel lui lâcha d'un ton meurtrier :

– Je suis venu ici pour t'aider, *toi*, Victor ! Pas *eux* ! Pas ton grand-père, ni Rudolph, ni Ichabod ! Pas même Caleb ! Mais toi ! Et tu veux me laisser ici ?

Victor, qui aurait bien voulu pouvoir s'enfoncer dans sa chaise et disparaître complètement, était plus qu'intimidé. S'il ne trouvait pas les mots pour parler, ce n'était pas parce qu'il ne savait pas quoi dire, mais bien parce qu'il n'avait jamais vu Pakarel dans un tel état. Le regard du petit raton laveur s'adoucit, avant que son visage affiche un air désolé.

– Je m'excuse, Victor, dit-il à voix basse. J'ai juste hâte de quitter cette île…

À la suite de ces paroles, le raton laveur baissa la tête, fuyant le regard du jeune homme. À cet instant, Victor comprit quelque chose. Pakarel, que Victor avait rencontré dans les rues de Ludénome alors qu'il tentait de les épier, était un pakamu originaire des jungles du Belize. Toute sa tribu avait été décimée, il en était le seul survivant.

En s'avançant sur sa chaise afin de mieux observer son petit camarade, le jeune homme approcha son visage du sien.

– Pakarel ? Pakarel, regarde-moi. Regarde-moi.

Sur l'insistance de Victor, le pakamu leva finalement son petit visage malheureux vers lui.

Tout en l'observant droit dans les yeux, le jeune homme lui dit :

– Tu n'aimes pas être sur cette île, car... car elle te rappelle le Belize, n'est-ce pas ?

Tel un enfant timide, mais décidé, le pakamu confirma de vigoureux hochements de tête. Puis, comme s'il était honteux d'avoir confirmé les dires de son ami, Pakarel enfonça son chapeau sur sa tête à l'aide de ses deux mains. Victor ne put s'empêcher de lâcher un petit rire ; Pakarel était mignon. Il posa sa main droite sur la petite épaule du raton laveur avant de le secouer doucement.

– Hé, mon vieux, lui dit-il d'un ton rassurant, tu n'as pas à rester ici. Tu partiras avec moi. D'accord ?

– Pour vrai de vrai ? lui renvoya Pakarel, encore gêné.

– Assurément ! Allons dehors afin de récupérer nos affaires. Je vais aussi devoir convaincre la moitié du groupe de rester sur cette île, ce qui ne sera pas facile... mais bon.

Pakarel lui fit alors savoir :

– Ben..., tu ne devrais pas t'en faire, dans ce cas.

Victor, les yeux plissés par la confusion, tourna légèrement la tête, comme s'il tendait l'oreille pour bien saisir l'information.

– Hein ? lâcha-t-il. De quoi parles-tu, Pakarel ?

Le pakamu se mit à se balancer de la pointe de ses pieds jusque sur ses talons. Son langage corporel laissait très bien paraître qu'il savait quelque chose que Victor, lui, ne savait décidément pas.

– Eh bien..., Udelaraï nous a déjà avertis.

– Avertis à quel propos ? répéta Victor, qui tentait de comprendre.

– Que tu vas quitter cette île avec cette espèce de bateau volant !

Amer, Victor plissa les yeux avant de se masser les joues de sa main droite. Il en voulait à son grand-père d'avoir pris les devants et d'avoir fait semblant de le laisser prendre ses propres décisions, lors de leur discussion précédente. Au lieu de se concentrer sur l'aspect négatif de la chose, le pianiste décida cependant de voir le bon côté ; les autres s'attendaient donc à ce qu'il vienne leur parler de sa quête vers Casablanca. Le jeune homme prit une bonne inspiration avant de se lever.

— Bon, si tout le monde est au courant, alors ça facilitera la chose, lâcha Victor une fois debout, afin de se motiver lui-même. Allons chercher nos camarades.

Une fois sur le pont de l'étrange embarcation des ogres, le jeune homme vit que tous les autres, mis à part Naveed, qui était assis un peu plus loin, s'étaient regroupés sur la plage et observaient en sa direction. Ils l'attendaient. Victor retourna jusqu'à la plage en compagnie de Pakarel, sous les regards plutôt lourds et silencieux de ses amis. Il régnait d'ailleurs une atmosphère presque froide, malgré la tiédeur de l'air. L'idée de parler à ses amis le rebutait de plus en plus.

Ne sachant pas par où commencer, Victor resta planté devant le groupe sans rien dire. Pakarel, qui se tenait à ses côtés, finit par tirer à plusieurs reprises sur son pantalon, afin de l'inciter à parler.

— Dis quelque chose ! lui chuchota-t-il d'un ton sec.

— Vous êtes au courant de ce que je m'apprête à faire, déclara le jeune homme avec une certaine difficulté. Comme nous en avions discuté lorsque nous avons découvert le parchemin destiné aux ogres, je vous annonce que je vais partir vers Casablanca.

— Tu réalises que ce truc possède seulement cinq sièges à l'intérieur ? lui envoya Rudolph d'un air grognon, en voulant parler du bateau des ogres.

Victor confirma de plusieurs hochements de tête avant de dire :

— Je sais. C'est pourquoi je viens vous voir.

— Je suis sûr que si on s'entasse un peu, proposa Ichabod d'une voix hésitante, on pourra tous entrer dans cet étrange bateau... Non ?

— Pas si on veut le faire voler, lui répondit le jeune homme.

— Voler ? répéta Rauk, qui nettoyait ses mains graisseuses d'huile à l'aide d'un vieux torchon. Attends, Hector, tu veux dire que cette espèce de vieux rafiot bizarre peut voler ?

— Je croyais te l'avoir dit tout à l'heure, Rauk ? lui renvoya Caleb d'un air sombre.

— Ah... euh..., bah... euh, balbutia le vieux bonhomme à la jambe de bois d'un air confus, comme si le simple fait de penser était douloureux. Ça se peut, ouais...

— Ton haleine sent l'alcool, lâcha Caleb d'un ton désapprobateur tout en balayant l'air devant son visage. Rauk, merde ! Reprends-toi !

— Désolé, grogna-t-il. J'avais soif et...

— Rauk, intervint Victor en s'approchant du groupe. Cela n'a pas d'importance. Oui, l'engin des ogres vole. Et c'est exactement pourquoi nous devons limiter le poids à cinq personnes, pas plus.

— Et ces ogres, tu crois qu'ils respectaient le poids prévu ? lui renvoya Rudolph d'un ton de reproche, les sourcils froncés.

— Tout porte à croire qu'ils ont utilisé leur engin comme une simple embarcation, lui répondit Caleb d'un ton calme. Ils n'auraient jamais pu mettre les pieds dans le cockpit. C'est évident, Rudolph.

À court d'arguments, le hobgobelin se tut, affichant un air renfrogné. L'épouvantail avança cependant un point important :

— Mais... je croyais qu'Udelaraï ne voulait pas que nous voyagions par voie aérienne ?

— C'est vrai, ça ! ajouta Rudolph avec énergie. Pourquoi le faire maintenant, alors qu'on aurait pu se simplifier la tâche dès le début ?

C'était un détail qui avait apparemment échappé au jeune homme. Avant qu'il puisse penser à une réponse quelconque, son grand-père intervint alors :

— Il était inutile de prendre un tel risque, envoya-t-il au hobgobelin d'un air plutôt sévère. Cependant, la situation a changé. Nous devons nous adapter. Nous n'avons pas d'autre moyen de poursuivre notre tâche. Il faudra prendre le risque de voyager en étant détectables.

— Pelham, dit Baroque, qui fumait calmement sa pipe. Viens-en au fait. Qui veux-tu amener dans ton escapade ?

Victor se mordit la lèvre inférieure, les mains sur les hanches, l'air songeur. En réalité, il n'y avait même pas songé ; l'idée de séparer le groupe ne lui plaisait guère, surtout parce qu'il savait très bien qu'il aurait le désagréable sentiment de délaisser les autres. Étant donné qu'il n'avait pas vraiment le temps d'y penser, Victor décida :

— Je ne veux pas faire de favoritisme. Mais j'ai quand même décidé d'amener Pakarel, car cette île représente quelque chose de douloureux pour lui. Il fera donc partie du voyage. Quant à ceux qui m'accompagneront, ce sera à vous de décider.

À peine avait-il prononcé ces paroles qu'il les regretta aussitôt. Et s'ils voulaient tous l'accompagner ? Ce qu'il voulait alors éviter, c'est-à-dire de choisir, lui deviendrait obligatoire. À cette pensée, l'estomac de Victor se contracta douloureusement. Encore une fois, Rudolph fit savoir son opinion, cette fois d'un ton tranchant et colérique :

— Tu nous demandes de rester derrière, c'est ça ? Sur cette île sauvage qui, aux dernières nouvelles, était infectée par une Liche ? Victor, sans vouloir te manquer de respect, j'ai bien d'autres choses à faire que de rester ici ! Pour qui me prends-tu ? Ta bonne ?

Le jeune homme aurait voulu répliquer quelque chose, mais il ne savait que trop bien que le hobgobelin avait raison. Ichabod, l'air désolé et jouant nerveusement avec ses doigts, ajouta à son tour :

— Victor…, je n'ai jamais douté de toi, mais… je ne peux pas rester ici… Si tu décides de détruire notre groupe, alors…

— Stop ! intervint Caleb, qui s'était glissé entre Victor et les autres. Le demi-gobelin pivota sur lui-même afin de faire face à son ami, qui affichait un air démoli.

— Écoute, Victor, lui dit-il. Tu nous as tous convaincus de te suivre dans cette quête. Si nous sommes ici, c'est pour une seule raison : toi.

– Je... je suis désolé, marmonna le jeune homme sans trop savoir quoi dire. Vous avez raison...

Interrompant Victor, Caleb lança à l'intention des autres :

– Quelles que soient les raisons pour lesquelles Victor est parvenu à vous convaincre de l'accompagner, il n'en reste pas moins que nous sommes venus pour lui. Parce qu'au fond, nous savons tous que nous lui devons quelque chose.

Cette réplique sembla en déranger certains, comme Rudolph et Baroque, qui froncèrent les sourcils, l'air irrités. Le pianiste lui-même, déjà très mal à l'aise, se sentit encore plus mal après ce propos audacieux. Il aurait voulu intervenir, mais Rudolph avait déjà pris la parole :

– Je ne dois rien à Victor. Rien. Si je suis ici, c'est parce qu'il...

– ... t'a payé ? termina Caleb à sa place. Tu veux me faire croire que toi, Rudolph, un bon gros hobgobelin capable de lever 400 kilos à deux mains, a passé tout ce temps dans l'atelier de Victor Pelham à remplir des grilles de sudoku parce qu'il t'a payé ?

Le hobgobelin donna l'impression de vouloir répliquer, mais rien ne sortit de sa bouche, qui s'ouvrait et se refermait sans cesse.

– C'est parce que Victor est notre ami que nous sommes ici, ajouta Caleb d'un air confiant, tout en observant le jeune homme. Si vous voulez vous convaincre d'autre chose, c'est comme vous voulez, mais moi, je suis ici pour lui.

Le demi-gobelin posa sa main recouverte d'un gant de cuir sur l'épaule de Victor et ajouta d'un air sincère :

– Pas pour Udelaraï. Pas pour sauver l'écosystème de ce monde à l'aide d'un métronome venu d'ailleurs. Si je suis ici, c'est pour donner un coup de main à la meilleure personne que j'ai eu la chance de rencontrer. Victor s'est toujours dévoué corps et âme pour aider les autres. Vous ferez bien comme vous voulez, mais moi, je resterai sur cette île si c'est ce qu'il me demande. Parce que j'ai confiance en son jugement.

Les instants qui suivirent furent très inconfortables pour Victor, qui, même s'il était touché par les propos de Caleb et lui en était reconnaissant, se sentait incroyablement mal par rapport aux autres. Comment pouvait-il leur demander de rester sur cette île jusqu'à nouvel ordre ? C'était impossible.

— Écoutez, dit Victor après un grand soupir de désespoir. Vous n'avez pas à rester sur cette île. Ceux qui ne peuvent pas m'accompagner..., vous n'aurez qu'à retourner chez vous. On pourra appeler les forces du Consortium, et ils enverront un gyrocoptère vous chercher. Quant à moi, je compte bien trouver celui qui en veut à ma vie et qui s'est attaqué à Nika et à Nathan.

Udelaraï, qui était resté stoïque et silencieux jusqu'alors, se détacha du groupe et s'avança vers son petit-fils. Après avoir posé la main sur son épaule, il lui dit :

— J'irai avec toi vers cette ville nommée Casablanca. Nous trouverons l'auteur de ces attaques sordides et, comme tu l'as fait remarquer plus tôt lors de notre discussion, nous serons bien plus près des pays dans lesquels la dernière Liche pourrait se cacher.

— C'est gentil à vous, grand-père, mais je...

Au lieu de continuer sa phrase, Victor hocha simplement la tête de gauche à droite.

— Vous ne devriez pas m'accompagner, dit-il finalement. Vous êtes... physiquement malade. Votre vie en dépend. Vous devriez... vous reposer.

— Je suis condamné, Victor, dit Udelaraï d'un ton froid. Ma vie tire à sa fin. Ce monde, le vôtre, ajouta-t-il en accordant un regard aux autres, sera celui où je m'éteindrai. C'est une question de jours avant que ma vie s'achève. Ne l'oublie pas, Victor, je suis un Maya. Je n'ai pas ta résistance. Alors, que je passe les derniers jours de ma vie à me reposer serait inutile. Autant passer mes derniers jours en ta compagnie. Tu es la seule famille qu'il me reste, jeune homme.

Cette déclaration laissa Victor sans voix. En fait, ce n'était pas tant sa déclaration, mais tout ce qui avait été dit au cours de la soirée qui toucha profondément le jeune homme. Une boule d'émotion s'était formée au fond de sa gorge, rendant ses yeux légèrement humides au passage. De mémoire, le jeune homme ne se souvenait pas s'être senti aussi vulnérable qu'en ce moment même.

— Vous ne pouvez pas retourner là d'où vous venez ? demanda Rudolph d'un air contrarié.

— Impossible, confirma Udelaraï. En venant ici contre la volonté des miens, j'ai été banni de tout retour. Même si je le voulais, je ne pourrais rouvrir un passage pour retourner jusque chez moi.

Entendre de telles choses n'aida en rien Victor à se sentir mieux ; bien au contraire, il se sentait presque coupable d'avoir signé l'arrêt de mort de son grand-père. Serait-il réellement venu régler le cas des Liches, s'il n'avait pas été, avant tout, son petit-fils ?

— Ton grand-père devrait t'accompagner, Pelham, lâcha Baroque. Il serait idiot de vous séparer. Et je crois que tout le monde est d'accord avec ce fait.

En effet, personne ne protesta. Même s'il ne pouvait pas le lui dire en face, Victor remercia mentalement le lozrok, qui avait pris une décision à sa place ; chose qu'il avait à tout prix voulu éviter. Certes…, il aurait préféré que son grand-père récupère, mais si ses dires étaient vrais, ça n'aurait rien changé. Donnant l'impression de chercher ses mots, Rauk s'avança de sa démarche titubante et s'adressa à Victor :

— J'aimerais bien t'accompagner, mon p'tit gars, mais je dois réparer le sous-marin. Je ne peux pas l'abandonner ici… Même si tu appelais nos amis du Consortium, eh bien, je resterais ici. J'ai perdu ce vieux calmar mécanique une fois…. certainement pas deux. Je reste.

— Rauk…, ce n'est qu'un sous-marin, lui dit Victor, qui tentait d'avoir l'air convaincant. Je pourrais joindre le quartier général du Consortium à Alexandrie et…

Victor se tut, car Rauk avait levé sa grosse main encore tachée d'huile.

— Veux pas l'entendre, dit-il avec bonne humeur. Garde ta salive, mon bonhomme.

Ne sachant plus quoi dire, Victor soupira, se massant le front de sa main droite, ayant l'air totalement perdu.

— Pelham, dit Baroque, qui fumait toujours sa pipe, expirant la fumée par ses narines reptiliennes. Je suis bien trop large pour me glisser dans le cockpit du véhicule des ogres. Je m'offre pour donner un coup de main à Rauk. Il ne sera pas capable de tout réparer à lui seul. À moins que tu aies d'autres plans pour moi ?

— Euh... non, enfin... c'est comme tu veux, Baroque, lui répondit difficilement Victor, qui ne se sentait pas apte à prendre de telles décisions. Si tu préfères retourner à Québec, je ne t'en voudrai pas.

Le lozrok lâcha un grognement sec avant d'expliquer d'un ton froid :

— Je me suis engagé auprès de toi et je compte tenir ma parole jusqu'au bout. Je trouverai bien le moyen de te rattraper par la suite, peu importe où vous serez rendus, toi et les autres.

— Baroque... Baroque a raison, dit Ichabod de son habituelle voix mal assurée. Moi aussi, je me suis engagé auprès de toi. Je resterai pour aider Rauk... Je ne pourrais pas m'en aller d'ici en sachant que Rauk reste tout seul sur cette île.

— Ah, et puis merde ! lâcha Rudolph de mauvaise humeur. Comment est-ce que vous voulez que je m'en aille, après ça ?

Sans même lui adresser un regard, Baroque envoya au hobgobelin, d'un ton nonchalant :

— Tu fais comme tu veux, Rudolph. Personne ne t'empêche de faire quoi que ce soit.

D'un air désagréable, le hobgobelin répondit au lozrok :

— Tu crois que je vais demander à Victor d'envoyer ses amis du Consortium pour venir me chercher moi seul ? De quoi aurais-je l'air ?

Baroque leva brièvement ses yeux bleu et jaune en direction du hobgobelin. Son regard perçant en disait long. Rudolph se détacha du groupe, l'air nerveux, s'éloignant de quelques pas avant de s'arrêter et de se retourner brusquement.

— Merde, lâcha-t-il. Très bien ! Caleb, accompagne Victor, il aura besoin de quelqu'un qui sait manier une arme convenablement.

Le demi-gobelin croisa le regard du jeune homme, voulant d'abord avoir son autorisation. Victor lui répondit d'un simple sourire.

— Il ne reste plus qu'une place, dit alors Pakarel. Elle sera pour Manuel ?

— Oh non, répondit Victor. Il reste quelqu'un d'autre.

Le pianiste tourna alors la tête en direction du démon des sables, toujours assis sur la plage, un peu plus loin.

Chapitre 6

Un sixième passager

Une fois la conversation terminée, Pakarel et Caleb s'offrirent pour ramener leurs affaires et quelques provisions à bord de l'étrange bateau des ogres. Puisque la présence de Naveed était presque obligatoire dans leur quête, Udelaraï se proposa pour aller lui faire part de leurs intentions de l'emmener pour la suite des événements, laissant Victor seul avec Rudolph, Ichabod, Rauk et Baroque.

— Bon, dit Rauk en reniflant fortement, il me reste quelques trucs à rafistoler sur le calmar avant d'aller me coucher. J'aurais besoin d'une paire de bras pour m'aider à soulever des débris dans la salle des moteurs.

— Je viens, grommela Rudolph, encore bougon, ça va me changer les idées.

Alors que Rauk et le hobgobelin s'apprêtaient à se rendre au calmar, le gaillard chauve à la barbe hirsute dit à Victor :

— Passe me dire au revoir avant ton départ, tu veux bien, le jeune ?

— Compte sur moi.

Le jeune homme observa Rauk et Rudolph s'éloigner en direction du sous-marin en très mauvais état.

— Tu comptes vraiment emmener ce personnage ? lui demanda alors Ichabod en voulant parler de Naveed, qu'il observait avec une certaine contrariété.

— Il n'a pas le choix, dit Baroque, qui venait d'éteindre sa pipe à l'aide de son pouce. Naveed semble bien être le seul rahk du coin qui peut ressouder les pièces du fragment.

Ichabod se retourna vers le lozrok, qu'il regarda d'un air pour le moins surpris.

— Le grand-père de Pelham nous l'a expliqué en fin d'après-midi, ajouta Baroque d'un air sévère. Tu n'écoutais pas, l'épouvantail ?

— Ah... oh, oui ! réalisa Ichabod en plaquant avec énergie sa main droite sur son front. Bonté divine, c'est vrai ! Alors, là, Victor, ton groupe est complet !

— Il semblerait, répondit le pianiste sans grand enthousiasme.

Ichabod observa Victor de son grand regard verdâtre et luminescent pendant quelques instants. L'air concerné, l'épouvantail dit :

— Tu n'aimes pas prendre ces décisions... et je te comprends.

— Surtout quand ses amis lui font savoir qu'ils veulent retourner dans le confort de leur maison, envoya Baroque d'un air neutre.

Ichabod, qui se sentit aussitôt ciblé par la remarque du lozrok, prit un air démoli.

— Je suis vraiment désolé, Victor, lui dit-il d'un air navré. Je ne veux pas que tu aies l'impression que je voulais t'abandonner ! J'ai seulement... Je veux dire...

— Ichabod, ça va, lui fit savoir le jeune homme à contrecœur. Ne t'excuse pas. Ça arrive à tout le monde.

En fait, Victor avait été réellement déçu par la première réaction de l'épouvantail, même si, d'un côté, ses motivations étaient valables. Afin de conserver son attention sur des choses plus importantes, le pianiste préférait cependant oublier qu'Ichabod avait voulu s'en aller.

— Je tiens à m'excuser ! rétorqua Ichabod avec vivacité, donnant l'impression de tenter de se convaincre lui-même de ses paroles. J'ai mal agi ! J'ai paniqué. Je dois avouer, toute cette histoire de Liches me glace les os. Enfin, si j'en avais ! Façon de parler...

Victor observa l'épouvantail d'un air intrigué, un sourcil levé. Voyant bien que le jeune homme n'avait pas encore cédé à ses excuses, Ichabod continua en gesticulant avec énergie :

— Je me suis engagé auprès de toi et… tu es mon ami ! Et même si tu es mon rival musical, il n'en reste pas moins que je te tiens en grande estime. Tout comme Alice et Edward.

— Ça ira, je te dis, lui affirma Victor en tentant d'avoir l'air convaincant. Je ne peux exiger ni de toi ni de personne d'autre que vous restiez sur cette île. Si vous restez, ce devrait être pour aider Rauk, et ce, selon votre volonté.

— Sans vouloir t'offenser, Pelham, intervint Baroque, j'ai décidé de rester derrière parce que j'ai l'intention de te rattraper dès que l'occasion se présentera. Pas pour aider un vieil humain alcoolique. Ça, ce n'est qu'une façon de passer le temps.

Sur ces mots, le lozrok s'éloigna en direction du calmar, probablement afin de donner un coup de main à Rauk et à Rudolph. À cet instant, Udelaraï revint en compagnie de Naveed.

— Comment vas-tu, Naveed ? lui demanda Victor.

Ignorant la question du jeune homme, le démon des sables répondit :

— Udelaraï m'a demandé de vous accompagner, toi et tes alliés. Il dit que je suis le seul qui peut ressouder les fragments pour remettre le métronome dans son état d'origine.

Le jeune homme échangea un regard avec son grand-père. L'idée d'emmener Naveed ne plaisait en rien à Victor. Non pas parce qu'il ne le connaissait pas et que ce dernier avait tenté de les tuer, mais parce que le démon avait été, sans le savoir, manipulé par Udelaraï. Si Victor détestait quelque chose, c'était bien tout ce qui avait trait à la manipulation. Mais pour une raison qui lui échappait, il avait décidé, à contrecœur, de jouer le jeu.

— C'est… c'est vrai, dit-il d'une voix qui manquait un peu de crédibilité. Nous avons besoin de toi.

Le démon des sables hocha la tête, observant Victor de ses pupilles spiralées toujours aussi intimidantes.

— Tu as détruit la Liche qui s'est éveillée sur cette île et je t'en remercie, affirma-t-il. Je te propose mon aide pour anéantir la dernière et pour reforger la pièce manquante de cet objet qui pourra rendre son état originel au monde.

— J'ai pris la liberté de lui parler du métronome et de lui faire savoir quelques détails supplémentaires, intervint Udelaraï d'un air enjoué.

— Que veux-tu en échange de ton aide ? lui demanda Victor.

— Que vous me rameniez ici une fois votre quête accomplie.

— D'accord. Je ferai en sorte que tu reviennes ici.

Le démon orangé l'observa sévèrement de son regard vert et spiralé avant d'ajouter :

— Je veux ta parole, Victor Pelham.

— Tu as ma parole, Naveed.

Ichabod, qui était resté muet et plutôt effacé jusqu'à maintenant, s'immisça timidement dans la conversation :

— Euh… dites ? hésita-t-il, l'air gêné. Quand comptez-vous partir ?

Victor jeta un bref coup d'œil en direction de l'embarcation des ogres ; Pakarel et Caleb étaient occupés à y amener leurs affaires.

— D'ici 10 minutes, environ, répondit le pianiste. Pourquoi ?

— Vous aimeriez que je vous prépare des boissons ? s'offrit généreusement Ichabod. Je peux faire de l'eau gazéifiée mélangée avec les quelques barres de chocolat restantes dans l'armoire personnelle de Rauk.

— De l'eau gazéifiée ? répéta Victor. Comment fais-tu pour gazéifier l'eau dans un endroit pareil ?

— C'est une petite machine que j'ai achetée, voilà quelques mois, répondit Ichabod d'un air nerveux. Étant une plante qui ne peut qu'absorber de l'eau, continua-t-il d'un air excentrique, j'avais envie d'en rehausser le goût ! Et… puisque je ne savais pas pendant combien de temps nous serions partis…, j'ai décidé de la mettre dans mes affaires ! Voilà ! Alors ? Qu'est-ce que vous en dites ? Ce serait un bon petit remontant, histoire de vous garder bien éveillés pour le trajet que vous aurez à parcourir dans cette étrange machine.

— Très bonne idée ! répondit Udelaraï d'un air enjoué.

— Oh… euh, oui, pourquoi pas, répondit Victor après un bref moment d'hésitation. Mais puis-je te demander de faire une boisson sans chocolat pour Naveed ?

— Sans chocolat ? répéta Ichabod, un peu surpris. Très bien… Voudriez-vous quelque chose d'autre, Naveed ? lui offrit-il en étant visiblement mal à l'aise de lui adresser directement la parole.

— De l'eau, répondit le démon en fixant Ichabod de son regard pétrifiant. Je veux de l'eau.

— De l'eau ce sera, alors ! répondit l'épouvantail avec un faux enthousiasme. Je… je vais prendre vos gourdes afin de vous les remplir. Je reviens.

Avant même que Victor ait pu lui dire qu'il n'avait pas sa gourde sur lui, étant donné qu'elle se trouvait probablement dans le bateau des ogres avec le reste de ses affaires, Ichabod se dirigea telle une flèche vers le calmar.

Pendant ce temps, Caleb et Pakarel remontaient la plage en direction de Victor, d'Udelaraï et de Naveed.

— Tout est prêt ! annonça Pakarel, enjoué et tirant sur l'index du jeune homme, comme l'aurait fait un enfant énergique. Victor ! Victor ! Viens voir, j'ai trouvé comment ajuster les sièges !

— On devrait dire au revoir aux autres avant, tu ne penses pas ? renvoya le pianiste.

— Oh ! lâcha Pakarel, qui sembla réaliser qu'il avait en effet oublié ce détail. Tu as raison.

Sur ces mots, le pakamu s'élança en direction du calmar, tout en criant :

— Hé, tout le monde ! On s'en va ! On s'en va ! Sortez du sous-marin !

— Je vous attends au bateau, dit Naveed, évidemment désintéressé par l'idée d'échanger des paroles avec les autres.

Personne n'essaya de l'en empêcher. Victor, Udelaraï et Caleb rejoignirent les autres afin de leur souhaiter bonne chance. Quelques minutes plus tard, pendant que bien des poignées de main étaient échangées entre les deux groupes, Rudolph, qui voulait visiblement s'excuser, dit au jeune homme :

— Écoute, Victor, euh..., je ne sais pas par où commencer... Je... je n'ai jamais été bien doué avec les mots..., enfin... Ah, et puis merde.

Le hobgobelin posa sa main en forme de patte d'ours sur l'épaule de Victor avant de la lui tapoter.

— Prends soin de toi, l'humain, dit-il simplement. Car si les choses tournent mal, je ne serai pas là pour te prendre sur mon épaule, comme cette fois en Égypte.

Le jeune homme sourit tout en tapotant l'avant-bras musculeux qui était toujours tendu vers son épaule.

— C'est gentil que tu veuilles bien rester pour veiller sur Rauk, dit Victor en jetant un regard vers le bonhomme à la barbe hirsute. Il n'a plus ses capacités physiques d'autrefois. Il se fait vieux et ses articulations lui font mal.

— T'en fais pas, confirma le hobgobelin. Nous allons te rejoindre dès que possible, si tu n'as pas encore tué la dernière Liche sans nous.

Le jeune homme lâcha un petit rire avant de dire avec conviction :

— Oh, Rudolph, j'en doute.

Laissant le hobgobelin qui, par la suite, fut abordé par Udelaraï, Victor se dirigea vers Baroque. Puisque ce dernier n'était pas un grand parleur, le jeune homme ne fut pas surpris lorsque le lozrok, qui avait rallumé sa pipe, lui adressa simplement :

— Sois prudent, Pelham.

Fouillant dans son sac à dos, le jeune homme sortit sa radio portative avant de la tendre au capitaine.

— Tiens, dit-il en agitant l'objet avec insistance, prends-la.

Baroque ne bougea pas, il contemplait plutôt le gadget d'un air indéchiffrable, la fumée de sa pipe voltigeant devant son regard.

— Pourquoi me donnes-tu ta radio ?

— Si vous voulez appeler le Consortium, il vous faudra avoir quelque chose pour communiquer.

— Il y a les radios du calmar pour ça, lui rétorqua le lozrok.

— Elles ne sont pas brisées ? demanda Victor, un peu surpris.

— Elles le sont, confirma Baroque, mais ce n'est rien de grave. Il suffira que je m'installe pendant une heure ou deux et je devrais réussir à les réparer.

L'air incertain, Victor ramena son bras.

— Tu es sûr ? demanda-t-il, un sourcil levé.

Baroque confirma d'un hochement de tête avant de demander :

— Rauk connaît ta fréquence radiophonique, n'est-ce pas ?

— Oui, répondit Victor, qui remettait sa radio dans son sac, vu le nombre de fois qu'il appelle chez moi, il la connaît certainement par cœur.

— Très bien, répondit le grand lézard à la crête jaune. Si tu as besoin d'un coup de main, fais en sorte de ne pas briser ta propre radio, sinon, on ne pourra pas te joindre. Fais attention aux mines sous-marines installées par les Agas, Pelham, et surtout… reste sur tes gardes.

Victor hocha la tête en guise d'acquiescement pendant qu'ils échangeaient une poignée de main.

— Hector ! lui lança Rauk d'une voix bourrue en avançant vers lui, sa démarche saccadée par sa jambe de bois qui s'enfonçait sans cesse dans le sable. Je viens t'avertir. Fais attention à ces mines électromagnétiques, hein, mon gars ? Je ne crois pas que le bateau sera détecté par les capteurs des mines, étant donné qu'il flotte sur l'eau, mais quand même…

— Comment ferai-je pour savoir où elles sont, si je veux les éviter ? demanda Victor, plutôt concerné. Ne sont-elles pas retenues au fond de l'eau par des chaînes ? Je croyais que je pourrais passer au-dessus sans problème…

— Euh… lâcha Rauk en essuyant son nez rougeâtre, qui dégoulinait, avant de renifler fortement. Pardon. On disait… ?

Visiblement, réalisa le jeune homme, Rauk était encore ivre. En guise d'aide, Victor lui dit :

— Les mines sous-marines…

— Ah ! Ouais ! Tu ne devrais pas avoir de problème. Tant que ton bateau ne s'enfonce pas trop profondément.

— Alors…, tout est correct ? lui demanda le pianiste, un peu incertain, qui ne voyait pas où Rauk voulait en venir.

— Bah ouais ! confirma le gros homme barbu. En fait, euh… les mines ne devraient pas te poser de problème… je ne sais même pas pourquoi je les ai mentionnées… C'est probablement le stress, hein, Hector ?

Le pianiste attribuait plutôt cette remarque inutile à la mauvaise combinaison de l'alcool et de la fatigue, mais puisqu'il ne voulait pas le vexer, il répondit d'un simple grognement.

— Bref, reprit Rauk, sois prudent, petit.

Malgré la forte odeur de son vieil ami, le jeune homme lui offrit une très brève étreinte amicale et lui souhaita bonne chance avec le calmar. Après avoir dit au revoir à tout le monde, Victor, Udelaraï, Caleb et Pakarel descendirent la plage en direction du bateau, où Naveed les attendait patiemment.

— Mes affaires sont bien à l'intérieur ? demanda Victor à l'intention de Caleb et de Pakarel.

— Oui ! confirma le raton laveur, qui semblait fébrile et surexcité. Oh, j'ai si hâte de partir d'ici ! Une nouvelle aventure débute !

Une fois que Victor, son grand-père, Caleb et Pakarel furent arrivés auprès de Naveed, qui s'était avancé à leur rencontre, le jeune homme lui demanda :

— Tu es prêt, Naveed ?

Le démon hocha la tête en guise de confirmation, puis leva soudain les yeux par-dessus la tête de Victor.

— L'épouvantail arrive, dit-il de sa voix particulière.

Caleb, Pakarel, Udelaraï et Victor pivotèrent sur eux-mêmes et virent Ichabod trotter vers eux, tenant dans ses mains cinq gourdes.

— Attendez ! leur lança-t-il en pressant le pas par moments. Ne partez pas…, vos boissons !

Arrivé auprès de Victor et des autres, Ichabod se mit à distribuer les gourdes à leurs propriétaires d'un air plutôt nerveux. Lorsque l'épouvantail rendit sa gourde au jeune homme, celui-ci lui demanda :

– Ichabod, juste par curiosité, comment es-tu parvenu à prendre ma gourde, si elle était dans mon sac, dans le bateau des ogres ?

– Tiens, ta gourde, Caleb ! lui dit Ichabod en lui enfonçant brusquement l'objet de cuir dans la poitrine. Oh, pardon ! ajouta-t-il en voyant le regard noir de Caleb. Ah ? lâcha-t-il finalement à l'intention de Victor, lorsqu'il croisa son regard. Euh..., en fait, c'est Rauk qui te l'avait prise pour la remplir d'eau de mer afin de refroidir les moteurs. Voilà pour toi, Pakarel. Oups ! Pardon...

L'épouvantail venait de laisser échapper la gourde du pakamu avant même que ce dernier ait pu tendre le bras pour la prendre.

– Quelque chose te rend nerveux, le pantin ? lui envoya Caleb d'un air suspect.

– Non ! Non ! nia bêtement Ichabod d'une voix aiguë et mal à l'aise, tout va bien !

Victor et les autres échangèrent un regard qui en disait long. Il était évident que l'épouvantail était atteint d'une forte nervosité, et la raison était facile à deviner : la présence de Naveed. D'ailleurs, au lieu de lui donner sa gourde d'eau en main propre, l'épouvantail la confia simplement à Udelaraï avant de s'en aller à grandes enjambées.

– Bon voyage ! leur cria-t-il en faisant de grands gestes du bras. Donnez-nous des nouvelles !

– Je crois que vous l'intimidez, Naveed ! fit savoir Udelaraï d'un ton humoristique en lui donnant sa gourde.

Un instant plus tard, les cinq compagnons montèrent à bord du bateau. Ils firent des signes de la main – sauf Naveed, évidemment – à leurs camarades avant de repousser l'échelle d'un bon coup de pied. Victor et les autres descendirent ensuite dans le cockpit et, une fois que le couvercle métallique menant à l'extérieur fut refermé, ils s'assirent. Le pianiste s'installa dans le siège du conducteur, là où avaient été déposés son arbalète, son sac et son manteau. Caleb, Pakarel et Udelaraï s'installèrent sur les sièges situés derrière celui du jeune homme, longeant les parois de l'engin.

Quant à Naveed, il s'installa directement au sol, adossé au mur près de l'escalier et bien à l'écart, sa lance entre ses genoux, appuyée contre le mur.

— Tu peux prendre un siège, Naveed, lui offrit Victor.

— Je suis mieux où je suis, lui répondit brièvement le démon.

— Très bien, rétorqua le jeune homme avant d'observer le visage des autres.

En voyant l'expression sur le visage de Pakarel et de Caleb, Victor crut comprendre qu'ils n'étaient pas mécontents que Naveed reste à l'écart, mais personne n'osa en faire mention.

— Alors, Victor, tu sais comment faire décoller cet engin ? lui demanda Caleb, qui balayait du regard l'intérieur du cockpit.

— Je crois, admit le jeune homme, qui observait maintenant le tableau de bord qui se trouvait sous ses yeux. On va essayer, du moins. Bon..., alors...

Après avoir mis la main sur un interrupteur qu'il supposait être celui qui activait les moteurs, Victor prit une bonne inspiration, puis l'actionna. Soudain, le vaisseau se mit à trembler dans un grincement métallique.

— Je ne crois pas que ce soit normal, Victor, lui fit savoir Caleb d'un ton qui laissait transparaître un calme forcé. Tu es certain de ce que tu fais ?

Jetant un regard par-dessus son épaule en direction de Caleb, le jeune homme lui demanda :

— Tu veux prendre les commandes ?

Caleb leva les mains, comme s'il se rendait, et dit :

— D'accord, d'accord, j'ai compris.

Reportant son attention vers l'avant, le jeune homme analysa la console de commandes. Tandis qu'il cherchait à faire bouger l'étrange hydroglisseur, Pakarel, lui, jugea bon de goûter le contenu de sa gourde. Après un grognement de jubilation, le pakamu lâcha :

— Wouah ! Une boisson chocolatée ! Dis, Caleb, tu me donnes ta gourde ?

— Maintenant que tu m'as dis que c'était bon, certainement pas ! lui renvoya le demi-gobelin d'un air ricaneur.

N'étant pas du tout attentif aux échanges de ses camarades, le pianiste observait le tableau de bord, les yeux plissés par la concentration, tentant d'en déchiffrer les mystères. Puis, lorsqu'il crut comprendre son erreur, il se mit à marmonner :

— Si ce bouton n'active pas les moteurs, alors...

Victor appuya aussitôt sur un autre bouton, cette fois-ci persuadé de sa fonction. Il y eut un faible grondement et, tout à coup, plusieurs écrans s'allumèrent sur les différentes parois du vaisseau.

— Victor ! s'exclama Pakarel, qui manqua de renverser sa gorgée de boisson chocolatée. Regarde !

— Les écrans se sont allumés, je sais, répondit-il d'un air absent sans même tourner la tête, trop concentré sur sa tâche.

— Ah... bon, d'accord, répondit le raton laveur, à moitié déçu.

— Les écrans et les radars, c'est bien utile, commenta Caleb, mais il faudrait aussi...

Ignorant les paroles du demi-gobelin, le pianiste pressa sur un autre bouton. Ils entendirent un bourdonnement continu venant de l'arrière du vaisseau ; le moteur s'était activé. Au même instant, juste devant le jeune homme, les parois du bateau s'ouvrirent, dévoilant deux grandes vitres à moitié plongées dans l'eau.

— Je n'ai rien dit, lâcha Caleb avec une certaine surprise dans la voix. Je suis sûr qu'il l'a fait exprès, continua-t-il en s'adressant à quelqu'un d'autre. Il a attendu que je fasse un commentaire. Le vicieux.

Pakarel lâcha un petit rire, et Victor jeta un regard par-dessus son épaule afin d'envoyer un sourire satisfait à Caleb.

— Tu es fier de ton coup, hein ? l'accusa le demi-gobelin d'un air taquin.

Sans répondre directement à la question de Caleb, Victor balaya le visage de Pakarel, d'Udelaraï et de Naveed, et leur dit :

— Accrochez-vous !

Il tira ensuite progressivement sur le levier situé sur sa droite et, comme il l'avait prévu, l'appareil se mit à trembler légèrement avant de prendre de la vitesse.

— Regardez, c'est Rauk, là-haut ! lâcha Pakarel, qui pointait vers la vitre.

En effet, debout sur la carcasse du calmar mécanique, la silhouette plutôt large et à la jambe de bois de Rauk leur faisait de grands signes avec ses mains.

Le jeune homme tourna doucement la manette de contrôle et parvint à contourner avec facilité les tentacules du calmar mécanique, avant que le vaisseau s'éloigne de la plage.

— Fais attention, lui dit Caleb, il devrait bientôt y avoir des mines sous-marines…

— Je sais, lui dit Victor, mais je crois que nous ne risquons rien. Rauk m'a expliqué que le bateau n'a pas un tirant suffisamment profond pour se frotter aux capteurs des mines électromagnétiques présentes.

Alors que l'étrange bateau accélérait à une vitesse phénoménale et que les vagues se fracassaient lourdement contre la vitre nouvellement dévoilée du cockpit, Victor tourna doucement vers la gauche, coupant bientôt entre deux immenses îles, sous un ciel nocturne violacé et recouvert d'étoiles.

Au bout d'un moment, l'embarcation allait si vite qu'elle sautait sans cesse hors de l'eau, rendant obligatoire le port de la ceinture de sécurité et forçant Naveed, qui s'était cogné la tête contre les tuyaux du plafond à plusieurs reprises, à s'asseoir dans le cinquième et dernier siège. L'effet de vitesse était tel qu'au début, Victor avait l'impression que son cœur se contractait jusque dans son estomac, mais après un moment, il s'y était habitué. Lorsqu'il se sentit assez confiant pour observer à l'arrière, il découvrit un Pakarel crispé comme une statue sur sa chaise, le visage imprégné d'une expression de vertige. Udelaraï, lui, avait l'air de s'amuser à un point tel qu'il lâchait un « hop ! » de temps à autre, lorsque le bateau sautait hors de l'eau.

— Tu as une idée d'où on va ? lui demanda Caleb, qui n'avait pas l'air d'être trop mal en point.

— Plus ou moins, admit le jeune homme. Je sais qu'on doit se rendre vers l'est et, selon le compas…

Dans le but de confirmer ses dires, Victor jeta un bref regard au tableau de bord avant de se retourner vers le demi-gobelin.

— … c'est exactement dans cette direction que nous allons.

D'une faible voix, Pakarel marmonna :

— Dis… Victor… on pourrait aller… moins vite ?

— Pas si on veut prendre les airs, répondit le jeune homme, qui observa plus attentivement son compagnon pakamu. Oh, toi, tu ne te sens pas bien, hein ?

En réalité, si on avait pu voir la peau de Pakarel sous sa couche de poils de raton laveur, Victor était persuadé qu'elle aurait été blanche comme un linge.

— Pas… pas vraiment, balbutia Pakarel, qui observait droit devant, les yeux grands ouverts.

Caleb lui adressa un regard noir et dit d'un ton catégorique :

— Ne. Vomis. Pas.

Les yeux de Pakarel semblèrent virer vers le haut, et il marmonna d'un air perdu :

— Je crois que… je crois que…

— Tu ne crois rien ! s'empressa d'ajouter Caleb, qui tentait de s'enfoncer dans l'extrémité opposée de son siège. N'y pense même pas ! Merde, Victor ! Il va vomir !

— Je n'ai pas de parapluie, désolé ! lâcha le pianiste avec un vil plaisir tandis qu'il regardait à l'avant.

— Très comique, Victor ! lui renvoya le demi-gobelin d'un air noir. Oh non. Oh non ! Ses joues sont gonflées comme des ballons ! Il va vomir !

Non par curiosité, mais plutôt par envie de voir Caleb se faire asperger de vomissure, Victor regarda de nouveau vers l'arrière, le sourire aux lèvres. Il vit alors Udelaraï, dont le siège se trouvait juste derrière celui de Pakarel, dégager son bras droit de sa longue manche d'un mouvement sec avant de poser doucement sa main contre la nuque du raton laveur.

Au grand soulagement de Caleb, les joues enflées du pakamu se dégonflèrent aussitôt, et son visage sembla aussitôt retrouver ses couleurs, ce qui n'était pas rien, considérant le fait qu'il était recouvert de poils. L'air soulagé, Pakarel lâcha :

— Ouh là là ! Je me sens mieux… Merci, monsieur Udelaraï.

— Pas de quoi, mon cher ami !

— La prochaine fois, dit Caleb d'un ton noir à l'intention de Pakarel, apporte un sac de papier.

— Laisse-lui une chance, ricana Victor en inclinant légèrement les commandes vers la droite. Ce n'est pas de sa faute.

— Et comment est-ce que tu changes ce bateau en machine volante, maintenant ? lui rétorqua le demi-gobelin d'un ton irrité.

Le jeune homme jeta un regard vers l'arrière et observa Caleb avec insistance.

— « Monsieur Mauvaise humeur » aurait un manuel d'instructions à me donner, peut-être ?

Soudain, une voix étouffée retentit de nulle part :

— Aurais-je finalement entendu mon nom ? fit la voix sur un ton théâtral et mélancolique. On s'est finalement souvenu de moi ?

À la grande surprise — et au grand désarroi — de tous, le crâne s'était inexplicablement éveillé. Une expression de dépression intense envahit le visage de Caleb et de Pakarel. La main collée sur son visage, le pakamu lâcha, après un grand soupir :

— Comment a-t-il pu se réveiller… ?

— Oh non, s'exclama le demi-gobelin en laissant tomber sa tête vers l'arrière. Ce n'est pas vrai…

— Suis-je bête ! continua la voix de Manuel, qui provenait du sac de Victor. Vous parliez d'un manuel… d'un livre. Eh bien, j'en ai un juste ici. Et ça dit…

D'un ton hurleur, le crâne lâcha de sa voix étouffée :

— Sortez-moi de là, bordel de merde, sinon je bouffe tout le contenu de ce stupide sac ! Je vous hais ! Oh, tiens, dit Manuel d'une voix plus douce, qu'est-ce que c'est ? On dirait… on dirait ce drone qu'on m'avait placé sur la tête…

Tout le monde pensa alors la même chose : sortir le crâne du sac avant qu'il détruise le drone en le mangeant.

– Sortez-le de là ! rugit Victor, qui n'osa pas quitter les commandes du bateau. Vite, vite !

Jetant quelques coups d'œil rapides derrière lui, le jeune homme vit Pakarel et Caleb lutter à deux pour ouvrir le sac, tout en criant l'un sur l'autre :

– Pousse tes mains, Pakarel !

– Non, laisse-moi faire, je l'ai, je l'ai !

– Oh, oh ! lâcha la voix de Manuel avec amusement. On dirait que je l'ai trouvé.

À cet instant, Pakarel et Caleb parvinrent à ouvrir le sac et, d'un mouvement rapide, le pakamu tira un petit objet du bout des doigts.

– Qu'est-ce que… ? s'exclama Manuel. Non ! Redonne-moi ce sale drone, que je le mange ! Toi ? Toi ! Sale petit voleur ! Tu me voles mon diamant, et après mon drone ! Rends-moi mon drone, sinon je…

Pakarel referma le sac sur Manuel, rendant ses paroles inaudibles, mis à part quelques jurons particulièrement vulgaires.

– On fait quoi ? demanda-t-il avec fébrilité.

– Sortez-le du sac, leur ordonna Victor en se concentrant sur sa conduite, et gardez le drone bien à l'écart de Manuel. Et surtout, faites attention à vos doigts.

Chapitre 7

Un vol bien lourd et désagréable

Au bout d'une lutte étonnamment longue et féroce, Caleb était finalement parvenu à tirer Manuel du sac, mais il en avait payé le prix : il s'était fait mordre les doigts une demi-douzaine de fois.

– Bien joué, Caleb ! le félicita Pakarel, qui était assis sur le siège d'à côté et tenait le drone à champ électromagnétique entre ses deux petites mains. Heureusement que tu avais gardé tes gants de cuir, sinon il t'aurait bien coupé les doigts !

D'un regard assassin, le demi-gobelin observait le crâne en métal qu'il tenait d'une main, par les tempes. Son autre main, celle qui avait été victime des morsures du crâne, semblait lui être particulièrement douloureuse.

– Ça ira, Caleb ? lui demanda Victor sans se retourner.

Puisque le demi-gobelin ne répondait pas, le jeune homme tourna finalement la tête afin de vérifier l'état de son ami. Ce dernier était à bout de nerfs, d'une humeur massacrante et gardait les dents serrées. Sentant que les choses allaient empirer, Victor se mit aussitôt à balayer du regard tous les interrupteurs et manivelles de son tableau de bord, à la recherche de l'autopilote du véhicule.

– Donne-moi une bonne raison de ne pas te balancer hors de ce bateau… juste *une*, murmura Caleb à l'intention du crâne, les yeux bouillonnant de haine.

Ayant finalement activé le système de pilotage automatique du véhicule, Victor fit pivoter son siège afin de faire face aux autres.

– Parce que je ne pourrai plus te servir de coupe-ongles, envoya Manuel d'un air amusé. D'ailleurs, je n'ai pas fait mon travail comme il faut, puisque tes doigts sont encore entiers, comme l'a mentionné le petit voleur au chapeau démesuré.

— Caleb, non, lui ordonna calmement Victor, qui surprit son ami à vouloir se détacher. Rattache-toi. Nous sommes en pleine mer, les vagues sont fortes et tu le sais très bien.

— Il ne sert à rien ! protesta le demi-gobelin d'une colère noire. Cet imbécile de métacurseur immature ne nous a causé que des ennuis, depuis que nous le connaissons !

Gardant une voix douce et amicale, Victor lui dit doucement :

— Caleb…, calme-toi.

Le bras de Caleb tremblait tellement que le demi-gobelin donnait l'impression de lutter contre l'envie de lancer Manuel de toutes ses forces.

— Donne-moi le crâne, lui dit Udelaraï de sa voix naturellement apaisante et joviale. Il est à mon service, après tout. Ce sera moi qui m'occuperai de lui.

Venant de réaliser la présence du vieillard, Manuel lâcha d'un air désagréablement surpris :

— *Vous* ? Vous êtes encore en vie ?

— Il semblerait bien ! répondit le vieil homme avec un sourire radieux, tout en approchant sa main du crâne maintenu par le demi-gobelin.

— Pas touche ! protesta aussitôt le crâne sur un ton colérique, faisant ainsi s'arrêter le bras d'Udelaraï. Je ne veux pas que vous me touchiez ! Sinon, je vous arrache vos vieux doigts hideux !

— Oh, oh, lâcha le vieil homme d'un air ricaneur, donnant la nette impression de n'être aucunement affecté par les paroles de Manuel, je crois qu'il serait dans ton intérêt de coopérer.

— Sinon quoi, hein ? protesta le crâne. Vous allez me remettre le drone sur la tête ? Eh bien, nouvelle de l'heure : le drone n'a plus d'énergie ! Vidé ! Plus de jus ! Fini !

Cette menace n'empêcha pas Udelaraï de prendre le crâne des mains de Caleb.

— Hé ! rugit vivement Manuel, espèce de vieux sénile ! Tu n'as pas compris ce que je viens de te dire ?

— Pakarel, intervint Victor en tendant la main, donne-moi le drone que tu tiens.

Le pakamu s'exécuta et le tendit au jeune homme. Le drone dans le creux de sa paume, le pianiste l'analysa du regard pendant un court instant.

— Il ne ment pas, dit Victor avec un brin de déception dans la voix. Le drone est bel et bien vidé. Il faudra le recharger.

— Ouais, reprit le métacurseur d'un air fier, et comme il n'y a aucun moyen de recharger ces drones sur l'île, vous allez devoir me supporter, bande de faillibles mortels !

Victor et les autres échangèrent un regard.

— Nous ne sommes plus sur l'île, pauvre idiot ! lui fit savoir le demi-gobelin d'un air exaspéré.

Il y eut un moment de silence pendant lequel tous les regards étaient rivés sur le crâne.

— Comment ça, nous ne sommes plus sur l'île ? marmonna finalement le métacurseur. Où elle est, l'île ?

En voyant la réaction plutôt amusante de Manuel, Pakarel lâcha un rire moqueur, sa main masquant sa bouche, tout en faisant ballotter ses jambes trop petites pour la taille du siège.

— Manuel, nous sommes en route vers Casablanca, lui dit Victor.

— Casablanca ? répéta Manuel, l'air tout aussi perdu. Alors... alors..., où sommes-nous, en ce moment ? Je ne vois rien, je ne peux même pas tourner la tête ! Sale vieillard ! Esclavagiste ! Tourne-moi vers la droite ! Je veux voir où nous allons !

Victor vit alors Naveed s'incliner vers le siège d'Udelaraï, puis prendre le crâne des mains du vieil homme. Le visage du démon, dont le nez arborait sur l'arête deux cicatrices horizontales, s'approcha à un centimètre de celui de Manuel, ses yeux verts aux pupilles spiralées plongées dans les orbites de ce dernier. À la vue intimidante du démon des sables, Manuel lâcha un cri digne d'une fillette de huit ans.

— Tu vas arrêter tes sottises, créature, lui ordonna Naveed. Tu parles trop.

Maintenant que le crâne était silencieux, Naveed le redonna à Udelaraï, avant de se réinstaller convenablement sur son siège.

– Efficace, lâcha Caleb, qui semblait avoir retrouvé un peu de bonne humeur, avec un sourire en coin.

Le visage du demi-gobelin sombra tout à coup dans une expression sérieuse et inquiétante ; ses yeux étaient fixés au-dessus de l'épaule de Victor.

– Quoi ? lâcha le jeune homme en faisant pivoter son siège vers l'avant.

Dans l'obscurité de la nuit violacée, simplement éclairée par ses étoiles, Victor vit trois paires de globes lumineux rasant la surface de l'eau, au loin, se dirigeant dans leur direction. Plissant les yeux afin de discerner la nature de ce qu'il voyait, le pianiste marmonna :

– Mais qu'est-ce que…

Alors que les globes lumineux se rapprochaient toujours et que le jeune homme tentait de discerner ce dont il s'agissait, Pakarel lui demanda d'un air curieux :

– Victor, qu'est-ce que c'est ?

À cet instant, le jeune homme comprit que les globes étaient les phares avant de trois machines aquatiques, chacune d'entre elles montée par deux silhouettes humanoïdes. Avant même que Victor ait pu voir de quel genre d'engin il s'agissait, une pluie de balles avaient atteint leur véhicule, martelant sa coquille de bois avant de terminer leur route contre une surface métallique.

À travers les cris alarmés de Pakarel et de Caleb ainsi que la volée de jurons proférés par Manuel, Victor tira les commandes vers la droite, faisant virer son propre engin à une si grande vitesse que ses amis et lui furent tirés vers la gauche. Ils entendirent un objet métallique rouler sur le plancher ; c'était le crâne.

– Aïe ! s'écria Manuel. Espèce de… Ouille !

Ne prêtant pas attention aux distractions causées par Manuel et les autres, qui lui criaient probablement de les sortir de ce pétrin, Victor fit faire un cercle à son étrange hydroglisseur jusqu'à ce que les trois engins hostiles apparaissent dans son champ de vision obstrué par les vagues maintenant agitées, à travers la vitre trempée du cockpit. Les trois véhicules, que Victor estima ne pas être plus gros que D-rxt, venaient de repartir à l'assaut.

— Ne reste pas là ! lui cria Caleb.

— Ce n'était pas mon intention, lui renvoya Victor, tirant la manette d'accélération au maximum.

La conduite du bateau des ogres n'était pas facile, mais Victor s'habitua vite à exécuter des manœuvres impressionnantes, ce qui leur sauva la peau, étant donné la situation. Les rafales de balles sifflaient en leur direction avant de finir leur course dans la mer, laissant derrière eux des giclées d'eau. Certes, quelques projectiles atteignirent la coque du bateau, mais ce n'était pas important pour Victor, qui tentait à tout prix de protéger la vitre du cockpit.

— Ils ne doivent pas percer la vitre, lui fit savoir Caleb, écrasé dans le fond de son siège.

— Je fais mon possible ! lui renvoya sèchement Victor, trop occupé.

Fort heureusement, le jeune homme, qui avait jusqu'à maintenant déjoué l'attaque de ses trois assaillants avec succès, parvint à les distancer en donnant un bon coup d'accélérateur après un virage bien négocié. Puisqu'il était très difficile de savoir clairement où ils allaient, étant donné les vagues qui déferlaient contre les deux vitres avant et le peu de luminosité procurée par les phares, Victor n'osa pas regarder les radars, dont les écrans étaient situés à sa droite, pour déterminer la position de leurs adversaires. Le jeune homme était cloué sur son siège, concentré sur un seul but : piloter le bateau en faisant en sorte de ne pas les tuer.

— Quelqu'un peut me dire si on les voit sur les radars ? demanda-t-il avec empressement. Je ne peux pas regarder moi-même.

— Attends..., je tente de voir, lui répondit le demi-gobelin.

Après l'avoir entendu détacher sa ceinture de sécurité, Victor sentit la main de Caleb s'appuyer contre le dossier de son siège.

— Fais attention, le prévint Victor, qui tentait de manœuvrer l'engin du mieux qu'il le pouvait.

— Et ces petits points ? proposa la voix de Pakarel. Ce ne serait pas eux ?

— Je crois que tu as raison, lui répondit Caleb un instant plus tard. Victor, ils sont juste derrière nous. À 100 mètres, tout au plus.

— Victor, dit alors Pakarel, je crois qu'il serait bon de nous faire voler. Victor, tu m'écoutes ?

— Je ne sais pas tout à fait comment procéder, répondit le jeune homme après un moment d'hésitation. Comme vous le voyez, ce n'est pas évident de regarder ailleurs que vers l'avant…

— Je ne te le fais pas dire, jeune homme ! renvoya la voix d'Udelaraï.

— Dit comme ça, lâcha Caleb, tu as raison, mon vieux. Laisse-moi voir si je ne pourrais pas trouver comment…

Encore une fois, le demi-gobelin se détacha et s'appuya sur le siège de Victor. Mais au même moment, une volée de balles atteignit l'arrière du bateau, forçant le jeune homme à tirer les commandes vers la gauche. Caleb manqua de tomber à la renverse, mais il s'agrippa au dossier du jeune homme, qui, lui, faillit lâcher les commandes.

— Désolé… désolé, lui dit aussitôt Caleb. Bon…, observons ce tableau de bord.

Au bout de quelques longues secondes, le demi-gobelin demanda avec malaise :

— Victor, tu es certain que cet engin peut se transformer ? Parce que je ne vois rien qui puisse…

— Regarde dans cette zone ! l'interrompit brutalement le jeune homme en pointant une section du tableau de bord. Je suis persuadé d'avoir vu un interrupteur pour actionner la mise en vol.

Encore une fois, Caleb resta silencieux pendant de longues secondes, ce qui irritait de plus en plus Victor. Au moment où ce dernier allait finalement détourner les yeux de l'océan afin d'observer le tableau de bord, le demi-gobelin lâcha :

— J'ai trouvé ! Voilà !

Caleb appuya sur un interrupteur, non loin de Victor. Soudain, l'hologramme du vaisseau qui illuminait partiellement le visage du jeune homme disparut, laissant place à une icône d'une vive couleur rouge. Forcé de regarder de quoi il s'agissait, Victor baissa les yeux vers la console. C'était l'icône très basique, mais efficace d'une boîte qui s'ouvrait et se refermait. Au même moment, ils entendirent une voix féminine, mais monotone dire :

« Mise en vol activé. Veuillez verrouiller vos ceintures afin de réduire les cas de mortalité. »

— Oh, merde ! lâcha Caleb, qui alla se rasseoir à toute vitesse.

Dans un grincement métallique particulièrement fort, le bateau se mit à vibrer. Pendant un long silence, Victor et les siens observèrent l'intérieur du bateau, attendant de voir ce qui allait se produire. Tout à coup, l'un des tuyaux du plafond du cockpit se fendit en deux, déversant une eau brûlante sur la main de Victor, qui la retira brusquement en lâchant un juron. À cet instant, la voix féminine et monotone du vaisseau se fit entendre à nouveau :

« Bris technique au niveau des systèmes de climatisation. Analyse des futurs problèmes en cours. »

— Quoi ? lâcha Manuel, qui avait apparemment retrouvé la parole. Oh merde, oh merde ! Je vais mourir !

Jetant à nouveau un regard derrière lui, le jeune homme observa ses camarades. Manuel pleurnichait à l'aide, Caleb grinçait des dents en observant les parois d'un air angoissé, Pakarel était enfoncé au plus profond de son siège, Naveed se retenait au sien d'un air sévère et Udelaraï paraissait inquiet, même s'il ne s'en plaignait pas.

Les vibrations du bateau avaient empiré à un tel point que les divers écrans du bateau se mirent à perdre de leur intensité, et d'autres furent brouillés par des interférences, menaçant de s'éteindre à tout moment.

— Est-ce que c'est normal ? lui demanda Caleb, qui avait du mal à masquer son grand manque de confiance dans cette situation.

Ne sachant pas quoi répondre au demi-gobelin, le pianiste préféra rester muet et jouer la carte de celui qui, trop concentré, n'avait rien entendu. Victor restait là, observant dans tous les sens, attendant que quelque chose se produise, refusant de se laisser envahir par la détresse. En réalité, ce n'était pas de la confiance ni de la certitude, mais un espoir fou de ne pas avoir commis une grave erreur.

Tout en observant l'eau ruisseler contre la vitre du bateau, Victor commença à se sentir profondément coupable auprès des siens. Il avait entraîné ses amis avec lui, en haute mer, dans un véhicule peu orthodoxe qu'il savait à peine conduire. Il aurait dû s'exercer avant de s'élancer dans une telle aventure. Il aurait dû être prévoyant…

Au même moment, faisant sursauter tout le monde, une nouvelle volée de balles atteignit la coque de l'engin, démontrant que leurs adversaires ne les avaient pas quittés des yeux. À cet instant, les moteurs s'éteignirent inexplicablement, de même que toutes les lumières et tous les écrans du cockpit, laissant place à un silence inquiétant. Pire encore : ils perdaient de la vitesse. L'intérieur du cockpit était maintenant plongé dans une pénombre à peine dérangée par la lumière nocturne qui provenait des deux vitres avant. D'un instant à l'autre, leurs poursuivants allaient les rattraper.

Le jeune homme tenta tout d'abord de redémarrer les moteurs, avant d'appuyer sur des boutons au hasard, mais sans succès ; rien ne fonctionnait.

— Victor, que… qu'est-ce qui se passe ? demanda Pakarel, qui luttait visiblement pour ne pas s'affoler.

Le pianiste déglutit difficilement.

— Je… je ne sais pas, répondit-il avec une honnêteté crue.

— C'était l'idée de qui, de prendre ce vieux bateau pourri ? lâcha Manuel dans un mélange de peur et de colère. C'est ton idée, hein, Victor ? lui envoya-t-il avec reproche.

— Ferme ta gueule, Manuel, lui envoya sèchement Caleb.

C'est alors qu'une violente secousse se fit sentir à travers le navire et, à la surprise de tous, quelque chose fit se propulser le bateau dans les airs.

— Oh mon Dieu ! lâcha Manuel, qui, encore une fois, tomba par terre. Je ne mérite pas de mourir ! Je serai bon !

Victor crut qu'il s'agissait d'une vague imposante qui les avait fait bondir, jusqu'à ce qu'il réalise que la mer était plutôt calme. La force de la gravité qui le clouait sur son siège indiquait qu'ils devaient avoir bondi à une hauteur considérable. Le cœur du jeune homme se contracta, lorsqu'il réalisa que le nez du navire commençait à piquer vers l'océan… qui se trouvait à une dizaine de mètres plus bas.

— Accrochez-vous ! s'écria-t-il en s'agrippant aux accoudoirs de son siège.

Une fraction de seconde plus tard, alors que Manuel continuait à râler comme une fillette, tous les écrans et les lumières du bateau se rallumèrent. L'hologramme représentant le bateau était en pleine transformation. Dans un vacarme infernal de grincements métalliques, de lourdes ailes se déplièrent de chaque côté de la coque, munies d'hélices à leur base, tandis que le mât du bateau s'abaissa vers l'arrière. Un voyant indiqua que les moteurs s'étaient réactivés, et ceux-ci propulsaient maintenant l'engin volant à toute allure dans le ciel, à quelques mètres de l'eau.

Alors que Victor et ses amis étaient crispés sur leur siège, le cœur battant à tout rompre, la voix féminine si monotone annonça :

« Mise en vol autorisée par l'ordinateur de bord. Bon voyage. »

Victor fut le seul à revenir à la réalité ; les autres, sauf Manuel, qui gémissait, restèrent sans voix, encore dans l'émotion du moment. En reprenant le contrôle du véhicule, le jeune homme réalisa que les commandes de son tableau de bord s'étaient légèrement modifiées afin de se conformer aux nouvelles fonctions de l'engin. Seul le levier qui permettait de faire accélérer l'engin sous sa forme de bateau avait gardé la même utilité. Un manche s'était déplié dans un mécanisme compliqué, juste sous les yeux de Victor, lui donnant la possibilité de contrôler l'altitude de la machine volante ainsi que son inclinaison.

Tel un pilote habile, le pianiste inclina le manche vers le bas, avant de tirer d'un bon coup le levier d'accélération. L'étrange machine volante, maintenant équipée d'ailes et d'hélices, prit de l'altitude à toute vitesse, laissant, comme l'indiquaient les radars, leurs attaquants sur la mer. Aussitôt, le jeune homme ressentit un grand soulagement ; ils avaient réussi. Cependant, songea-t-il, peut-être leurs adversaires allaient-ils retourner vers la plage… Il serait donc prudent d'entrer en contact avec les autres afin de les avertir. Avec cette idée en tête, Victor interpella le pakamu :

– Pakarel ?

N'obtenant aucune réponse, le jeune homme fit pivoter le haut de son corps afin d'observer derrière lui. Caleb était en train de donner des paroles d'encouragement au raton laveur, qui, décidément, était à nouveau victime de haut-le-cœur. Victor s'assura que leur vaisseau volait en ligne droite avant d'enclencher le pilotage automatique, puis il fit pivoter son siège et observa ses amis.

– Ça va aller, mon vieux, lui dit le demi-gobelin. Pense à des tartes. Tiens, quelles sont tes tartes préférées ?

Le teint livide, Pakarel fixait devant lui avec des yeux ronds.

– Pakarel, quelles sont tes tartes préférées ? reprit Caleb avec un peu plus de vigueur. À quoi les aimes-tu ?

– Au… au sucre, répondit le pakamu avec difficulté, comme si le simple fait de répondre lui avait demandé un effort considérable. J'aime le sucre… beaucoup.

Pendant que Pakarel avait formulé sa réponse, Caleb avait fouillé dans sa poche et en avait sorti un petit objet, qui ressemblait à un briquet.

– Alors, je veux que tu fermes les yeux, lui dit le demi-gobelin.

L'air hésitant, presque méfiant, Pakarel dirigea son regard vers celui de Caleb. Même si Victor voulait mentionner à ses amis un fait qu'il jugeait urgent, il se tut, curieux de voir la démonstration de Caleb.

— Ferme les yeux, répéta le demi-gobelin. Fais-moi confiance.

En donnant encore l'impression que cette action nécessitait un effort particulièrement corsé, Pakarel ferma les yeux.

Tout en réglant l'objet qu'il tenait, Caleb continua :

— Et je veux que tu t'imagines en train de sentir l'odeur majestueusement délicieuse des tartes de mon père…

Une fois satisfait du réglage de l'objet, le demi-gobelin lui passa l'espèce de petit briquet sous le nez. Aussitôt, le corps de Pakarel perdit toute tension, pour adopter une position décontractée et presque nonchalante, comme si le pakamu venait de décoller mentalement vers un monde meilleur.

— Tiens, dit Caleb en posant l'objet dans les petites mains de Pakarel, qui porta aussitôt l'étrange briquet à ses narines.

Après quelques secondes d'attente, le demi-gobelin lui demanda :

— Ça va mieux ?

— Mmmh-mmmh, répondit le pakamu, qui ne l'écoutait pas vraiment, les yeux fermés et humant l'objet, toujours perdu dans ses pensées.

— Bien joué, Caleb ! le félicita Udelaraï d'un air jovial.

— Qu'est-ce que c'est ? demanda Victor à son meilleur ami en désignant le briquet du menton.

— C'est un sent-bon, lui dit Caleb, qui observait Pakarel d'un air satisfait. Tu peux régler l'odeur naturelle que tu veux. C'est utile pour attirer les animaux. J'utilise ça, quand Hol ne veut pas coopérer.

Cette remarque fit apparaître un sourire en coin sur les lèvres du jeune homme. Pakarel ouvrit alors les yeux, un voile de sérénité plaqué au visage.

— Tu vas bien ? lui demanda Victor.

L'air rêveur, le pakamu lui répondit :

— J'aime vraiment beaucoup les tartes au sucre…

— Tout compte fait, dit Caleb en reprenant délicatement l'objet des mains du raton laveur, on ne devrait peut-être pas lui laisser…

Victor lâcha un petit rire.

– Pakarel, tu m'entends ? lui redemanda-t-il.

Le pakamu parut perdu pendant un court instant avant de secouer vigoureusement la tête et de cligner des yeux à plusieurs reprises. Puis, l'air lucide, il dirigea son regard vers Victor.

– Oui ?

Fouillant dans son sac afin d'y récupérer sa radio portative, Victor lui dit :

– Je voudrais que tu joignes nos amis sur la plage et que tu...

Le jeune homme s'interrompit, se rendant compte qu'il ne se souvenait pas du tout de la fréquence radio de Rauk.

– Qu'y a-t-il, Victor ? lui demanda Pakarel, qui voyait bien que ce dernier ne disait plus rien.

– Rien, soupira Victor. Je voulais que nous appelions Rauk et les autres afin de les avertir de la présence de ces types qui nous ont attaqués, mais laisse tomber. Je n'ai pas leur fréquence radiophonique.

– Maeva la connaît, elle, fit remarquer le pakamu.

Fronçant les sourcils pendant un instant, le temps que l'information se rende à son cerveau, le jeune homme répondit finalement :

– Ce n'est pas bête du tout. Bien vu, Pakarel !

Alors qu'il entrait la bonne fréquence sur sa radio, Caleb intervint :

– Victor ?

– Mmmh ?

– Je ne crois pas qu'il soit nécessaire d'appeler qui que ce soit.

– Qu'est-ce que tu racontes ? lui marmonna Victor, qui ne l'écoutait qu'à moitié.

– Victor, dit Udelaraï d'un ton convaincant, je te prie d'observer cet écran. Maintenant.

Curieux, le jeune homme leva la tête vers son grand-père. Ce dernier observait l'écran des radars, tout comme Pakarel, Naveed et Caleb.

Le jeune homme suivit la trajectoire des regards de ses amis. Sur l'écran, trois petits points se rapprochaient rapidement d'eux.

En fait, ils s'approchaient si rapidement qu'avant même que Victor ait pu ouvrir la bouche pour parler, ils entendirent une rafale de balles fendre l'air en leur direction, éclairant le ciel nocturne de leur éclat orangé, avant de s'abattre contre les parois de leur vaisseau. La voix féminine du cockpit annonça alors :

« Réservoir d'huile endommagé. Suggestion : à des fins de sécurité, veuillez arrêter le véhicule et entreprendre sa réparation. »

– Merde ! lâcha Caleb.

– Comment est-ce possible ? s'écria Pakarel, affolé. Ils volent, eux aussi ?

Alarmé, Victor laissa tomber sa radio portative dans son sac avant de faire pivoter son siège vers le tableau de bord, où il désactiva aussitôt le système de pilotage automatique du vaisseau.

– Accrochez-vous ! cria-t-il tout en tirant sur le manche de l'appareil.

La machine volante vira brusquement vers la gauche, quittant la trajectoire des balles tirées par leurs assaillants. Une nouvelle volée de projectiles trancha l'air en leur direction, forçant le jeune homme à prendre un virage vers la droite.

« Aile droite endommagée. Suggestion : à des fins de sécurité, veuillez arrêter le véhicule et entreprendre sa réparation. »

En effet, le vaisseau commençait à s'incliner légèrement vers la droite. Victor tira alors les commandes vers la gauche, stabilisant ainsi leur machine volante. L'engin allait devoir être piloté manuellement jusqu'à la fin du voyage.

– Où sont-ils ? s'écria le jeune homme à l'intention de quiconque voulait bien lui répondre.

– Juste derrière, répondit la voix de Naveed, qui paraissait garder son sang-froid malgré la situation.

Après un instant de recherche, l'une des craintes du pianiste se confirma : le vaisseau n'était pas armé. Victor allait devoir improviser, s'il voulait avoir une chance d'échapper à leurs assaillants, car à un tel rythme, ses amis et lui allaient se faire canarder jusqu'à ce qu'ils s'écrasent. Et s'écraser en pleine mer, ce n'était pas ce qu'il y avait de mieux. Le pianiste eut une idée, mais c'était risqué. Très risqué.

– Ils sont à moins de 20 mètres ! l'avertit Caleb. Quinze mètres... dix... Victor, merde, fait quelque chose !

Victor lança un regard derrière lui et s'adressa à ses amis :

– Tenez-vous, dit-il d'un ton presque désolé d'avance. Ça va cogner. Vraiment fort.

Lorsqu'il vit que tout le monde l'avait écouté et s'était bien agrippé à son siège, le jeune homme tira brusquement sur la manivelle de freinage, avant de s'accrocher lui-même aux accoudoirs de son siège. Le vaisseau perdit toute sa vitesse, devenant ainsi un immense obstacle pour les trois engins qui les poursuivaient. D'un instant à l'autre, ils allaient entrer en collision. À pleins poumons, Caleb cria :

– Victor ! Qu'est-ce que tu...

Puis, tout devint noir. Un instant plus tard, le jeune homme était revenu à lui, la respiration difficile et l'ouïe bourdonnante. Il pouvait entendre des cris et des bruits inaudibles. Sa vue était floue, mais il pouvait voir que les lumières de l'appareil s'étaient toutes éteintes. L'impact était survenu. Étourdi, le jeune homme se passa la main sur le visage avant d'observer sa main, dédoublée par sa vision trouble. Au bout de quelques instants de confusion, la vue de Victor parvint à se stabiliser. Sa main était recouverte de sang. Il s'était donc cogné la tête. Retrouvant pratiquement toute sa lucidité, le jeune homme sentit combien sa poitrine brûlait de douleur ; c'était le résultat de sa ceinture de sécurité, qui l'avait empêché d'être propulsé contre la vitre avant.

Le premier réflexe du jeune homme fut de vérifier que tous ses amis étaient sains et saufs. Observant derrière lui, sans pour autant lâcher les commandes du vaisseau, Victor réalisa que plus rien ne semblait fonctionner ; l'intérieur du vaisseau était presque entièrement plongé dans le noir. En effet, la pénombre était à peine dérangée par la faible lueur des quelques étincelles qui jaillissaient d'un peu partout, indiquant de nombreux bris mécaniques. C'est avec un pincement au cœur que Victor vit tout d'abord Pakarel, affaissé sur son siège, son chapeau renversé au sol, la tête pendant sur le côté et les yeux fermés.

— Pakarel ! cria Victor, affolé, la voix cassée. Pakarel !

Le pakamu lâcha un petit grognement, au grand soulagement de Victor, qui avait craint le pire. Pakarel ouvrit finalement les yeux, avant de réajuster sa position, l'air perdu.

— Pakarel, tu vas bien ?

— Moui… répondit le pakamu avec lenteur, tout en se grattant la tête.

L'attention de Victor fut alors attirée par Caleb, installé au fond de son siège, qui venait de porter son bras à son visage d'un geste lent. Le demi-gobelin avait l'air sérieusement étourdi, une vilaine blessure à la tempe, et ses cheveux bleutés étaient en bataille sur son visage.

— J'espère que ça aura valu le coup, grommela Caleb, qui avait apparemment deviné les intentions initiales du jeune homme. J'ai un de ces mal de tête…

Naveed était juste derrière, tenant entre ses mains sa ceinture de sécurité, qui s'était visiblement déchirée dans l'impact. Cependant, il donnait l'impression d'être en pleine forme, sans blessure apparente.

— Monsieur Udelaraï ? demanda alors Pakarel au vieil homme.

Lorsque Victor posa le regard sur son grand-père, ses entrailles se contractèrent. Le vieil homme semblait inconscient, la tête basse, le menton contre sa poitrine, ses cheveux argentés maculés de sang. Soudain, il y eut une violente secousse, forçant Victor à ramener son attention vers l'avant.

Il vit, à travers la vitre du cockpit fortement incliné vers la droite, que l'océan n'était qu'à une vingtaine de mètres sous eux, tout au plus. Même si tout portait à croire que le tableau de bord n'était plus fonctionnel, le pianiste s'empara du manche et le tira vers le bas.

— Fonctionne, je t'en prie, fonctionne ! marmonna-t-il.

C'est avec soulagement que Victor vit l'engin reprendre de l'altitude, même s'il avait l'impression de piloter à l'aveuglette, au beau milieu de l'océan, sans savoir où il allait. Pendant qu'il stabilisait le vaisseau, son aile droite le faisant toujours s'incliner légèrement dans cette direction, le jeune homme envoya à l'arrière :

– Est-ce que quelqu'un pourrait s'occuper de mon grand-père ?

– On s'en occupe déjà, répondit Caleb, dont la voix peu enjouée laissait paraître un mauvais présage.

Le jeune homme voulut se retourner, mais le demi-gobelin lui envoya aussitôt d'un ton sec :

– On s'en occupe, Victor ! Assure-toi de piloter ce tas de ferraille.

Même s'il aurait voulu agir différemment, le pianiste ne savait que trop bien que Caleb avait raison. Laissant son grand-père entre les mains de ses amis, Victor lutta contre lui-même pour se concentrer sur la tâche de garder l'appareil en vol. Son meilleur ami lui avait parlé d'un ton sec et raide, ce que Victor n'avait pas vraiment aimé, mais le comportement de Caleb était tout à fait justifié ; le jeune homme avait joué avec leur sort, provoquant un impact avec les vaisseaux de leurs assaillants. D'ailleurs, il était impossible de savoir s'ils avaient ou non été détruits dans l'impact, puisque les écrans radars étaient éteints ou brisés. À moins, bien sûr, de faire volte-face et d'espérer repérer des débris enflammés dans l'eau. Chose que Victor n'osait pas vraiment faire, considérant la fragilité actuelle du vaisseau.

Pendant plusieurs minutes, Victor s'attendit plus ou moins à ce qu'ils se fassent de nouveau attaquer, mais heureusement, rien d'anormal ne se produisit. Si leurs assaillants n'avaient pas été détruits dans la collision, ils avaient alors rebroussé chemin.

Au bout d'un moment, Pakarel s'approcha de Victor, s'appuyant sur toutes les surfaces qui se présentaient. À la vue du petit personnage, qui portait de nouveau son énorme chapeau, le jeune homme demanda aussitôt :

– Comment va-t-il ?

– Ton grand-père s'est solidement cogné la tête, répondit Pakarel. Un tuyau a dû se détacher du plafond durant l'impact et le heurter en pleine tête. Du moins, c'est ce que Naveed et Caleb pensent.

— Il est éveillé ? demanda Victor, plus qu'inquiet.

— Non, répondit Pakarel. Naveed dit qu'il vaudrait mieux le laisser comme ça.

Cloué sur son siège, Victor observa derrière lui. Son grand-père était dans la même position que tout à l'heure, Caleb et Naveed à ses côtés, silencieux. Le jeune homme se sentait totalement impuissant. Pire encore, il pilotait à l'aveuglette sans savoir où aller.

— En tout cas, dit le raton laveur, la bonne nouvelle, c'est qu'il est inutile de joindre nos amis sur la plage pour les avertir du danger. Nos poursuivants n'ont pas pu survivre à un tel impact. Pas vrai, Victor ?

— Sans doute, confirma-t-il.

En réalité, le jeune homme n'en était pas si certain. Il n'avait confirmé que pour éviter d'inquiéter inutilement son petit camarade. Au bout d'un moment de silence, Pakarel reprit la parole :

— C'est un miracle que nous soyons encore en vie, dit-il en observant à travers la vitre, aux côtés du pianiste. Tu nous as sauvés, Victor.

— Tu crois ? répondit-il d'un ton monotone, l'air absent.

Victor n'était pas si certain d'avoir sauvé ses amis, car ils se trouvaient maintenant dans une situation précaire et, surtout, dangereuse. Ils devaient se rendre jusqu'à Casablanca dans un vaisseau instable et brisé qui pouvait, à tout moment, les lâcher. Le jeune homme allait devoir trouver une façon de se localiser, et vite, car jamais il n'atteindrait le Maroc sans savoir dans quelle direction aller…

À cette pensée, les espoirs de Victor commencèrent à réellement s'estomper. Ne devraient-ils pas plutôt simplement rebrousser chemin et retourner vers l'île ? Dans tous les cas, les attaques de leurs agresseurs inconnus avaient forcé Victor à changer de direction plusieurs fois, ce qui voulait dire qu'il n'avait aucune idée d'où ils se situaient par rapport à l'île. À mesure qu'il réalisait la gravité de la situation, le jeune homme sentait son moral et sa motivation disparaître. Ils étaient dans un grave pétrin.

– Si tu me montres comment maintenir le vaisseau droit, proposa alors le pakamu, je peux te relayer pendant un moment.

Revenant à la réalité, le jeune homme réagit avec retard à l'offre de Pakarel.

– Tu... tu es certain ? Tu t'en crois capable ?

Pakarel confirma d'un fébrile hochement de tête.

– Pourquoi pas ? répondit le pakamu d'un air plutôt jovial. Ça va te laisser le temps d'évaluer ce que nous devrions entreprendre pour la suite des événements.

Victor plissa les yeux, l'air soupçonneux. Comment Pakarel avait-il pu deviner ce qui le tracassait ? Remarquant l'expression sur le visage du jeune homme, le pakamu ricana avant de dire :

– Tu n'es pas très difficile à comprendre, tu sais.

À la suite de la révélation du pakamu, Victor se sentit un peu moins démoralisé. Et même, plus démoralisé du tout. Certes, la situation était toujours aussi désastreuse, mais le simple fait que Pakarel, son grand ami, veuille l'aider à sa manière allégea grandement le fardeau du jeune homme. Ce qui était déjà remarquable.

– Bon, répondit-il avec bonne humeur, tout en adoptant une posture plus droite et énergique. D'accord !

Chapitre 8

Un petit objet très utile

Après avoir expliqué à Pakarel comment manœuvrer leur véhicule volant et, surtout, le garder bien droit, Victor alla rejoindre Caleb et Naveed auprès de son grand-père, qui paraissait simplement endormi, sa poitrine se gonflant doucement au gré de sa lente respiration. Gardant la tête bien basse, le jeune homme se glissa entre les sièges jusqu'à eux. Dès son arrivée, le demi-gobelin lui envoya un regard bienveillant.

– Ça va, mon vieux ? lui demanda Caleb d'un air amical.

Victor, qui s'était attendu à ce que le demi-gobelin lui en veuille d'avoir failli tous les tuer, fut plutôt étonné par l'accueil de son meilleur ami, si bien qu'il ne fut pas capable de répondre directement. À court de mots, même après avoir ouvert la bouche à plusieurs reprises, le pianiste haussa simplement les épaules de manière plutôt raide, donnant l'air d'avoir été traversé par un spasme bizarre.

L'étrange réaction de son ami fit que le demi-gobelin fronça les sourcils avec amusement. Voyant bien qu'il ne s'était pas fait comprendre, Victor se reprit et prononça avec difficulté :

– Je… je vais bien.

– Tu as une vilaine blessure juste là, lui renvoya Caleb en ricanant et en pointant son propre front. C'est peut-être ce qui te rend aussi réactif qu'un légume.

Le jeune homme sourit avant de lever les yeux vers le front du demi-gobelin, qui était aussi blessé.

– Toi aussi, lui fit remarquer Victor sur un ton joueur. On sera peut-être enfermés à l'asile ensemble ?

Caleb lâcha un petit rire avant d'ajouter :

– Peut-être pas si légume que ça, après tout.

En guise de politesse, Victor porta son attention sur Naveed, silencieux et paraissant absent.

– Et toi, Naveed, tu es blessé ?

– Je vais bien, répondit-il en déplaçant son regard spiralé vers Udelaraï. Contrairement à lui.

Même si Victor savait déjà très bien que son grand-père était gravement blessé à la tête, son estomac se noua de nouveau. Le peu de bonne humeur qui avait été restaurée dans le vaisseau disparut aussitôt, ne laissant qu'une atmosphère lourde.

– Que... que veux-tu dire ? balbutia Victor, qui venait de déglutir avec difficulté.

L'expression amicale sur le visage de Caleb se durcit un peu.

– Naveed pense qu'il a subi une fracture du crâne, dit-il en s'inclinant pour saisir un objet qui reposait à ses pieds.

Il tendit vers Victor un bout de tuyau que le jeune homme lui prit avec une certaine réticence. Le simple fait de prendre l'objet envoya quelques frissons désagréables dans la colonne vertébrale du jeune homme.

– C'est ce bout de tuyau qui se serait brisé durant l'impact et qui l'aurait atteint de plein fouet, expliqua le demi-gobelin.

Victor observa l'objet, une légère grimace lui tordant le visage. L'objet métallique, qui mesurait à peine trente centimètres, était étonnamment lourd pour sa taille. L'idée que son grand-père, un homme considérablement âgé, ait reçu cet objet en pleine tête rendait Victor presque malade.

– Mais il est inutile de s'affoler, intervint Caleb, qui avait dû remarquer l'expression mortifiée qui avait envahi le visage de son meilleur ami. Udelaraï a juste un peu de fièvre..., rien d'alarmant.

– Rien d'alarmant ? répéta le jeune homme d'une voix cassée par l'émotion.

– Si son front devenait brûlant, alors ce serait une tout autre histoire, continua Caleb d'un air concerné et presque désolé. Il s'est éveillé, tout à l'heure, mais nous l'avons encouragé à refermer les yeux.

— Mon grand-père s'est réveillé ? répéta Victor qui avait, sans s'en rendre compte, haussé le ton. Quand exactement ?

Caleb lui fit signe de garder la voix basse en posant son doigt sur ses lèvres.

— Il y a à peine cinq minutes, pendant que tu montrais à Pakarel comment tenir le vaisseau droit. Mais il s'est vite rendormi.

Le jeune homme observa son grand-père pendant un moment. Un vaisseau en plein vol et en aussi mauvais état n'était pas le lieu idéal pour faire une sieste, surtout pas dans la situation d'Udelaraï. Victor allait devoir trouver un moyen de le sortir de là, quitte à le ramener sur l'île.

— Tu as raison, acquiesça le pianiste après un moment. Laissons-le dormir, il ne faudrait pas empirer sa fièvre.

Soudain, un élément qui n'avait pas vraiment rapport lui traversa l'esprit : Manuel. Le cherchant du regard, Victor demanda :

— Au fait, où est Manuel ?

Naveed leva le bras droit, tenant fermement le crâne dans sa main, en entier, de sorte que ce dernier ne pouvait pas ouvrir la bouche.

— Je le tiens en silence, dit-il avant d'envoyer un regard vers Udelaraï. Il doit dormir.

— Alors..., que fait-on, maintenant ? demanda Caleb.

— Puisque les écrans radars ne fonctionnent plus, expliqua Victor à l'intention du demi-gobelin et du démon, il va nous falloir trouver un moyen de nous repérer.

— En lisant les étoiles ? suggéra Caleb à voix basse.

Étant donné que Caleb avait parlé sur un ton plutôt normal, Victor ne parvint pas à déterminer si ce dernier faisait encore preuve de son habituel sarcasme ou s'il était sérieux.

— Non, lui répondit quand même le jeune homme de manière un peu froide. Je ne sais pas lire les étoiles. Je ne suis pas un marin tout droit sorti de l'Antiquité.

— C'était une suggestion comme une autre, répondit Caleb, mal à l'aise.

Silencieux, le jeune homme fixait une paroi, installée au fond de son siège, l'air songeur, sous les yeux du demi-gobelin et du démon des sables. Tout à coup, il riva les yeux vers la main droite de son grand-père. Il avait peut-être une idée…

— À quoi penses-tu ? lui demanda Naveed de sa voix particulièrement froide.

À bien y penser, Victor ne savait pas vraiment comment leur faire part de son idée. Il savait très bien qu'il n'aurait pas l'appui du demi-gobelin, mais ce n'était pas vraiment important, car il allait quand même essayer. Voyant bien que son meilleur ami hésitait, Caleb l'incita à s'expliquer :

— Allez. À quoi penses-tu ?

Après avoir pris une bonne inspiration, afin de se motiver, les yeux rivés vers ses pieds, le jeune homme expliqua avec réticence :

— Je possède toujours les bagues mayas… Je pourrais… essayer de les utiliser à nouveau.

Victor observait Caleb avec une certaine appréhension quant à sa réaction, car ce ne serait pas la première fois que ce dernier lui ferait connaître sa façon de penser au sujet de tout ce qui avait à voir avec les objets mayas. En effet, presque trois ans auparavant, alors que Caleb avait été infecté par l'homoncule de l'antiquaire et qu'il s'était retrouvé malade, confiné dans le lit de Victor, le demi-gobelin avait trouvé les bagues dans sa table de chevet. Sa réaction avait été plutôt amère, mais Victor avait su trouver les bons mots pour faire valoir son point de vue.

Le jeune homme regarda tour à tour Caleb et Naveed, retenant presque son souffle, comme s'il attendait leur verdict. Cependant, ni Caleb ni Naveed ne dirent quoi que ce soit. En fait, ils ne réagirent même pas.

Au moment même où Victor allait mettre son idée à exécution, le demi-gobelin intervint :

— Pourquoi pas ? dit-il en haussant les épaules. Ce n'est pas comme si nous regorgions d'options.

— C'est bien avec ses bagues qu'il fait sa magie ? demanda Naveed, qui analysait Udelaraï d'un regard sérieux.

— Oui, répondit Victor. Pourquoi ?

— Tu ne réussiras pas à les lui enlever sans qu'il se réveille, lui fit savoir le démon.

Caleb lâcha un juron étouffé.

— Ah, euh… je ne comptais pas vraiment prendre les siennes, admit Victor. J'ai les miennes.

Il se déplaça jusqu'à l'avant du véhicule, gardant toujours la tête baissée et s'appuyant sur toutes les surfaces possibles, avant d'arriver auprès de Pakarel. Le jeune homme voulut lui expliquer la situation, mais le pakamu, étant doté d'une bonne ouïe, avait tout entendu. Son sac entre les mains, Victor retourna s'asseoir avec Caleb et Naveed. Après un très bref moment à fouiller dans son sac d'une main aveugle, les doigts du pianiste tombèrent sur les deux petits anneaux. Il n'en prit qu'un seul.

Naveed et Caleb observaient d'un air grave la bague que le jeune homme tenait au fond de sa paume, comme s'il s'agissait d'un objet dangereux, qui risquait d'exploser à tout moment. Lorsque Victor enfila la bague, une multitude de questions lui traversèrent l'esprit. Les bagues fonctionnaient-elles encore ? Serait-il en mesure d'obtenir un quelconque résultat ?

— Sais-tu comment faire fonctionner leur magie ? lui demanda alors Naveed.

— Je crois, répondit Victor.

En plus d'avoir utilisé une bague pour joindre la radio de Béatrice, le pianiste avait aussi, quelques années auparavant, déjà fait l'usage de l'une de ces bagues afin de faire exploser le tombeau d'Ixzaluoh. Il n'avait eu qu'à demander mentalement à la bague de s'autodétruire comme une bombe, et le tour avait été joué. Cependant, pour entrer en contact avec Béatrice, les choses s'étaient avérées moins faciles.

— Tu devrais commencer par les enfiler, suggéra le demi-gobelin. Quoi ? renvoya-t-il sur la défensive, lorsque Victor lui envoya un regard lourd.

Sous les yeux de ses deux camarades, le jeune homme leva la main à la hauteur de ses yeux, observant d'un air plutôt sévère la bague qu'il portait.

— Ça fait mal ? demanda Caleb, étonné par le comportement de son ami.

— Non, répondit Victor en continuant d'analyser sa main, maintenant de côté. Pas du tout, je me demande simplement comment je devrais procéder.

Ne sachant pas si la bague pouvait ou non l'épuiser davantage, Victor ne voulait pas prendre le risque de manquer sa tentative. Il ne voulait pas non plus que la bague fasse apparaître dans le vaisseau la première chose qui lui passait par la tête : une baignoire remplie d'eau chaude et savonneuse. Afin d'éviter de telles erreurs, il ferma les yeux et s'efforça de faire le vide dans sa tête. Il resta ainsi pendant quelques minutes, sage et muet comme un moine, voulant être absolument certain que la procédure fonctionnerait comme prévu. Seulement, ce simple petit exercice s'avéra beaucoup plus dur que Victor ne l'aurait cru ; il ne cessait de voir des images de Maeva, de Balter, de son piano et même de Snickels, l'infâme directrice qui avait régné sur son orphelinat avant lui.

— Qu'est-ce que tu fais ? lui chuchota finalement Caleb avec une certaine irritation.

En guise de réponse, le pianiste fronça les sourcils et grimaça, ce qui, espérait-il, suffirait à faire taire le demi-gobelin. Malheureusement, ce ne fut pas le cas.

— Victor ? continua Caleb d'un air impatient. Nous n'avons pas toute la nuit !

Le jeune homme ouvrit les yeux, l'air royalement dérangé, avant de renvoyer à son ami d'un ton sec et autoritaire :

— J'essaie de me concentrer ! Plus un mot !

Caleb répondit par un soupir forcé avant de croiser les bras et de s'enfoncer dans son siège, l'air grognon.

— Vas-y ! lui murmura-t-il d'un air abrupt.

Avant même que Caleb lui en ait donné la permission, le jeune homme avait déjà repris son exercice mental afin de faire le vide dans sa tête. Fort heureusement, son esprit se vida de toute pensée après seulement quelques secondes d'effort. Lorsqu'il ouvrit les yeux, en parfait contrôle de tout ce qui pouvait se passer dans sa tête, Victor leva la main droite à une certaine distance de son corps. Il autorisa une seule pensée à prendre de l'ampleur dans son esprit.

Soudain, une sphère de lumière bleutée se matérialisa dans la paume de sa main. C'était la planète Terre. À la vue de cette manifestation soudaine, Naveed recula brusquement au plus profond de son siège, grinçant des dents.

— Alors, merde ! lâcha Caleb, la bouche entrouverte, le souffle coupé.

Au même instant, le vaisseau s'inclina dangereusement vers la droite, faisant bondir de vertige le cœur de Victor, qui perdit toute concentration, et par le fait même, disparaître la sphère bleutée. Tous les yeux se tournèrent vers Pakarel.

— Désolé ! couina le pakamu. Je me devais de regarder et j'ai... oublié de tenir le manche et...

Au lieu de continuer à marmonner ses excuses, le raton laveur retourna vite à sa tâche.

— Tu peux recommencer ? demanda Caleb à Victor, une fois qu'il eut ramené son attention vers lui.

Une fraction de seconde plus tard, le globe était réapparu, flottant juste au-dessus de la main du jeune homme. L'hologramme bleuté était revenu si rapidement que Caleb en sembla plus que surpris.

— C'était rapide, commenta-t-il.

Victor, observant le globe bleuté qui flottait juste au-dessus de sa paume, se mordit la lèvre, l'air songeur.

— Il faudrait... il faudrait un peu plus de précision, marmonna-t-il.

Quelques secondes plus tard, un point rouge apparut sur le globe, entre l'archipel des Antilles et le continent africain. De mémoire, Victor savait approximativement où se situait le Maroc, mais juste pour être certain, il ordonna mentalement qu'une nouvelle donnée apparaisse : le nom des pays côtiers de l'Afrique. Une multitude de glyphes apparurent dans une langue illisible.

— Qu'est-ce que c'est que cette écriture ? lâcha Naveed, qui semblait dérangé par ce qu'il voyait.

— Ce doivent être des glyphes mayas, répondit machinalement Victor. Il faudrait donc…

Victor se concentra un peu plus, et les glyphes se changèrent progressivement en mots français parfaitement lisibles.

— C'est toi qui fais ça ? demanda Caleb, l'air stupéfait, comme s'il avait besoin qu'on lui confirme ce qu'il voyait.

Victor ignora les propos du demi-gobelin, qu'il jugea pour le moins inutiles, trop concentré à observer le petit globe qui flottait devant lui, les yeux plissés.

— On se dirige tout droit vers… la Sierra Leone ou le Sénégal, dit Victor après une brève analyse du continent.

Le globe lumineux flottant toujours au-dessus de sa paume, le jeune homme se leva d'un trait et traça son chemin jusqu'à Pakarel, sous les yeux éberlués de Caleb et de Naveed.

— Tu as réussi ! lui fit savoir le pakamu surexcité à voix basse. C'est fantastique ! Tu vas pouvoir faire apparaître plein de choses, toi aussi !

— On verra, marmonna Victor, qui enchaîna aussitôt sur un autre sujet. Pakarel, laisse-moi prendre le manche un instant…

Tout en observant le globe lumineux avec attention, le jeune homme allongea le bras pour diriger l'engin d'une seule main, en direction du Maroc.

— Et comment ferons-nous pour déterminer où nous sommes, une fois rendus là-bas ? demanda Pakarel.

Victor observa le pakamu, un sourcil levé. Le raton laveur avait soulevé un point important. Sous le regard du jeune homme, le visage de Pakarel prit une expression plutôt mal assurée.

— On devrait s'attarder sur ce problème une fois arrivés au Maroc, hein… ? suggéra-t-il aussitôt.

Le pakamu devait croire que le jeune homme l'observait en silence afin de lui faire savoir que son idée était stupide, mais c'était loin d'être le cas.

– Non, non ! intervint Victor, qui venait de comprendre la réaction de son petit camarade. Tu as raison, Pakarel ! Tentons de savoir exactement vers où nous devrions nous diriger.

Étonné par la réaction du jeune homme, le pakamu marmonna d'un air interloqué :

– J'ai… j'ai raison ?

Victor confirma d'un hochement de tête tout en ordonnant mentalement au globe de se transformer en carte montrant uniquement le Maroc.

– Un peu plus de précision ne nous fera pas de mal, expliqua-t-il. Inutile de reporter à plus tard ce que nous pouvons faire tout de suite. Alors…, voyons voir… Casablanca, où es-tu… Ah. Voilà.

Le pays se détacha du continent, son contour grandement illuminé afin de contraster avec le reste de la carte mondiale holographique.

– Je veux atteindre ce pays… à partir de notre position actuelle, marmonna le jeune homme en étudiant leur trajectoire par rapport au Maroc.

Interprétant la carte translucide qui flottait au-dessus de sa main, Victor déduisit qu'il fallait légèrement incliner le manche vers la gauche. Faisant disparaître la carte d'un vif geste de main, comme s'il se débarrassait d'une mouche irritante, le jeune homme prit le manche des mains du pakamu, qui le lui laissa sans protester. Le pianiste inclina doucement l'engin jusqu'à ce que leur trajectoire soit parfaitement centrée sur la ville de Casablanca.

– Par là, dit Victor en regardant au loin, à travers la vitre. C'est par là que nous irons.

Le jeune homme laissa Pakarel, dont les pieds pendaient à peine du siège, reprendre les commandes de l'appareil. Victor resta auprès de lui, se tenant d'une main sur une paroi, observant dehors.

L'océan Atlantique était calme, ses vagues à peine dérangées par un vent léger. Quant au ciel, quelques nuages étaient apparus, masquant partiellement le ciel de ses milliers d'étoiles.

— Il nous faudrait prendre de la vitesse, dit le jeune homme. Nous allons vite, mais pas assez pour ce type de véhicule.

— Je veux bien, dit Pakarel, mais je ne peux pas t'aider. Je ne m'y connais vraiment pas en pilotage.

Victor leva la main droite, et la parfaite projection de sa pensée immédiate se matérialisa au-dessus de sa main, flottante et bleutée ; il s'agissait d'une représentation parfaite de leur véhicule avec tous ses bris mécaniques. Sachant bien que leur vaisseau était physiquement endommagé, Victor voulut observer l'état des ordinateurs se trouvant à bord. Comme ses pensées l'avaient exigé, l'aspect mécanique disparut, dévoilant un plan détaillé de l'intérieur des ordinateurs. On y voyait cartes mères, puces, mécanismes et filage. Évidemment, Pakarel en fut plus que surpris et marmonna :

— Qu'est-ce…

— L'intérieur de l'ordinateur de bord de notre engin volant, lui fit savoir Victor en observant l'espèce d'hologramme qui tournoyait lentement dans sa main. Il y a forcément quelque chose qui cloche, et je vais le trouver.

De fait, le pianiste repéra un élément qui sortait de l'ordinaire ; ce n'était pas un bris qui avait coupé tous les ordinateurs et écrans d'assistance technique, mais bien un signal venu de l'extérieur. Très dérangé par sa récente découverte, le jeune homme fit apparaître un plan du vaisseau afin de repérer son panneau de contrôle, qui s'avéra être tout juste à droite, sur le mur. Après s'être débarrassé de l'hologramme d'un vif geste de la main droite, le jeune homme scruta la paroi cachée dans l'ombre.

— Qu'est-ce que c'est ? lui demanda le pakamu.

— Un signal aurait coupé notre équipement électronique, lui dit Victor tout en passant sa main à l'aveuglette sur le mur du vaisseau.

Presque aussitôt, il trouva le panneau, qu'il ouvrit sans difficulté. À sa grande surprise, une ampoule verdâtre en illuminait l'intérieur.

— Comme ça tombe bien, dit Victor, qui s'était attendu à devoir se débrouiller dans le noir.

Il trouva, à l'intérieur du panneau, de nombreux boutons et fils connectés à divers endroits, tous en parfait état. Après une brève analyse des composantes, Victor appuya sur un bouton noir circulaire. Ils entendirent alors un bruit similaire au roulement d'une turbine et, aussitôt, l'éclairage intérieur du vaisseau revint, et tous les écrans, ou presque, se rallumèrent.

— Bravo, lui fit savoir Caleb à pleine voix tout en regardant autour de lui d'un air plus qu'impressionné. Chapeau, Victor !

Udelaraï grogna soudain. Le cœur du jeune homme sursauta, et son regard se dirigea rapidement vers son grand-père. Ce dernier, qui souffrait visiblement d'un sommeil agité, fronçait les sourcils et marmonnait des paroles incompréhensibles. Caleb, qui avait parlé trop fort, avait dès lors masqué sa bouche de sa main, conscient de son erreur.

Fort heureusement, après un long moment de silence tendu sous le regard de tous, Udelaraï ne s'était toujours pas réveillé. Soulagé, Victor referma doucement le panneau de contrôle.

— Tout fonctionne ! lui chuchota Pakarel avec énergie. Tu as réussi !

— Sauf quelques écrans, lui rétorqua le jeune homme d'un ton léger tout en tapotant sur l'écran d'un radar brisé. Probablement des bris techniques à cause des attaques de nos copains mystérieux.

En réalité, le fait que les écrans radars ne fonctionnaient plus ne dérangeait pas du tout Victor. C'était même une bonne chose ! Il avait fait tellement d'efforts pour réussir à diriger leur vaisseau à l'aide de ses bagues que le fait de pouvoir utiliser les radars après avoir simplement réactivé le courant dans leur machine volante l'aurait profondément irrité.

— En tout cas, lui fit savoir le pakamu à voix basse, tu es vraiment spécial, Victor !

Souriant, le pianiste détourna son attention des écrans défectueux avant de l'attarder sur son ami au gros chapeau. Il ouvrit la bouche pour lui répondre, mais une étrange sensation d'engourdissement et de froid lui traversa la colonne vertébrale. Pris d'étourdissements, Victor dut s'asseoir sur le siège derrière lui, l'air perdu.

— Victor ? lui demanda Pakarel, qui paraissait bien inquiet du comportement bizarre de son ami. Hé ! Ça va ?

Intrigué par ses symptômes soudains, le jeune homme observa autour de lui sans pour autant fixer quelque chose, tous ses sens en éveil.

— Ça va, répondit-il ensuite.

Pakarel, lui, n'en paraissait pas du tout convaincu, regardant Victor avec une certaine méfiance. Fort heureusement, ni Caleb, ni Naveed n'avaient remarqué quoi que ce soit.

— Tu crois que c'est à cause de ta bague ? lui murmura le pakamu.

Le jeune homme voyait bien qu'il était inutile de lui mentir.

— Je ne sais pas, peut-être.

En réalité, il savait que la bague en était très probablement la cause, mais Victor ne voyait aucune raison de créer des inquiétudes. Pour changer de sujet, le pianiste s'adressa au pakamu sur un tout autre ton :

— Oh, Pakarel, nous pouvons maintenant faire accélérer le vaisseau sans problème. Vas-y, essaie !

— Tu devrais le faire, lui répondit le pakamu visiblement à contrecœur, je n'ose pas vraiment toucher aux commandes…

— Tu n'as qu'à rester là, lui fit savoir le jeune homme avec bonne humeur tout en s'approchant de Pakarel. Je vais te le montrer. Premièrement, nous allons nous assurer que faire accélérer notre véhicule ne causera pas davantage de bris techniques…

Le jeune homme s'inclina par-dessus l'épaule de Pakarel afin d'observer le petit hologramme du vaisseau qui flottait juste audessus du tableau de bord. La version miniature de leur engin, bleutée et tournoyante, un peu comme la technologie maya, indiquait de nombreux bris techniques et défaillances, représentés par des zones entièrement rougies sur le modèle miniature, avec une explication directe. Diverses perforations dues aux balles étaient indiquées, une aile était sévèrement déséquilibrée, les systèmes de climatisation étaient hors service et l'huile se répandait doucement du réservoir dans le compartiment à bagages.

– Heureusement que nous n'avons rien placé là-dedans ! commenta Pakarel. C'est grave, au fait ?

– Pas dans l'immédiat, lui répondit Victor. Bon, finalement, il faut croire que notre impact n'aura pas tant endommagé l'appareil. On devrait pouvoir prendre un peu de vitesse sans problème. Allez, accélère doucement. Le truc, c'est d'y aller progressivement. Ouais ! Comme ça.

Réjoui par le simple fait qu'il pouvait continuer à piloter l'engin volant sous la supervision de Victor, Pakarel oublia le malaise que le jeune homme venait de subir. Ce qui, d'ailleurs, faisait bien l'affaire de ce dernier, qui n'avait aucune envie d'en faire part à quiconque.

Chapitre 9

Une tournure d'événements presque parfaite

Environ une heure plus tard, alors que Victor avait repris son rôle de pilote, le ciel commençait à prendre une teinte jaune-vert, indiquant l'imminence du lever du soleil. Si le jeune homme détestait une chose, c'était bien dérégler son horloge biologique, comme en ce moment même. Cependant, il y avait un avantage à être parfaitement éveillé à une heure aussi matinale : assister au lever du soleil, qui était toujours pour lui un réel plaisir.

Seulement, le pianiste fut le seul à en profiter, car les autres dormaient tous à l'arrière. Même Naveed, qui s'était montré infatigable jusque-là, avait fermé les yeux, son visage aussi sévère que jamais, les bras croisés et bien étendu sur sa chaise. Tenant toujours un Manuel complètement silencieux dans une main, le démon donnait plutôt l'impression de méditer.

Victor, lui, avait fait pivoter son siège de sorte qu'il soit installé parallèlement au tableau de bord, ses pieds bien appuyés sur son sac, qu'il avait placé dans la bonne position à cet effet. Le jeune homme tenait l'appareil parfaitement droit à l'aide de sa canne, qu'il avait coincée dans le bon angle entre l'accoudoir et le dossier de son siège, maintenant en même temps le manche dans une position parfaite.

Ce genre de moment, où il était seul avec lui-même et parfaitement éveillé, n'était pas déplaisant pour le pianiste. Au contraire, ce peu de tranquillité lui permettait généralement de faire le point sur les récents événements qui s'étaient produits. Il avait repassé en mémoire tout ce qui s'était passé au cours des derniers jours et en était venu à une conclusion qui l'avait lui-même surpris : il regrettait. Il regrettait d'avoir laissé Maeva ainsi que Clémentine derrière, seules dans sa maison, alors que Nika et Nathan avaient été attaqués. Aurait-il dû les emmener ? Prendre le temps de leur faire quitter la région, voire le pays ? Ou aurait-il simplement dû refuser la mission de son grand-père ? Victor, qui observait les étoiles fondre discrètement dans le ciel de plus en plus pâle, n'en savait rien.

Le pianiste lâcha un petit soupir. Il valait mieux se concentrer sur le présent et le futur, plutôt que tenter d'anticiper les conséquences du passé. Il avait fait ses choix, maintenant, il n'avait plus qu'à vivre avec. En grattant inconsciemment sa joue picotée de barbe, Victor sentit quelque chose d'anormal, qui rendait presque inconfortable le mouvement de son index droit. Observant sa main, le jeune homme se souvint qu'il avait enfilé la bague de Mila.

Cet objet bien étrange lui avait permis de rejoindre Béatrice et de pointer son vaisseau dans la bonne direction. Il aurait probablement dû être reconnaissant, mais étrangement, ce n'était pas le cas. En fait, Victor ressentait un profond inconfort devant cet objet ; c'était quelque chose venu d'ailleurs… quelque chose qui n'avait pas de sens dans leur monde actuel. Et même si cette bague devait représenter sa propre race, son propre peuple, Victor était incapable de ressentir autre chose qu'un sentiment plutôt amer devant cette technologie, ce qui n'était pas si anormal, considérant l'étrange symptôme qui s'était emparé de lui un peu plus tôt. Et voilà qu'il devenait aussi têtu que Caleb concernant cette technologie maya. Cette constatation le fit sourire.

Se tournant vers la droite, Victor observa ses amis, qui se reposaient en silence. Tout le monde semblait bien tranquille, même Udelaraï, qui dormait paisiblement. Le jeune homme ne put s'empêcher de réaliser combien son grand-père et lui se ressemblaient. Udelaraï représentait-il un bon aperçu de ce dont lui-même aurait l'air, lorsqu'il serait aussi vieux ? En tout cas, songea-t-il, ce n'était pas en menant une vie d'aventures dangereuses qu'il pouvait espérer vivre aussi longtemps.

Le regard du pianiste tomba alors sur l'un des écrans radars qui ne fonctionnaient plus. À cet instant, une idée lui vint subitement en tête. Il se leva avec précaution, s'assurant tout d'abord que son siège ne bougerait pas. Par chance, ce ne fut pas le cas ; sa canne, coincée entre l'accoudoir du siège et le manche du tableau de bord, garderait leur vaisseau bien droit, même en l'absence de pilote. Cependant, Victor ne miserait pas sur cette chance trop longtemps, juste au cas où.

Son idée bien en tête, il ouvrit son sac en silence, avant d'en retirer les quatre cartes mères qu'il n'avait jamais été en mesure de déchiffrer. Deux d'entre elles, que Victor ne pouvait pas identifier, venaient des robots qui avaient enfoncé la porte de sa maison, en cette nuit pluvieuse de leur départ. Une autre avait été donnée par Udelaraï, et la dernière avait été récupérée sur l'un des deux êtres mécaniques qui l'avaient attaqué dans la jungle irradiée, à sa sortie du manoir des Mortaz.

Après quelques réparations sommaires dans l'ordinateur brisé qui gouvernait les écrans radars, Victor parvint à ouvrir la console. Tour à tour, il y connecta les cartes mères avant d'observer, avec hâte, ce qui se trouvait à l'écran.

— Il doit forcément y avoir quelque chose ! grommela-t-il à voix basse.

À la grande déception du jeune homme, qui était plus qu'excité par le fait d'avoir été en mesure de reprogrammer l'ordinateur brisé des écrans radars, il s'avéra que les trois premières cartes mères ne comportaient aucun renseignement qu'il ne connaissait pas déjà.

Un peu démoralisé, Victor connecta la dernière, ne s'attendant cette fois-ci aucunement à y trouver quoi que ce soit. Pourtant, contrairement à ce qu'il croyait, il tomba sur quelque chose, si bien qu'il approcha son visage si près de l'écran que son nez le touchait presque.

Pour une raison qui lui échappait, le créateur des robots n'avait pas simplement écrit ses initiales, L. D., comme dans toutes ses autres cartes mères. Oh non, cette fois, il avait clairement laissé son nom entier : Laévarden Dermasiz. En continuant de lire les données qui se trouvaient sur la carte mère, Victor dénicha même une adresse : le 91, rue Massavah, à Casablanca. Après avoir repris ses cartes mères, le sourire plaqué au visage, il retourna s'asseoir sur son siège.

Victor avait retrouvé toute sa motivation ; il venait de découvrir le nom et l'adresse de l'auteur des attentats contre lui. Encore mieux ; lui et les siens cogneraient à sa porte dans les heures qui allaient suivre. Étant incapable de savoir quelle carte mère avait appartenu à quel robot, Victor se félicita tout de même, ainsi que son grand-père, d'avoir pensé à les récupérer. Il entendit soudain le demi-gobelin grogner ; il venait de se réveiller.

— Bon matin, princesse, lui envoya à voix basse le jeune homme avec un sourire mesquin.

— Tu te venges, hein ? rétorqua le demi-gobelin d'une voix pâteuse.

C'était en effet un petit plaisir pervers de renvoyer la pareille à Caleb, qui l'avait si souvent appelé ainsi à son réveil. Le demi-gobelin se dirigea vers lui, se glissant entre les sièges jusqu'à l'avant du véhicule. Puis, il s'assit au sol, près du sac sur lequel Victor mettait ses pieds, adossé contre la paroi.

— Et pourquoi tu souris comme ça ? continua le demi-gobelin après avoir croisé le regard du jeune homme, qui attendait impatiemment que Caleb lui pose la question.

— J'ai découvert l'identité de notre mystérieux copain, celui qui s'amuse à nous envoyer des robots, lui fit savoir Victor d'un air suffisant.

— Sans blague ? lâcha Caleb après un certain temps, les yeux grands ouverts.

Confirmant d'un hochement de tête, Victor ajouta :

— Laévarden Dermasiz. Et il vivrait au 91, rue Massavah, à Casablanca.

L'air incrédule, Caleb hocha la tête de gauche à droite.

— Mais comment es-tu parvenu à… Tu as décrypté les cartes mères ? C'est ça ?

Encore une fois, le pianiste lui confirma d'un hochement de tête.

— En utilisant les composantes des ordinateurs des radars défectueux, expliqua-t-il avec un sourire aux lèvres, je suis parvenu à lire leur contenu.

Dans un grand râle de soulagement, Caleb laissa tomber sa tête sur la paroi contre laquelle il était adossé.

— Enfin une bonne nouvelle ! lâcha-t-il à voix basse. Tu l'as dit aux autres ?

— Non. Tu es le premier à t'être réveillé.

— Et quand allons-nous arriver au Maroc ?

Après avoir dirigé son regard vers la vitre du cockpit, afin d'observer à l'extérieur, le jeune homme lui répondit :

— On devrait apercevoir le continent africain d'ici une trentaine de minutes. Alors, je dirais… une heure, tout au plus.

Caleb hocha la tête en guise de confirmation. L'air détendu, il dit :

— Ça va être bien de retrouver la civilisation. Et de casser la gueule au petit génie qui s'amuse à nous envoyer ces robots, bien sûr.

Victor lâcha un petit rire avant de se laisser glisser un peu plus bas dans son siège de pilote.

— On pourra en profiter pour acheter quelques vivres et des munitions, dit-il. Mon arbalète est vide.

— Mon ventre aussi, ajouta Caleb, qui se massait l'estomac.

— On croirait entendre Pakarel, ricana le pianiste. Tiens, tiens, en parlant du loup…

Les deux meilleurs amis tournèrent la tête vers le petit bonhomme, qui s'était levé, marchant les yeux mi-clos jusqu'à Victor.

— Bon matin, marmonna le pakamu, l'air bien trop fatigué.

— Toi, tu n'as pas assez dormi, hein ? lui envoya Victor, préoccupé.

Tout en se frottant les yeux à l'aide de ses petits poings, Pakarel marmonna quelque chose d'incompréhensible. Il ne fut pas très difficile pour Victor de déduire qu'il s'agissait d'un « non, je n'ai pas assez dormi », étant donné que le raton laveur s'était endormi à peine une heure plus tôt.

— Hé ! Pakarel, lui dit Caleb d'un air enjoué, tu sais quoi ? Victor a trouvé le nom du créateur des robots. Et son adresse.

— Hein ? s'exclama le pakamu d'un air fébrile. Pour vrai de vrai ? Comment est-ce que tu t'y es pris ?

Victor expliqua à Pakarel, comme il l'avait fait pour Caleb, comment il était parvenu à consulter le contenu des cartes mères. Cette nouvelle ravit grandement le pakamu, qui parut ensuite totalement éveillé et revigoré d'énergie, malgré sa petite heure de sommeil. Il fallait croire que le fait de foncer tout droit vers le créateur des robots assassins mettait tout le monde de bonne humeur. En fait, c'était peut-être ironique, mais tout était une question de contexte ; ils avaient enfin une destination claire et, surtout, ils allaient bientôt descendre de leur véhicule endommagé.

Tout comme l'avait prédit le jeune homme, ils virent le continent africain apparaître à l'horizon au bout d'une demi-heure. Le ciel était maintenant d'un bleu matinal bien clair, dépourvu de nuages, et les vifs rayons orangés du soleil pénétraient à travers la vitre du vaisseau, forçant Victor et les autres à plisser les yeux lorsqu'ils observaient à l'extérieur.

Alors que le jeune homme et ses deux bons amis ne discutaient de rien d'autre que des Barbares beuglants barbus, l'équipe favorite de grombrug de Pakarel, la voix de Naveed s'éleva :

— Victor Pelham, ton grand-père est éveillé.

Tous surpris, les trois amis se retournèrent vers le démon. Parfaitement éveillé, ce dernier était bien assis dans son fauteuil, les jambes et les bras croisés. Il tenait toujours dans sa main le crâne, qui n'avait pas prononcé un mot depuis un long moment. À sa gauche, Udelaraï était assis au bout de sa chaise, se massant doucement le front. Victor se demanda depuis quand il était éveillé. Délaissant son siège de pilote, qui maintenait toujours sa canne au manche, Victor alla rejoindre son grand-père.

Levant la tête vers son petit-fils, qui s'était accroupi près de son siège, le vieil homme lui dit d'un visage souriant, mais fatigué :

— Bonjour, Victor.

— Comment allez-vous ? lui demanda ce dernier d'une voix inquiète. Votre tête vous fait mal ?

Sans pour autant être convaincant, puisqu'il semblait nettement affaibli, Udelaraï répondit avec un semblant d'assurance :

— Je vais bien, jeune homme, je vais bien. Bon, d'accord, je me sens un peu étourdi, avoua-t-il après le regard suspicieux de son petit-fils.

— Vous avez reçu un tuyau sur la tête. Lorsque j'ai...

Toute la facilité d'expression du jeune homme l'avait mystérieusement quitté, remplacée par une immense culpabilité. C'est avec difficulté qu'il continua :

— Lorsque j'ai brusquement freiné notre machine volante... pour... pour entrer en collision avec celles de nos poursuivants.

Fuyant le regard de son grand-père, le pianiste observa aux alentours, définitivement mal à l'aise.

— Ça a marché, je suppose ? lui demanda Udelaraï au bout d'un moment.

Forcé de ramener ses yeux vers ceux de son grand-père, Victor lui répondit :

— Euh... oui..., oui, ça a marché.

— Alors, il n'y a pas de mal.

Même si le vieillard ne lui en voulait visiblement pas, Victor avait bien du mal à digérer ce qu'il avait fait subir à son grand-père, surtout à son âge avancé.

— Je suis vraiment désolé, lui avoua le jeune homme, désireux de vider son sac. Si j'avais su, j'aurais...

Avant même qu'il ait pu continuer ses excuses, Udelaraï l'interrompit :

— Tu n'as pas mal agi, Victor. Ne sois pas dur avec toi-même. Tu as fait exactement ce qu'il fallait faire. La situation demandait un agissement immédiat, et c'est ce que tu as fait. À ce que je sache, ce vaisseau n'est pas armé, mmmh ?

Le sourcil levé, l'air intrigué, le vieil homme demandait visiblement confirmation.

— Non, en effet, répondit Victor avec un petit retard. Le vaisseau n'est pas armé.

— Alors, ne t'en fais plus, jeune homme. J'ai cru entendre que tu avais découvert l'identité de celui qui a envoyé tous ces êtres mécaniques pour te nuire ?

Pendant un moment, Victor voulut demander au vieil homme comment il pouvait savoir une telle chose. L'observant d'un air presque méfiant, mais curieux, le jeune homme décida finalement de lui répondre normalement.

— Oui, il se nommerait Laévarden Dermasiz.

— Je sais, lui fit savoir Udelaraï avec un petit sourire.

— Vous ne dormiez pas, hein ? l'accusa son petit-fils d'un air soupçonneux.

— Oh, si, lui assura le vieil homme, comme si de rien n'était. Mais disons... que j'ai entendu vos conversations dans mon sommeil.

Une dizaine de minutes plus tard, Victor avait retrouvé son siège en face du tableau de bord et pilotait l'engin manuellement, en s'assurant de contrebalancer la constante inclinaison qu'exerçait l'aile droite. À la demande d'Udelaraï, Naveed lui avait remis Manuel, le libérant ainsi de son étrange oppression qui l'avait rendu totalement silencieux pendant de longues heures. D'humeur massacrante, le crâne n'avait pas voulu adresser la parole à qui que ce soit. Ce fut seulement après qu'Udelaraï l'eut installé au bout de son bâton de marche que Manuel lui envoya une pluie d'insultes assez grossières pour que Naveed veuille intervenir à nouveau. Fort heureusement pour Manuel, Udelaraï avait refusé l'intervention du démon.

— Inutile de se laisser emporter par la mauvaise langue de notre ami Manuel, lui avait dit le vieil homme. En tant que grand émotif, il se doit d'exprimer ses émotions, aussi intenses soient-elles...

— Moi, émotif ? rétorqua Manuel avec dégoût. Non mais, le vieux, pour qui me prends-tu ? Je n'ai pas d'émotions ! Je suis un tueur sanguinaire ! Un réel fléau !

Intrigué par l'étrange tournure de la conversation entre son grand-père et le métacurseur, Victor, qui conduisait l'appareil, se retourna.

— Il est tout à fait normal, continua le vieillard d'un air convaincant, que chez certains individus, le fait de mettre des mots, des sons et des cris sur leurs pulsions émotives leur permette de…

— Je ne suis pas émotif ! le coupa Manuel, sur la défensive, l'air profondément insulté. Point à la ligne !

En observant le comportement de son grand-père, Victor fut persuadé que ce dernier jouait le jeu pour froisser Manuel. Haussant les épaules, Udelaraï répondit simplement d'un air léger :

— Très bien, très bien…

Après leur brève conversation au sujet des crises émotives du crâne, ce dernier se tut. Udelaraï, qui avait croisé le regard de son petit-fils, lui envoya un clin d'œil mesquin. Caleb, qui se trouvait près du jeune homme, lui chuchota alors à l'oreille :

— Il l'a fait exprès, hein ?

— Totalement, confirma le jeune homme d'un air amusé.

— Hé, Victor ! l'alerta Pakarel, qui sautillait à sa gauche, pointant son petit doigt vers la vitre du cockpit. Regarde ! Regarde !

Ramenant son regard à l'avant, Victor vit la cité s'élever au loin, sur la côte marocaine. Même à cette distance au-dessus de la mer chaude, Victor pouvait voir que Casablanca, dont les bâtisses blanches réfléchissaient presque toute la lumière du soleil, allait s'avérer une ville plus que magnifique.

— On arrive ! envoya-t-il joyeusement à l'intention des autres.

— Il nous faudrait nous poser à l'extérieur de la ville, suggéra Caleb, qui venait de s'appuyer contre le tableau de bord, juste à droite de Victor.

— Pourquoi ? demanda Pakarel.

Suivant le regard du raton laveur, le pianiste tourna la tête vers Caleb et lui demanda aussi :

— Ouais…, pourquoi ?

— Tu voyages souvent, non ? Tu devrais savoir qu'il y a des frais pour les appareils volants de catégorie civile qui veulent se poser dans l'enceinte de la ville.

— Caleb, je tiens à te rappeler que je ne possède pas de gyroptère, lui fit remarquer Victor d'un air assez persuasif. Quand je voyage, j'utilise les moyens de transport comme les dirigeables et les trains. Les seules fois où j'ai voyagé avec un engin volant personnel, c'était dans des occasions comme celles-ci. Quand, par exemple, ma vie et la vôtre sont troublées par des péripéties incroyables qui n'arrivent qu'à nous, ajouta-t-il avec un brin d'humour dans la voix.

Caleb lâcha un petit rire en hochant la tête de haut en bas.

— C'est bon, j'ai compris, ricana-t-il. Alors, pour ta gouverne, et la tienne aussi, Paka-poil, sache que tous les véhicules volants qui veulent se poser dans des villes moyennement civilisées doivent non seulement payer des frais de stationnement, mais par mesure de sécurité, il arrive que les agents qui s'occupent du trafic aérien consultent leur registre de véhicules volants volés ou perdus. Même si ce vaisseau était possédé par des ogres, qui nous dit qu'ils ne l'avaient pas volé avant ? Inutile de prendre un tel risque. Car si on se fait prendre avec un vaisseau qui a été déclaré…

— Alors, c'est un aller simple vers la prison, termina Victor à la place de son meilleur ami. Rendons le tout bien simple. Nous allons nous stationner en dehors de la ville. C'est sans risque, non ?

— Totalement, lui assura Caleb, qui observait à travers la vitre, les yeux plissés par le soleil éclatant du Maroc. Lorsque je voyage avec Hol, je le laisse souvent à l'écart des villes qui chargent des frais trop élevés, même pour les montures ! T'imagines ? En tout cas, tout le monde le fait, c'est entièrement légal. Sauf les riches, qui, bien sûr, peuvent payer ces frais. Ce qui devrait être ton cas, en fin de compte, ajouta-t-il d'un air taquin.

Les traits du demi-gobelin, qui contemplait l'horizon, se durcirent alors sévèrement.

— Victor ? demanda-t-il d'un ton pressant et alarmé. Qu'est-ce que c'est que ça ?

Victor n'avait pas besoin de demander davantage de précision, car il avait aperçu ce dont Caleb voulait parler. Devant eux, quelque chose comme un reflet de lumière venait d'apparaître en provenance d'un toit d'une des nombreuses bâtisses de Casablanca. Le jeune homme plissa les yeux afin de discerner la nature de ce que Caleb et lui voyaient, mais sans succès. Peut-être n'était-ce qu'un simple miroir ou une autre surface réfléchissante ?

– Qu'est-ce que c'est ? demanda Pakarel, qui tentait de voir à travers la vitre en sautillant.

Au bout de quelques instants, alors que leur vaisseau s'approchait de plus en plus de la ville, qu'ils allaient survoler dans quelques secondes à peine, le pianiste et le demi-gobelin virent tous deux la nature du reflet de lumière.

Quelqu'un, vêtu d'une longue cape et d'un épais capuchon, se trouvait sur un toit parmi tant d'autres, maniant une arme dont la lentille réfléchissait la lumière du soleil. Il la pointait vers leur véhicule.

– Oh merde ! lâcha Caleb à voix basse. Victor…

Aussitôt, le jeune homme tira le manche vers la droite, faisant dévier l'appareil dans cette direction. Mais c'était trop tard ; quelque chose venait de transpercer leur aile gauche dans un bruit sourd de métal fendu. L'hologramme du tableau de bord qui représentait le vaisseau avait viré au rouge et clignotait rapidement.

– L'hélice de l'aile gauche ne fonctionne plus, constata avec horreur le pianiste en regardant les dégâts affichés sur l'hologramme. Je crois… je crois qu'elle s'est détachée de l'aile !

De fait, Victor et les autres la virent passer devant leur vitre en tournoyant, fouettant lourdement l'air, et suivie d'une épaisse traînée de fumée, avant de disparaître de leur champ de vision.

– Est-ce que je viens de voir une de nos hélices ? s'écria Manuel avec effroi. Non ! Je ne veux pas !

Un nouvel impact survint à l'arrière du véhicule.

– Les moteurs sont fichus, dit Caleb à voix basse, l'air démoli. Oh… merde.

Une violente secousse ébranla le vaisseau, dont toutes les lumières s'éteignirent.

— Ça, ce n'est pas bon signe, fit savoir Udelaraï.

Victor, qui se battait toujours avec les commandes de leur vaisseau dans une vaine tentative de le redresser, dut s'avouer vaincu : le manche ne répondait plus.

— Accrochez-vous ! cria-t-il aux autres, le cœur battant la chamade dans sa poitrine. Nous allons nous écraser !

Pendant une fraction de seconde, alors que leur machine volante passait au-dessus de plusieurs toits de Casablanca, Victor aperçut nettement leur attaquant inconnu. Au ralenti, le jeune homme vit une silhouette de robot, comme un squelette, dont les orbites vides étaient habitées d'une lueur verdâtre, à moitié masquées par la capuche qui était rabattue sur sa tête. La silhouette, qui tenait d'une seule main une énorme carabine au canon particulièrement long, était recouverte d'une longue cape en lambeaux qui voltigea à cause du déplacement d'air provoqué par le vaisseau, qui fendait l'air comme une flèche dans une direction inconnue.

Un instant plus tard, à travers les cris et les jurons lâchés par Victor et ses amis, qui tentaient du mieux qu'ils pouvaient de s'attacher à leur siège, le vaisseau dépassa les limites de la ville, avant qu'un grand choc survienne.

Victor rouvrit les yeux, fortement dérangé par une sensation brûlante sur sa joue. Mal à l'aise et désorienté, il réalisa après un certain temps qu'il se trouvait presque entièrement à la renverse, la tête en bas. L'intérieur du vaisseau baignait dans la pénombre, que seuls quelques fins rayons de soleil transperçaient par des trous dans la coque.

Relevant la tête avec difficulté, Victor comprit qu'il était retenu à son siège à cause de sa ceinture de sécurité. À cet instant, il sentit à nouveau l'irritante sensation de brûlure au niveau de sa joue droite ; il s'agissait d'une pluie d'étincelles, qui jaillissaient de temps à autre d'une cloison endommagée du vaisseau, située tout près du jeune homme. Se protégeant la joue de son bras droit d'un geste instinctif, le jeune homme voulut s'assurer de l'état de ses amis. Il cria alors à pleins poumons :

– Hé ! Quelqu'un, répondez !

À part quelques faibles gémissements, il n'eut aucune réponse. Il devait se défaire de sa ceinture et leur porter secours. Évidemment, la ceinture était coincée.

– Merde, grommela-t-il tout en se débattant furieusement contre sa ceinture. Veux-tu bien céder !

C'est seulement au bout d'un moment d'effort, toujours attaqué par le jet désagréable des étincelles, que le jeune homme réussit finalement à se libérer. Sans aucune possibilité de retenue, il s'écrasa sur le dos contre plusieurs tuyaux assez chauds. Se retournant à quatre pattes, Victor observa les alentours ; tout était détruit ou renversé, et une épaisse couche de fumée flottait dans l'air. Juste à ses côtés, Pakarel était étendu sur le ventre, immobile, son chapeau renversé à ses côtés.

– Pakarel ! lâcha Victor en lui secouant l'épaule d'une main. Pakarel ! Réveille-toi !

Après un long grognement irrité, le pakamu se mit en position assise, apparemment étourdi, mais sain et sauf. Au lieu de répondre au jeune homme, le raton laveur saisit son chapeau d'une main lente avant de l'enfoncer sur sa tête avec une certaine maladresse. Puis, l'air perdu, Pakarel regarda autour de lui en se massant le front.

– Qu'est-ce qui s'est passé ? marmonna-t-il d'une voix éraillée.

– Nous nous sommes écrasés, lui dit Victor précipitamment, dans le but de le ramener à la réalité. Il faut sortir d'ici !

– Et les autres ? Où sont Caleb et Naveed, et monsieur Udelaraï ?

Relevant la tête, Victor aperçut aussitôt Caleb et son grand-père, un peu plus loin, écartant une pile de sièges et de débris qui s'étaient apparemment effondrés sur eux. Naveed, lui, venait de se redresser à l'arrière, l'air en pleine forme.

– Ça va, à l'arrière ? leur demanda quand même le jeune homme.

— Jamais mieux été, répliqua Caleb d'une voix bourrue et sarcastique.

— Tout le monde va bien, assura ensuite Victor à Pakarel. Allez, viens. Sortons d'ici.

Par chance, sa canne, son glaive, son arbalète et son sac étaient éparpillés non loin de Victor. Passant son sac et son arbalète sur son épaule, le jeune homme glissa sa canne dans son étui dorsal avant de saisir son glaive par l'étui. Accroupi, il suivit ensuite Pakarel, qui se frayait difficilement un chemin entre les débris et les sièges renversés du vaisseau.

— Prenez vos affaires et sortons rapidement, envoya le pianiste à l'intention des autres. S'il y a une fuite d'essence, ce vaisseau pourrait exploser. Il ne vaut mieux pas tarder.

Ils entendirent alors une série de coups taper contre de la tôle. C'était le demi-gobelin qui, accroupi près du mur, était en train de tenter d'enfoncer à coups de pied une section du mur affaiblie par l'écrasement.

— On peut sortir par ici. Il faudrait juste… parvenir… à déloger cette plaque de tôle, expliqua-t-il entre deux coups, mais sans succès. Merde…, c'est plus coriace que prévu.

Naveed intervint alors, poussant doucement Caleb sur le côté, avant d'enfoncer la plaque de tôle d'un seul et unique coup de pied. La plaque virevolta hors de leur champ de vision, et ils furent aussitôt éblouis par la violente lumière du soleil qui venait d'apparaître.

— Bon travail, dit le demi-gobelin à l'intention du démon, qui lui répondit d'un simple grognement. Allez, tout le monde…, sortons de ce tas de ferraille.

— Attendez !

C'était Pakarel, que Victor repéra un peu plus loin, soulevant des débris afin de jeter un coup d'œil en dessous.

— J'ai perdu mon sac à dos. Zut…, j'y ai rangé ma dague… Je veux ma dague.

— Pakarel ! lâcha le jeune homme d'un ton sec et autoritaire. Il faut partir ! Maintenant !

Continuant de soulever tout ce qui lui passait sous la main, le raton laveur ignora délibérément les paroles du pianiste, qui échangea un regard avec Caleb.

— Pakarel, intervint Udelaraï de son habituel air sage, je crains que Victor ait raison. Il vaudrait mieux sortir d'ici au plus vite.

— Non, attendez, rétorqua le pakamu, dont ils ne voyaient maintenant plus que les petites jambes. Je... je sais que je vais trouver mon sac à dos. Il ne peut pas être loin.

Il se glissa jusqu'à la moitié de son corps sous un siège.

— Non mais, il est détraqué, celui-là ? lâcha Caleb, les dents serrées et l'air furieux tout en se faufilant entre les débris jusqu'au pakamu.

Le demi-gobelin s'inclina et saisit Pakarel par un pied, le tirant ensuite d'un seul trait. Le pakamu réapparut, tirant au passage son sac à dos, qu'il maintenait par une bretelle.

— Je l'ai, je l'ai ! déclara triomphalement Pakarel.

Un instant plus tard, Victor et ses camarades émergèrent du vaisseau écrasé l'un derrière l'autre et furent aussitôt éblouis par la luminosité douloureuse du soleil.

— Continuez ! les encouragea Caleb, qui avait lui-même du mal à avancer.

Pressant le pas afin de s'éloigner à une distance raisonnable de l'appareil, qui pouvait exploser à tout moment, Victor et les autres avançaient presque à l'aveuglette sur un terrain inégal et sablonneux.

— Par là ! leur envoya la voix de Naveed, qui ne semblait pas être affecté par la luminosité écrasante du soleil. Venez !

Les yeux plissés et le visage caché derrière leurs mains, Victor et ses amis suivirent la silhouette athlétique de Naveed, qui était à peine discernable à travers les rayons perçants du soleil, jusqu'en haut d'une imposante dune. À cause de son handicap à la jambe, le jeune homme se retrouva bien vite dernier du groupe, puisqu'il trébuchait sans cesse, ses mains et ses pieds s'enfonçant constamment dans le sable et sa jambe gauche le faisant terriblement souffrir.

À un moment, l'une des silhouettes du groupe de Victor s'arrêta afin de l'attendre. Observant la silhouette de ses yeux plissés et couverts de sa main, le jeune homme réalisa qu'il s'agissait de Caleb, qui lui tendait la main.

– Prends ma main, Victor. On va monter le reste de la dune ensemble.

Alors qu'il observait la main du demi-gobelin recouverte d'un gant de cuir, le pianiste fut frappé par une vision de son passé. Quelques années auparavant, Victor aurait refusé une telle aide, car il aurait été bien trop gêné et honteux de son propre état physique. Cependant, Zackarias lui avait fait comprendre, lors de leur courte aventure dans la mine sous-marine d'onyxide, qu'il n'avait pas à être mal à l'aise de ce qu'il était.

La main de Victor rencontra alors fermement celle de Caleb, et le jeune homme parcourut les derniers mètres de la dune guidé et maintenu par son meilleur ami. Une fois arrivé, le jeune homme rejoignit son grand-père, Pakarel et Naveed, qui se tenaient côte à côte, fixant au loin. La vision du pianiste s'était plus ou moins adaptée au soleil du Maroc, il pouvait donc maintenant observer les alentours sans être totalement aveuglé.

Victor et ses amis se trouvaient dans un désert parsemé de quelques oasis et d'autres zones de végétation envahissante. À leur droite, une épaisse fumée provenant du vaisseau écrasé montait vers le ciel, dépourvu de tout nuage. À leur gauche, le jeune homme put voir la mer, s'étendant à perte de vue, sur laquelle flottaient de nombreux bateaux de pêche, non loin des côtes.

Droit devant, Victor vit Casablanca, le long de la côte marocaine, à un peu moins d'un kilomètre de leur position, entièrement fortifiée par une muraille faite de pierres blanches et recouvertes de majestueuses plantes grimpantes. Au-delà des fortifications, les édifices blancs luisaient au soleil.

– Tout le monde va bien ? demanda Udelaraï, qui s'était retourné vers les autres.

— J'ai un mal de cœur horrible, répondit Manuel, situé au bout du bâton de marche du vieil homme. Et j'ai les articulations douloureuses.

Par chance, personne n'avait été réellement blessé dans l'accident, mis à part Caleb, qui avait quelques écorchures sur les joues, et Victor, qui venait d'apprendre par son grand-père qu'il avait une coupure sur la pommette gauche.

— Qu'est-ce qui s'est passé ? demanda Pakarel au moment où Victor se tâtait la joue gauche, pour avoir une preuve physique que sa pommette était bel et bien fendue.

— Quelqu'un a tiré sur nous, lui répondit Caleb. Et ce salaud savait sacrément bien viser. Réussir un tel tir est quelque chose.

— J'ai vu celui qui nous a abattus, dit Victor, qui était en train d'attacher l'étui de son glaive à sa ceinture.

Tous les regards se tournèrent vers lui.

— Comment ça, tu l'as vu ? rétorqua Caleb, plus que surpris, presque incrédule, avant de s'avancer auprès du pianiste. Et quand, au juste ?

— Lorsque nous sommes passés au-dessus de Casablanca, dit Victor en désignant du menton la ville au loin. Je l'ai vu sur le toit. C'était un robot.

Caleb soupira avant de se passer la main sur le visage. Puis, il se mit les poings sur les hanches et observa le ciel d'un air exaspéré.

— Un autre robot assassin, lâcha-t-il. Il fallait s'y attendre, je suppose.

— Non, Caleb, lui fit savoir Victor en hochant la tête de gauche à droite avec certitude. Pas un robot. Un métacurseur.

— Comme moi ? couina Manuel avec gaieté.

— Allons-y, proposa le jeune homme, qui avait, comme d'habitude, ignoré les bouffonneries du crâne.

Victor se mit donc en route vers Casablanca, ses pas creusant dans le sable. Il fut aussitôt imité par les autres, sauf Pakarel, qui demanda :

— Laévarden Dermasiz aurait engagé des… personnes comme Manuel?

Le raton laveur avait prononcé le mot «personne» avec un certain dégoût.

— Hé! rétorqua Manuel d'un air insulté.

Victor s'arrêta et se retourna afin de répondre, pas seulement à Pakarel, mais à tout le monde :

— Non, je crois que le métacurseur qui a abattu notre vaisseau n'était nul autre que Dermasiz lui-même.

Personne ne lui répondit, mais ce que Victor venait de dire avait marqué ses camarades, qui le regardaient, confus ou intrigués. Une pensée troublante préoccupait le pianiste : il se souvenait que, pendant une fraction de seconde, il avait cru apercevoir cette lueur verdâtre au fond des orbites noires du métacurseur, la même qui illuminait le regard des Liches. Était-ce un mauvais tour joué par son imagination? Peut-être avait-il simplement mal vu? Une chose était certaine, il aurait bientôt la réponse.

Chapitre 10

Laévarden Dermasiz

Contrairement à ce que Victor et ses amis avaient redouté, leur marche jusqu'aux portes de Casablanca ne fut pas dérangée par un quelconque robot assassin. En effet, ils avaient atteint la ville sans aucun problème, laissant derrière eux le vaisseau écrasé contre une dune. La fumée était très probablement visible à des kilomètres à la ronde.

D'ailleurs, avant même que le pianiste et les siens aient pu franchir les portes de la ville et contempler sa splendide architecture, quelques hommes des forces de l'ordre, sept pour être exact, s'étaient vite élancés à leur rencontre, les joints de leurs jambières et plastrons grinçant sous leur pas de course. Trois d'entre eux étaient des humains particulièrement bronzés et rasés, tandis que les quatre autres étaient des gobelins au teint brunâtre.

— C'est bien vous les malchanceux qui se sont écrasés au sud de la ville ? leur dit l'un des gobelins, une fois arrivé à leur rencontre.

Victor remarqua que les quatre gardes s'étaient postés devant eux, comme s'ils tentaient de leur bloquer l'accès à la ville. Peut-être voulaient-ils un simple compte rendu de leur accident, qui avait probablement été vu par des milliers de personnes.

— C'est nous, confirma Caleb. Notre machine volante n'a pas encore explosé, mais cela ne devrait pas tarder.

— Mahad, Akhum, ordonna l'un des humains à un gobelin et à un autre humain, allez inspecter les lieux et délimitez un périmètre de sécurité. Ne vous approchez pas trop de l'engin.

Hochant la tête, les deux hommes s'élancèrent hors de la ville, en direction de la fumée montant vers le ciel.

— Pourriez-vous nous expliquer ce qui s'est passé ? leur demanda le garde qui venait de donner des ordres aux dénommés Mahad et Akhum.

Visiblement le plus haut gradé, ce grand type chauve au teint basané était vêtu d'une robe de combat surmontée d'un plastron et de genouillères en métal. L'agent des forces de l'ordre était armé d'une lance pneumatique, d'une arme rétractable munie d'un canon à courte portée et d'un bien étrange objet attaché à son avant-bras qui attira l'attention du jeune homme. Il s'agissait d'un bouclier rétractable.

— En fait, commença Caleb, nous avons été abattus par quelqu'un qui se trouvait sur l'un des toits de la ville.

Laissant le demi-gobelin expliquer la situation au garde, Victor ne put s'empêcher d'analyser du regard l'étrange bouclier de ce dernier. Il s'agissait de deux bracelets dorés situés aux extrémités de l'avant-bras de l'homme, tous deux rejoints par une seule et relativement épaisse tige de métal.

Victor avait déjà entendu parler de ces boucliers, récemment inventés par une compagnie finlandaise. Ils étaient connus sous le nom de « boucliers rétractables », combinant le meilleur des deux mondes : ils étaient légers et très peu encombrants, mais très résistants. À sa guise, le porteur du bouclier pouvait, à l'aide d'un simple bouton, activer un mécanisme qui faisait défiler les plaquettes, qui se dépliaient jusqu'à devenir la surface protectrice du bouclier.

— Monsieur ?

Victor comprit qu'on s'adressait à lui. Levant la tête, il scruta son interlocuteur ; il s'agissait du dernier garde gobelin restant.

— Oui ? répondit-il avec retard, un peu mal à l'aise d'avoir été aussi distrait par un simple bouclier.

Malgré sa petite stature, le gobelin était relativement costaud et était coiffé d'une étrange, mais longue chevelure noire ; la moitié de sa tête était rasée de la tempe jusqu'à la nuque.

— Vous êtes blessé, expliqua-t-il en pointant sa propre pommette. Auriez-vous besoin d'une assistance médicale ?

— Oh, euh, non, répondit le pianiste en échangeant un regard avec ses amis et son grand-père. Vous… vous avez besoin d'un infirmier ou d'un médecin ? leur envoya-t-il.

— Nous vous remercions de votre gentillesse, dit Udelaraï à l'intention du garde qui leur avait offert de l'aide, mais à part quelques vilaines égratignures, nous n'avons rien de bien grave.

— Avez-vous une idée de qui aurait pu tirer sur votre appareil ? lui demanda alors le chef des gardes, celui au crâne chauve, d'un air intrigué. Toute information pourra nous servir à mettre la main sur cet individu, puisque le port d'armes est illégal, à Casablanca.

— Vraiment ? s'assura Caleb avec une amère déception partagée par tout le groupe.

— C'est aussi pourquoi nous sommes là, avoua le chef des gardes.

Voilà donc pourquoi les gardes s'étaient positionnés de sorte que ni Victor ni ses amis puissent avancer dans la ville : ils portaient des armes. Le jeune homme et Caleb échangèrent un regard qui en disait long. Tous deux savaient qu'être désarmé aux portes de la ville était une bien mauvaise idée. Cela signifiait qu'ils allaient devoir intercepter un métacurseur assez armé pour abattre une machine volante sans la moindre façon de se défendre… ou presque.

— D'accord, déclara Victor avec entrain. Prenez nos armes, nous n'y voyons aucun inconvénient. N'est-ce pas, Caleb ?

Il accorda un regard appuyé au demi-gobelin, qui confirma d'un hochement de tête plutôt froid et machinal.

— Alors, venez, leur dit le gobelin costaud à la longue chevelure, nous vous désarmerons au poste de garde, juste à l'intérieur des portes de la ville. Vous pourrez y récupérer vos armes dès votre départ.

Victor et les siens furent donc menés à travers les portes de la ville, surmontées par une grande arche de pierre décorée de magnifiques torches. Casablanca se dévoila sous les yeux ébahis du pianiste et de ses camarades. La ville, réputée pour être particulièrement envoûtante, possédait de hauts bâtiments recouverts de majestueuses plantes grimpantes fleuries, qui s'étendaient jusqu'à leurs toits. Des banderoles festives étaient accrochées entre les bâtiments, pendant au-dessus des rues, indiquant qu'une fête ou un événement quelconque allait probablement avoir lieu. Les bâtisses, hautes, mais étroites, possédaient presque toutes des balcons en marbre. De nombreux palmiers et autres arbres exotiques avaient été plantés le long des rues pavées, sur lesquelles circulaient des engins volants à basse altitude. Des écriteaux holographiques, allant du rose au bleu, en passant par l'orange, indiquaient les divers commerces et quartiers de la ville, donnant à Casablanca un aspect plus que moderne, presque futuriste. Les lampadaires se terminaient en spirales d'où pendaient des lanternes qui, durant la nuit, devaient s'activer d'elles-mêmes. La ville était bondée de personnes de toutes races, qui fourmillaient à travers les rues bruyantes.

Victor et ses amis s'enfoncèrent dans une allée principale bondée de gens tout en contemplant la majestueuse Casablanca et en regardant ses immeubles avec fascination, tels des touristes. Soudain, un coup de feu détona. L'un des agents des forces de l'ordre, un humain qui s'était par hasard placé juste devant Victor, fut atteint en pleine tête. Alors que son corps sans vie s'écroulait dans les bras du jeune homme, dont le visage était maculé de sang, une femme lâcha un cri d'horreur, créant aussitôt la panique à travers la ville.

— Attention ! hurla le chef des gardes au moment où ses hommes et lui déployaient leurs lances pneumatiques, avant de les pointer dans tous les sens. À couvert ! Dans cette ruelle, allez !

Alors que les autres s'élançaient dans la direction indiquée, Victor, lui, resta sur place, le cadavre du garde atteint en pleine tête lui glissant des bras avant de s'écraser au sol. Autour de lui, tout le monde courait dans tous les sens à travers une mer de hurlements. Le jeune homme, bousculé par les gens qui fuyaient l'allée principale, était paralysé par l'émotion, confus, la bouche entrouverte et le regard vide, comme si l'information prenait du temps à se rendre à son cerveau.

— Victor! lui cria Caleb à pleins poumons, arrêté en pleine course pour revenir vers son meilleur ami. Merde, bouge!

Mais Victor ne bougea pas, l'air perdu, son regard s'abaissant sur ses mains ensanglantées. C'est à ce moment qu'il fut violemment plaqué au sol par Naveed, qui s'était accroupi juste au-dessus de lui, comme pour le protéger. De fait, un second coup de feu détona, atteignant Naveed en pleine épaule, l'égratignant à peine, comme si la balle avait atteint une surface rocheuse.

— Viens! lui grogna le démon, qui l'empoigna aussitôt par le col.

Traînant le jeune homme, qui avait peine à mettre ses deux pieds à terre, Naveed s'engouffra dans la ruelle où les autres s'étaient réfugiés, les quatre gardes de la ville, un humain et trois gobelins, épiant les coins de murs à la recherche du tireur, leurs armes levées. Udelaraï posa ses deux mains sur le visage ensanglanté de Victor, dont les yeux fixaient le mur.

— Victor? lui dit-il. Victor, regarde-moi.

Lentement, le jeune homme tourna le regard vers celui de son grand-père. À cet instant, il revint à lui. Le vieil homme retira ses mains des joues de son petit-fils.

— Bien, dit-il ensuite.

Le demi-gobelin saisit alors Victor par les épaules, l'observant d'un air sérieusement frustré.

— Qu'est-ce qui te prend, merde? lui envoya Caleb en le secouant. Tu aurais pu te faire tuer!

Le pianiste regardait son meilleur ami avec confusion et détresse. Il savait très bien que sa réaction tardive aurait pu lui être fatale. Caleb retira ses mains des épaules de Victor avant de soupirer.

— Ne refais plus ça, lui dit-il à voix basse. Tu m'as vraiment fait peur.

— Je… je suis désolé, Caleb, balbutia-t-il sans pouvoir trouver d'autres excuses. Je ne sais pas ce qui m'a pris… Je me suis figé… C'était complètement idiot, d'ailleurs.

Alors qu'il essuyait le sang collé à son visage, Victor observa autour de lui. Il réalisa que lui et les siens s'étaient réfugiés dans une ruelle où les bâtiments qui les entouraient étaient pourvus de toits particulièrement inclinés et rapprochés, leur donnant une protection adéquate contre un tireur en position élevée. Sauf si, évidemment, leur attaquant venait à se placer droit devant, directement devant la ruelle…

— Nous sommes en sécurité, tu crois ? demanda alors Pakarel, devinant les pensées du jeune homme.

— Pas s'il change de position. Et c'est probablement ce qu'il va faire.

Au même moment, le chef des gardes, qui se trouvait juste à côté, porta une radio à sa bouche, avant de déclarer d'une voix rapide :

— Ici le corps de défense de l'unité du Sud, nous avons une infraction au code sept. Il y a au moins un suspect armé dans nos environs et il vient d'abattre Malik. Envoyez-nous trois patrouilles aériennes ! Non, inutile d'envoyer une équipe médicale, Malik est mort, abattu en pleine tête. Oui. Dépêchez-vous !

— C'est forcément le même tireur qui a abattu notre appareil volant, dit Caleb. Comme tu l'as dit, Victor, je crois qu'il…

S'interrompant, le demi-gobelin leva les yeux par-dessus l'épaule de Victor avant de s'écrier :

— Hé, vous ! Non ! Ne sortez pas !

Faisant volte-face afin de voir dans quelle direction Caleb s'était élancé, Victor vit que l'un des gardes s'était incliné en dehors de la ruelle pour observer les rues avoisinantes et ses alentours.

— Revenez dans la ruelle ! vociféra le demi-gobelin qui courait vers ce dernier. Ne…

Mais avant même que Caleb ait pu courir 10 mètres, il s'arrêta brusquement. Un autre coup de feu venait de se faire entendre, et le garde gobelin s'était écroulé au sol, la gorge transpercée et dégoulinant de sang. Il était mort. En voyant l'angle du tir, venu en diagonale, Victor comprit que le tireur était en train de changer de position. Il serait devant eux d'un instant à l'autre.

— Oh mon Dieu ! lâcha un Pakarel effrayé. Victor, Victor ! Je ne veux pas rester ici !

— Bajar, non ! avait crié l'un des gardes gobelins, qui voulut rejoindre son ami défunt, mais fut retenu par Naveed. Laissez-moi ! Je vais...

— Ne faites pas l'idiot ! lui grogna le démon, qui le repoussa fortement contre un mur de la ruelle. Il est mort.

— Nous devons partir, murmura Victor. Nous devons partir ! répéta-t-il en levant le ton. Le tireur change de position, nous allons être dans son champ de vision d'un moment à l'autre ! Fichons le camp !

— Il a raison, confirma Caleb après avoir envoyé un bref regard vers le pianiste. Allez, tout le monde, on se bouge !

— Je suggère que nous sortions par la rue principale, proposa alors le chef en indiquant du doigt une rue située en face de la ruelle. De cette façon, le tireur ne saurait pas sur qui tirer, puisque nous serions en mouvement et...

— Non seulement votre idée est complètement débile, mais vous n'avez pas remarqué qu'il marche avec une canne ? l'interrompit Caleb en pointant Victor d'un geste vif. Comment est-ce que vous voulez qu'il coure ?

— Vous n'avez qu'à rester ici, si c'est ce que vous préférez ! répondit brusquement le chef des gardes en observant Caleb d'un air noir. Deux de mes hommes sont morts par votre faute ! ajouta-t-il en désignant brusquement le cadavre du dénommé Bajar, gisant au sol. Et peut-être des civils !

— Par notre faute ? répéta le demi-gobelin en murmurant, un sourire sarcastique au visage. Par notre faute, hein ?

— C'est vous qui avez provoqué cet attentat, continua le chef des gardes, qui pointait maintenant sa lance pneumatique vers le gobelin. Tiens, j'ai une meilleure idée. C'est vous qui irez.

Les deux autres gardes imitèrent aussitôt leur chef, pointant eux aussi leurs armes vers Victor et les siens.

— Quoi ? s'exclama Pakarel, furieux. Vous voulez rire ?

— Messieurs, voyons ! intervint Udelaraï d'un air plutôt amical en s'avançant vers les gardes. Soyons raisonnables et faisons preuve d'entraide, nous ne voulons pas de mal à quiconque et...

L'un des gobelins repoussa le vieil homme à l'aide de sa lance pneumatique tout en lui beuglant :

— Taisez-vous ! Reculez et obéissez, sinon... Vous ! adressa-t-il à l'intention de Victor en pointant le canon de sa lance vers lui. Jetez vos armes par terre ! Maintenant !

— Mon arbalète ? répondit Victor en la passant quand même de son épaule jusqu'à sa main. Bon... très bien...

Même si son arme n'était pas chargée, puisqu'il n'avait plus de carreaux, le jeune homme jugea inutile de le mentionner au garde et préféra obéir.

— Déplacez-vous jusque là-bas ! ordonna le chef en pointant du doigt l'extrémité de la ruelle qui donnait sur la rue. Maintenant !

Victor et les siens échangèrent un long regard. Pakarel semblait furieux, Udelaraï, lui, affichait un air désolé. Quant à Caleb et à Naveed, tous deux paraissaient calmes. Obéir signifiait qu'ils allaient se placer au beau milieu du champ de vision du tireur, qui serait d'un instant à l'autre en parfaite position pour les abattre. Le jeune homme ne savait que trop bien que leur tâche était beaucoup plus importante que la vie de ces hommes, même si leur jugement était faussé par leur peine et leur rage d'avoir perdu leurs camarades. Deux gardes sur trois étaient des gobelins hauts d'un peu plus d'un mètre à peine... Ils n'étaient pas très intimidants, mais ils étaient armés et probablement très habiles avec leurs armes.

Les regards du démon et du demi-gobelin étaient fixés sur Victor, comme s'ils attendaient sa décision, puisqu'après tout, c'était lui le chef du groupe. Le pianiste hocha très doucement la tête.

— Bougez ! vociféra l'un des gardes gobelins. Sinon, nous...

À cet instant, Naveed bondit en l'air en tenant sa lance bien haut, traversant la distance qui séparait les gardes du groupe de

Victor en une fraction de seconde, avant de retomber sur l'un d'eux, sa lance lui embrochant la nuque d'un mouvement vif. Victor entendit le bruit dégoûtant des os se brisant sous l'impact. Profitant de la confusion, Caleb se rua à pleine course contre le seul garde humain restant, le chef des gardes, le bousculant férocement en dehors de la rue.

Le troisième garde gobelin voulut riposter et attaquer Caleb dans le dos, mais Victor avait déjà dégainé son glaive et appuyé sur la détente de son mécanisme à arme à feu. Le projectile d'onyxide atteignit le gobelin en plein bras, et celui-ci s'effondra au sol.

– Venez ! vociféra Naveed en délogeant sa lance du cadavre du garde qu'il venait d'empaler.

Ayant à peine récupéré son arbalète, Victor fut violemment soulevé d'une main par le démon, qui l'envoya sur son épaule comme un sac de patates. Pris par surprise, le jeune homme eut la respiration coupée au passage. Pakarel, Udelaraï et Caleb s'élancèrent sur les talons de Naveed, laissant derrière le chef des gardes et son acolyte, qui se tortillait de douleur au sol.

Depuis l'épaule du démon, Victor vit que celui-ci rebroussait chemin, peut-être dans l'espoir de retourner aux portes de la ville. Mais non, Naveed prit un tournant vers la droite, ses puissantes jambes arquées martelant le sol des rues de Casablanca comme un animal, dans une direction inconnue que Victor voyait défiler à l'envers.

– Par là ! cria le démon en prenant un autre tournant, s'engouffrant dans une rue presque déserte.

Les quelques personnes qui passaient dans le coin étaient probablement des malchanceux visiblement pas au courant qu'un tireur était dans les parages.

– Fuyez ! leur cria Pakarel au passage en agitant ses petits bras. Il y a un tireur sur les toits ! Allez-vous-en !

– Vous devriez écouter le petit bonhomme ! leur lâcha Caleb, qui suivait au pas de course.

De sa position fâcheuse, Victor vit bien que les passants n'avaient pas bougé, mais lorsqu'un nouveau coup de feu éclata, faisant cette fois exploser la fenêtre devant laquelle Naveed passait en courant, les quelques citoyens se dispersèrent vite dans tous les sens. Le démon prit à droite, puis à gauche, empruntant les rues de Casablanca à un pas de course considérablement rapide.

Au bout de quelques secondes, ne sachant pas du tout où ils se trouvaient et encore moins où ils allaient, Victor décida de concentrer ses forces à ne pas faire tomber son glaive, son arbalète, son sac et sa canne. Cependant, une chose inquiétait le pianiste : non pas le sort des gardes, mais bien la condition physique de son grand-père. Serait-il capable de les suivre à pleine course, surtout à son âge plus qu'avancé ?

Le jeune homme tenta de l'apercevoir, mais son attention fut aussitôt détournée par Naveed, qui venait d'enjamber d'un bond puissant l'un des nombreux véhicules flottant à basse altitude qui parsemaient les rues. Ayant failli perdre son glaive dans l'acrobatie du démon et sentant son poids glisser vers la droite, Victor n'eut d'autre choix que de s'agripper à l'épaule de ce dernier.

– Courez, vieillard ! couina soudain la voix de Manuel, qui était toujours fixé au bout du bâton d'Udelaraï. Je ne veux pas mourir ! Plus vite !

– On revient à la vie ? commenta la voix coupée par l'effort physique de Caleb.

– Je ne voyais pas l'utilité de donner signe de vie, étant donné que je suis coincé au bout d'un bâton ! répondit Manuel d'un air sarcastique, mais brusque. Plus vite ! renvoya-t-il à Udelaraï, que Victor était incapable d'apercevoir.

Au moins, le fait de savoir que la voix de Manuel n'était pas si loin rassurait le jeune homme ; cela voulait dire qu'Udelaraï était capable de suivre le groupe malgré son âge et son mauvais état physique.

Tout à coup, Naveed s'arrêta brusquement, laissant tomber sans attention particulière le jeune homme, qui chuta lourdement au sol. Se redressant sur ses pieds à l'aide de sa canne, le pianiste grommela :

– Aïe…

Observant rapidement les alentours, Victor réalisa qu'ils étaient au beau milieu d'une allée déserte bondée de petits restaurants et de cafés. Les nombreuses terrasses, munies de tables et de parasols, avaient été abandonnées, leurs chaises, renversées et les repas, délaissés. Quelques silhouettes curieuses s'étaient discrètement glissées derrière les fenêtres d'un café avoisinant, envoyant des regards hostiles vers le jeune homme. Il avait le désagréable sentiment d'être observé dans tous les angles et, surtout, d'être l'élément perturbateur de la quiétude normale de la ville… ce qui n'était pas très loin de la vérité. Le silence qui hantait les rues de Casablanca par une aussi belle journée créait une ambiance bizarre et insolite, mais le fait que le démon n'ait rien dit depuis plusieurs secondes était encore plus inquiétant.

Naveed se trouvait dos à lui et tenait sa lance au sol de sa main gauche, tout en fixant droit devant. Au moment où Victor levait les yeux dans la direction pointée par le démon, les autres arrivèrent au pas de course juste derrière lui, essouflés. Lorsque le pianiste réalisa ce qu'il avait vu, le cœur crispé, il recula brusquement de quelques pas avant de se heurter contre Caleb et Udelaraï, qui posa la main sur son épaule.

À moins d'une vingtaine de mètres d'eux, une silhouette se tenait tout en haut d'un bâtiment de quatre ou cinq étages, recouvert d'écriteaux en néon rose. La silhouette les fixait sans bouger, comme un prédateur devant ses proies. C'était le tireur ; celui qui avait abattu leur appareil et éliminé les gardes. Il s'agissait bel et bien d'un métacurseur, comme Victor l'avait vu quelques instants avant leur écrasement, son corps de squelette robotisé simplement vêtu d'une cape en lambeaux voltigeant au vent, sa tête recouverte d'une capuche lui masquant le visage à moitié. Il tenait sa carabine sur le côté, d'une seule main, dans une position plutôt détendue.

— Victor Pelham, quel plaisir de faire votre humble connaissance ! déclara-t-il d'une voix particulièrement bien articulée et faussement enjouée. J'ai suivi votre progression jusqu'à Casablanca depuis mes écrans radars, dès votre départ de cette île.

Le métacurseur se mit à marcher sur le rebord de l'immeuble, sa cape voltigeant au vent.

— Et… je dois avouer avoir été froissé de voir que vous étiez parvenus à piloter l'appareil que ces crétins d'ogres m'ont volé, ajouta-t-il. Même après vous avoir mis des bâtons dans les roues. Je vous félicite, Victor Pelham ! Il faut croire que vous cachez plus d'un tour dans votre sac.

Cette déclaration venait de répondre à une question qui tourmentait Victor depuis quelques moments déjà ; c'était donc lui qui avait désactivé toutes les commandes de leur appareil volant ! Et si c'était bel et bien le cas, il ne pouvait s'agir que d'une personne en particulier…

— Qui êtes-vous ? lui lança Udelaraï d'une voix forte et autoritaire. Pourquoi avez-vous tué ces hommes ?

Le métacurseur leva son bras squelettique et pointa Victor de son long index.

— Parce que votre petit-fils s'est mis dans ma ligne de mire, vieux singe.

— Tu tires comme une gonzesse, espèce de merde fumante ! beugla Manuel du bout du bâton de marche d'Udelaraï. Peut-être que tu aurais de meilleurs résultats, si tu apprenais à tenir une arme droite !

— Oh, un bouffon ! lâcha le métacurseur en ricanant. Mais… mais que vois-je ? ajouta-t-il en s'inclinant légèrement vers l'avant, appuyé sur sa carabine, ses pieds faisant tomber quelques débris du toit. Aurais-je l'honneur de… Mais oui ! C'est bien lui ! Le célèbre Manuel de la Muerte ! Oh, oh ! Le grand Manuel se serait fait ami avec un petit pianiste ? Étrange compagnie, pour un soi-disant pirate sanguinaire !

— Descends de ton toit qu'on te bouffe les organes qui sont entassés autour de ta cervelle dégonflée ! lui renvoya Manuel d'un air noir.

— Répondez à la question, lui envoya Victor à pleins poumons tout en avançant de quelques pas. Qui êtes-vous ? Pourquoi faites-vous cela ? Que me voulez-vous, Laévarden Dermasiz ?

La silhouette à la cape en lambeaux se redressa, avant de prendre sa carabine à deux mains, sans pour autant la pointer sur quiconque.

— Il s'agit là de plus d'une question, Victor Pelham ! Inutile de répondre à votre première demande, puisque vous connaissez déjà mon nom. Impressionnant. Comment l'avez-vous su ? demanda-t-il d'un ton cynique et désagréable. En lisant les données inscrites dans les robots que j'ai envoyés vers vous et vos proches ? Oh. Bravo, Victor Pelham, vous êtes réellement doué.

— Que me voulez-vous, à moi et à mes amis ? rétorqua Victor, dont la voix trahissait un manque de patience notable. C'est vous qui avez tenté de tuer Nika et Nathan, n'est-ce pas ?

— Je n'ai guère d'intérêt pour vos proches, Pelham ! répondit Laévarden en balayant l'air d'un vif geste du bras. Certes, c'est bien moi qui ai cherché à les éliminer, et c'est votre faute ! C'est vous, Pelham, qui les avez embrigadés dans vos plans !

— Dans mes plans ? répéta Victor, déboussolé. Mais… de quoi parlez-vous ?

Dermasiz resta de marbre pendant plusieurs secondes, fixant Victor et ses camarades d'un air indéchiffrable. Avec une rapidité étonnante, il leva ensuite sa carabine avant de tirer un coup de feu en direction du jeune homme. Au même instant, Naveed se plaça devant Victor, encaissant le coup de feu en pleine poitrine, et la balle éclata dans un impact rocheux et poussiéreux. Caleb, Udelaraï et Pakarel se réfugièrent tous derrière la stature musculeuse et athlétique du démon des sables, dont l'épiderme dur comme le roc était apparemment blindé.

— Restez derrière moi, leur conseilla Naveed.

— Merdouille, couina Manuel à voix basse, lorsqu'il réalisa qu'il était totalement à découvert, au bout du bâton d'Udelaraï.

— On se cache derrière les autres, Victor Pelham ? lui envoya Laévarden avec mépris. Rien de bien étonnant, puisque c'est ce que vous faites depuis votre plus jeune âge ! Vous voulez mourir, vieil homme ? adressa-t-il ensuite à Udelaraï.

Le jeune homme réalisa que son grand-père s'était détaché du groupe, son bâton de marche dans la main gauche.

– Retournez vous cacher derrière le pas-beau en brique ! lâcha sèchement Manuel avec effroi. Ne restez pas à découvert, espèce de vieux fou !

– Grand-père ! le supplia Victor, accroupi derrière Naveed, revenez ici !

Udelaraï semblait ignorer ce qu'on lui disait ; ses yeux étaient rivés sur Laévarden et son visage était imprégné d'une expression sévère. Le vieillard leva la main droite, dans laquelle se matérialisa une petite dague bleutée, qui virait sans cesse du bleu au blanc.

– Cela devrait être intéressant, commenta le métacurseur d'un air amusé.

Puis, d'un grand geste, Udelaraï lança la dague bleutée en direction de Laévarden dans un sifflement d'air. Le projectile, lancé un peu trop bas, heurta la façade du bâtiment juste sous les pieds métalliques du métacurseur, avant de détoner dans une explosion colossale, détruisant la plupart des écriteaux holographiques et réduisant en miettes une bonne partie de la structure de la bâtisse. Victor et les autres se retrouvèrent tous au sol, se couvrant la tête contre les débris qui tombaient un peu partout dans un nuage de poussière considérable.

Toussotant, Victor et Pakarel se redressèrent l'un à côté de l'autre, avant de lever les yeux vers l'emplacement où se trouvait Laévarden Dermasiz. Il n'y était plus.

– Il s'est sauvé, dit Caleb, déjà debout, juste à côté. Bel essai, Udelaraï.

Le vieil homme, se trouvant à la droite de Victor, avait le front luisant de sueur. Victor savait très bien que cette déshydratation n'était pas seulement due à la température du Maroc, mais bien à l'effort demandé par l'utilisation de sa bague.

Tout en haut du bâtiment, à travers un écran de poussière, la silhouette se redressa, avant de se retourner et de quitter le champ de vision de Victor et de ses amis. Victor vit alors du coin de l'œil une masse s'effondrer ; il s'agissait d'Udelaraï.

— Hé, le vieux! protesta Manuel, qui s'était retrouvé au sol. Fais un peu attention, hein!

Le pianiste se précipita auprès du vieillard, le soulevant assez pour déposer sa tête sur ses cuisses. Du sang coulait de son nez et de ses oreilles, tachant sa barbe et ses cheveux argentés. Ses yeux étaient à demi clos, ses pupilles viraient vers le haut. Victor observait son grand-père le cœur alourdi par un profond sentiment d'impuissance. Pakarel et Caleb se ruèrent à ses côtés, tous deux inquiets.

— C'est bien trop, marmonna le jeune homme à l'intention de ses deux compagnons. Il ne peut plus continuer comme ça. Tout ça…

Victor hocha la tête de gauche à droite. Il ne voulait plus que les choses se déroulent ainsi.

— Ça va le tuer, termina-t-il d'un air démoli.

— Victor Pelham, le héla le démon.

Victor, Pakarel et Caleb levèrent la tête vers Naveed, qui observait l'endroit où Laévarden s'était trouvé, quelques secondes plus tôt.

— Quelque chose ne va pas, dit-il d'un air serein, je ne sais pas pourquoi, mais je sens que nous ne devons pas le laisser s'échapper.

Victor voulut lui répondre, mais en réalité, il ne savait pas quoi dire. Sa bouche resta entrouverte alors que son regard était entièrement imprégné du sentiment d'impuissance qui le ravageait.

— Il lui faut un médecin, dit Pakarel à voix basse en regardant Udelaraï avec tristesse. Je suis du même avis que Victor…, il ne peut plus continuer comme ça. Il est… fragile. On doit faire attention à lui, sinon…

— Comment trouver un hôpital au beau milieu d'une ville que nous ne connaissons pas? lâcha Caleb, dont la voix trahissait le désespoir.

Le jeune homme se sentait cloué sur place, incapable de prendre une décision. Que devait-il faire? En fait, que pouvait-il faire? Et dire que quelques heures plus tôt, lui et les autres étaient réjouis à l'idée de découvrir l'auteur des robots envoyés à leurs trousses…

– Victor ? lui dit Naveed.

Le pianiste, qui avait toujours la tête de son grand-père contre ses genoux, leva les yeux vers le démon.

– Il va s'échapper, si nous restons ici.

À cet instant, Victor sut qu'il devait prendre une décision sur-le-champ, et c'est ce qu'il fit. Reposant la tête de son grand-père sur le sol avec délicatesse, le jeune homme s'adressa au pakamu :

– Pakarel, veille sur mon grand-père, d'accord ?

L'expression confuse, celui-ci balbutia :

– Mais... mais...

Faisant glisser sa canne de son étui, le jeune homme se redressa ensuite en s'y appuyant.

– Qu'est-ce que tu fais ? lui demanda Caleb, qui s'était levé d'un bond.

– Je pars avec lui, dit Victor en désignant le démon du menton. Naveed, tu pourras m'aider à monter sur ce toit ?

Le démon acquiesça d'un hochement de tête. Caleb posa vigoureusement la main sur l'épaule de Victor.

– Non, dit-il fermement, grinçant des dents. Oh non, Victor. Tu ne pars pas aux trousses de ce métacurseur.

Posant à son tour la main sur l'avant-bras de son ami, le jeune homme soupira.

– Quelqu'un doit bien le faire, dit-il simplement. Nous ne sommes pas assez armés pour combattre un tel adversaire... nous n'avons pas d'armes à feu. De simples épées ne feront pas l'affaire, et tu le sais très bien.

– Et toi non plus, à ce que je sache ! protesta Caleb. Je ne te laisserai pas partir comme ça, Victor ! Tu m'entends ? Reviens sur Terre, bordel !

Le demi-gobelin avait parlé sur un ton glacial, fixant Victor dans les yeux d'un air autoritaire et presque sauvage. Pour la première fois de sa vie, le jeune homme se sentit intimidé par son meilleur ami et n'eut aucune envie de le tester. Le pianiste dirigea son regard vers Naveed, sans pour autant lui dire quoi que ce soit.

– J'irai seul, déclara le démon en laissant tomber sa propre lance au sol, comme s'il s'agissait d'un vulgaire objet. Prenez soin du vieil humain.

Avant même que quiconque ait pu protester, Naveed avait traversé la rue à toute vitesse vers l'un des restaurants, à leur gauche. Il bondit ensuite sur l'une des tables, renversant les assiettes au passage, avant de sauter à nouveau dans le but d'atteindre le rebord d'une fenêtre située un peu plus haut. Le démon s'y hissa juste assez pour pouvoir attraper l'un des barreaux de la balustrade d'un balcon situé un peu à sa droite, qu'il enjamba avec aise. Au lieu d'entrer dans l'appartement par la porte du balcon, le démon grimpa plutôt sur la balustrade avec un sens de l'équilibre presque félin. Debout sur celle-ci, il sauta sur le balcon d'en face, traversant la rue d'un bond vertigineux, avant de se hisser sur le toit de l'immeuble et de disparaître du champ de vision de Victor et de ses amis.

Le jeune homme glissa sa canne dans son étui dorsal avant de se retourner vers son grand-père. Il s'inclina ensuite auprès de lui et passa l'un de ses bras autour de son cou.

– Caleb, donne-moi un coup de main. On doit l'amener dans un hôpital.

Sans hésiter, le demi-gobelin aida son ami à redresser le vieillard, apparemment inconscient. Quant à Pakarel, il récupéra le bâton de marche d'Udelaraï.

– Venez ! leur envoya le pakamu. Allons chercher de l'aide dans ce petit café, juste là !

Chapitre 11

Un accueil peu chaleureux

Traînant Udelaraï par les épaules, Victor et Caleb suivirent Pakarel jusqu'à la porte du café à l'intérieur duquel des gens s'étaient réfugiés.

– Hé, ouvrez-nous ! leur envoya Pakarel en collant son petit museau contre la grande vitre du café, afin d'y voir quelque chose. Nous avons besoin d'aide !

Cependant, personne ne voulut leur ouvrir la porte ; au contraire, on leur fit savoir, avec des doigts d'honneur et des insultes, qu'ils n'étaient pas du tout les bienvenus. En réalité, Victor n'en fut pas vraiment surpris. Pakarel insista encore à quelques reprises, suppliant les silhouettes à l'intérieur du café de les laisser entrer.

– Allez-vous-en ! lança une voix masculine et âgée provenant de l'établissement. Quittez cette ville ! Nous ne voulons pas de personnes de votre genre dans notre enceinte !

– C'est ça, bande de moules infirmes, restez cachés dans votre restaurant de merde ! leur envoya Manuel, déchaîné, du bout du bâton tenu par Pakarel. Si ça ne tenait qu'à moi, je mettrais le feu à votre ville et je…

– Manuel ! l'interrompit durement Victor. Tais-toi ! Laissons ces gens tranquilles, ajouta-t-il à l'intention de Caleb et Pakarel. Ils nous perçoivent comme des terroristes…, ce n'est pas très étonnant qu'ils ne veuillent pas nous venir en aide.

– On fait quoi, alors ? demanda Caleb.

Observant les alentours en tenant toujours son grand-père par l'épaule, Victor répondit :

– Trouvons un coin d'ombre à l'écart, afin d'y installer Udelaraï.

— Et ensuite ? demanda aussitôt Pakarel.

— Une chose à la fois, Pakarel, lui répondit Victor, qui, en réalité, ne savait pas vraiment quoi répondre. Allez…, viens.

Après avoir récupéré la lance de guerre de Naveed, le jeune homme et le demi-gobelin se mirent à arpenter les rues sans vraiment savoir où aller, traînant Udelaraï par les bras sous le soleil cuisant du Maroc, devancés de quelques pas par Pakarel, qui brandissait le bâton de marche couronné par Manuel.

— Dire que c'est cet enfoiré de Laévarden qui avait éteint les ordinateurs de notre appareil, marmonna Caleb au moment où le groupe tournait au coin d'une rue. Saleté de…

— Oh, j'ai faim ! fit alors savoir Manuel. On pourrait s'arrêter quelque part et prendre de la bouffe ?

— Nous n'avons pas le temps, lui répondit Caleb d'un ton sec.

— Hé, sois cool, mon frère ! lui répondit Manuel d'un air détendu. Il ne faut pas se laisser envahir par l'envie de vengeance.

À cet instant, le jeune homme repéra une allée qui s'étendait à leur droite, entre deux hauts bâtiments de pierre blanche. Des toiles mauves avaient été installées entre les bâtisses, créant une bonne zone d'ombre dans l'allée remplie de caisses et de barils de bois.

— Par là, dit Victor en tenant son grand-père par un bras, par-dessus son épaule.

Caleb le suivit sans protester, mais Pakarel se figea sur place dans la rue principale.

— Ne devrions-nous pas trouver un hôpital ? proposa-t-il.

— Et manger ? ajouta le crâne installé au bout du bâton.

— Pour l'instant, il vaudrait mieux lui permettre de s'étendre à l'ombre, répondit Victor, essoufflé et dont le front luisait de sueur.

Pendant que Pakarel rejoignait ses camarades au pas de course, Victor et Caleb soutinrent Udelaraï jusqu'au centre de l'allée, avant que le pianiste propose :

— Déposons-le juste là, sur cette caisse de bois.

— Pourquoi ne pas monter en haut de cet escalier ? suggéra Caleb, désignant du menton un large escalier de pierre qui montait jusqu'au toit d'un bâtiment un peu moins haut, recouvert de toiles et de paravents.

— Ce doit être la terrasse de quelqu'un, dit Victor, un peu embêté. Ce ne serait pas une bonne idée d'y aller...

Caleb lui envoya l'un de ses regards qui en disaient long. Les deux meilleurs amis montèrent donc les marches de l'escalier une à une, jusqu'à ce qu'ils atteignent le toit de l'un des bâtiments. Une longue toile mauve était installée de sorte à bloquer les rayons du soleil de midi, retenue par des paravents aux motifs en losanges. Quelques coussins étaient installés au sol et, tout autour du toit, de nombreuses plantes exotiques avaient été installées dans des pots en argile. Le jeune homme s'était attendu à ce qu'une porte mène directement du toit à ce petit endroit visiblement aménagé pour la relaxation, mais étrangement, ce n'était pas le cas.

— Installons-le sur les coussins, dit Caleb. Allez..., doucement... Il faut faire attention à sa tête.

— Soulève-le un peu, lui dit le jeune homme, qui ajusta ensuite les coussins afin que son grand-père ait le dos un peu redressé. Voilà. Beaucoup mieux.

Udelaraï était maintenant bien installé à l'ombre, sur des coussins usés et salis par la poussière, mais toujours bombés et moelleux. Les deux amis se relevèrent et observèrent le vieillard d'un air satisfait pendant quelques secondes, avant de déposer leurs affaires au sol. Ils se retournèrent ensuite pour contempler la ville, qui s'étendait sous leurs yeux jusqu'à l'océan. La vue était magnifique, dévoilant les nombreuses maisons et les bâtiments de Casablanca, avec leurs écriteaux holographiques roses et bleus ainsi que les banderoles festives installées un peu partout.

De là où Victor et les siens se trouvaient, ils pouvaient apercevoir la place publique de la ville, bondée de gens, qui vaquaient à leurs occupations. Visiblement, les événements provoqués par le tireur ne s'étaient pas rendus jusqu'à cette partie de la ville. Quelques véhicules aériens circulaient dans le ciel, dont un dirigeable sur lequel étaient accrochés plusieurs écrans, qui montraient des publicités pour une boisson fruitée et alcoolisée. Soudain, Pakarel posa la fameuse question :

– Et maintenant ?

Victor et Caleb se tournèrent vers le petit bonhomme au gros chapeau, qui tenait le bâton entre ses deux petites mains, l'air un peu gêné par sa question. Après avoir soufflé un bon coup et essuyé son front, le jeune homme lui répondit :

– Il faudrait que quelqu'un parte chercher de l'aide. Il y a forcément des gens qui ne nous perçoivent pas comme des tueurs ou des terroristes, et qui pourraient nous aider.

– Tu crois ? demanda Pakarel avec une lueur d'espoir. Les gens du café n'étaient pas très gentils.

– J'en suis sûr, lui dit le jeune homme avec certitude. Tous les gens de cette ville ne peuvent pas nous haïr ! Nous n'avons rien fait !

Juste après que Victor eut terminé de parler, quelques larges écrans publicitaires munis de petits réacteurs et d'hélices passèrent à une centaine de mètres d'eux, au-dessus de la place publique. L'un des écrans s'approcha particulièrement près du toit sur lequel se trouvaient Victor et ses amis. Ils purent sans problème y voir leurs visages, affichés de face, comme si on avait pris une photo individuelle d'eux. Une voix féminine, faussement décontractée et incroyablement mécanique déclara depuis les haut-parleurs de la machine volante :

« Attention, chers citoyens de Casablanca, ces criminels sont recherchés. Si vous les apercevez, entrez en contact avec les forces de l'ordre à la fréquence indiquée. Attention, chers citoyens de Casablanca… »

L'écran poursuivit sa route, bourdonnant dans le ciel tout en répétant son message jusqu'à ce qu'ils ne puissent plus l'entendre. Pakarel, Victor et Caleb fixaient l'horizon d'un air déprimé.

– Ça, c'est de la technologie, les gars ! fit savoir Manuel avec un émerveillement déplaisant.

Pakarel agrippa son chapeau avec désespoir et lâcha :

– Oh non… Oh non ! Victor, Victor ! Qu'est-ce qu'on…

— Du calme, intervint aussitôt Caleb. Il est inutile de nous énerver.

— Vous avez remarqué que je n'étais même pas affiché sur l'écran ? dit Manuel, que personne n'écoutait. Je trouve ça déplacé. Moi aussi, j'aurais dû avoir mon visage à l'écran. Hé, vous m'écoutez ?

En réalité, personne n'accordait la moindre attention au crâne. Caleb faisait les cent pas, Pakarel s'était assis au sol avec le bâton sur ses genoux, et Victor, lui, avait le regard perdu dans le vide et se tenait le menton d'une main. Puis, son regard s'attarda sur un petit kiosque au milieu de la place publique. Juste au-dessus, un point d'interrogation holographique était visible.

— Il nous faudra passer inaperçus, marmonna le jeune homme. Ouais.

Caleb lui envoya un regard interrogateur.

— De quoi parles-tu, Victor ? demanda Pakarel.

— Il veut trouver un endroit où laisser le vieux pour s'en débarrasser, dit Manuel avec un rictus désagréable.

— Il va falloir que l'un de nous se rende à ce kiosque d'information, dit Victor en pointant vers le centre de la place publique. Juste là.

— Pour demander où se trouve l'hôpital le plus proche ? devina Pakarel.

Victor lui confirma d'un hochement de tête.

— Et… comment crois-tu que l'un de nous sera en mesure d'atteindre une place publique bourrée de gens sans se faire remarquer ? demanda Caleb avec une grimace d'incrédulité. Il y a des écrans qui volent avec nos visages dessus, Victor, ajouta-t-il d'un air peu convaincu en pointant l'un d'eux, qui volait justement dans les environs.

D'un air taquin et sarcastique, le pianiste déclara :

— En fait, je pensais lancer Manuel jusqu'au kiosque pour qu'il demande les indications pour nous. Tu n'as pas été identifié comme un terroriste, de toute façon, hein, Manuel ?

— Je te hais, répondit le crâne d'une voix bourrue.

— Et admettons que nous réussissions à obtenir des indications pour nous rendre à l'hôpital le plus proche, ils vont quand même arrêter Udelaraï, et, crois-moi, ils vont le reconnaître tout de suite.

Victor observa son meilleur ami sans trop savoir quoi répondre. Il savait très bien que Caleb avait raison ; son plan de déguisement et d'infiltration était voué à l'échec, et, en réalité, le jeune homme le savait depuis le début. Toujours était-il qu'Udelaraï avait besoin de soins…

— Il faudrait quand même l'emmener à l'hôpital, dit le jeune homme un peu à contrecœur.

— Ça ne nous avancerait pas vraiment, répondit Caleb, dont l'expression indiquait bien qu'il n'aimait pas l'idée de Victor.

Le jeune homme resta silencieux.

— Je suis en train de me demander ce que nous faisons réellement ici, se lamenta Caleb en soupirant. Ce n'était peut-être pas une bonne idée de venir dans cette ville. Cette quête de vengeance envers Laévarden s'avère bien plus dangereuse que prévu.

— Il ne s'agit pas de vengeance ! intervint Pakarel avec fureur. Il s'agit de protéger nos vies et celle des personnes qui croisent ce fou ! Nous nous occuperons de la dernière Liche plus tard. Pour l'instant, nous devons mettre un terme aux folies de ce meurtrier !

Caleb ne sut quoi répondre.

— Avant de faire quoi que ce soit, intervint Victor d'une voix affligée, il faut quand même trouver de l'aide pour mon grand-père, sinon il…

— Non, l'interrompit la voix d'Udelaraï. Pas question.

Surpris, Victor, Caleb et Pakarel se retournèrent vers le vieil homme, qui, apparemment, s'était réveillé.

— Ne perdez pas votre temps à chercher… à chercher de l'aide de vos médecins, continua le vieillard en se redressant en position assise.

— Vous ne savez pas ce que vous dites ! lâcha Victor avec une irritation considérable dans la voix. Vous vous évanouissez constamment, vous êtes…

– Un fardeau ? l'interrompit le vieillard.

– Non, répondit Victor en reprenant son calme. Vous êtes affaibli. Vous devez prendre soin de vous et de ce qui reste de votre santé. Je veux bien croire que le fait de vous reposer ne changera rien à votre sort final, mais il y a quand même des limites !

Udelaraï fixa son petit-fils pendant un moment avant de tourner la tête vers Pakarel et de lui dire :

– Pakarel, pourrais-tu me rendre mon bâton ?

– Si tu me ramènes vers lui, chuchota Manuel d'un air noir à l'intention du raton laveur, je ferai en sorte que tu ne puisses plus te reproduire.

À la suite de la demande du vieillard, le pakamu fixa Victor du regard pendant un moment, l'air surpris, avant de s'exécuter.

– Merci bien, lui dit Udelaraï une fois que le raton laveur lui eut rendu son bâton.

– Vous ne comptez pas vous lever, j'espère ? lui fit savoir Caleb avec sévérité.

– Pas du tout, cher ami, répondit Udelaraï en passant la main sur son bâton, comme s'il cherchait quelque chose. Je cherche simplement à faire ce que mon petit-fils veut que je fasse... Voyons voir..., où était ce compartiment... Ah. Voilà.

Le vieil homme venait d'ouvrir un petit compartiment, situé au centre du bâton, avant d'y glisser son index et son majeur. Il en tira ce qui semblait être, à première vue, une petite pierre, ou plutôt un coquillage. Plissant les yeux, Victor vit que de petits motifs y étaient gravés, mais avant qu'il puisse en déchiffrer la nature, son grand-père avait porté le petit coquillage à ses lèvres. Il parut y souffler à pleins poumons, mais aucun son n'en sortit.

– Qu'est-ce que vous faites ? demanda Pakarel.

– Il souffle dans un coquillage, dit Manuel comme si de rien n'était, depuis le haut de son bâton. C'est tout à fait normal, pas vrai, Victor ?

Aussitôt, le crâne explosa d'un gémissement de désespoir.

– Mais qu'ai-je fait..., qu'ai-je fait ? couina-t-il d'une manière un peu théâtrale. Je veux retourner dans mon sarcophage... Pitié...

– Tu as fini ? lui envoya Victor d'un ton sec. Parce que si tu as fini, j'aimerais que tu la fermes pendant les cinq prochaines minutes.

– Tu es froid, Victor, lui dit Manuel d'un air amusé. Très froid.

Le jeune homme ramena son regard durci vers son grand-père et s'efforça de changer d'humeur.

– Je fais ce que tu m'as demandé, Victor, lui dit aussitôt Udelaraï en rangeant le coquillage dans son bâton.

Le pianiste haussa un sourcil et croisa les bras tout en lâchant une expiration bruyante.

– Tu voulais que je me repose et que je prenne soin de ma santé, n'est-ce pas ? continua Udelaraï. C'est ce que je fais.

– En soufflant dans un coquillage ? demanda Victor, plutôt perplexe.

Udelaraï lâcha un petit rire, lequel se transforma en une légère toux, qu'il contrôla rapidement.

– Non, dit-il en secouant la tête de gauche à droite. J'ai appelé à l'aide.

– Ça vous arrive de dire les choses simplement ? demanda Caleb d'un air plutôt taquin.

Au lieu de répondre au demi-gobelin, le vieillard regarda autour de lui et demanda :

– Où est Naveed ?

Après un moment d'hésitation, Victor prit une bonne respiration et répondit avec peu de fierté :

– Il poursuit Laévarden.

Le vieil homme répondit par un simple grognement.

– Est-il convenu que Naveed revienne vous rejoindre à cet endroit précis ? demanda-t-il ensuite.

Victor lui fit signe que non de la tête. En réalité, il regrettait amèrement de ne pas avoir au moins pris le temps de demander à Naveed de les rejoindre quelque part. Pire encore, le jeune homme avait la désagréable impression qu'il ne reverrait pas le démon de sitôt…

— Nous le retrouverons en temps et lieu ! déclara le vieil homme, visiblement peu inquiet. Je suis persuadé que Naveed peut prendre soin de lui... Sommes-nous en sécurité ?

— Pas... vraiment, admit Victor après avoir échangé un regard mal à l'aise avec ses amis. On nous cherche... assez ouvertement. Nos visages circulent, affichés sur des écrans géants qui volent au-dessus de la ville... Il nous faut tenir pour acquis que n'importe qui pourrait nous dénoncer. Ce n'est qu'une question de temps avant que quelqu'un se décide à venir ici, comme le propriétaire de cette petite aire de détente, par exemple, ajouta-t-il en désignant les alentours d'un geste du bras.

Le vieil homme hocha la tête en guise d'acquiescement.

— Cet endroit n'est donc pas sécuritaire, conclut Udelaraï, qui s'était lentement levé en s'aidant de son bâton.

Victor s'avança aussitôt vers son grand-père afin de lui donner un coup de main, mais ce dernier l'arrêta bien vite d'un signe de la main.

— Ça ira, dit-il, même si son teint livide affirmait le contraire.

Victor et ses amis observèrent le vieillard, qui s'approcha du bord du toit avant d'étirer le cou pour jeter un regard en contrebas. Après avoir lâché un grognement de satisfaction, Udelaraï se retourna lentement vers les autres.

— Et si nous allions juste un peu plus bas ?

— En bas ? répéta Pakarel, intrigué, qui s'élança jusqu'au bord du toit.

Sur les traces du raton laveur, Victor et Caleb s'approchèrent du bord du toit, où se tenait Udelaraï, avant d'observer en bas à leur tour. Ils virent, sous quelques cordes à linge, un canal étroit d'eau sombre qui devait mener aux égouts de Casablanca. Sous l'arche d'un pont qui passait juste au-dessus, on pouvait aussi voir une partie d'un petit quai en bois sur lequel avaient été remisés quelques caisses vides et autres contenants de bois.

— Vous croyez que nous serions plus en sécurité à cet endroit ? demanda Pakarel, qui observait en bas.

– À vous de décider, répondit Udelaraï. Je ne faisais que soumettre une suggestion.

Après un moment de brève réflexion, Victor déclara :

– Descendons. Caleb, pourrais-tu partir en éclaireur pour nous faire savoir si la voie est libre ?

Après un hochement de tête, le demi-gobelin se rua au pas de course vers l'escalier, qu'il dévala après s'être assuré que la voie était libre. Se retournant vers son grand-père, Victor lui demanda avec une certaine autorité :

– Une fois sur ce quai, vous nous expliquerez pourquoi vous avez soufflé dans un coquillage et ce que vous vouliez dire par votre appel à l'aide. D'accord ?

– D'accord, accepta Udelaraï avec un sourire en coin.

Caleb revint pas moins de deux minutes plus tard, la respiration haletante.

– Ça va, dit-il en reprenant son souffle. On peut y aller.

– Jeunes hommes, dit Udelaraï à l'intention de Victor et de Caleb, pourriez-vous donner un coup de pouce à un vieil homme ? J'aurais bien besoin de votre aide, finalement.

Victor et Caleb aidèrent donc Udelaraï à descendre l'escalier, pendant que Pakarel les suivait de près, un peu trop même, en tenant le bâton de marche du vieillard. Le jeune homme tenait aussi d'une main la lance de Naveed, qui lui servait de soutien pour sa jambe gauche. Aux coins de rue, le pianiste et son meilleur ami s'arrêtaient afin de s'assurer que la voie était libre, et, chaque fois, le pakamu leur rentrait dedans.

– Fais attention ! grogna Caleb d'un ton sec en observant Pakarel par-dessus son épaule. Ça fait trois fois ! Ouvre les yeux !

– Désolé, désolé ! s'excusa le raton laveur en chuchotant.

Voyant tout à coup quelqu'un traverser la rue à quelques mètres d'eux, Victor recula brusquement en forçant Udelaraï et Caleb à le suivre, bousculant Pakarel au passage.

– Chut ! leur dit-il avant même que quiconque ait pu se plaindre.

Adossé au mur d'une bâtisse avec ses amis, Victor s'inclina furtivement au coin de la rue afin d'observer le passant. Il s'agissait d'un grand lézard, un lozrok, à l'allure toutefois bien différente de celle de Baroque ; il était bedonnant, portait de grosses bagues et était vêtu d'une soutane mauve brodée d'or. Se déplaçant d'une démarche chancelante tout en chantonnant une chanson grossière, il semblait complètement ivre. Il tourna au coin d'une rue quelques secondes plus tard, sa grosse queue glissant au sol derrière lui. Une fois la voix du lozrok bien éloignée, Victor fit signe aux autres de le suivre.

— La voie est libre, chuchota-t-il. Allons-y.

Deux minutes plus tard, ils avaient atteint le pont qui surplombait le canal menant aux égouts. Par chance, il n'y avait personne dans les environs immédiats, mis à part un couple de gobelins, qui marchaient à une centaine de mètres, de l'autre côté de la rue. Au même instant, une énorme machine volante traversa le ciel, faisant ballotter les cordes à linge sous les bourrasques de vent causées par ses réacteurs bourdonnants. Un emblème était gravé sur l'un des côtés de l'engin volant. Une image vint alors en tête du pianiste ; l'emblème était identique à celui des gardes qu'ils avaient croisés plus tôt.

— Les gardes de la ville nous cherchent, dit Victor en observant le gyrocoptère s'éloigner par-dessus les bâtisses.

— Nous avons bien fait de descendre du toit, fit savoir Pakarel. Ils nous auraient assurément repérés !

— En fait, c'était mon idée, fit savoir Manuel, dont personne n'écoutait réellement les propos. Je le savais depuis le début, mais je…

— Allons par là, leur dit Caleb en désignant du menton un escalier de pierre, juste à côté du pont, qui descendait au quai.

En bas de l'escalier se trouvait le quai que Victor et les autres avaient aperçu depuis le haut du toit. De nombreuses caisses vides et des barils défoncés y étaient entreposés, ou plutôt laissés à l'abandon. Le quai de bois continuait jusqu'en dessous du pont, où se trouvait une porte de fer qui menait sans doute aux égouts de la ville. D'ailleurs, la simple vue de la porte rappela à Victor son séjour à Paris, lorsqu'il avait suivi les mystérieuses traces menant aux égouts. L'endroit était plutôt miteux, humide et considérablement malodorant, mais au moins, ils seraient plus en sécurité que sur les toits, à la vue de toutes les machines volantes qui survolaient Casablanca.

Après un moment d'hésitation, Victor et les siens s'installèrent comme ils purent. Le jeune homme et le demi-gobelin assirent Udelaraï sur une caisse de bois, avant de trouver des caisses pour s'asseoir eux-mêmes. Quant à Pakarel, il s'installa sur le seul baril qui semblait être en bon état, situé près de la porte de fer.

— Je me demande où ça mène, s'interrogea le pakamu en observant la porte.

— Aux égouts de la ville, répondit le jeune homme. Comme à Paris, tu te souviens ?

— Oh, oui ! répondit Pakarel, qui venait visiblement de se souvenir de leur petite aventure en terre parisienne.

— Lors de votre lune de miel romantique ? commenta Manuel avant de lâcher un rire rendu plus désagréable encore par son écho.

— Nous sommes sous un pont, dit Caleb d'un air noir à l'intention du crâne, alors garde ta voix basse, tu veux ?

— Ah ouais ? rétorqua le crâne avec défiance. Sinon quoi ?

— Sinon, il risque de te jeter à l'eau, dit Victor avec un sourire vicieux, et je ne serai pas celui qui l'en empêchera.

La menace fonctionna ; Manuel se contenta de grommeler en silence. Victor désigna alors Udelaraï du menton.

— Vous nous dites ce qui se passe avec votre appel à l'aide ?

Son grand-père l'observa de son regard vert identique au sien, avant de lui répondre :

— J'ai appelé un ami. Il viendra à nous dans quelques heures.

— Tiens, un autre ami ! lâcha le demi-gobelin avec un sarcasme prononcé. Quelque chose me dit que vous ne voudrez pas nous dévoiler son identité avant qu'il arrive, pour rendre le tout plus... mystérieux et théâtral ?

— Il s'agit de votre oncle, Caleb.

À peine le vieil homme avait-il fait cette révélation que Victor se précipita vers Caleb, qui venait de se lever brusquement en fusillant Udelaraï du regard, une expression plus qu'hostile au visage.

— Calme-toi, lui dit le pianiste en s'assurant de force que son ami n'avance pas d'un pas. Je sais que…

— Vous vous moquez de moi ? vociféra Caleb, dont la voix était transportée par l'écho sous le pont.

— Du calme ! répéta Victor avec insistance. On pourrait nous entendre ! Reprends-toi, merde ! ajouta-t-il en secouant son meilleur ami. Nous n'avons pas besoin de ça !

Fort heureusement, même si l'intervention physique de Victor aurait pu être aisément repoussée par le demi-gobelin, ce dernier se calma et se rassit.

— Je sais très bien que cette nouvelle ne vous émerveille guère, Caleb, et je tiens à vous assurer que je comprends entièrement vos raisons. Cependant, il n'en reste pas moins que votre oncle…

Sur ce dernier mot, Caleb lâcha un bruit grossier.

— … Hansel Hainsworth, continua Udelaraï en regardant le demi-gobelin droit dans les yeux, est pour nous un allié d'une grande importance.

— Cet… cet homme, dit Caleb avec une expression de dégoût, m'a empoisonné. Il a forcé votre petit-fils à mener un combat qui n'était pas le sien. Qui sait combien de personnes sont mortes aux mains de ce fou qui gardait une Liche emprisonnée dans une vieille tour d'observation. Sans parler des automates qui y étaient enfermés.

Le jeune homme vit alors que le crâne avait ouvert la bouche pour parler. Avant même qu'il ait pu placer un mot, Victor lui murmura sèchement :

— Toi, tu ne dis rien.

— Mais tu ne sais même pas ce que j'allais dire ! protesta le crâne à voix basse.

Le pianiste lui envoya un regard noir, qui suffit à le convaincre de ne plus dire un mot.

— Je ne cherche pas à défendre les méfaits d'Hansel, Caleb, lui fit savoir Udelaraï d'un air sérieux. Je suis tout à fait en accord avec l'opinion que vous avez de lui. Pourtant, Hansel Hainsworth est le seul en qui je peux avoir confiance à propos de ma santé.

Le demi-gobelin détourna le regard et fixa le vide d'un air neutre.

— Je n'aime pas ça, laissa-t-il savoir.

— Moi non plus, dit Victor. Je n'ai aucune envie de revoir l'antiquaire, mais s'il est réellement quelqu'un que vous jugez crucial pour votre santé, ajouta-t-il en déviant son regard vers Udelaraï, alors qu'il en soit ainsi.

Pakarel se laissa tomber de son baril et se déplaça jusqu'au demi-gobelin, avant de se placer devant lui. Le regard de Caleb tomba sur le pakamu, qu'il observa d'une expression qui aurait pu passer pour du mépris.

— Victor et moi sommes de ton côté, Caleb, lui dit le raton laveur. Je n'aime pas plus que toi l'idée de revoir l'antiquaire, mais s'il peut aider le grand-père de Victor, alors nous ne pouvons qu'accepter la situation et tolérer sa présence.

Le demi-gobelin leva ensuite les yeux par-dessus Pakarel, afin de croiser le regard d'Udelaraï.

— Et vous l'avez appelé avec un coquillage ?

Le vieil homme confirma d'un hochement de tête.

— Mais pas n'importe lequel, ajouta ce dernier en décollant quelques mèches de cheveux de son front, que Victor suspectait d'être fiévreux. Ce coquillage, qui vient de mon monde, à la particularité d'émettre des ondes qui sont captées par ses pairs. Or, il se trouve qu'Hansel en possède un, lui aussi.

— Évidemment, répondit Caleb avec peu d'entrain.

Un silence s'installa alors, faisant étrangement dévier les regards vers le jeune homme. Voyant bien que Pakarel, Caleb et Udelaraï l'observaient, Victor fit semblant de trouver important de se gratter le menton et de lancer des regards dans des directions aléatoires.

— On fait quoi, maintenant ? demanda finalement Pakarel.

— On attend Naveed, je suppose, dit Caleb, qui avait l'air un peu renfrogné. Et en même temps, la visite de mon cher oncle.

— Mais ne devrions-nous pas partir sur les traces de Naveed ? proposa Pakarel, qui ne semblait pas vraiment aimer sa propre idée.

— Comment comptes-tu le retrouver, dans une ville aussi grande ? lui renvoya Caleb, qui se pinçait l'arête du nez, les yeux fermés.

— Je sais, je parle pour ne rien dire, soupira le pakamu en baissant la tête, son corps maintenant presque entièrement caché par son énorme chapeau.

— Attendons l'arrivée de l'antiquaire, proposa Victor. Il viendra à nous, pas vrai ? envoya-t-il alors à l'intention de son grand-père.

Ce dernier confirma d'un seul hochement de tête.

— Patientons ici jusqu'à la tombée de la nuit, continua le jeune homme à l'intention de ses amis. Nous sommes relativement en sécurité, enfin, plus que sur les toits, donc il faudra simplement garder le ton bas et espérer que personne ne vienne dans les parages.

— Et pour la nourriture ? demanda Pakarel.

— Toi et moi, nous étions chargés de ramener des provisions à bord du vaisseau, lui renvoya Caleb. Nous les avons mises dans ton sac, tu te souviens ?

L'air misérable, le raton laveur répondit :

— J'avais sorti la nourriture de mon sac pour qu'elle reste plus fraîche… nous avons tout perdu dans l'écrasement…

Caleb ne répondit rien, mais son silence en disait long.

— Je ne sais pas plus comment on va trouver de la nourriture, dit Pakarel d'un air démoli. Je suis désolé…

— Tu n'as qu'à fouiller les poubelles, suggéra Manuel d'un air moqueur. C'est tout à fait ton genre, de foutre ton nez dans les endroits qui sentent la…

— Taisez-vous ! lâcha Victor d'un ton sec en se levant d'un bond.

Il venait d'entendre quelque chose. Il le savait. Le jeune homme se tenait bien droit, la tête légèrement inclinée, tous ses sens à l'affût. Soudain, le son qu'il voulait réentendre se manifesta de nouveau ; il s'agissait de voix, très faibles, mais perceptibles.

— Qu'est-ce qu'il y a ? demanda Manuel à voix basse. Quelqu'un a pété ?

— Arrête, Manuel ! lui chuchota Pakarel avec sévérité. S'il te plaît !

Concentrés sur les voix, Victor et ses amis observaient dans toutes les directions afin de déterminer leur provenance. Ils entendirent de nouveau les voix, il s'agissait d'un homme et d'une femme. Pakarel pointa alors le pont situé juste au-dessus d'eux à l'aide de son index. Levant les yeux, Victor découvrit qu'en effet, les voix venaient du pont. D'ailleurs, il entendait aussi des pas. Quelques secondes plus tard, le jeune homme et ses amis conclurent que deux personnes le traversaient.

— Oh, arrête ! déclara la voix féminine en gloussant de rire. Ne sois pas ridicule !

— Je te le dis ! répondit la voix masculine. C'est vrai ! Je n'invente rien ! Tu devrais écouter les nouvelles plus souvent.

— Tu exagères ! À ce que je sache, les bulletins de nouvelles nous font bien croire ce qu'ils veulent !

— Et cette carcasse fumante que l'on voit en dehors de l'enceinte de la ville, c'est une invention des médias ? Il paraît qu'on voit bien le lieu de l'accident depuis l'appartement de Markiah, on devrait aller voir.

Puis, pendant que le pianiste et ses amis fixaient le dessous du pont en silence, les voix diminuèrent et le son de leurs pas s'éloigna progressivement. Au bout de quelques secondes, ils n'entendirent plus que le rire lointain de la jeune femme.

— Il va falloir faire attention à garder le ton bas, dit Victor lorsqu'il jugea bon de pouvoir parler à nouveau.

Il n'eut comme réponse que des hochements de tête et de simples grognements. À cet instant, Victor eut une idée ; celle d'entrer en contact avec Rauk et les autres, afin de s'assurer que tout allait bien.

– Qu'est-ce que tu fais? lui chuchota Caleb, qui l'avait remarqué en train de fouiller dans son propre sac.

– Je cherche ma radio, murmura le jeune homme. Ah..., la voilà, dit-il lorsqu'il sentit son contact sur ses doigts.

Seulement, quelque chose clochait; de petits morceaux métalliques se trouvaient au fond de son sac. Craignant le pire, le pianiste sortit bien vite sa radio de son sac. Ses peurs se concrétisèrent : la radio était bel et bien brisée. Fendue en deux, pour être exact. Pire encore, son antenne était littéralement cassée en deux.

– Ah, merde! lâcha Caleb, exprimant à voix haute ce que Victor se disait mentalement.

Avec un brin de frustration, le jeune homme rangea la radio endommagée dans son sac, ainsi que ses pièces brisées et délogées.

– Tu crois pouvoir la réparer? demanda Pakarel d'un air plus désolant qu'autre chose.

– Impossible, soupira le pianiste en se posant la main sur le front. Même dans mon atelier, ce serait trop compliqué.

– Une fois que j'aurai récupéré un peu, chuchota Udelaraï, dont les yeux étaient fermés, je pourrai y jeter un coup d'œil et voir ce que je peux faire.

Victor répondit d'un simple raclement de gorge. D'un côté, il aurait bien voulu que son grand-père la répare, mais de l'autre, il ne voulait plus le voir utiliser les pouvoirs de ses bagues au péril du peu de santé qui lui restait. Cette pensée fit alors naître une idée dans la tête du jeune homme; et s'il utilisait la bague qu'il avait au doigt pour reconstituer la radio?

Le pianiste s'était apprêté à proposer l'idée, mais il s'en abstint finalement. Tout en observant la bague qui était toujours à son doigt, Victor se rappela les effets qu'il avait ressentis après avoir utilisé les bagues dans le vaisseau. Risquer ainsi sa propre santé n'était vraiment pas une bonne idée.

— J'ai une idée, déclara alors Caleb à voix basse, tout en se levant d'un bond, avant de se diriger vers la lance de Naveed, qui avait été déposée contre le mur.

— Tu vas aller te pendre ? suggéra Manuel avec espoir.

Victor, Pakarel et Udelaraï interrogèrent le demi-gobelin du regard.

— Victor, tu parlais de me déguiser, tout à l'heure, pas vrai ? avança Caleb, qui revenait vers le jeune homme avec la lance dans une main.

— Oui, mais je ne crois pas que ça nous soit d'une grande utilité, avoua le jeune homme. Puisque grand-père ne veut pas avoir l'aide de médecins… Qu'est-ce que tu fais avec cette lance ?

Caleb s'avança sur le quai et observa en l'air.

— Tu vois cet immeuble ? dit-il en pointant un édifice de l'autre côté du canal. Je vais monter dessus et planter la lance dans un angle propice qui pointe dans notre direction. Comme ça…

Pakarel prit alors la parole, lâchant avec excitation :

— Si Naveed passe dans le coin, il pourra la voir et nous retrouver !

— Exact, répondit Caleb, mais garde le ton bas, d'accord ?

Réalisant qu'il avait haussé le ton, le pakamu masqua aussitôt sa bouche de ses petites mains.

— Si notre ami le démon des sables est moindrement futé, continua ensuite le demi-gobelin, il n'aura qu'à suivre la direction pointée par la lance, cela devrait le mener droit à nous.

— C'est une brillante idée, Caleb ! lui fit savoir Victor avec entrain. Bravo, mon vieux !

L'air satisfait, le demi-gobelin s'inclina légèrement, comme un acteur félicité par son auditoire.

— Maintenant, reprit Caleb en observant l'immeuble, il me faut deux choses. Un costume même sommaire et un bon moyen d'escalader cette bâtisse.

— Pour le costume, proposa Victor, tu n'auras qu'à revêtir mon manteau d'hiver et à prendre le chapeau de Pakarel.

– Mon chapeau ? murmura le raton laveur d'une petite voix déçue.

– Ouais, confirma Victor. Caleb n'aura qu'à en enrouler la pointe autour du bas de son visage. Ce ne sera pas très beau, ajouta-t-il à l'intention du demi-gobelin, mais ça devrait te faire une cagoule efficace.

– Il serait cependant préférable d'attendre la tombée de la nuit, suggéra Udelaraï, qui était installé dans une position de détente, les yeux fermés. Surtout si vous comptez ne pas attirer trop de regards sur vous pendant votre escalade, Caleb.

Le demi-gobelin dirigea son regard vers le vieil homme et lui répondit :

– C'était déjà dans mes plans.

Chapitre 12

Le compte à rebours

Quelques heures plus tard, alors qu'un voile d'obscurité recouvert d'étoiles était tombé, la ville de Casablanca s'était grandement illuminée ; ses nombreux écriteaux holographiques offraient un contraste très coloré au décor, déjà rehaussé de banderoles festives. Une fête avait dû commencer, puisqu'une musique entraînante et des chants avaient remplacé le silence de la ville depuis une heure ou deux. Depuis, des feux d'artifice éclataient en plein ciel à la vue de tous, leurs étincelles lumineuses se reflétant à la surface de l'eau du canal, juste à côté du quai où se trouvaient Victor et ses amis.

Caleb étant parti depuis un bon moment avec le chapeau de Pakarel et le manteau de Victor, ce dernier s'était installé de manière nonchalante sur une caisse, tout son poids reposant sur l'un de ses coudes, tout en jouant d'un air absent avec sa canne. Après avoir passé de nombreuses heures à ne rien faire et à sursauter au moindre bruit, le jeune homme avait le moral au plus bas. Il redoutait sans cesse que la porte de métal menant aux égouts s'ouvre et que quelqu'un en sorte. De plus, la faim et la soif ne faisaient qu'empirer la situation. Lui seul semblait être affecté par l'éventualité qu'on les découvre ; ni Pakarel ni Udelaraï ne s'étaient montrés dérangés. En fait, le vieil homme s'était même assoupi, presque une heure auparavant.

Au bout d'un moment, finalement convaincu que personne n'allait tomber sur eux à tout moment, le pianiste était parvenu à se calmer. Si bien qu'il en était tombé dans un état de profonde léthargie, dans lequel il ne pensait strictement à rien, les yeux rivés sur les reflets colorés à la surface de l'eau. De temps à autre, sa bulle se trouvait dérangée par Pakarel. Sans son chapeau, installé au bord du quai et les jambes pendant dans le vide, celui-ci lâchait de grands « Oh ! » à chacune des explosions des feux d'artifice. Quant à Manuel, il était resté relativement silencieux, sauf quand il se marmonnait à lui-même des phrases inaudibles pour lesquelles Victor n'avait aucun intérêt.

Seulement, lorsque la dernière explosion éclaira le ciel d'une vive lumière rouge, le raton laveur lâcha :

— Ooooh ! Waouh !

Aussitôt arraché de son état comateux, le jeune homme se redressa d'un bond, le dos bien raide.

— Victor ! dit Pakarel en levant ses petits bras dans les airs avant de faire pivoter le haut de son corps vers le jeune homme. Tu as vu ça ?

En réalité, le jeune homme n'avait porté aucune attention aux feux d'artifice. Afin de ne pas blesser son ami, Victor lui dit d'un ton qu'il s'efforça de rendre crédible :

— Oh… oui, c'est vraiment beau.

Fouillant dans sa poche afin d'en tirer sa montre, le pianiste y jeta un coup d'œil. Il serait bientôt onze heures du soir. Caleb était parti depuis bientôt une heure, ce qui commençait à inquiéter le jeune homme. Jetant un coup d'œil vers son grand-père pendant qu'il rangeait sa montre dans sa poche, le pianiste vit que ce dernier l'observait, lui aussi. Apparemment, Udelaraï s'était éveillé, s'il avait bien sûr vraiment dormi.

— Ne t'inquiète pas, lui fit savoir le vieil homme.

Plutôt que de répondre quoi que ce soit — car rien ne lui venait à l'esprit —, Victor ramena simplement son regard vers l'avant, observant Pakarel lever les bras avec énergie à chacune des explosions de feux d'artifice. C'est alors qu'une pensée traversa l'esprit du jeune homme… Quelque chose qui était resté imprégné dans sa tête depuis bien des années…

— Grand-père ?

Ce dernier tourna la tête vers lui. Victor baissa le regard, tentant de formuler sa phrase mentalement. Lorsqu'il releva les yeux vers Udelaraï, le pianiste demanda simplement :

— Comment... comment étaient-ils ?

Le vieillard ouvrit la bouche pour répondre, mais il la referma aussitôt. Ses lèvres s'étirèrent dans un mélange de sourire et de grimace. Udelaraï avait compris ce dont Victor voulait parler, et, à en juger par son langage corporel, le jeune homme vit bien que son grand-père ne savait pas trop comment aborder le sujet. Le rythme cardiaque du jeune homme s'accéléra à mesure qu'il attendait qu'Udelaraï lui révèle ce que lui seul savait.

— Tes parents étaient... particuliers, c'est le moins qu'on puisse dire, avoua finalement le vieil homme. Ils... ils faisaient partie d'un groupe de scientifiques qui s'efforçaient de trouver une façon de ramener le peuple d'Orion sur sa planète natale, la Terre...

— Ils n'y sont jamais arrivés, n'est-ce pas ?

— Non, dit le vieil homme, dont le regard se remplit de tristesse. Non, Victor..., ils n'y sont pas arrivés.

Sa canne en main, le jeune homme se leva de sa caisse et avança jusqu'à son grand-père, dans la pénombre quasi totale qui régnait sous le pont, avant de s'asseoir à ses côtés, sur le coin de la caisse sur laquelle il était assis.

— Ta mère, Eliccaï, avait un sale caractère et était bien décidée à parvenir à ses fins, reprit Udelaraï en fixant la ville d'un regard vide. C'était la science qui gouvernait ses motivations. Ton père, Erebus, l'était bien moins. C'était un homme bon, juste et droit. Mais... il était aveuglé par son amour pour ma fille. Il l'a donc suivie et appuyée dans toutes les graves décisions qu'elle prises. Aussi intelligente pouvait-elle être, Eliccaï était aussi têtue qu'une mule.

Pour la première fois de sa vie, Victor venait d'entendre le nom de ses parents, qui avaient jusqu'à maintenant été deux individus qui ne représentaient pas plus pour lui que des silhouettes sombres avec un point d'interrogation. Entendre leur nom fit naître une étrange sensation au fond du jeune homme. Il ne savait pas vraiment si c'était de la joie, du bonheur ou... de l'amertume.

– Quelles décisions Eliccaï avait-elle prises ? demanda Victor en préférant étrangement appeler sa propre mère par son nom, plutôt que par son statut.

Udelaraï tourna alors la tête vers le pianiste avant de lui répondre :

– Celle de donner naissance à un enfant sur Terre. Afin de prouver qu'elle avait raison.

– Raison à quel propos ?

– Que les nôtres pouvaient revenir vivre sur Terre. Elle soutenait que nous serions, avec des traitements médicaux, capables de résister aux radiations terrestres. Ta mère a donc mené une expédition jusque sur Terre, contre ma volonté et celle de notre gouvernement.

Udelaraï se passa alors les deux mains sur le visage. D'une voix coupée par l'émotion, il expliqua :

– La dernière fois que nous nous sommes parlé, voilà un peu plus de 24 ans, eh bien… ce n'était pas une belle discussion. Les membres d'une même famille ne devraient jamais se parler ainsi. Elle… elle tenait absolument à partir vers la Terre et… je savais que de ce fait, elle vous condamnait à mort, son équipe de huit personnes, Erebus et toi, Victor, qui, à cette époque, était toujours dans son ventre. Une fois qu'Erebus et elle sont partis avec leur expédition vers la Terre, je n'ai plus jamais eu de nouvelles d'eux.

Victor posa alors la main sur l'épaule de son grand-père. Il aurait bien voulu avoir davantage d'information au sujet de ses parents, non pas par nécessité, mais plutôt par simple curiosité. Cependant, le pianiste voyait bien combien cette discussion était difficile pour Udelaraï, représentant très visiblement pour lui une vieille blessure qui n'avait jamais guéri.

Les sentiments de Victor à l'égard de ses parents n'étaient étrangement pas très positifs. En réalité, il leur en voulait… particulièrement à sa mère. Il lui en voulait d'avoir mené un groupe sur Terre et ainsi causé sa mort, celle de plusieurs autres ainsi que celle de son père. Comment une mère pouvait-elle mettre la vie de sa famille et de son enfant en danger ? Pour Victor, c'était inconcevable. Udelaraï leva alors son visage de ses mains, laissant paraître ses yeux humides. Tournant son regard vers son petit-fils, il lui dit :

— Bien sûr, pour une raison qui nous échappe tous, tu as survécu, Victor. Contrairement à tes parents et à la plupart des Mayas qui ont essayé de s'aventurer ici, tu as survécu.

Ne sachant pas vraiment quoi dire, Victor hocha simplement la tête tout en détournant le regard. Il venait d'obtenir une réponse à des questions qui avaient été dans sa tête toute sa vie, mais, maintenant, il regrettait presque d'avoir levé le voile de mystère qui entourait ses propres parents.

Le jeune homme remarqua alors que Pakarel s'était planté entre lui et son grand-père. Le raton laveur les observait d'un air suspicieux.

— Qu'est-ce que tu as, Pakarel ? lui demanda-t-il.

— Vous savez que vous parlez encore dans cette étrange langue, pas vrai ? marmonna le pakamu en fronçant les sourcils.

Surpris et presque irrité par cette constatation, le jeune homme détacha alors son regard du raton laveur avant de le poser sur son grand-père.

— Qu'est-ce que cela signifie, Udelaraï ? lui demanda Victor d'un ton un peu froid. Ce n'est pas la première fois que l'on me fait savoir cela…, j'aimerais que vous m'expliquiez.

— On dirait que vous ne voulez pas que nous entendions certaines conversations, continua Pakarel à l'intention du jeune homme et de son grand-père.

Fixé par Victor et Pakarel, le vieillard hocha la tête en guise d'acquiescement, comme s'il acceptait la situation.

— Contrairement à ce que vous croyez, dit Udelaraï, je ne parle pas votre langue.

Pakarel et Victor échangèrent un regard en restant toutefois silencieux.

— En réalité, poursuivit-il, je ne connais aucun dialecte utilisé par les peuples de la Terre. Je vous comprends en utilisant un traducteur mnémonique que je me suis fait greffer au cerveau voilà une quarantaine d'années, dans le cadre de mon travail au sein de mon gouvernement. Même dans le cas des lettres que j'ai écrites à l'intention de Victor, elles étaient le fruit de mon traducteur mnémonique.

— Comment se fait-il que Victor aussi puisse parler votre langue, monsieur Udelaraï? lui demanda Pakarel, le visage sceptique.

— C'est ce que nous appelons la mémoire génétique, révéla le vieil homme en observant son petit-fils de ses yeux verts incroyablement semblables aux siens. C'est aussi par ce fait que nous pouvons expliquer que Victor a été en mesure d'utiliser les bagues mayas. La mémoire de tes ancêtres est ancrée dans ton sang, jeune homme. Un peu comme chez certains animaux.

Victor, le regard perdu et le visage crispé dans une grimace de confusion, aurait bien voulu protester d'une quelconque façon, clamer haut et fort que le fait de connaître une autre langue sans jamais l'avoir apprise était contraire à toute logique et que c'était impossible. Néanmoins, c'était le cas.

— Je ne comprends pas, lâcha le pianiste, qui hochait la tête de gauche à droite, en déni de la situation. Bon nombre de chercheurs et de scientifiques ont déjà essayé d'étudier cette théorie, mais elle n'a jamais été validée...

Udelaraï leva un sourcil, l'air légèrement amusé.

— C'est pourtant vrai, jeune homme. Je n'oserais jamais parler en mal des hommes et des femmes de science de la Terre, mais quelques notions vous échappent toujours. Dont celle de la mémoire génétique.

— Admettons que ce soit vrai, dit Pakarel. Ça ne change rien au fait que vous masquez certaines discussions pour que les autres ne les entendent pas.

— Oh, Pakarel, il ne faut pas en être offensé! répondit Udelaraï en ricanant. C'est la seule façon dont je dispose pour avoir un semblant d'intimité avec mon petit-fils. Je n'ai rien à vous cacher directement et, d'ailleurs, Victor vous révélera bien la nature de nos discussions en temps et lieu, s'il le veut bien.

— Comment se fait-il que je sois dans la totale incapacité de parler votre langue à mon bon vouloir ? demanda le jeune homme. Même si je voulais vous parler dans votre langue en ce moment même, je n'ai aucune idée de la manière avec laquelle je devrais m'y prendre...

— C'est parce que ces connaissances sont enfouies dans une partie de ta mémoire qui ne réagit que par instinct, uniquement lorsque la situation le demande, expliqua Udelaraï. Mais si tu t'attachais à apprendre mon langage, tes connaissances te reviendraient aussitôt.

Le jeune homme ne savait plus vraiment quoi répondre, et Pakarel semblait dans la même impasse que lui.

— Je veux bien vous croire, dit finalement Victor à l'intention de son grand-père, mais je ne veux plus que vous me parliez dans votre langue devant mes amis. Je trouve ça un peu trop bizarre.

— C'est compris, lui assura son grand-père.

Tandis qu'une atmosphère silencieuse s'installait parmi le petit groupe, Pakarel retourna s'asseoir au bord du quai afin de continuer d'observer les feux d'artifice, laissant le pianiste et son grand-père seuls, côte à côte.

— Victor, dis-moi... reprit Udelaraï.

Le pianiste lui accorda un regard.

— Lorsque nous étions sur l'île, hier soir, je t'ai offert de reprendre le métronome. Pourquoi as-tu tenu à le garder ?

Pour gagner un peu de temps avant de répondre, Victor changea de posture. Seulement, Udelaraï reprit la parole :

— Parce que tu me vois comme étant faible et très faillible, c'est bien ça ?

— Je ne l'aurais pas dit de cette façon, expliqua Victor en se grattant la joue, mais c'est un peu ça, oui. Parce que vous êtes, enfin... vous étiez, se reprit-il, négligent avec votre santé. Je vois bien que l'utilisation des bagues vous affaiblit à chaque usage, mais vous n'hésitez pas à les utiliser quand même. Et un jour ou l'autre, ce qui arrivera sera pire qu'un simple évanouissement. Lorsque ce jour arrivera, si jamais il arrive, bien entendu, il vaudrait mieux que le métronome soit en ma possession… et non pas quelque part sur Orion, transporté par les pouvoirs de vos bagues.

Victor avait parlé d'une manière qu'il trouvait lui même étonnante ; il avait été direct et n'avait pas contourné la situation. Il avait dit exactement ce qu'il pensait, et même si cela pouvait blesser son grand-père, le jeune homme ne regrettait pas du tout d'avoir été entièrement franc.

— Mmmh. Je suppose que c'est logique, répondit Udelaraï d'un ton plutôt léger. Je te remercie pour ton honnêteté. Dis-moi, Victor ?

Le jeune homme interrogea son grand-père du regard.

— Me considères-tu comme un fardeau ?

Le pianiste observa son grand-père en silence pendant quelques instants. La réponse était évidente. Oui, Udelaraï représentait maintenant pour eux un fardeau. Sans lui, ils auraient pu pourchasser Laévarden et en finir avec ce fou, au lieu de devoir se cacher pendant de longues et pénibles heures à attendre l'arrivée d'Hansel Hainsworth.

Mais lorsque Victor ouvrit la bouche pour révéler la vérité crue à son grand-père, il entendit des pas rapides qui se dirigeaient vers eux. La main sur le pommeau de son glaive, Victor bondit sur ses pieds, de même que Pakarel. Tout à coup, dans la pénombre du soir, une silhouette apparut en bas de l'escalier qui menait à la rue.

— C'est moi, fit la voix de Caleb.

Lâchant un soupir, le pianiste retira sa main du pommeau de son glaive et marcha à la rencontre de son meilleur ami. Avec le manteau prêté par Victor et le chapeau de Pakarel enroulé comme une cagoule autour du visage, Caleb était méconnaissable. Seuls ses yeux jaunes le trahissaient, mais, mis à part Victor et leurs amis, personne n'aurait pu le remarquer.

— Tu as réussi ? lui demanda le pakamu, qui se précipita à la rencontre du demi-gobelin.

— Ouais, lui répondit Caleb en défaisant la cagoule artisanale de son visage. Regardez, ajouta-t-il en pointant un bâtiment de l'autre côté du canal. On peut voir la lance pointant vers ici…

— Oui, je sais, je l'ai vue, je parle de la nourriture ! l'interrompit Pakarel en sautillant comme un enfant. Tu as pu trouver un peu de nourriture ?

N'ayant pas remarqué la lance, Victor s'approcha sur le quai avant de porter son regard en l'air. Effectivement, la lance était installée de sorte que tout le monde puisse la voir, juste devant le faisceau lumineux d'une lampe qui éclairait une rue.

Visiblement déçu par le peu d'intérêt du pakamu, Caleb lui répondit avec nonchalance.

— C'est là-dedans, dit-il en tapotant le sac qu'il portait en bandoulière. C'est fait, ajouta-t-il à l'intention de Victor.

— Bravo, le félicita le jeune homme en lui donnant une tape amicale sur l'épaule. Espérons que ça aidera Naveed à nous retrouver.

— S'il passe dans le coin, continua Caleb en continuant de défaire le chapeau enroulé autour de son visage, il devrait l'apercevoir sans problème. J'ai placé la lance dans un angle assez évident et…

Caleb s'interrompit, arrêtant en même temps de défaire le chapeau. Victor et lui fixaient Pakarel, qui sautillait toujours avec énergie, à moins de 30 centimètres d'eux.

— Quel est ton problème, au juste ? lui envoya Caleb d'un air noir et irrité.

— Manger ! Manger ! lui répondit Pakarel, surexcité.

— J'opte pour la pendaison, fit la voix de Manuel en provenance du bâton d'Udelaraï, un peu plus loin derrière eux.

Caleb leva les yeux et échangea un regard désagréable avec le pianiste.

— Pakarel, intervint Victor, un peu de patience, d'accord ? Agis comme quelqu'un de ton âge, juste un instant.

Sur ces mots, Pakarel cessa de sautiller, croisant plutôt ses petits bras tout en affichant un air boudeur.

Après avoir passé une main dans ses longs cheveux bleutés, le demi-gobelin rendit son grand chapeau fripé au raton laveur, qui s'en empara avant de le secouer vigoureusement dans le but de lui faire reprendre sa taille originale.

— On pourra dire que ça aura été corsé, expliqua le demi-gobelin en allant s'installer sur une caisse. Escalader cet immeuble était loin d'être facile. Oh, vous êtes éveillé, adressa-t-il à l'intention d'Udelaraï, qu'il venait de remarquer. Comment allez-vous ?

— Beaucoup mieux, merci, répondit le vieil homme en inclinant doucement la tête.

— Ne me dites pas que j'ai manqué la venue de mon oncle ? demanda Caleb en posant tour à tour son regard sur Udelaraï et Victor, une lueur d'espoir dans les yeux.

Le jeune homme lui fit signe que non avant de s'asseoir sur un baril juste en face. Le demi-gobelin lâcha un grognement bourru.

— Tu as rencontré des problèmes ? lui demanda Victor.

— Quelques-uns, dit Caleb en passant la bandoulière de son sac par-dessus sa tête. À cause des festivités, les gens de la ville ont décidé de se coucher tard, ce soir, ce qui n'a pas facilité mon ascension de l'immeuble. Quoi, encore ? ajouta-t-il à l'intention du pakamu, qui se tenait à côté de lui, un peu trop près même, son chapeau fripé bien installé sur sa tête.

— J'ai faim.

Ne voyant pas d'autre issue, Victor répondit en soupirant :

— Laisse-lui le sac.

À contrecœur, le demi-gobelin donna enfin son sac à Pakarel, qui bondissait comme un enfant.

— Ne bouffe pas tout ce que tu trouves dans le sac, compris ?

Sans prendre la peine de répondre, le raton laveur partit s'asseoir un peu plus loin sur le quai, afin de pouvoir fouiller à sa guise dans les provisions ramenées par Caleb.

— Tu disais ? demanda Victor.

Caleb prit quelques instants avant de détacher son regard plutôt mauvais de Pakarel et de le reporter sur son meilleur ami.

— Quand j'essayais de monter cet immeuble, continua le demi-gobelin en pointant une bâtisse de l'autre côté du canal, j'ai dû m'y prendre en passant par les balcons. Seulement, tous ces feux d'artifice et les festivités ont incité les gens à aller s'installer sur leur balcon pour contempler la fête.

Retirant le manteau de Victor, le demi-gobelin continua :

— J'ai été coincé sous un balcon, accroché à une gouttière, parce qu'une vieille dame observait les feux avec une amie tout aussi vieille qu'elle. Ouf, il faisait chaud là-dessous, commenta le demi-gobelin. Merci pour le manteau, adressa-t-il à l'intention du jeune homme, qui lui répondit d'un hochement de tête. Alors, revenons à ce que je racontais. J'ai dû créer une diversion afin de leur faire tourner la tête pendant un instant, me permettant au même moment d'atteindre le balcon supérieur.

— De quel genre de diversion parlons-nous ? demanda Udelaraï, intéressé.

— J'ai lancé une brique dans l'une de leurs fenêtres, avoua Caleb, qui ne put s'empêcher de ricaner.

— C'est bas, commenta Manuel à mi-voix. Vraiment, vraiment bas. Ces mémés auraient pu faire une crise cardiaque !

— Et depuis quand le sort des grands-mères de Casablanca t'intéresse-t-il ? demanda Victor à l'intention du crâne.

— Mieux vaut tard que jamais ! répondit Manuel d'un air enthousiaste.

— Tu es complètement débile, marmonna Caleb en observant le crâne d'un air désolé. Alors, je suis parvenu à monter sur le toit au bout de 40 minutes, continua-t-il en dévissant sa gourde d'eau avant d'en prendre quelques longues gorgées sous les yeux jaloux de Victor.

Remarquant le regard du pianiste sur sa gourde, Caleb la lui lança. Pendant que Victor s'abreuvait à son tour, le demi-gobelin continua :

— Positionner la lance n'a pas été bien difficile, j'ai pu la placer devant un éclairage assez évident, comme tu l'as vu par toi-même. Je suis ensuite descendu en glissant le long d'un tuyau. Ça ne m'a pris que 20 secondes. Si la montée avait pu être aussi facile…

— Ça me rappelle quand j'étais plus jeune, commenta le jeune homme en vissant le bouchon de la gourde presque vide du demi-gobelin. Moi aussi, je suis déjà descendu le long d'un immeuble comme ça. Lorsque j'étais à Iavanastre pour récupérer le corps de Manuel.

— Le bon temps, hein ? lâcha le crâne d'un air nostalgique.

— Pas vraiment, rétorqua Victor avec un sourire sarcastique.

— Où as-tu trouvé cette nourriture ? demanda Pakarel, la bouche pleine, qui se goinfrait dans un sac d'amuse-gueules.

— Chez un vendeur de friandises, dans un kiosque aménagé pendant les festivités, lui répondit Caleb. Il était tellement débordé de clients qu'il n'a eu aucune chance de me voir, avec ma cagoule. Ne bouffe pas tout le sac, Pakarel ! lui renvoya le demi-gobelin après avoir réalisé que le raton laveur s'empiffrait à pleine bouche.

Soudain, une voix sortie de nulle part déclara :

— À vous entendre parler ainsi, il est étonnant que personne ne vous ait retrouvés !

Une silhouette était apparue au bas de l'escalier menant à la rue. Il s'agissait d'un homme aux cheveux argentés qui lui arrivaient un peu plus haut que les épaules, et une courte barbe lui entourait le menton. Il portait une tunique de voyage rougeâtre très abîmée et salie, ainsi qu'un vieux pantalon retenu par une ceinture usée. Il était également muni d'un sac à dos visiblement assez lourd, fait en cuir et qui semblait avoir bravé les intempéries bien trop souvent. Le regard orangé et perçant de l'homme fixait celui du jeune homme, lui rappelant la mauvaise impression d'être observé par un prédateur. Tenant fermement un long bâton dans sa main droite, dans laquelle Victor savait que se trouvait une lame, l'antiquaire s'avança vers eux.

Sans poser le moindre regard sur Caleb, son propre neveu, l'antiquaire alla à la rencontre d'Udelaraï. Ce dernier s'était levé et, au grand étonnement de Victor, de Caleb et de Pakarel, le vieil homme accueillit l'antiquaire d'une accolade masculine et amicale.

— Hansel, Hansel, lui envoya Udelaraï d'un ton chaleureux, mon vieil ami ! Comment les années t'ont-elles traité ?

— Elles sont trop favorables avec moi, lui répondit l'antiquaire d'un ton amical, chose que Victor n'aurait jamais cru pouvoir entendre de la bouche d'Hansel Hainsworth. J'aurais préféré qu'elles m'abandonnent aux mains de la mort voilà bien des années.

— Ne sois pas ingrat! ricana Udelaraï.

— Je n'ai pas beaucoup de temps, reprit l'antiquaire en appuyant son bâton sur le mur près de la porte de fer menant aux égouts. Il faudra faire vite. Assieds-toi.

Pendant que son grand-père s'installait à nouveau sur la caisse, Victor observait l'antiquaire avec méfiance, les yeux plissés. Caleb, juste à côté, était visiblement dérangé par la présence de son oncle. Les poings bien fermés et grinçant des dents, le demi-gobelin restait cependant silencieux, passif, regardant avec dégoût son oncle. Il était évident qu'Hansel avait volontairement ignoré leur présence, mais ce fait n'étonnait pas vraiment Victor. L'antiquaire avait toujours été de nature hautement désagréable. Cherchant du regard l'homoncule qui accompagnait généralement l'antiquaire, Victor ne le vit pas, ce qui n'était finalement pas si étonnant, puisque la créature pouvait se rendre invisible. Néanmoins, le jeune homme resta persuadé que l'homoncule se trouvait dans le coin.

En continuant d'observer l'antiquaire, qui était maintenant accroupi près de son sac à dos, fouillant dans celui-ci, Victor put déduire qu'il vivait maintenant une vie de nomade. Son visage était taché, ses cheveux, sales et gras. Son immense sac à dos laissait d'ailleurs croire qu'il emportait tout ce qu'il possédait avec lui.

— Ah, la voilà, déclara à mi-voix l'antiquaire, qui se parlait à lui-même.

Il venait de sortir de son sac ce qui semblait être une seringue ainsi qu'une petite flasque bouchée contenant un liquide foncé.

— Tend ton bras et relève ta manche, ordonna-t-il à Udelaraï tout en piquant dans le bouchon du flacon à l'aide de la seringue.

— Qu'est-ce que c'est? demanda le vieil homme.

— Un agent qui pourra m'aider à déterminer le taux de radioactivité qui circule dans ton sang, répondit l'antiquaire en faisant gicler un peu de liquide en dehors de la seringue maintenant pleine.

— Ce sera long ? demanda Udelaraï tandis qu'Hansel s'apprêtait à le piquer. Aïe !

— Cela devrait prendre quelques instants. Comme la dernière fois.

Cette dernière phrase tira une alarme dans la tête de Victor, qui intervint alors.

— Comment ça, « comme la dernière fois » ? répéta-t-il d'un air dérangé, les sourcils froncés.

Udelaraï et Hansel tournèrent leur regard vers le pianiste, qui regardait tour à tour les deux hommes.

— Ah, Pelham, marmonna l'antiquaire en faisant comme s'il venait de réaliser sa présence, avant de reporter son attention sur la prise de sang d'Udelaraï.

— Répondez, insista Victor avec froideur.

— Inutile de t'emporter, Victor, lui dit tranquillement son grand-père.

— Alors, arrêtez de tourner en rond et parlez. Ce n'est pas la première fois qu'on vous donne ce traitement ? envoya-t-il à l'intention de son grand-père, la respiration mouvementée.

— Comme je peux le remarquer, intervint l'antiquaire sans lui accorder un regard, votre attitude n'a guère changé depuis notre dernière rencontre. Dommage.

Victor s'apprêtait à lancer une réplique cinglante à l'intention d'Hansel, mais son grand-père l'en dissuada en lui envoyant un regard désolé, qui semblait dire « s'il te plaît, n'en rajoute pas ».

— Pour répondre à ta question, Victor, entreprit Udelaraï d'une voix adoucie, c'est exact. Ce n'est effectivement pas la première fois qu'Hansel me donne ce traitement.

Dans un élan de frustration, le pianiste leva les bras avant de les laisser retomber lourdement. Secouant la tête et grimaçant d'irritation, il demanda :

— Et combien d'autres choses vous êtes-vous gardé de me faire savoir, hein, grand-père ? Je commence à être sérieusement agacé par vos mensonges et vos manigances ! Pourquoi les choses ne sont-elles jamais claires ? C'est trop demander ?

L'antiquaire se redressa d'un seul trait, avant de s'avancer vers Victor. À cet instant, le pianiste entendit le bruit d'une lame glisser de son fourreau avant de s'arrêter à quelques centimètres de la poitrine d'Hansel, qui fut forcé de s'arrêter.

– Tu es bien assez près de Victor, lui dit Caleb, d'un ton presque aussi bas qu'un murmure. Recule.

Le demi-gobelin tenait son épée bien droite au bout de son bras tendu. Un éclat mauvais luisait au fond des yeux jaunâtres de ce dernier.

– Quelque chose me dit que vous attendiez ce moment avec impatience, monsieur Fislek, le brava l'antiquaire en observant son propre neveu de son regard orangé.

À cet instant, Victor sentit une étrange pression contre sa poitrine, comme si sa cage thoracique venait de rétrécir. Cette pression le surprit plus qu'autre chose. Soudain, ses poumons se contractèrent dans un spasme. Lâchant sa canne dans un gémissement de douleur, le pianiste tomba sur son genou gauche, provoquant ainsi un éclair de douleur strident à travers tous les nerfs de sa jambe. Pakarel se rua vers lui pour le retenir avant qu'il s'effondre entièrement au sol.

– Victor ! s'écria le raton laveur avec inquiétude, avant de se mettre à parler de façon incohérente aux oreilles du pianiste.

Caleb rangea son épée et s'agenouilla à ses côtés pour l'observer de près, en lui parlant d'une façon incompréhensible. Victor regardait le demi-gobelin avec incrédulité ; il ne comprenait rien. Les voix sortant de la bouche de Pakarel et de Caleb, qui l'observaient avec des expressions horrifiées, étaient floues, incompréhensibles, comme s'il se trouvait sous l'eau. Étrangement, la lucidité de Victor était restée intacte.

Quelqu'un saisit alors vigoureusement la main droite du jeune homme, comme s'il s'agissait d'un vulgaire objet. C'était Hansel Hainsworth, qui lui retira ensuite sa bague d'un geste vif en lui disloquant presque le doigt au passage. L'ouïe de Victor sembla redevenir normale au même moment.

– Qu'est-ce que vous faites ? gronda Caleb à l'intention de son oncle.

L'antiquaire montra l'objet au grand-père de Victor, qui, à sa vue, retira la seringue de son bras et se redressa rapidement.

– Udelaraï, rassieds-toi ! lui fit savoir Hansel d'un ton qui n'était pas autoritaire, mais plutôt amical. Ton bras va se mettre à dégouliner de sang !

Ignorant les paroles de l'antiquaire, le vieil homme alla rejoindre son petit-fils et s'accroupit face à lui. Les yeux de Victor et de son grand-père se rencontrèrent pendant de longues secondes ; le visage d'Udelaraï arborait une expression de tristesse et de culpabilité.

– As-tu déjà ressenti de tels symptômes, auparavant ? lui demanda-t-il d'une voix désolée.

Ne voyant pas l'utilité de mentir, le pianiste hocha la tête en guise d'acquiescement. Comme si ce qu'il venait d'avouer était repoussant, Udelaraï recula avant de se redresser. Les deux vieux hommes échangèrent un regard glacé, mortifié.

– Qu'est-ce qu'il y a ? demanda Pakarel.

– Ils ont peut-être découvert que Victor était une fille, ricana Manuel, appuyé sur le mur.

– Il ne faut pas sauter aux conclusions, dit alors l'antiquaire à l'intention d'Udelaraï. Ce n'est peut-être pas ce que…

– Vérifie son sang, Hansel, lui ordonna froidement le vieux Maya.

– De quoi parlez-vous ? leur demanda Victor, légèrement alarmé.

– Bien sûr, mais je n'ai qu'une seringue, il faudra donc attendre que ton…

– Maintenant, l'interrompit Udelaraï en lui rendant sa seringue, du sang lui perlant légèrement du bras.

L'antiquaire hocha plusieurs fois la tête.

– Très bien…, laisse-moi stériliser mon matériel, déclara-t-il en retournant fouiller dans son sac.

— Stériliser votre... ? balbutia Victor. De quoi parlez-vous ? répéta-t-il, cette fois d'un air dur, tout en essayant de se redresser.

— Vi... Victor ! intervint Pakarel en tentant de le retenir au sol, mais sans succès compte tenu de sa petite taille.

— Je parle bien français ? s'assura le pianiste en s'adressant à son meilleur ami d'un ton clair, afin d'être certain qu'il l'entendait. Et non un langage maya ?

— Nous te comprenons, lui fit savoir Caleb, qui tourna son regard vers Udelaraï et Hansel.

Victor croisa le regard de son grand-père. Ce dernier entrouvrit la bouche, laissant présager qu'il voulait dire quelque chose, mais il la referma sans émettre un son. Il avait l'air plutôt déboussolé.

— Je dois prendre un prélèvement de votre sang, Pelham, lui dit Hansel d'un ton froid et peu courtois. Allez-vous coopérer ou préférez-vous continuer avec votre attitude immature ?

Victor était fortement irrité par le ton employé par l'antiquaire, qui l'observait de ses yeux orangés tout en tenant maintenant la seringue dans sa main droite, prête à l'usage. Cette fois, avant même qu'il puisse penser à dire quoi que ce soit, un voile opaque lui obstrua la vue.

— Il va tomber ! dit Caleb en se ruant vers son meilleur ami.

Le corps entièrement engourdi et incapable de donner l'ordre à ses membres de bouger, Victor se sentit chavirer vers l'arrière, mais quelqu'un le retint avant qu'il tombe au sol. Il croisa alors le regard du demi-gobelin, qui le retenait contre sa poitrine.

— Couchez-le, lui ordonna Hansel. Juste là, Fislek, ça ira !

Le pianiste fut alors doucement allongé au sol par son meilleur ami, qui lui posa ensuite la tête contre son propre sac. Victor était entièrement lucide, mais incapable de dire quoi que ce soit, ni même de bouger ses membres. En tout cas, s'il pouvait les bouger, il n'en avait aucune sensation, car son corps était si engourdi qu'il se sentait flotter dans l'air.

— N'essaie pas de parler, lui conseilla Caleb, qui avait remarqué que le jeune homme ouvrait et refermait la mâchoire sans pour autant être en mesure de prononcer un son.

Victor vit la tête de Pakarel et celle de son grand-père apparaître au-dessus de lui.

— Qu'est-ce qu'il a ? lâcha le pakamu d'un air affolé.

La main d'Udelaraï se posa sur le front de Victor, sans qu'il puisse la sentir pour autant.

— Il n'est pas fiévreux, déclara le vieillard.

— C'est... c'est une bonne chose, non ? balbutia le raton laveur avec inquiétude.

Après un certain délai, Udelaraï soupira et répondit :

— Je suppose que oui.

— Tenez son bras levé, ordonna alors la voix de l'antiquaire. Très bien, merci. Tenez-le de cette façon.

Incapable de bouger la tête, Victor ne put voir qui avait levé son bras, ni ce qui se passait actuellement. Il comprenait cependant qu'Hansel allait lui faire une prise de sang. Les secondes qui suivirent furent silencieuses et relativement longues, et tous les regards étaient tournés vers le jeune homme. Puis, l'antiquaire déclara finalement :

— Vous pouvez reposer son bras. J'ai ce qu'il me faut.

Cette fois, Victor sentit quelque chose lui picoter le bras. Il était persuadé d'avoir senti l'aiguille de la seringue quitter sa chair.

— C'est la bague qui le rend comme ça, hein ? demanda alors le pakamu à l'intention du vieil homme.

Udelaraï ouvrit la bouche pour parler, mais l'antiquaire répondit à sa place :

— Non, ce n'est pas l'usage des bagues. C'est autre chose qui a dû provoquer chez Victor un déséquilibre profond.

— Comme quoi ? poursuivit le raton laveur.

— C'est ce que nous tentons de découvrir, Pakarel, lui répondit Udelaraï avec un visage attristé.

À cet instant même, ils entendirent le vrombissement du moteur d'un lourd engin volant qui passait juste au-dessus d'eux, ses deux phares avant éclairant le canal juste à côté. Il s'agissait d'une machine volante des forces de l'ordre. Au grand soulagement de tous, les occupants de l'appareil ne semblaient pas les avoir vus, puisqu'il poursuivit sa route au-dessus de la ville.

— On nous cherche encore, marmonna Pakarel d'un air hésitant.

— Et ils ne cesseront pas de vous chercher tant qu'ils ne mettront pas la main sur vous, fit savoir l'antiquaire d'un ton absent, indiquant qu'il était concentré sur une tâche quelconque que Victor ne pouvait voir.

— Que faites-vous avec son sang ? demanda alors Caleb, comme s'il avait lu dans l'esprit du jeune homme.

— J'analyse les composantes du sang de votre ami, Fislek, lui répondit Hansel d'un air exaspéré. Quoi d'autre ?

Le demi-gobelin observa son oncle d'un œil mauvais, pendant qu'Udelaraï approchait son visage de celui du pianiste.

— Écoute-moi, Victor. Je veux que tu te redresses. Tu n'es pas paralysé, mais bien seulement engourdi. Ordonne à tes muscles de t'obéir et redresse-toi...

N'ayant pas vraiment d'autre chose à faire, le jeune homme décida d'essayer. Au bout de quelques secondes d'effort, il sentit une désagréable sensation au niveau des bras, un peu comme si son sang fourmillait à nouveau à travers ses veines.

— Tu as bougé la main ! déclara Pakarel avec joie. Tu as bougé la...

— Chut ! l'interrompit Caleb. Pas si fort, Pakarel...

En effet, le pianiste avait été en mesure de bouger la main droite, puis la gauche, avant de pouvoir bouger ses bras en entier. Tout en grognant dans un effort colossal, Victor parvint finalement à se redresser en position assise.

— Qu'est-ce qui m'arrive ? marmonna-t-il d'une voix pâteuse, à demi compréhensible. Pourriez-vous... simplement répondre à cette question ?

— C'est ce qu'Hansel pourra nous confirmer, lui répondit Udelaraï en soupirant.

Maintenant assis, Victor put voir ce que l'antiquaire faisait : à l'aide de sa seringue, il était en train d'injecter le sang qu'il avait recueilli dans un petit gadget métallique et rectangulaire. Hansel pressa un bouton qui se trouvait à l'extrémité de celui-ci et, aussitôt, quelques lumières jaunes apparurent sur le côté du boîtier, démontrant qu'une activité était en cours.

— Tu veux qu'on essaie de te lever? lui proposa Caleb à voix basse.

— Ouais, grogna Victor, qui passa son bras par-dessus l'épaule du demi-gobelin. Vas-y doucement...

En fait, le jeune homme n'avait aucune envie de rester allongé sur un quai humide et malodorant. Premièrement, si on les découvrait, il valait mieux qu'il puisse bouger; deuxièmement, il détestait l'idée d'être encore plus souillé par la saleté de l'endroit où ils se trouvaient. Une fois sur pied, Victor réalisa bien que son équilibre était encore fragile.

— Cette fois, j'aurai vraiment besoin de ma canne... Pakarel, tu peux aller me la chercher? lui demanda-t-il en pointant l'objet qui se trouvait sur le quai. Elle est juste là.

Toujours heureux d'offrir son aide, le pakamu alla récupérer la canne de son camarade avant de la lui remettre fièrement entre les mains. Au même moment, l'antiquaire alla porter le gadget à Udelaraï, et tous deux l'inspectèrent d'un regard sévère. Victor aurait voulu poser la même question que ses amis avaient posée depuis tout à l'heure, mais il savait bien qu'il était inutile de demander. Le jeune homme observa donc Udelaraï et Hansel en silence, attendant que l'un ou l'autre parle. Ce fut l'antiquaire qui parla le premier :

— Vous êtes dans une grave situation, Pelham.

— C'est-à-dire?

— Votre corps perçoit la radioactivité comme un intrus, expliqua brièvement Hansel.

À la suite de cette déclaration, Victor fronça les sourcils dans une expression d'incompréhension.

— Votre corps se détériore sous l'effet des conditions terrestres, Pelham, continua l'antiquaire. Tout comme votre grand-père.

Chapitre 13

Une nuit à Casablanca

Il était maintenant clair dans l'esprit du pianiste que quelque chose de grave venait de se produire. Depuis toujours, il avait vécu parmi les gens de la Terre sans même prendre conscience de la chance qu'il avait, sans même songer une seule seconde qu'il aurait pu, lui aussi, succomber aux radiations de la Terre comme les gens de son peuple. Jamais au grand jamais il n'aurait cru qu'un jour son corps deviendrait vulnérable, lui aussi. Une multitude de questions prirent alors forme dans la tête de Victor, qui observait ses mains d'un air incrédule. Pourquoi était-il ainsi ? Qu'est-ce qui avait causé ce changement dans son corps ? Était-ce dû au fait qu'il était allé à proximité des Liches sans protection convenable ? Était-ce la faute de son grand-père, qui avait surestimé sa résistance naturelle aux effets nocifs dégagés par les créatures qu'ils pourchassaient ?

Le pakamu s'avança vers le vieil homme et l'antiquaire. Posant tour à tour son regard sur les deux hommes, il demanda d'un air hésitant :

– Vous... vous voulez dire que Victor... qu'il est vulnérable aux conditions terrestres comme les autres Mayas qui sont venus ici ? Comme cette jeune femme qui est venue sur notre monde lorsque nous cherchions le tombeau d'Ixzaluoh ?

– C'est exact, Pakarel, répondit Udelaraï d'une voix chagrinée. Victor, ajouta-t-il en observant son petit-fils d'un air abattu, je... je suis terriblement désolé.

Le jeune homme marcha lentement jusqu'à une caisse et s'y assit doucement, l'air livide et absent. L'information ne s'était pas encore totalement rendue jusqu'à son cerveau, qui tentait de s'éveiller d'un mauvais rêve.

— C'est une blague, j'espère ? lâcha Caleb d'un air féroce.

Cachant doucement son visage dans sa main, Udelaraï répondit :

— J'ai bien peur que non...

— Pelham est bel et bien mourant, Fislek, dit l'antiquaire avec un manque total de tact.

— Je te ramène chez toi, déclara Caleb à l'intention de Victor d'un ton ferme et sec. Tout ça, c'est terminé. Tu dois retourner auprès de Maeva.

— Pelham n'ira nulle part, intervint l'antiquaire d'un ton de défiance.

— Contrairement à vous, protesta Caleb en pointant le jeune homme, il a une famille !

— Je n'en ai rien à faire, répondit l'antiquaire avec dédain. Pelham restera ici, un point c'est tout.

Cette réplique fit perdre le peu de couleur qui subsistait sur la peau déjà blême du demi-gobelin. Ce dernier s'avança vers son oncle et lui murmura :

— Ne me testez pas, vieil homme.

— Arrêtez ! lâcha Udelaraï en s'interposant entre le demi-gobelin et son oncle. Nous perdons un temps précieux ! Cessez vos querelles enfantines !

Puis, Udelaraï s'adressa à Caleb d'un ton beaucoup plus calme :

— Le sort de Victor repose entre les mains de l'antiquaire, Caleb. Il est très important que mon petit-fils reste avec nous.

— Avec vous ? répéta le demi-gobelin avec colère.

— Oui. Hansel pourra, tout comme il l'a fait pour moi, stabiliser son état avant que nous...

Caleb l'interrompit dans une explosion de colère :

— Quel bien est-ce que vous lui avez amené depuis que vous êtes apparu dans son existence, hein ? Répondez ! Vous n'êtes même pas capable de lui dire la vérité ! Vous ruinez sa vie depuis que vous l'avez joint dans cette stupide chambre de la Fleur mécanique ! Ça suffit !

Un lourd silence s'installa alors, laissant une atmosphère bien froide pour une nuit marocaine. Udelaraï baissait les yeux, Pakarel fixait le sol et Hansel s'était simplement éloigné pour se changer les idées. Quant à Victor, il était resté là, le regard vide. Il n'en voulait pas du tout à Caleb d'avoir explosé, car en réalité, une partie de lui ressentait exactement ce que le demi-gobelin avait dit. Seulement... le pianiste savait depuis longtemps que cette aventure lui serait coûteuse et qu'elle mettrait à l'épreuve leur endurance physique aussi bien que leur force mentale. Certes, Victor n'avait jamais réellement pensé y laisser sa santé, ce n'était pas un problème qu'il avait jugé immédiat... du moins, jusque-là.

— Caleb, commença doucement Victor, je...

Le demi-gobelin tourna brusquement la tête vers lui, le fixant dans les yeux d'un air furieux.

— Je te suis très reconnaissant pour ton soutien, continua-t-il, ne se laissant pas intimider par la colère de son meilleur ami. Mais... si mon grand-père croit qu'Hansel peut stabiliser ma santé..., alors je lui fais confiance.

Caleb se mit à hocher la tête de gauche à droite dans une négation visible de la situation. Le demi-gobelin s'éloigna, se tenant le front.

— Non, dit Caleb d'une voix calme, même si son langage corporel indiquait qu'il était plutôt agité. Non, c'est assez pour moi.

— Caleb... Caleb, s'il te plaît, insista Victor, qui le suivit en marchant difficilement, étant donné que ses membres étaient encore relativement engourdis. Attends.

Le jeune homme posa la main sur l'épaule de son meilleur ami, qui eut un léger mouvement de recul, avant de se retourner vers lui.

— Quand tout cela s'arrêtera-t-il ? lui demanda le demi-gobelin. Quand pourras-tu vivre une vie normale ? Quand pourrons-nous vivre une vie normale ?

La bouche entrouverte, Victor voulut répondre, mais Caleb enchaîna :

— Ce n'est pas simplement à propos de toi, Victor. C'est aussi à propos de nous. Maeva, Balter, Clémentine, Nika, Nathan, sans compter Rauk et les autres…

Caleb leva le bras avant de le laisser retomber, hochant la tête de gauche à droite.

— Nos vies sont liées à la tienne depuis que nous te connaissons, Victor. Et certains d'entre nous en paient durement le prix. Alors, je te le répète, quand pourrons-nous tous vivre une vie normale?

Cette demande renversa Victor jusqu'au plus profond de son être. Ce que son meilleur ami venait de lui signifier le tourmentait depuis bien longtemps, mais il avait toujours refusé de voir les choses en face, se promettant seulement qu'un jour, lui et les siens pourraient vivre normalement. Mais très honnêtement, le pianiste savait aussi que ce jour n'arriverait probablement jamais.

— Je crois… je crois que je ne vivrai jamais une vie normale, expliqua Victor avec une certaine difficulté. Pas seulement parce que je suis apparemment condamné au même sort que les Mayas, mais… parce que c'est dans ma nature d'attirer les problèmes. Je… je crois que j'ai simplement agi avec égoïsme en vous demandant de vous joindre à moi. Je suis désolé.

— C'est faux! intervint Pakarel, qui s'était joint à eux. Ce n'est pas vrai! Tu n'attires pas les problèmes, tu n'es pas égoïste et tu n'as pas à être désolé! envoya-t-il à l'intention de Victor, ses petits yeux mouillés par l'émotion.

Donnant ensuite un coup de poing peu douloureux, mais significatif sur la jambe droite de Victor, le raton laveur continua :

— Tu es la meilleure personne que je connaisse, et, sans toi, des centaines d'enfants seraient sans maison, et même morts! Sans toi, le monde entier serait différent! Tu inspires les gens avec ta musique et tu nous incites, nous, tes amis, à être de meilleures personnes! N'ose jamais te culpabiliser, car ce serait insultant pour nous, qui croyons en toi.

Pakarel essuya ses petits yeux du revers de sa main avant d'ajouter, d'un ton calme et serein :

— Les grandes personnes sont celles qui changent le monde, Victor. Et souvent, ces personnes sont celles qui ont les vies les plus difficiles. Moi, au fond de mon cœur, je sais que tu es né pour changer le monde. Là où tu iras, j'irai. Et même si tu décides de retourner chez toi, j'irai aussi.

Le raton laveur se tourna ensuite vers Caleb, avant de lui dire d'un ton autoritaire :

— Et toi, si tu ne crois plus en ton meilleur ami, alors je te prie d'ouvrir les yeux et de te renverser un seau d'eau bien froide sur la tête. Que je ne te prenne pas à t'en aller lorsqu'il a réellement besoin de ton soutien.

Le pianiste resta sans voix, les yeux humides, une boule d'émotion lui montant à la gorge. Légèrement envahi par la gêne, il baissa la tête et frotta subtilement le coin de ses yeux à l'aide de son index. Caleb le rejoignit alors, et les deux amis se serrèrent dans une accolade masculine. Quelques larmes, que Victor n'avait pu retenir, lui coulèrent sur les joues.

— Je suis désolé, marmonna le demi-gobelin d'une voix coupée par l'émotion. Je ne sais pas ce qui m'a pris.

Même s'il ne pouvait pas voir son visage, Victor savait que Caleb avait versé quelques larmes, lui aussi. Le jeune homme aurait bien voulu lui répondre, mais l'émotion lui coupait la parole. Il se contenta donc de lui tapoter le dos.

— Je ne vais nulle part, lui assura Caleb après qu'ils se furent séparés de leur étreinte amicale. J'ai été stupide. Tu es la seule famille que j'ai, Victor. Tu es comme un frère, pour moi. Je suis avec toi jusqu'à la fin.

Remerciant son ami d'un sourire vrai et honnête, le pianiste posa un genou à terre et serra Pakarel dans ses bras, avant de lui enfoncer amicalement son chapeau sur la tête.

— Qu'est-ce que je ferais sans toi, hein ? lâcha Victor d'un air taquin tout en reniflant.

Étrangement, même si cette fois, sa vie était peut-être réellement menacée, le jeune homme ne s'était pas senti aussi bien et en paix avec lui-même depuis bien longtemps. Ses deux meilleurs amis étaient là, pour lui, comme toujours. Mais cette fois, il le voyait clairement.

Un peu plus loin, l'antiquaire attendait patiemment, une expression de mépris ancrée au visage. Victor s'était attendu à ce qu'il lui dise sa façon de penser, mais probablement par politesse envers Udelaraï, Hansel ne dit rien. Udelaraï, lui, avait regardé la scène d'un visage plutôt passif, mais un petit sourire s'était étiré au coin de ses lèvres.

— Victor, laisseras-tu Hansel t'aider comme il l'a fait pour moi ? lui demanda ce dernier.

— S'il est en mesure de stabiliser ma santé, alors, oui, répondit le jeune homme en confirmant d'un hochement de tête.

— Et moi, dit Manuel d'un air sarcastique, tout en ricanant stupidement, je peux avoir de l'amour fraternel ?

— Bon, répondit l'antiquaire d'une voix désagréable, qui indiquait très bien son impatience, maintenant que l'on peut passer aux choses sérieuses... Pelham, lui dit-il après s'être retourné pour fouiller dans son sac, venez ici.

Laissant ses camarades en arrière, le jeune homme se dirigea vers l'antiquaire, la canne à la main. Même si son état mental était complètement apaisé, Victor n'en demeurait pas moins fatigué et toujours un peu engourdi.

— Êtes-vous encore engourdi ? lui demanda l'antiquaire sans même se retourner, toujours occupé à foulller dans son énorme sac à dos.

— Je crois, répondit le jeune homme en ouvrant et en refermant sa main gauche. Je me sens un peu...

— Répondez par oui ou par non, l'interrompit Hansel d'un ton sec.

Le jeune homme jeta un regard hésitant derrière lui, à l'intention de ses amis, avant de se retourner et de répondre :

— Dans ce cas, c'est oui.

Puisque l'antiquaire n'avait pas pris la peine de lui répondre, Victor ne savait pas vraiment si ce dernier l'avait entendu, ou s'il l'ignorait simplement. N'osant pas demander, le jeune homme resta planté là pendant de longues secondes jusqu'à ce qu'Hansel se retourne finalement. Il tenait sa main droite bien refermée sur quelque chose.

– Vous allez devoir avaler cela, dit l'antiquaire en ouvrant sa paume.

Un petit objet se trouvait au creux de la main du vieil homme. À première vue, Victor crut qu'il s'agissait d'une sorte de pilule quelconque, mais lorsqu'il la prit du bout de ses doigts, le pianiste réalisa qu'il s'agissait en réalité d'une simple petite pierre.

– C'est une pierre ? s'étonna Victor en levant un sourcil.

– Toujours aussi perspicace, Pelham ! lâcha l'antiquaire avec un soupir d'impatience. Oui, c'est une pierre ! Avalez.

C'est alors que le pianiste se remémora avoir déjà vu son grand-père avaler une étrange pastille lorsqu'ils étaient toujours sur l'île, un peu après avoir vaincu le briar. C'était exactement ce que Victor tenait dans sa main. Son grand-père lui avait donc menti à ce sujet, mais le jeune homme s'en était bien douté.

Il tourna la tête vers Udelaraï et lui envoya un regard inquiet. Ce dernier lui répondit d'un sourire ainsi que d'un hochement de tête. Victor se dit que, de toute façon, il n'avait pas vraiment le choix, et ramena son attention vers sa main. En prenant bien soin de ne pas croiser le regard orangé de l'antiquaire, qui pesait sur lui, le pianiste prit une bonne inspiration et avala la pierre d'un trait.

À peine avait-il dégluti que la gorge du jeune homme se mit à brûler intensément, comme s'il avait avalé de la roche en fusion. Manquant de perdre l'équilibre, Victor recula brusquement et porta ses deux mains à sa gorge. Le pianiste sentit qu'elle se contractait douloureusement jusqu'à sa poitrine, l'empêchant de respirer et de prononcer quoi que ce soit. La panique l'envahit rapidement, et il se laissa tomber à genoux sur le quai avant de se débattre en vain contre l'étouffement.

Tout à coup, sa gorge se desserra et ses poumons laissèrent pénétrer de petites bouffées d'air. Grimaçant et toussant fortement jusqu'à s'en donner des maux de cœur, Victor se laissa tomber en position assise, réalisant que Pakarel et Caleb se trouvaient à ses côtés, les deux ayant une expression mortifiée au visage.

— Tu vas bien ? lui demanda Pakarel, affolé. Réponds-nous, Victor ! Est-ce que tu vas bien ?

Étrangement, Victor se sentait beaucoup mieux, même en parfaite forme ; son engourdissement avait disparu et son énergie était revenue à la normale. Stupéfait par les résultats de la pierre fournie par l'antiquaire, le jeune homme prit un certain temps avant de répondre :

— Je... je vais bien..., même très bien, dit-il en observant ses mains avec les yeux grands ouverts.

Il se releva sans grande difficulté avant d'être rejoint par l'antiquaire. Celui-ci lui fourra dans la main un sachet bourré de petits objets.

— Voilà une bonne vingtaine de pierres irradiées que vous partagerez avec votre grand-père, lui dit Hansel. Vos crises reviendront toutes les 10 heures environ, et vous devrez avaler ces pierres dès les premiers symptômes.

— C'est donc ça, vos fameuses pastilles pour la gorge ? envoya Victor d'une voix rauque à l'intention d'Udelaraï, qui lui fit un clin d'œil en guise de réponse.

— Et Victor sera guéri ? demanda Pakarel avec espoir.

— Non, lui répondit l'antiquaire. Les pierres, qui viennent de l'estomac de tortues de mer géantes, n'ont pour but que d'aider le corps à assimiler sa dose régulière de radioactivité afin qu'il survive. Mais au bout de quelques jours, ajouta-t-il en observant Victor, votre état se dégradera et les pierres feront de moins en moins effet, puisque votre corps s'y habituera progressivement. Vous mourrez, Pelham, à moins bien sûr que votre grand-père parvienne à vous sauver.

— Attendez une minute, intervint Caleb d'un air incrédule. Qu'est-ce que vous voulez dire par « dose régulière de radioactivité » ? Ce genre de choses ne tuerait pas une personne normale, justement ?

Victor sentit un frisson glacial lui traverser la colonne vertébrale. Il avait, depuis longtemps, tenté de garder pour lui la raison de l'existence des créatures non humaines sur la Terre, mais la question que son meilleur ami venait de poser allait inévitablement mener à cette révélation. Avant même qu'Hansel ait pu répondre quoi que ce soit, Udelaraï s'approcha et prit la parole :

— Comme vous le savez peut-être, dans l'air terrestre que nous respirons se trouve une présence infime de radioactivité. Cette radioactivité est classifiée comme normale dans la composition de l'air terrestre, mais sur Orion, elle ne le serait pas. C'est pourquoi les gens comme moi, et… et maintenant Victor, ajouta-t-il avec tristesse, avons besoin de ces pierres pour survivre.

Caleb grimaça de confusion tout en hochant la tête de gauche à droite, incrédule.

— Depuis quand notre air est-il irradié ? demanda-t-il.

— Je n'ai guère le temps de vous instruire, Fislek, lui répondit l'antiquaire d'une voix méprisante. Je dois m'occuper d'Udelaraï et m'en aller dès que possible.

— Répondez à ma question ! lui renvoya le demi-gobelin sur un ton autoritaire.

L'antiquaire allait ouvrir la bouche pour répondre, mais Victor fut plus rapide.

— Attendez ! dit-il en levant la main en même temps. Hansel, ne dites rien.

Le pianiste savait très bien qu'il n'aurait pas pu garder ses amis dans l'ignorance encore bien longtemps, et même s'il avait fait tout son possible pour leur masquer la vérité, il était maintenant trop tard ; l'antiquaire allait tout révéler.

— Ne m'interrompez pas, Pelham, lui envoya l'antiquaire avec froideur. Pour répondre à votre question, Fislek, si vous aviez eu la moindre éducation scolaire, vous auriez appris que l'air comporte une légère dose de radiation, et ce, depuis toujours. Maintenant, avez-vous fini de me faire perdre mon temps pour des détails aussi insignifiants ?

Victor n'en croyait pas ses oreilles. Ce qui venait de se produire était complètement insensé ; l'antiquaire n'avait rien révélé du tout ! Le jeune homme déglutit difficilement et observa son meilleur ami en tentant de ne pas faire paraître sa nervosité. Le demi-gobelin fronça les sourcils, l'air un peu vexé par la réponse de son oncle, mais finit par hocher la tête sans rien ajouter d'autre.

– Bien, poursuivit Hansel. Maintenant, laissez-moi traiter Udelaraï. Pelham, donnez-moi l'une des pierres du sachet que je vous ai donné, voulez-vous ?

À cet instant, quelqu'un dévala l'escalier de pierre menant aux rues et au pont, alarmant aussitôt Victor et ses camarades. Une haute silhouette aux jambes arquées vers l'arrière s'avança, tenant d'une main une lance.

– Naveed ? dit Victor d'un air étonné en retirant sa main du pommeau de son glaive.

Le démon les rejoignit au pas de course, avant de s'arrêter auprès du pianiste et des autres. Sa poitrine se gonflait au rythme de sa respiration haletante et son corps était recouvert d'égratignures qui laissaient penser qu'on avait tiré sur lui.

– Tu as trouvé Laévarden ? lui demanda Caleb.

– Oui, mais nous devons partir, répondit-il en reprenant son souffle. Les gardes de cette ville..., ils savent où vous vous trouvez. Nous n'avons plus de temps.

– Attends, attends ! lui dit Victor. Udelaraï a besoin d'un traitement ! Combien de temps...

Le démon l'attrapa par le col de la chemise avant de le tirer brusquement vers lui.

– Nous devons partir ! l'interrompit-il d'un ton dur. Nous n'avons pas de temps.

Un peu surpris de la façon dont Naveed l'avait empoigné, Victor répondit après un certain délai :

– Oui..., d'accord. Partons ! Allez, ajouta-t-il à l'intention des autres, prenez vos affaires, nous levons le camp.

Pakarel et Caleb allèrent aussitôt récupérer leurs affaires en vitesse.

— Je crains bien que votre grand-père soit dans l'impossibilité de vous accompagner, Pelham, lui fit alors savoir la voix désagréable de l'antiquaire. Contrairement à vous, il ne doit pas simplement être gavé de pierres, il doit aussi se faire purifier le sang. Ce procédé prendra plus d'une heure.

À la suite des paroles d'Hansel, Pakarel et Caleb s'immobilisèrent, observant Victor en attendant qu'il dise quelque chose. Le jeune homme resta silencieux pendant trois ou quatre secondes, avant de proposer :

— Les Kobolds nous ont fait un cadeau. Alors, utilisons-le.

Tout le monde observa alors le jeune homme en fronçant les sourcils, l'air perdu.

— Victor Pelham, je crois que tu sous-estimes la gravité de la situation, lui dit Naveed d'un air grave.

— Le carrosse hybride ? réalisa alors Pakarel avec un grand sourire. C'est ça ?

Le jeune homme confirma d'un hochement de tête avant de s'approcher de son grand-père.

— Vous pouvez le faire apparaître ? Je sais que c'est beaucoup vous demander, mais si vous pouviez le faire venir à nous, Hansel pourrait continuer votre traitement à bord du véhicule.

Udelaraï l'observa d'un air songeur pendant quelques secondes avant de répondre avec un grand sourire :

— Excellente idée, jeune homme. Nous aurons cependant besoin d'un peu plus de place…

— Oui, bien sûr, confirma Victor en passant le bras de son grand-père par-dessus sa tête. Venez, je vais vous aider…

Caleb se joignit alors au jeune homme, et tous deux hissèrent le vieil homme sur ses pieds.

— Naveed, pourriez-vous vous assurer que la voie est libre ? Nous allons nous rendre sur le pont juste au-dessus de nous.

En guise de réponse, le démon des sables bouscula presque le pianiste et le demi-gobelin afin de mettre Udelaraï sur son dos sans aucune difficulté.

— Allez ! leur dit Naveed en désignant l'escalier.

Acquiesçant d'un hochement de tête, Victor indiqua aux autres de le suivre.

— Vous nous accompagnez, vous aussi, lança-t-il à l'intention de l'antiquaire avant de s'élancer vers l'escalier menant aux rues.

— Et moi ? protesta Manuel, au bout du bâton, qui avait été laissé là.

— Je m'en occupe ! envoya Pakarel lorsque Victor s'arrêta momentanément pour aller récupérer le bâton.

Victor monta l'escalier en premier, du plus vite qu'il le pouvait, tout en essayant de ne pas blesser sa jambe gauche, suivi de près par Caleb, Pakarel, Naveed avec Udelaraï sur le dos et, finalement, l'antiquaire.

À peine Victor avait-il rejoint la rue qu'une vive lumière venue du ciel s'abattit sur eux, éclairant totalement la moitié des quais au passage. La lumière provenait du projecteur d'un petit drone pas plus gros qu'un ballon, qui se positionna non loin d'eux, en hauteur, avant que plusieurs lumières rouges apparaissent sur sa carapace ronde et métallique. Soudain, il y eut quelques forts éclats de lumière, indiquant que le robot volant venait de prendre des photographies.

— Abattez-le ! s'écria l'antiquaire avec fureur. Descendez ce drone avant qu'il envoie les images qu'il vient de prendre aux forces de l'ordre !

— Je n'ai plus de carreaux pour mon arbalète ! lui répondit Victor.

Depuis le dos de Naveed, Udelaraï leva la main droite en direction du drone, mais le pianiste intervint aussitôt en levant sa propre main :

— Non ! Surtout pas !

Un instant plus tard, la lumière s'était éteinte et le robot volant s'était enfui.

— Bien joué, Pelham ! lui envoya l'antiquaire d'un air rageur, agitant son bâton avec énervement. Maintenant nous allons avoir la moitié de la ville à nos trousses !

C'était peut-être vrai, mais Victor préférait que son grand-père garde ses forces pour faire apparaître leur véhicule, leur donnant ainsi la possibilité de se sauver de Casablanca au lieu de gaspiller ses pouvoirs et même de risquer de perdre connaissance encore une fois. Ne voyant pas l'intérêt de perdre son temps à expliquer sa façon de penser à Hansel, Victor se remit simplement en route vers le pont d'un pas rapide, suivi par son groupe.

Une fois Victor et les autres arrivés au pont qui surmontait le quai où ils s'étaient réfugiés, le jeune homme s'adressa aussitôt à son grand-père :

– Vous pouvez faire apparaître le carrosse hybride ?

– Oui, bien sûr, répondit-il en tapotant l'épaule du démon perse. Faites-moi descendre, Naveed…

Tandis qu'Udelaraï mettait les pieds au sol, Caleb et Victor s'approchèrent de la balustrade du pont. À quelques centaines de mètres, droit devant eux, ils pouvaient voir une demi-douzaine de gyrocoptères des forces de l'ordre survoler les immeubles près du canal, balayant la ville de leurs projecteurs au passage.

– Étant donné que votre carrosse est relativement gros, leur dit alors Udelaraï, j'aurai besoin d'un peu de temps avant de le faire apparaître.

Victor acquiesça d'un hochement de tête. Son grand-père leva alors le bras, tirant sa manche au passage, avant de fermer les yeux dans un signe de grande concentration. Le vieillard referma sa main dans le vide, alors qu'autour de sa bague, de petites particules bleutées s'étaient mises à éclater en crépitant.

– Ils vont nous trouver d'une minute à l'autre, murmura le demi-gobelin à l'intention de son meilleur ami. Le temps que le drone envoie aux forces de l'ordre les photographies qu'il a prises de nous. Espérons que ton grand-père fasse vite.

Une main puissante fit alors pivoter le jeune homme en sens inverse. Le démon perse se tenait devant lui, ses pupilles spiralées et verdâtres l'observant avec gravité.

– Explique-moi ce que nous faisons ici, Victor Pelham !

— Udelaraï va faire apparaître notre véhicule à l'aide de… sa bague… Je sais que ça peut te sembler étrange, ajouta-t-il précipitamment lorsque Naveed prit une expression de stupéfaction, mais fais-moi confiance !

— Que ferons-nous ensuite ? demanda Pakarel, qui s'était joint à la conversation.

Le jeune homme n'y avait pas encore pensé. Se grattant la joue d'un air songeur, il observa le raton laveur pendant un moment avant de lui répondre :

— Eh bien, je suppose que la meilleure chose à faire sera de nous éloigner le plus loin possible de Casablanca…

— Et Laévarden ? lui demanda Caleb. Nous le laissons filer ?

Avant même que Victor ait pu répondre, le démon révéla :

— Je sais où il se cache. J'ai trouvé sa tanière. Nous pourrions tenter de nous y rendre.

Le pianiste s'apprêtait à répondre, mais il referma la bouche, ne sachant plus quoi faire. Devaient-ils simplement déguerpir de cette ville ou tenter de trouver Laévarden et de mettre fin à son existence ? Il aurait été plus sûr de choisir la première option, mais Victor se souvint alors de l'éclat verdâtre qu'il avait vu dans les yeux du métacurseur… Étrangement, l'instinct du pianiste lui disait que ce qu'il cherchait n'était plus bien loin…

— Nous allons rester à Casablanca et tenter de trouver Dermasiz, déclara Victor d'un ton ferme.

— Euh… attendez, dit Manuel au bout du bâton tenu par Pakarel. Nous… nous restons ici ?

Soudain, un appareil volant passa juste au-dessus d'eux, les éclairant d'une lumière intense. Aveuglés et gênés par les bourrasques d'air qu'envoyaient les bruyantes hélices de l'engin volant, Victor et ses amis furent forcés de se couvrir le visage à l'aide de leurs bras. Plissant les yeux, le pianiste vit entre ses doigts la silhouette d'un gyrocoptère.

— Merde, marmonna Caleb.

À en juger par l'expression qu'arboraient Victor et les autres, tous pensaient la même chose que le demi-gobelin.

— Ne bougez plus ! dit une voix amplifiée venue de l'appareil, qui se rapprochait doucement du pont, le bruit des hélices devenant de plus en plus fort. Au nom des forces de l'ordre de la ville de Casablanca, vous êtes maintenant en état d'arrestation. Mettez-vous à genoux et posez vos armes au sol !

Victor jeta un regard derrière son épaule ; son grand-père était encore en pleine concentration, son bras tendu dans le vide.

— Que faisons-nous ? demanda Naveed, agité et ne donnant pas du tout l'impression de vouloir se rendre.

— Lâchez vos armes ! répéta la voix amplifiée provenant du gyrocoptère.

L'appareil volant tourna légèrement de côté, sa portière latérale glissant d'un coup, laissant paraître deux hommes à l'intérieur qui pointaient des carabines vers eux.

— À terre ! s'écria l'un d'eux. À terre, sinon nous ouvrons le feu !

Après avoir échangé un regard avec ses amis, Victor fit glisser son arbalète par terre avant de s'agenouiller dans une grimace de douleur. Il fut aussitôt imité par Caleb et Pakarel. Udelaraï, lui, fut forcé par l'antiquaire de rompre sa concentration et de s'agenouiller. Quant au démon perse, il semblait furieux, tenant sa lance d'une poigne écrasante et nerveuse.

— Naveed, lui dit Caleb, je sais que les balles ne te font pas grand-chose, mais nous ne sommes pas blindés comme toi. Alors, à moins que tu veuilles notre mort…

— S'il te plaît, Naveed, l'incita Victor à son tour.

À contrecœur, le démon lâcha sa lance et, dans l'impossibilité de s'agenouiller étant donné la forme de ses jambes arquées, il s'assit simplement au sol. Une fois que le gyrocoptère fut à la hauteur de la balustrade du pont, les deux hommes maniant des carabines en débarquèrent.

— Vous ! dit l'un d'eux à l'intention de Caleb tout en agitant sa carabine vers lui. Détachez les étuis de vos épées !

Victor sentit alors un coup brutal l'atteindre en pleine épaule. L'autre garde l'avait frappé à l'aide de la crosse de son arme.

— Votre épée, dit simplement l'homme. À terre. Maintenant !

En le dévisageant, le pianiste se mit à détacher sa ceinture. Mais avant même qu'il ait terminé, une violente explosion survint. L'un des moteurs arrière du gyroctopère venait d'exploser, forçant l'appareil à s'éloigner brusquement, une énorme traînée de fumée et de flammèches à sa suite.

Profitant de l'occasion, Caleb désarma habilement le garde de sa carabine tout en le projetant au sol en même temps. Naveed, lui, plaqua celui qui maintenait Victor de plein fouet, le faisant basculer par-dessus le pont jusque dans l'eau du canal.

— Pitié ! couina la voix du garde étendu au sol, menacé par l'arme que tenait maintenant Caleb.

— Caleb, non ! s'écria Victor afin de l'empêcher de tirer. Nous ne tuons personne inutilement !

Caleb assomma finalement le garde à l'aide d'un bon coup de crosse en plein front. Udelaraï, qui était déjà debout, reprit sa concentration afin de matérialiser leur carrosse. Pendant que Victor et les autres récupéraient leurs affaires, un peu confus de ce qu'il venait de se produire, un engin volant apparut juste au-dessus d'eux. Il s'agissait d'un gyrocoptère de guerre, teint entièrement en noir, assez grand pour être utilisé pour le transport de troupes. Sa portière latérale glissa, dévoilant un hobgobelin et un lozrok.

— Rudolph ! Baroque ! s'écria Pakarel avec joie.

— Ça va, en bas ? leur envoya le hobgobelin, qui se tenait à la paroi, son fusil à canon scié appuyé sur l'épaule.

À la vue de ses amis, Victor ressentit une vague de joie l'envelopper, et une multitude de questions se bousculèrent dans sa tête. Ne pouvant s'empêcher de sourire, il leur envoya :

— Comment… comment diable êtes-vous parvenus à nous retrouver ? Ma radio ne fonctionne même plus !

— Non, mais son émetteur, oui, répondit une autre voix drôlement familière. Nous te suivions à la trace depuis ce matin.

Juste derrière Rudolph et Baroque, la silhouette d'un homme au grand mohawk apparut. Le visage cicatrisé, les bras tatoués et les oreilles percées d'une multitude d'anneaux, Nathan envoya un signe de la main au jeune homme et à ses amis.

– Tu es en vie ! s'exclama Victor.

– Ouais, mais on en reparlera, tu veux ? lui envoya l'homme au mohawk en ricanant. Vous avez des copains qui déferlent vers vous à toute vitesse, il vaudrait mieux que vous foutiez le camp.

Chapitre 14

La machine de guerre

Une vive lueur bleutée apparut dans le dos du jeune homme, en plein milieu du pont. Pivotant sur lui-même, il vit que son grand-père avait finalement été en mesure de matérialiser leur véhicule.

– Ça, je dois dire que c'est particulièrement cool ! fit savoir Nathan en hochant la tête. Ton grand-père a des ressources, Victor !

À cet instant, une volée de balles éclaboussa dans l'eau du canal, annonçant la venue de trois appareils volants, qu'ils pouvaient apercevoir au loin.

– Allez-vous-en ! leur cria Caleb. Vite, adressa-t-il à l'intention de Victor et des autres, montez à bord du carrosse !

Sans protester, Victor ouvrit l'une des portières et força Pakarel à monter à l'intérieur, avant d'inciter Naveed à le suivre en lui faisant de grands signes de la main.

– Que… quoi ? lâcha Rudolph, qui ne comprenait manifestement pas la situation. Vous ne venez pas avec nous ?

Le demi-gobelin lui fit signe que non de la tête avant de lui envoyer à pleine voix :

– Couvrez-nous depuis la voie des airs, d'accord ? Nous allons poursuivre en carrosse !

– Attendez ! leur dit alors Nathan, qui s'étira à l'intérieur du vaisseau pendant un court instant avant de leur balancer un objet que le demi-gobelin rattrapa de justesse.

Il s'agissait d'une radio portative.

– Vous nous raconterez ce qui se passe à l'intérieur du carrosse avec cette radio, leur cria Nathan, projetant sa voix à l'aide de sa main, alors que leur appareil volant prenait de l'altitude et s'éloignait. La fréquence pour nous joindre est déjà enregistrée dans la radio !

Envoyant un pouce en l'air à ses amis qui s'éloignaient rapidement à bord du gros gyrocoptère teint en noir, Victor se rua vers le carrosse en compagnie de Caleb. Le pianiste grimpa sur le siège du conducteur, et le demi-gobelin, celui du passager avant. Afin d'être capables de s'installer avec une certaine aise, ils retirèrent rapidement les ceintures qui retenaient leurs armes blanches et firent glisser le sac qu'ils portaient en bandoulière dans l'espace situé entre les sièges, par-dessus la lance de Naveed, qui y avait été déposée.

— Où va-t-on ? leur demanda ensuite Pakarel avant même que les deux jeunes hommes aient refermé leur portière.

— Pour l'instant… commença Victor, qui laissa sa phrase en suspens pour activer les moteurs du carrosse hybride.

Ceux-ci ronronnèrent avec puissance, et les quatre phares avant s'allumèrent avec intensité et éclairèrent une partie du pont.

— … filons simplement d'ici, termina-t-il ensuite en enfonçant la pédale d'accélération.

Le moteur détona avec puissance, faisant presque trembler l'air, et des étincelles jaillirent des nombreux tuyaux d'échappement. L'engin s'élança à toute vitesse, avant de prendre un virage serré vers la gauche. Casablanca était bondée de citoyens, qui s'empressaient de bondir hors du chemin de l'énorme carrosse dévalant les rues à vive allure.

— Poussez-vous ! cria inutilement Victor à l'intention d'un couple peu vigilant qu'il faillit renverser.

Il détestait conduire ainsi, puisqu'il mettait la vie des piétons en danger, mais il n'avait pas vraiment le choix ; leur mission était plus importante.

— Vous m'entendez ? dit alors Caleb dans la radio qu'il avait portée à sa bouche, son visage éclairé à intervalle régulier par les affiches holographiques multicolores de la ville.

— Ouais, on t'entend, répondit une voix provenant de la radio, que Victor reconnut comme étant celle de Marcus.

Le jeune homme ne put s'attarder à la conversation de Caleb et de Marcus plus longtemps, car l'antiquaire l'interpella depuis l'arrière du véhicule :

— Pelham, donnez-moi les pierres que je vous ai fournies tout à l'heure !

Conduisant le carrosse hybride d'une seule main, Victor saisit son sac de l'autre et le tendit vers l'arrière du véhicule.

— Elles sont là-dedans, répondit-il sans quitter la route des yeux.

Quelqu'un lui prit son sac, lui donnant la possibilité de reprendre le contrôle du véhicule avec ses deux mains. Caleb était maintenant en pleine conversation avec Nathan, mais le jeune homme était trop occupé pour s'attarder à ce qu'ils disaient.

— Naveed ! lança-t-il ensuite sans se retourner, d'un ton abrupt étant donné le stress dû à la situation. Aide-moi à retrouver mon chemin vers cet imbécile de Laévarden !

Le démon perse, qui était installé juste derrière le siège du pianiste, s'inclina vers l'avant et tendit son bras entre lui et Caleb.

— Prends à droite juste après ce pub, indiqua-t-il en désignant un établissement du doigt.

Après avoir pris un autre tournant sec, qui projeta tout le monde vers la gauche du carrosse, l'antiquaire envoya sur un ton cinglant :

— Faites attention, Pelham ! J'essaie de prodiguer des soins à votre grand-père ! Vous voulez que je lui enfonce ma seringue à travers le bras, peut-être ?

— Ils reviennent ! leur envoya alors Pakarel. Juste là ! En haut de cet immeuble !

Un bref coup d'œil en hauteur à travers la vitre de la portière suffit à Victor pour confirmer les dires du raton laveur ; deux gyrocoptères filaient droit vers eux, leurs hélices tournoyant bruyamment.

— À droite ! lâcha Naveed. Droite !

— Caleb ! lui lança Victor. Demande-leur de nous couvrir ! Ils sont juste derrière nous !

Masquant la radio sur sa poitrine pour bloquer le son, le demi-gobelin répondit :

– Ils ont eu quelques problèmes avec les gyrocoptères qui nous ont dérangés sur le pont. Ils sont en route.

La réponse ne satisfit pas vraiment le jeune homme, qui préféra ne rien dire et se concentrer exclusivement sur sa conduite. En suivant les indications fournies par le démon, Victor zigzagua à travers les rues de Casablanca, pendant qu'une patrouille entière de véhicules aériens les poursuivait juste au-dessus des édifices. Malgré le bruit des moteurs du carrosse et des gyrocoptères, la musique festive aux airs du Maroc devenait de plus en plus audible au fur et à mesure que le carrosse s'enfonçait dans la ville, encore bien éveillée.

Les rues étaient de plus en plus bondées, forçant le jeune homme à ralentir considérablement la cadence de leur véhicule. Ce qui n'était pas une mauvaise chose pour les traitements que l'antiquaire tentait d'administrer à Udelaraï. Heureusement, l'abondance de gens, qui dévalaient doucement les rues en portant de longues et énormes bannières en l'honneur d'une fête quelconque, offrait au carrosse hybride une protection quasi parfaite contre les deux gyrocoptère qui tournoyaient autour d'eux tels des vautours, dans l'impossibilité d'ouvrir le feu.

– Gauche, dit Naveed à l'intention de Victor en lui désignant une voie du doigt. Dans cette allée.

Avançant maintenant à faible vitesse, le carrosse se faufila doucement un chemin à travers la foule de gens qui paradaient dans les rues en chantant au rythme de la musique marocaine. Il y avait même des cracheurs de feu et des danseurs publics, qui trouvaient particulièrement amusant de se mettre directement sur le chemin du carrosse hybride.

– On dirait qu'ils font exprès, grogna Victor, stressé à l'idée que ses camarades et lui se fassent attraper.

– À cette vitesse, commenta Pakarel, qui observait à l'extérieur, le nez plaqué contre la vitre de sa portière, les gens qui marchent nous dépassent presque !

– Je ne peux pas vraiment faire mieux, répondit Victor d'une voix absente, s'étirant le cou pour bien s'assurer qu'il ne heurtait personne en avançant.

Une minute et quelques rues plus tard, les voies et allées redevinrent dégagées, laissant le carrosse hybride reprendre de la vitesse à travers la cité technologique de Casablanca, son moteur pétaradant avec puissance. Évidemment, les deux engins volants avaient aussi repris leur pleine vitesse, et il fallut peu de temps pour qu'ils rattrapent le carrosse. Pire encore, les deux machines volantes devancèrent aisément le carrosse avant de se retourner vers lui, volant à reculons.

– Pourquoi font-ils ça ? demanda Pakarel, craignant la réponse.

– Parce qu'ils veulent nous canarder, sans doute ? répondit Victor, dont l'humeur venait de chuter. Tenez-vous, à l'arrière ! Ça va barder.

– Pelham, je n'en ai pas fini avec votre grand-père !

Comme l'avait prédit le pianiste, les canons des gyrocoptères se mirent à mitrailler des rafales de balles qui éclatèrent sur la route, juste devant le carrosse. Quelques projectiles avaient atteint la carrosserie du véhicule dans des claquements métalliques. Heureusement, aucune partie vitale du carrosse n'avait été atteinte. N'ayant pas vraiment d'autre choix, Victor fit virer leur véhicule vers la gauche, deux roues quittant le sol dans leur virage, afin de s'enfoncer dans une allée au hasard, se mettant ainsi hors de vue des deux gyrocoptères qui bourdonnaient dans le ciel.

– Pelham ! s'écria l'antiquaire d'un ton furieux.

– Vous allez la fermer ? lui renvoya Caleb, tout aussi rageur. Il essaie de nous sauver la peau !

– Il faudra prendre à droite dès que tu le pourras, dit Naveed au jeune homme. Nous n'allons pas dans la bonne direction.

Suivant les directives du démon afin de retrouver leur chemin, le jeune homme prit aussitôt la rue suivante vers la droite. L'attention du pianiste fut alors attirée par un écran géant, flottant devant eux, affichant leur visage ainsi que leur nom et leur nationalité.

— Oh, regardez ! lâcha Manuel d'un petit rire grinçant. C'est encore vous !

En se voyant ainsi à l'écran, Victor sut que sa carrière de pianiste allait pâtir de la mauvaise image montrée par les médias de Casablanca. Cette révélation aurait dû lui déplaire, mais sachant que sa vie tirait probablement à sa fin, Victor n'en fut que très peu affecté.

— Parfait, marmonna Caleb avec sarcasme. Nos vies sont maintenant ruinées. Il ne manquait plus que ça.

— Je suis certain que l'on pourra arranger les choses en temps et lieu ! leur fit savoir Pakarel avec un espoir pas vraiment partagé par le demi-gobelin et le pianiste.

Leur court moment de tranquillité fut aussitôt dérangé, puisque les deux gyrocoptères venaient de réapparaître juste au-dessus d'eux. Mais avant même que les deux véhicules aériens des forces de l'ordre aient pu faire quoi que ce soit, l'un d'eux vit son moteur atteint par une rafale de balles provenant d'un troisième vaisseau, qui venait de faire son apparition ; c'était celui de leurs amis.

— Ça va, en bas ? dit alors la voix de Nathan en provenance de la radio, que Caleb tenait à la main.

Le gyrocoptère dont le moteur avait été atteint fut forcé de rebrousser chemin, disparaissant du champ de vision de Victor.

— Ça ira lorsque vous nous aurez débarrassés de l'autre vaisseau, répondit Caleb en portant la radio à ses lèvres.

— Pas besoin, répondit la voix de Nathan.

En effet, le deuxième vaisseau venait de rebrousser chemin lui aussi, abandonnant la poursuite.

— Pourquoi nous laissent-ils filer ? s'étonna Victor, qui observait l'engin volant s'éloigner à travers la vitre de sa portière.

— Probablement parce qu'on a déjà descendu cinq ou six de leurs gyrocoptères qui tentaient de vous intercepter, répondit Nathan en ricanant.

— Oh..., vraiment ? répondit le pianiste d'un air étonné.

Victor n'avait pas vraiment eu conscience que Nathan, Marcus, Baroque et Rudolph leur avaient donné un tel coup de main.

— Droite, juste ici. Droite, Victor Pelham ! lui dit alors Naveed.

— Euh… oui ! répondit le jeune homme, qui avait failli passer tout droit, tournant au dernier moment.

Quelques instants plus tard, le demi-gobelin fit remarquer au jeune homme que le vaisseau de Nathan appartenait au Consortium, malgré sa peinture particulière. Il lui expliqua que les engins utilisés par ce groupe étaient modifiés et pourvus de moteurs plus avancés. Évidemment, il fallait avoir le sens du détail pour remarquer une telle chose.

— Le fait que vous avez attaqué des vaisseaux des forces de l'ordre de Casablanca avec un appareil du Consortium ne vous créera pas d'ennui, Nathan ? demanda alors Caleb.

— Bien sûr que non, répondit l'homme depuis la radio. Il n'y a aucun emblème sur les parois de notre gyrocoptère, et la peinture a été refaite à la main pour les missions… nécessitant un certain niveau d'anonymat. Ils doivent croire que nous sommes un groupe de pirates ou quelque chose du genre. Aucun danger qu'ils réalisent que ce vaisseau provient en réalité des garages du Consortium.

Le carrosse hybride put donc reprendre sa route vers le repaire de Laévarden, tandis que le gyrocoptère, à la suggestion de l'antiquaire, dévia dans la direction opposée, afin de ne pas indiquer leur position aux appareils volants ennemis.

— Nous allons tracer un cercle au-dessus de la ville pour distraire les forces de l'ordre et vous laisser le champ libre, dit Nathan depuis la radio.

— Remarque, dit Baroque en provenance de la radio, la voix paraissant lointaine, ce n'est pas comme s'ils passaient inaperçus, avec leur engin issu du croisement d'une locomotive et d'un carrosse…

Profitant de ce moment de tranquillité, qui n'en était pas moins angoissant et stressant, le jeune homme se retourna pour prendre des nouvelles du traitement de son grand-père. Apparemment, malgré les turbulences causées par sa conduite dangereuse, l'antiquaire était parvenu à purifier le sang du vieil homme, qui semblait du coup affaibli.

— Votre grand-père a besoin de récupérer, Pelham, l'avertit l'antiquaire. Quant à moi, je débarquerai et m'en irai lorsque vous serez arrivé à destination. J'ai à faire.

Étant donné le peu d'estime qu'Hansel portait envers Victor et les siens, il n'était pas très étonnant qu'il cherche à éviter d'être mêlé à leurs problèmes. Et puisqu'il était un lycanthrope capable de prendre la forme d'un corbeau géant, il ne serait pas très difficile pour lui de s'enfuir de Casablanca dès leur prochain arrêt.

— Alors, vous vous dirigez vers ce type qui nous a attaqués, Nika et moi ? demanda Nathan à travers la radio.

— C'est ça, ouais, confirma Caleb. Je suppose que tu veux ta part du gâteau, toi aussi ?

— On ne me descend pas en pleine mer sans que j'aie envie de donner un coup de poing au coupable, répondit Nathan sur un ton léger.

— Demande-lui ce qui l'a abattu en pleine mer, questionna le jeune homme tout en suivant les directives du démon perse.

— Il me l'a expliqué tout à l'heure, lui fit savoir le demi-gobelin. C'était un robot, comme ceux qui t'ont attaqué dans la jungle infectée, près du manoir. Il serait sorti de l'eau et l'aurait canardé jusqu'à ce qu'il s'écrase dans l'océan.

— Ce salaud a tenté de m'achever alors que je m'efforçais de sortir de l'appareil, qui sombrait dans la mer, dit Nathan à travers la radio. Mais c'était un robot de piètre qualité, alors j'ai été capable de le détruire avec quelques coups de feu bien placés.

— Et comment tu t'es sorti de cette situation, Nathan ? lui envoya directement Victor en haussant la voix pour être certain qu'il l'entendait.

— Des tortues de mer, répondit-il d'une voix qui ressemblait à celle d'un vieux pirate. Non, je blague. En fait, j'ai été capable de m'accrocher à un débris flottant pendant une heure ou deux, et ensuite, des horizoniers qui passaient par là m'ont ramené sur le *Quetzalcoatl*.

— Ah, la ville du prince Zackarias, commenta Victor, qui se remémora son court séjour sur la ville flottante. Je me demande comment il va, d'ailleurs.

Le carrosse vira sur la gauche, empruntant ensuite une allée pavée, dans laquelle les nombreux écriteaux holographiques donnaient une teinte colorée aux bâtisses normalement blanches. La lueur de la lune filtrait à travers les nombreux arbres exotiques qui longeaient les rues traversées par l'engin hybride.

— Très bien, répondit Nathan. Sa conjointe est enceinte.

— Ah? s'étonna Victor. Je ne savais même pas qu'il avait quelqu'un dans sa vie. Enfin, c'est une très bonne nouvelle!

— Baroque et Rudolph m'ont expliqué ce que vous avez traversé…, ça n'a pas dû être facile. Alors, Victor, comment ça va?

Le jeune homme ne sut quoi répondre. Dans une tentative pour gagner du temps, Victor s'éclaircit la gorge de force.

Il venait de découvrir que son corps mourait à petit feu à cause des radiations, et Maeva lui manquait plus que tout. Heureusement, on lui tapota sur l'épaule. Il s'agissait de Naveed.

— Arrêtons-nous ici, dit-il. Nous continuerons à pied.

L'engin s'immobilisa au bord d'un trottoir, juste devant l'une des très nombreuses bâtisses qui encadraient la rue mal éclairée. Plusieurs cordes à linge pendaient au-dessus du carrosse, leurs ombres tracées au sol. Victor observa rapidement les alentours afin de dénicher un meilleur endroit où stationner leur véhicule, mais en vain. Il étira ensuite son bras vers Caleb dans le but de récupérer la radio, que ce dernier lui plaça presque aussitôt dans la main.

— Tu appuies ici, lui dit le demi-gobelin en désignant du doigt un bouton sur l'appareil.

Remerciant son ami, le jeune homme pressa le bouton et porta la radio à sa bouche.

— Nathan? dit-il tout en observant les alentours avec attention. Toi et les autres voulez toujours nous accompagner?

— Yep, confirma l'homme après quelques secondes.

— D'accord. Vous avez notre position ? Je suis immobilisé.

— On te voit sans problème, lui confirma Nathan.

— Alors, venez nous rejoindre et essayez de passer inaperçus, car…

Avant même qu'il ait pu finir sa phrase, une énorme silhouette, de trois ou quatre mètres de haut, s'écrasa au sol à une trentaine de mètres d'eux, dans un nuage de poussière. À travers l'ombre et la poussière, une dizaine de petits cercles blancs s'allumèrent soudain les uns à la suite des autres sur la surface de la chose. Puis, dans un grincement mécanique, la créature se redressa et posa ses énormes poings au sol, tel un gorille. Pakarel, qui avait les yeux grands ouverts, lâcha :

— Ça alors…

D'une démarche lourde, mais fluide, la chose se détacha de l'ombre dans des grincements métalliques et s'avança lentement vers eux, ses énormes pieds faisant presque trembler le sol à chaque pas. Il s'agissait d'un robot qui devait peser trois ou quatre tonnes. Les cercles lumineux que Victor et les siens avaient vus marquaient en fait les articulations du robot, qui était recouvert de plaques blanches. Sa petite tête, dotée de quelques antennes et située au bout d'un corps large et trapu, comportait un seul œil orangé, tel un cyclope. Les mains du robot n'étaient composées que de trois larges doigts, faits du même métal blanc qui recouvrait son corps. Son moteur, dont les nombreux tuyaux crachaient une fumée noire juste derrière sa tête, était situé sur son dos, partiellement protégé par des plaques blanches.

En déglutissant difficilement, Victor comprit que ses amis et lui avaient à faire à une machine de guerre hautement sophistiquée, qui n'avait rien à voir avec les robots qu'ils avaient croisés auparavant.

— Qu'est-ce que c'est ? demanda Pakarel, qui s'était avancé dans l'interstice entre les sièges de Victor et de Caleb afin de mieux voir.

— Gardien de marque six, répondit Victor d'une voix rauque, dont la gorge était devenue entièrement sèche.

Victor avait déjà lu un article, dans un journal de découvertes scientifiques, sur ces machines dévastatrices. Construits en Belgique, ces robots étaient considérés comme des armes hautement sophistiquées, appartenant à la même famille que D-rxt, la sentinelle du jeune homme. Ne pouvant pas voler et manquant singulièrement de délicatesse, ils compensaient largement par leur force destructrice et leurs nombreuses armes rétractables. Ces robots, illégaux dans la plupart des pays, étaient généralement utilisés pour faire la guerre contre des adversaires de taille comme des ogres, des géants ou des wyrms.

Cependant, qu'est-ce qu'une machine de guerre comme celle-ci faisait au beau milieu de Casablanca ? Le silence fut soudain dérangé par la voix de Nathan, depuis la radio que Victor tenait toujours d'une main rigide :

– Allô ? Victor ? Hé, il y a quelqu'un ?

À travers la vitre, Victor vit le robot s'incliner vers l'avant, avant de se mettre à courir en utilisant ses gros poings comme un gorille pour s'aider dans sa course, fonçant tel un bélier enragé vers leur carrosse.

– Recule, murmura Caleb qui fixait la créature sans cligner des yeux. Recule, recule !

Lâchant la radio, qui tomba quelque part à ses pieds, Victor agrippa alors les commandes du carrosse et actionna la marche arrière. Le moteur rugit, et l'engin recula à pleine vitesse. À cause de la silhouette massive de Naveed et de celles d'Udelaraï, de l'antiquaire et du gros chapeau de Pakarel, Victor était incapable de voir où leur carrosse se dirigeait à reculons.

– Il se rapproche ! Il se rapproche ! cria Pakarel avec effroi.

– Baisse ton chapeau ! lui renvoya Victor, irrité, qui s'étirait le cou dans tous les sens dans le but de voir quelque chose. Naveed, Hansel, bougez-vous ! Je ne vois rien ! Nous risquons de…

C'était trop tard. Dans un impact violent, ils venaient de percuter une bâtisse. Malgré la force de l'impact, Victor ne se laissa pas distraire. Il enfonça aussitôt la pédale d'accélération et tira les commandes vers la droite afin d'éviter le colosse métallique, qui alla s'écraser contre le mur de la bâtisse, là où le carrosse s'était trouvé quelques instants plus tôt.

— Il revient à la charge! cria Pakarel pendant que le jeune homme tournait au coin d'une rue à pleine vitesse.

C'est avec horreur qu'ils virent, à une centaine de mètres, trois véhicules des forces de l'ordre de Casablanca qui barraient la rue, flottant à quelques pieds du sol, desquels débarquait un véritable peloton de soldats de toutes races — gobelins, humains et lozroks, entre autres —, armés de boucliers rétractables et de lances pneumatiques. Victor n'eut d'autre choix que d'enfoncer la pédale de frein. Le carrosse hybride s'immobilisa dans un crissement de pneus et un nuage de fumée, avant d'être heurté de plein fouet par le colosse.

Pendant les instants qui suivirent, Victor fut secoué dans tous les sens, se heurtant constamment à travers les cris de ses camarades, le décor tournoyant sans cesse à travers la vitre du carrosse. Malgré la confusion, le jeune homme, dont la respiration était coupée, savait que leur carrosse avait été frappé de plein fouet et avait quitté le sol. D'un moment à l'autre, celui-ci allait s'écraser. De fait, le cœur du jeune homme manqua un battement lorsque leur véhicule s'écrasa au sol sur le côté droit dans un violent impact, terminant sa course au bout d'une longue traînée d'étincelles.

Poussé par son désir de survivre, ou simplement par instinct, Victor ouvrit la portière gauche d'un trait, avant de se hisser à l'extérieur. Il aurait dû s'inquiéter de ses amis, mais son for intérieur le poussa à sortir du véhicule le plus vite possible afin de libérer la voie aux autres, qui étaient coincés sous lui. Le jeune homme parvint à sortir du véhicule renversé avec de nombreux efforts maladroits avant de terminer sa courte chute en se heurtant l'épaule contre le sol.

Les membres meurtris de douleur, le pianiste se redressa en position assise contre la carcasse de leur carrosse renversé. Il devait se calmer afin de reprendre ses esprits et de maîtriser son état de panique. Les yeux fermés et le visage crispé dans une expression de douleur, il était incapable de contrôler sa respiration haletante, et celle-ci provoquait une douleur constante dans sa poitrine récemment blessée.

Au bout de quelques secondes, le jeune homme se reprit et réalisa que de nombreux coups de feu étaient tirés... mais pas dans leur direction. En effet, la pénombre du soir était constamment dérangée par la lueur soudaine des nombreux coups de feu qui éclataient dans l'air. À travers les cris de terreur, une voix cria :

– Visez la tête ! La tête ! Merde, merde !

En essuyant le sang qui lui perlait du nez, Victor vit qu'une douzaine d'hommes des forces de l'ordre couraient dans tous les sens, ouvrant le feu contre le robot, qui venait d'envoyer l'un de leurs camarades, un lozrok musculeux, s'écraser contre un immeuble. Les projectiles tirés par les lances pneumatiques des gardes de la ville éclataient contre les plaques protectrices de la machine de guerre, qui, tel un animal enragé, martelait le sol à l'aide de ses énormes poings, dans le but d'écraser un malchanceux ou deux. Victor entendit alors des pas sur la carrosserie de leur véhicule renversé. Se redressant difficilement, il vit son meilleur ami accroupi près d'une portière ouverte, en train d'aider quelqu'un à sortir.

– Attrape ma main..., allez ! C'est ça.

Dans un vif effort, le demi-gobelin tira Pakarel, qui n'avait plus son chapeau, sa petite tête de raton laveur tachetée de sang. Caleb leva alors les yeux vers Victor et lui dit :

– Aide-le à descendre, il est complètement assommé. Je vais aider les autres.

En effet, le pakamu semblait à peine conscient de la situation, son regard absent et endormi, tandis que son museau dégoulinait de sang. Sans perdre une seconde, le pianiste prit Pakarel par les aisselles et l'aida à descendre au sol. Posant délicatement ses mains sur les joues de son petit camarade, Victor lança avec inquiétude :

– Pakarel ! Pakarel ! Regarde-moi !

Au bout d'un court moment, le pakamu sembla retrouver sa lucidité. Massant son front de raton laveur, il marmonna :

— J'en ai vraiment… vraiment assez de tous ces écrasements. Je crois que tu ne devrais plus conduire, Victor.

Soulagé de voir que Pakarel était sain et sauf, Victor ramena son attention vers le véhicule renversé et vit que le demi-gobelin aidait Naveed à sortir par l'une des portières.

— Caleb, tu as besoin d'aide ? lui cria-t-il alors.

— Éloigne-toi d'ici ! lui répondit le demi-gobelin en balayant l'air d'un geste de la main. Les moteurs ont pris feu ! Le carrosse risque d'exploser à tout moment ! Va-t'en !

En effet, les moteurs du carrosse dégoulinaient d'une épaisse huile qui s'était enflammée ; le véhicule allait exploser d'un instant à l'autre. Mais Victor ne pouvait pas se sauver comme si de rien n'était ; toutes ses affaires se trouvaient à bord du carrosse renversé. Même la roue brisée de l'engrenage.

— Il faut récupérer la roue de l'engrenage ! envoya Victor au demi-gobelin.

Quelque chose d'anormal alerta soudain le jeune homme : il n'y avait plus aucun coup de feu ni aucun cri. Craignant le pire, Victor pivota machinalement sur lui-même et observa en direction du combat que se livraient les gardes de la ville et le gardien de marque six. Le colosse mécanique se tenait à une dizaine de mètres d'eux, maintenant dans une main un graboglin vêtu de l'uniforme de la garde de Casablanca. Mis à part ceux qui se sauvaient à toute vitesse, tous ses camarades avaient été tués, gisant au sol, inertes.

— Aidez-moi, marmonna faiblement le graboglin maintenu comme une vulgaire poupée.

— Hé ! cria Victor à l'intention du robot gigantesque avant de battre des bras vers lui. Hé ! C'est moi que tu veux, pas lui ! Viens me chercher, gros tas de…

Avant même que le jeune homme ait fini sa phrase, le colosse leva sa petite tête en direction de Victor, son œil de robot tournant dans un sifflement aigu, comme s'il analysait le jeune homme. Après quelques secondes, il laissa tomber au sol le graboglin, qui s'éloigna en rampant. Devant l'imposante stature de la machine de guerre, qui se mit en marche vers lui en s'aidant de ses poignets tel un gorille gigantesque, le pianiste réalisa la stupidité de la décision qu'il venait de prendre. À mi-voix, il lâcha un juron assez cru avant de se mettre à reculer de sa démarche boiteuse.

Alors que le robot avançait de sa démarche de gorille, une ombre énorme passa au-dessus du jeune homme. Il s'agissait d'un corbeau gigantesque, au plumage noir charbon parsemé d'un rouge bien foncé. C'était Hansel Hainsworth, sous sa forme de lycanthrope. L'antiquaire fonça droit vers le gardien de marque six, ses immenses ailes grandes ouvertes et fendant l'air. L'oiseau démesuré plaqua le robot avec une telle force que ce dernier chavira sur le dos dans un nuage de poussière. Il lui planta ensuite ses serres dans la tête et lui picora son œil unique. Soudain, une voix fit sursauter le pianiste, qui avait jusqu'à maintenant observé la scène en restant figé sur place.

— Victor, ne reste pas là ! cria Caleb.

En regardant derrière lui, Victor vit avec un énorme soulagement que tous ses camarades avaient été extirpés de la carcasse du carrosse, maintenant entièrement enflammée, et s'en étaient éloignés jusqu'à la rue opposée. Udelaraï s'appuyait avec peine sur son bâton, et Naveed se tenait juste à droite de Caleb, qui tentait quant à lui de retenir Pakarel d'accourir auprès du jeune homme. Laissant l'antiquaire à son combat féroce contre l'immense robot, Victor avança en direction de ses amis d'un pas claudicant.

Mais à cet instant, le carrosse explosa avant de se retrouver propulsé dans les airs dans une colonne de flammes. L'onde de choc envoya le pianiste, qui avait à peine eu le temps de se protéger le visage de ses bras, à plusieurs mètres de distance, avant qu'il retombe lourdement au sol.

Entendant des voix qui criaient son nom, Victor se redressa avec difficulté, abasourdi par l'explosion. C'est avec un certain retard qu'il réalisa qu'il avait été envoyé à quelques mètres à peine de l'immense robot recouvert de lumières blanches, qui se faisait toujours agresser par l'oiseau gigantesque.

Renversé sur le dos, le robot se débattait contre l'emprise de l'oiseau avec fluidité. Tout en protégeant son unique œil, il assena deux coups de poing dévastateurs à la tête et au ventre du corbeau géant, qui croassa de douleur sous leur impact. Au troisième coup de poing, l'antiquaire fut forcé de lâcher sa proie et de reculer en battant fortement de ses lourdes ailes. Avec une agilité surprenante, le robot se releva sans problème, ses articulations crachant un jet d'air sous pression.

– Cours, pauvre imbécile ! envoya le corbeau à Victor lorsque son terrifiant regard orangé se posa sur lui.

Réalisant aussitôt qu'un immense bras robotisé arrivait dans sa direction à l'horizontale, le pianiste se jeta au sol. Dans sa chute, il sentit l'air se fendre juste derrière sa nuque, provoquant un très désagréable frisson qui lui traversa le corps. Poussé par son désir de sauver sa peau, le jeune homme se traîna au sol avec énergie en plantant ses ongles dans la chaussée, avant de se relever et de se ruer vers ses amis en ignorant la douleur stridente à sa jambe gauche.

C'est alors que ses poumons se crispèrent ; les immenses poings du robot s'étaient écrasés si près de lui que le tremblement de terre causé par leur puissant impact suffit à faire tomber le jeune homme encore une fois. Le robot bondit en l'air avant de s'écraser de tout son poids à l'endroit où le jeune homme, qui se recouvrit instinctivement le visage des bras, se trouvait.

Baissant les bras après quelques secondes, Victor réalisa avec incrédulité qu'il n'avait pas été écrasé ; il se trouvait plutôt entre les deux immenses pieds du robot, qui était accroupi au-dessus de lui. Des jets sous pression furent éjectés des chevilles du robot, arrosant Victor d'une vapeur brûlante. Le jeune homme voulut se redresser, mais cette fois, sa jambe gauche refusa complètement de coopérer, le paralysant d'une douleur insurmontable, même sous l'emprise de l'adrénaline.

Se traînant au sol dans une vaine tentative de sauver sa vie, le pianiste sut qu'il n'y avait plus rien à faire. Son handicap l'empêcherait de se lever et de se sauver comme n'importe qui d'autre… Son sort était scellé ; il allait mourir. Lorsqu'il vit la main gigantesque du gardien de marque six se lever dans les airs, Victor sentit son cœur se resserrer dans sa poitrine et la peur de la mort monter en lui, provoquant un haut-le-cœur.

Mais à cet instant, le corbeau géant se jeta contre la silhouette massive du titan métallique, frappant ce dernier de plein fouet. Les deux géants se retrouvèrent ainsi au sol avant de rouler sur une bonne dizaine de mètres, dévastant les lampadaires, arbres et véhicules qui se trouvaient sur leur passage.

Des pas rapides résonnèrent dans les oreilles du jeune homme, qui fut presque aussitôt agrippé par une paire de mains gantées avant d'être brusquement redressé. Il s'agissait de Caleb, qui passa ensuite le bras du pianiste par-dessus sa nuque avant de l'entraîner vers leurs amis, bien à l'écart des deux géants, qui s'affrontaient toujours dans une lutte acharnée. Victor était tellement affaibli et endolori que le simple fait d'avoir été relevé par le demi-gobelin lui avait causé une douleur pulsative dans la poitrine et les aisselles.

Pendant qu'il était ramené vers son grand-père, Naveed et Pakarel, le jeune homme ne put s'empêcher de jeter un regard derrière lui, inquiet du sort de l'antiquaire. Victor aurait voulu rebrousser chemin et lui venir en aide, mais il savait très bien qu'il ne pouvait rien faire face à une telle machine de guerre. De plus, sa jambe gauche lui faisait si mal qu'il n'aurait même pas pu marcher seul. Se tordant quand même le cou pour voir la lutte entre les deux géants, il entendit Caleb lui dire :

— Laisse-le. C'est sa décision, pas la nôtre.

Victor aurait voulu répliquer quelque chose, mais il n'en avait pas vraiment la force. Il perdit de vue le combat lorsque Caleb tourna au coin de la rue où Udelaraï, Naveed et Pakarel les attendaient. Sans même s'arrêter, le demi-gobelin leur cria :

— Allez, allez ! On se bouge !

Le démon incita Udelaraï et Pakarel à avancer en les poussant dans le dos, avant de prendre les devants afin de mener le groupe dans la bonne direction. Toujours entraîné par son meilleur ami, qui le maintenait par un bras, le pianiste pouvait voir au sol leurs ombres, projetées par la luminosité vacillante du carrosse enflammé, qui se trouvait derrière eux.

Pendant la minute qui suivit, seul le bruit des pas de Victor et de ses camarades résonnant contre le pavé de la rue filtrait à travers les lourds impacts qui faisaient trembler l'air, rappelant le combat que menait toujours l'antiquaire. Malgré le peu d'estime que Victor avait pour Hansel, ce vieux bonhomme désagréable venait de leur sauver la vie au risque de la sienne.

Tout à coup, au bout de la rue, l'énorme silhouette d'une machine volante à moitié dissimulée par l'obscurité se posa au sol, sortant de nulle part. Le premier réflexe de Caleb et des autres fut de s'arrêter, mais lorsque la portière de l'appareil volant s'ouvrit, leurs craintes se dissipèrent. Ils virent Nathan et Rudolph, qui leur faisaient de grands signes de la main.

— Venez ! leur cria Nathan.

Pakarel ouvrit la course, suivi de Naveed, qui épaulait Udelaraï, et de Caleb, qui soutenait Victor. Le demi-gobelin pressa le pas, incitant le jeune homme à faire de même, lui causant ainsi une bonne décharge de douleur dans la jambe gauche. Mis à part un spasme physique qui les ralentit momentanément, Victor contint sa douleur avec un grand effort et continua sa course avec Caleb jusqu'au gyrocoptère.

Les uns après les autres, Pakarel, Udelaraï et Naveed s'engouffrèrent à bord du gyrocoptère, alors que Caleb et Victor tardaient derrière. La vision du pianiste devenait de plus en plus floue, et ses yeux, qui avaient du mal à rester ouverts, étaient larmoyants. Néanmoins, le jeune homme fit un dernier effort, combattant avec orgueil et défiance contre son être. Quelques secondes plus tard, Victor et Caleb furent hissés à bord par la poigne solide de Nathan et de Rudolph.

Chapitre 15

La rencontre de la vérité

À peine s'étaient-ils assis sur une banquette que Nathan criait à l'intention du pilote :

– Monte !

À travers ses lourdes paupières mouillées, Victor vit que le pilote en question était Marcus, qui tira les commandes vers l'arrière, faisant lever le gyrocoptère sans aucune douceur. À plusieurs mètres d'altitude, Nathan ferma enfin la portière, coupant l'intense bruit causé par les hélices et l'air.

– Marcus, ramène-nous vers l'antiquaire et la machine de guerre ! exigea Nathan.

Sans rétorquer quoi que ce soit, Marcus inclina les commandes vers la gauche. Le gyrocoptère fit alors demi-tour au-dessus de la cité technologique aux immeubles recouverts d'affiches holographiques, avant de reprendre son chemin vers le combat des deux géants.

– Hé, Victor, lui dit alors Ichabod, qui s'était retourné sur le siège du copilote, est-ce que tu vas bien ? Tu as l'air bizarre, ajouta-t-il en fronçant la zone des sourcils au-dessus de ses grands yeux verdâtres.

Portant sa main à son front, Victor fut forcé de fermer les yeux, car un étrange étourdissement l'envahissait. À cet instant, il sentit une paire de mains lui attraper les joues, avant qu'on lui place une pastille au goût désagréable dans la bouche.

– Avale, lui ordonna Udelaraï.

Obéissant, Victor avala la pierre que son grand-père venait de lui mettre dans la bouche. Un terrible spasme lui traversa le corps, avant que le jeune homme soit pris d'intenses haut-le-cœur entrecoupés d'une horrible toux.

— Respire, respire ! lui dit Pakarel pendant que Caleb tapotait Victor dans le dos.

Le jeune homme cessa de tousser au bout de longues et pénibles secondes, laissant finalement l'air lui gonfler les poumons à grandes bouffées. Reniflant de son nez humide et essuyant ses yeux rougis qui pleuraient quelques larmes, Victor reprit finalement le dessus sur ses symptômes.

Nathan était assis juste devant lui, auprès d'Udelaraï et de Naveed. Caleb et Pakarel se trouvaient à sa gauche. Ichabod, l'épouvantail, se trouvait sur le siège du copilote et donnait l'impression de vouloir parler, mais sans trouver le courage de le faire. Quant à Baroque et à Rudolph, ils s'étaient installés à l'arrière, sur le sol de l'habitacle. Tous l'observaient avec inquiétude, mais tout particulièrement Nathan, dont le visage scarifié était empreint de lourds cernes. Il était clair pour Victor que son ami à la crête blonde n'avait pas dormi depuis longtemps. Ce dernier portait un manteau long entrouvert, qui laissait paraître son débardeur ainsi qu'un foulard blanc. Il était toujours étrange de voir quelqu'un au style aussi extravagant que Nathan aussi bien habillé…

— Qu'est-ce que tu as, Victor ? lui demanda-t-il d'un air contrarié.

— Quelques complications, marmonna le jeune homme en pinçant l'arête de son nez, les yeux momentanément fermés.

L'expression collée au visage de Nathan laissait bien paraître que la réponse de Victor ne lui convenait pas, et ce dernier le savait bien. Le jeune homme n'avait ni l'envie, ni le temps de s'étendre sur ce sujet.

— Ça ira, Victor ? lui demanda Baroque d'un air honnête.

Se retournant sur son siège, le jeune homme lui confirma d'un hochement de tête.

— Et Rauk ? demanda alors Pakarel. Il a décidé de rester sur l'île ?

— Il n'a pas voulu venir, lui confirma Nathan. Nous avons essayé de le convaincre, mais Rauk ne voulait rien savoir. Il ne voulait pas laisser son sous-marin dépérir sur une plage abandonnée.

Et saoul comme il était..., c'était un peu inutile d'argumenter. Il bavait sur sa barbe et gesticulait sans cesse... Quoi qu'il en soit, quelques-uns de nos gars sont restés avec lui, et avec les nouvelles pièces que nous lui avons amenées, le sous-marin sera réparé dès l'aube.

— Et à propos de ce gros robot qui se bat contre monsieur Hainsworth, s'inquiéta Pakarel d'un air mal assuré tout en jouant nerveusement avec ses doigts, nous n'allons pas redescendre au sol, hein ?

— Pas du tout, répondit Nathan. Nous allons garder une bonne distance... Espérons qu'Hansel survive jusqu'à notre arrivée.

— Justement, dit Marcus depuis l'avant de l'appareil, ils ne sont plus là. Je vais devoir reprendre de l'altitude pour mieux voir.

— Continuons de chercher, dit Ichabod en observant la ville qu'ils survolaient depuis la vitre, ils ne doivent pas être bien loin... Il suffit de suivre les dégâts.

Caleb lâcha un soupir qui en disait long. L'ayant bien remarqué — comme tout le monde, d'ailleurs —, Nathan lui répondit d'un air intrigué et presque dérangé :

— Je comprends le mépris que tu as envers ton oncle, Caleb, mais...

— N'en rajoute pas, Nathan ! l'interrompit le demi-gobelin d'un air irrité. Ce fou nous a causé bien des ennuis, déjà. Combien de gens sont morts sous ses mains, hein ? Combien ? Vous avez oublié Paris ?

Un voile d'ombre s'abattit sur le visage de Nathan, dont le regard bleu se fit glacial. Un muscle se mit à tressaillir sur sa joue cicatrisée, recouverte d'une barbe taillée en un long bouc.

— Pense aux gens de Casablanca qui pourraient être tués pendant leur combat, Caleb, lui renvoya Nathan, furieux, mais gardant malgré tout une voix calme.

— Caleb, ce n'est pas pour Hansel que nous faisons demi-tour, intervint Victor. Mais bien pour ce robot. C'est notre problème... mon problème, se corrigea-t-il avant de diriger son regard à travers la vitre, à sa droite. C'est contre moi que Laévarden a lâché cette brute mécanique.

Le pianiste appuya son front contre la vitre, qui vibrait à cause de l'hélice. Il observa la ville sous lui tout en se demandant quand les forces de la ville leur enverraient d'autres assaillants.

— Vois plutôt ça comme une chance de nous racheter, Caleb ! dit Pakarel avec un espoir qu'il semblait être le seul à posséder. Si nous débarrassons la ville de ce robot, ils verront bien que nous ne sommes pas méchants…

— Nous avons descendu cinq ou six de leurs gyrocoptères, dit alors Nathan après avoir soupiré. Ouais, d'accord, nous les avons simplement endommagés pour les forcer à atterrir et non détruits, mais quand même… Je doute qu'ils nous pardonnent, Pakarel.

— Y a pas à dire, les gars, ricana Manuel depuis le bout du bâton, qui était couché sur le sol, vous êtes vraiment enfoncés jusqu'au cou dans la m…

— Ça ira, Manuel, lui dit Nathan avec mépris. Merci de garder tes commentaires pour toi.

L'air absent et n'écoutant plus vraiment les conversations de ses amis, Victor observa le reflet de son propre visage dans la vitre. Ses paupières étaient devenues alourdies par la fatigue, qui le fit d'ailleurs bâiller à s'en décrocher la mâchoire. Il pensait à son chez-lui… à sa petite maison coincée dans une des nombreuses et sinueuses allées de la cité de Québec. Sa ville, qu'il adorait tant, qui l'avait vu grandir pendant ces dernières années. Le pianiste pensa ensuite à Maeva, à son doux visage… et même à Harry, son chat, qui l'attendait probablement en dormant comme un gros lâche sur son lit. Mais il était maintenant malade… infecté par l'air terrestre qui ravageait son corps, pourtant mystérieusement protégé jusque-là. Et ce, pour quelle raison ? Si ce n'étaient pas les bagues de Mila, qu'est-ce qui avait bien pu anéantir sa résistance naturelle ? Ces pensées lui crispèrent le cœur, frustré qu'il était par cette étrange prise de conscience.

Soudain, son attention fut attirée par une série de lumières blanches, qui venaient d'apparaître sur l'un des toits de Casablanca, à une bonne trentaine de mètres, avant qu'une énorme silhouette noire vole juste au-dessus. Se redressant avec rigidité, Victor réalisa ce qu'il venait de voir.

— Ils sont là ! cria-t-il en interrompant les conversations autour de lui. Juste là ! Marcus ! Vers ta droite !

— J'ai vu ! renvoya le pilote, qui fit tourner le gyrocoptère vers la droite, ses phares balayant une multitude de toits dans son virage.

Un peu plus bas, à travers la vitre, Victor vit la silhouette parsemée de petites lumières rondes du gardien de marque six en pleine poursuite de l'énorme corbeau, qui, par sa façon de battre des ailes, semblait bien épuisé.

Le robot bondissait aisément de toit en toit avec une agilité surprenante, s'écrasant lourdement sur chacun d'eux avant de reprendre sa course, se rapprochant de plus en plus de sa cible.

— Pourquoi ne prend-il pas d'altitude ? lâcha Pakarel en envoyant à Victor un regard désemparé.

— Il est bien trop épuisé, lui répondit le jeune homme d'un ton bas tout en continuant d'observer la scène. Il va se faire tuer.

— Marcus, amène-nous à côté d'eux ! lui envoya Nathan, qui, la tête baissée, se déplaçait jusqu'à l'arrière du véhicule volant.

Le grand Noir activa alors un interrupteur, qui eut pour effet de faire ronronner les moteurs de la machine volante. Celle-ci accéléra alors considérablement, rattrapant avec facilité le gardien métallique ainsi que le lycanthrope volant.

— Oh, bonté divine ! marmonna Ichabod, s'écrasant au fond de son siège et agrippant les accoudoirs de ses grandes mains.

Sous le regard de Victor et des autres, Nathan tira une mallette de sous son siège, avant d'en sortir une carabine ainsi qu'une boîte de munitions. Le jeune homme remarqua alors que les balles utilisées par Nathan étaient d'un bleu métallique.

— Balles électromagnétiques, dit-il après avoir croisé le regard interrogateur de Victor. Complètement inoffensives pour tout ce qui n'est pas bourré de circuits électroniques.

— Tiens, tu as entendu, le crâne ? envoya Caleb à l'intention de Manuel.

— Suis pas un robot, bordel ! répondit-il avec irritation.

Une fois la dernière balle insérée dans la carabine, Nathan tira sur la molette, l'armant ainsi avec une balle. À cet instant, quelques lumières jaunes s'allumèrent sur la crosse ainsi que sur le canon, confirmant qu'il ne s'agissait pas là d'une arme ordinaire.

Une fois que le gyrocoptère fut à portée du colosse métallique, qui bondissait toujours de toit en toit, Nathan fit glisser la portière gauche de l'appareil, laissant s'engouffrer une bourrasque d'air sonore, qui força tous les occupants du vaisseau à se crisper sur leur siège.

— Qu'est-ce que tu fais ? lui cria Pakarel à travers le son causé par le vent tout en retenant avec difficulté son chapeau bien enfoncé sur sa petite tête.

— Je vais tenter de sauver son oncle, lui répondit Nathan en désignant Caleb du menton. Accrochez-vous bien, ça risque d'être turbulent ! ajouta-t-il avant de s'agenouiller sur le sol du gyrocoptère, la visière de son arme à son œil, tandis que son manteau fouettait au vent.

Les bourrasques d'air faisaient trembler l'appareil à un point tel que Victor et ses amis s'agrippaient à tout ce qu'ils pouvaient dans le simple espoir de ne pas tomber.

— Ferme cette maudite portière ! vociféra Marcus, furieux. Les courants d'air sont trop forts, merde !

— Contente-toi de piloter en ligne droite ! rétorqua Nathan en détachant son visage de son arme pour que sa voix porte mieux vers le pilote.

Un instant plus tard, lorsque Marcus parvint à stabiliser l'appareil malgré les turbulences, Nathan ouvrit le feu. Chacune des détonations de sa carabine éclairait l'intérieur du gyrocoptère, et les projectiles fendaient l'air vers l'énorme robot. Les trois premiers tirs manquèrent leur cible, mais le quatrième atteignit le robot en plein dans la jambe droite, créant aussitôt une décharge électrique très visible. Trébuchant lourdement, le robot fit un tonneau avant de se retrouver immobile, assis sur un toit, permettant à l'antiquaire de prendre de la distance.

– Ouais ! lâcha Pakarel avec entrain. Tu l'as eu !

Cependant, l'enjouement du pakamu ne dura pas longtemps, car sous les yeux de Victor et de ses amis, le corbeau géant s'effondra avec lourdeur sur l'un des toits, culbutant sur une bonne distance avant de demeurer inerte, quelques plumes noires et rougeâtres flottant au vent.

– Qu'est-ce qui lui arrive ? lâcha Pakarel.

– Sa transformation… est incroyablement exigeante, pour un homme de son âge, dit Udelaraï avec difficulté, la mâchoire tremblante.

Voyant le regard troublé de son grand-père, Victor comprit combien ce dernier avait peur pour la vie de son vieil ami, si méprisé par les autres.

– Marcus, ne nous rapproche pas trop de…

Aussitôt, le robot se redressa et détacha du toit sur lequel il se trouvait quelque chose de semblable à un pylône de métal ou de béton, avant de le lancer dans leur direction.

L'ayant vu au dernier moment, Marcus tenta une manœuvre d'esquive, mais le pylône toucha quand même l'appareil. Dans une immense secousse, le gyrocoptère se mit à tournoyer dans les airs, avant de s'incliner dangereusement vers la gauche. Tandis que tous à bord tentaient de se retenir à quelque chose, Nathan se retrouva malencontreusement sur le dos, son arme glissant sur le sol du gyrocoptère avant de tomber dans le vide. L'homme au mohawk glissa à son tour, incapable de se retenir à quoi que ce soit, avant que Pakarel et Udelaraï parviennent à le retenir.

Le jeune homme aurait bien voulu lui venir en aide, mais il avait déjà bien du mal à se retenir au fond de son siège, le cœur crispé et presque paralysé par le vertige. Les appels à l'aide se succédant dans une confusion totale, le paysage défilait devant Victor et les siens à une vitesse vertigineuse, indiquant que leur appareil tournoyait toujours dangereusement et qu'il allait probablement s'écraser d'une seconde à l'autre…

Une fraction de seconde plus tard, un second impact heurta l'appareil, faisant décoller Victor de son siège, l'envoyant se cogner à gauche et à droite. Incapable de garder les yeux ouverts, il eut la respiration coupée, et, soudain, le vent se mit à lui siffler fortement dans les oreilles.

Tout à coup, tout s'arrêta brusquement. Le jeune homme venait de se heurter la tête avec une telle force qu'il en fut paralysé de douleur, son ouïe bourdonnante, ses pulsations cardiaques lui battant dans les tempes. Clignant de ses paupières, qui dégoulinaient de larmes, le pianiste agrippa sa tête à deux mains, se tordant de douleur. Paralysé par un mal de crâne insupportable, Victor resta ainsi pendant de longues et interminables secondes, jusqu'à ce que la douleur s'estompe juste assez pour lui permettre de revenir à lui. Il réalisa alors qu'il était étendu sur une surface dure, rugueuse et mouillée.

Il passa doucement sa main sur sa tête douloureuse et sentit que son cuir chevelu était trempé. C'est en voyant ses doigts recouverts de sang qu'il comprit qu'il s'était sérieusement heurté la tête lors de l'atterrissage. Victor comprit qu'il avait été projeté en dehors du gyrocoptère et qu'il gisait maintenant sur le pavé d'une allée sombre de Casablanca. La peur s'empara aussitôt du jeune homme ; il devait absolument faire quelque chose, car en plus d'être recherché par les forces de l'ordre, un titan métallique voulait lui arracher la tête.

Victor voulut se relever, mais son pied gauche fut traversé par un éclair de douleur stridente, qui l'empêcha de faire le moindre mouvement. En plus d'être celui de sa jambe faible, son pied était probablement foulé ou cassé.

— Merde… merde ! gémit-il avec frustration, se refusant à admettre qu'il était sérieusement mal en point.

Le jeune homme chercha alors sa canne du regard, mais il ne la vit nulle part. Soit elle avait été projetée ailleurs, soit elle était toujours dans leur machine volante. Et voilà qu'il se trouvait seul, au beau milieu d'une ruelle, recherché, sérieusement blessé et souffrant d'un mal de tête incroyable. Il commençait à en avoir ras le bol des atterrissages ratés, et surtout de la situation en général. Au moins, le jeune homme n'avait pas perdu son glaive ni son sac. Craignant le pire, Victor en fouilla le fond afin de s'assurer de l'état du métronome ; l'objet n'avait heureusement pas été endommagé davantage. Il en était de même pour la roue de l'engrenage, qui se trouvait au fond de sa poche, tout aussi intacte.

Un gyrocoptère, que le jeune homme reconnut comme étant celui de ses amis, passa au-dessus de lui et des bâtiments avoisinants, dans une position normale. Il semblait que ses amis avaient repris le contrôle du gyrocoptère, ce qui était une bonne nouvelle. Victor vit alors la silhouette du gardien sauter au-dessus de son allée, d'un bâtiment à l'autre, pourchassant l'appareil volant de ses camarades. Un grave sentiment d'effroi renversa aussitôt le moral déjà bien bas du jeune homme.

Alarmé par le fait qu'il pouvait être découvert par ce monstre mécanique d'un instant à l'autre, le pianiste se redressa rapidement en mettant tout son poids sur sa jambe droite. Revigoré par l'adrénaline et la peur de la mort, Victor traversa l'allée d'un pas boitant dans une direction au hasard, celle qui lui semblait la plus naturelle, tout en s'aidant des murs des bâtiments pour garder son équilibre. L'idée de se servir de son glaive en guise de canne artisanale lui traversa l'esprit, mais il était trop court pour constituer un appui quelconque.

L'allée sinueuse était sombre et peu éclairée, et par chance, Victor était le seul à l'arpenter. Il semblait que les festivités de la ville ne s'étaient pas étendues jusqu'à ce quartier. Au bout de plusieurs minutes à vagabonder dans les rues étrangement assombries de la ville, le jeune homme sentit un étourdissement monter à sa tête fragile et douloureuse. Il dut donc s'arrêter devant une porte en bois, qui menait sans doute à des appartements, afin de s'accorder quelques secondes de repos.

Le fait de s'arrêter l'étourdit inexplicablement encore plus, et le força à se laisser glisser en position assise au pied de la porte, la tête bourdonnante de douleur. Quelques petits tapotements attirèrent alors son attention. Levant la tête, il réalisa que ceux-ci venaient de la lanterne qui était accrochée au mur, près de la porte. Plus précisément, des quelques bestioles qui voltigeaient autour, attirées par sa faible lumière chancelante.

Passant la main sur son visage recouvert de sueur et de saletés, Victor fit le point. Il était seul à Casablanca, recherché et blessé. Ses amis n'allaient probablement pas le laisser ainsi, il pouvait donc compter sur le fait qu'ils reviendraient vers lui, lorsqu'ils se seraient débarrassés du colosse de métal. Que pouvait-il faire ? Se cacher ? Mais où ? Son visage était affiché sur tous les écrans volants de la ville, ce qui signifiait qu'il devait garder une discrétion totale, surtout s'il voulait éviter qu'un citoyen appelle les forces de l'ordre et les lance à ses trousses… Mais pour l'instant, ceux-ci étaient probablement occupés par la menace du gardien, qui ravageait tout sur son passage.

Quel choix avait-il vraiment ? Rester là, à se cacher, alors que son corps allait succomber petit à petit aux radiations terrestres ? Certainement pas. Surtout en considérant le fait qu'il n'avait même plus les petites pastilles qui atténuaient ses symptômes. De plus, le fait de rester là à ne rien faire, alors que ses amis tentaient toujours de se débarrasser du robot, lui pèserait sur la conscience et rendrait les minutes mortellement longues. Non, il devait faire quelque chose avant que son corps succombe à une nouvelle crise due aux radiations. Une idée lui vint alors en tête. Pourquoi ne profiterait-il pas du fait que le robot ne s'intéressait plus directement à lui pour trouver Laévarden et en finir avec lui ? Victor était persuadé que c'était lui, la dernière Liche… et après tout, il n'y avait qu'une seule façon de le savoir.

— Comment te trouver ? marmonna Victor, songeur, les doigts croisés contre son ventre, la tête appuyée contre la porte. Comment te trouver…

Il pouvait utiliser la bague qu'il avait au doigt, mais à quel risque ? Sa vie n'était-elle pas assez fragile ainsi ? De plus, comment allait-il utiliser cette bague ? Certes, il n'avait qu'à se concentrer suffisamment, mais sur quoi, exactement ? Son regard s'illuminant soudain, le jeune homme, toujours assis, se redressa. Il venait de trouver. Levant la main droite devant lui, la paume vers le haut, il fit progressivement se matérialiser une carte flottante au-dessus de sa main.

— La carte de la ville de Casablanca, marmonna Victor, étonné par ses propres prouesses. Parfait, il faut maintenant localiser Laévarden Dermasiz…

Même en y pensant très fort et en faisant le vide total dans sa tête, Victor n'arriva à rien. Aucunement découragé, il se motiva :

— Ne t'inquiètes pas, Victor, c'est normal… le fait de simplement penser à un nom doit être trop vague pour le fonctionnement de cette bague…, il faudrait juste être plus précis…

Le pianiste concentra alors ses pensées sur les métacurseurs, ces robots qui avaient un corps de squelette et tous leurs organes vitaux dans la tête. La carte de la ville de Casablanca s'embrouilla alors, avant d'être remplacée par une représentation miniature d'un métacurseur qui tournoyait.

— Non, non, ce n'est pas ça ! lâcha Victor à voix basse.

Il fronça alors les sourcils dans une expression de grande concentration, et, quelques instants plus tard, la carte de Casablanca se matérialisa à nouveau. Cette fois-ci, deux points orangés étaient apparus sur la carte de la ville. Les yeux écarquillés, Victor approcha son visage de sa main. L'un bougeait et l'autre non.

— Lui, ce doit être Manuel, qui se trouve dans le gyrocoptère avec grand-père et les autres. Et l'autre…, c'est lui.

Il venait de découvrir la position de Laévarden Dermasiz. Il fallait maintenant qu'il soit en mesure de déterminer où il se trouvait lui-même. Cette réponse fut réglée bien assez vite, puisqu'un petit point violacé apparut sur la carte peu après que Victor se fut posé la question. Par chance, l'endroit où se trouvait le métacurseur n'était pas très loin, à peine deux kilomètres. Sans canne, cependant, cela risquait de prendre un peu plus de temps que prévu.

— Tout ce qu'il manque, se dit Victor à voix basse, c'est une version plus pratique de cette carte…

La carte de Casablanca disparut et laissa place à une petite boule bleutée sur laquelle se trouvait un petit motif étrange en forme de flèche. Celle-ci pivota sur elle-même avant de s'orienter dans une direction bien précise.

— Mais qu'est-ce que…

Bougeant sa main de gauche à droite, le pianiste réalisa avec étonnement que la boule pivotait afin que sa flèche pointe dans la même direction, peu importe la position de la main du jeune homme.

— C'est… c'est un compas, réalisa Victor avec un certain retard. Qui indique…

Le temps que l'information se rende à son cerveau, le jeune homme s'était lancé sur la piste indiquée par son compas artisanal. Il ne pouvait marcher que d'un pas boiteux tout en se retenant sur les murs des bâtisses qu'il longeait, mais Victor avait retrouvé l'énergie de poursuivre sa quête, motivé par sa récente découverte.

Malgré la présence du gardien robotisé, qui avait déjà causé bien des ravages dans la ville, les festivités de Casablanca n'avaient pas cessé. Victor pouvait entendre des musiques festives ainsi que des rires et des chants lointains, surplombés par des explosions de feux d'artifice que le jeune homme ne pouvait pas apercevoir.

Ne voulant absolument pas attirer les regards, Victor évita le plus possible les rues achalandées ainsi que celles qui étaient trop éclairées, préférant plutôt passer par celles qui étaient plus calmes. Étant donné que le globe bleuté qui flottait au-dessus de sa main projetait une lueur assez discernable, Victor n'utilisait son compas que toutes les trois ou quatre rues, s'arrêtant à l'abri de tout regard pour s'assurer qu'il allait toujours dans la bonne direction.

Malgré sa furtivité, le pianiste croisa quelques citoyens trop occupés à fêter et à s'amuser pour vraiment le remarquer. Victor espérait seulement que Laévarden ne se trouvait pas dans un lieu public assez bondé, car cela voulait dire que le jeune homme ne serait pas en mesure de l'atteindre. Et même s'il parvenait à s'approcher du métacurseur, que pouvait-il lui faire, lui, un simple pianiste handicapé et sérieusement blessé ? Victor ne voulait pas trop prêter attention à cette question, au risque de faire chanceler sa motivation. La bonne nouvelle était que la position de Laévarden se trouvait à moins d'un kilomètre.

Arrivé à une intersection en croix dont les rues étaient assez larges, Victor s'arrêta au coin d'une bâtisse avoisinante. Furtivement, il épia dans tous les sens afin de s'assurer que la voie était libre. Il allait devoir traverser une bonne distance sans mur sur lequel s'appuyer et, surtout, sans sa canne, alors il valait mieux être certain qu'il n'y avait personne. Un bref coup d'œil à son étrange compas, qu'il avait momentanément fait apparaître à l'aide de sa bague, lui confirma qu'il devait bien traverser la rue. Après s'être de nouveau assuré que la voie était libre d'un coup d'œil dans toutes les directions, Victor se détacha du mur de la bâtisse et entreprit de traverser la rue d'un pas lent, boiteux et surtout douloureux. Marcher sans sa canne n'avait jamais été aussi difficile, surtout avec sa jambe gauche affaiblie et, en plus, son pied foulé.

Rendu au milieu de la rue, le jeune homme s'arrêta afin d'observer dans toutes les directions ; quelque chose n'allait pas. Le pianiste ne savait pas quoi, mais il avait la désagréable impression que quelque chose de grave allait se produire. Du coin de l'œil, il crut apercevoir un détail qui n'avait pas sa place dans le décor ; une silhouette ombragée accroupie sur le toit d'un édifice. Le jeune homme pivota rapidement sur lui-même, et soudain, il entendit un coup de feu. Il fut violemment projeté au sol, et une insupportable douleur lui tortura l'épaule droite.

Lâchant un cri étouffé par un gémissement de douleur, le pianiste se couvrit instinctivement l'épaule de sa main gauche. La respiration haletante, les yeux inondés de larmes, Victor se tordait de douleur, tous les nerfs de son bras semblant avoir été brûlés à vif.

— Vous êtes une vraie plaie, vous savez ? lui envoya la voix froide de Laévarden.

Victor, maintenant au sol, put voir la silhouette du métacurseur qui marchait vers lui. Un mince filet de fumée jaillissait toujours du bout de la carabine qu'il tenait sur son épaule.

— Pourquoi n'êtes-vous pas resté à votre domicile, Pelham ? continua Laévarden en s'approchant de plus en plus du pianiste.

N'étiez-vous pas bien, en compagnie de ceux qui vous tenaient à cœur ?

Le métacurseur se détacha alors de l'ombre, avant de s'accroupir auprès du jeune homme, qui s'était redressé sur un coude, le visage bouillonnant de douleur. La main métallique aux longs doigts articulés se referma alors sur le peu de cheveux que comportait le petit mohawk de Victor. Il l'observa de ses yeux rougeâtres, luisants au fond des orbites sombres de son crâne.

— Vous n'êtes jamais content de votre vie, Pelham ? lui demanda Laévarden en tirant brusquement la tête du pianiste vers l'arrière. Vous n'êtes toujours pas satisfait ?

— De... quoi parlez-vous ? marmonna difficilement Victor, atterré par la souffrance causée par la blessure par balle à son épaule.

Laévarden leva la tête pour observer les alentours avec nonchalance avant de ramener son regard vers le jeune homme. À travers les petits points rouges qui faisaient office d'yeux au métacurseur, Victor vit une lueur verdâtre.

— Vous êtes un pianiste de renom, reprit Laévarden, vous possédez un orphelinat, vous avez une compagne de vie, de bons amis. Vous avez la jeunesse, l'argent, peut-être pas la forme que vous souhaitez, mais tout de même, vous ne vous laissez pas accabler par votre handicap.

Victor, dont l'expression était tordue entre la douleur et la confusion, ne voyait vraiment pas où Dermasiz voulait en venir.

— Mais non ! reprit le métacurseur en lâchant brusquement la tête déjà sensible de Victor.

Laévarden inclina ensuite légèrement la tête sur le côté, avant de porter son index à sa mâchoire squelettique.

— Mais non, continua-t-il en tapotant son menton du bout de son doigt. Il semble que tout cela ne vous satisfasse pas. Il faut que vous partiez fourrer votre nez dans tout ce qui ne vous regarde pas. Que vous jouiez les preux chevaliers, les héros de je ne sais quelle histoire et que vous deveniez une véritable source de problèmes.

— Moi, une source de problèmes ? répéta Victor entre ses dents serrées par la douleur. Regardez ce que vous nous avez fait subir, à moi et à mes amis !

Toujours accroupi auprès du pianiste, Laévarden inclina la tête de l'autre côté, avant de s'appuyer sur sa carabine.

— Je n'ai fait que réagir à la situation que vous avez vous-même créée, monsieur Pelham. Vous aviez tué deux des miens. Enfin, presque, mais peu importe. Vous vous êtes mis en tête que nous n'avions pas le droit d'exister et que nous devions simplement être condamnés à cause de la malchance qui est tombée sur nous.

Victor lâcha un grognement.

— C'est donc vous, la dernière Liche. C'est ce que je pensais. Et depuis le début, c'était donc vous qui tentiez de m'arrêter... Pas seulement un ingénieur dément, mais bien une Liche.

— Content de voir que vous comprenez enfin la situation ! rétorqua Laévarden, qui observa ensuite autour de lui. Les rues sont tranquilles, ce soir, vous ne trouvez pas ?

— Vous devez être fier d'avoir lâché une machine de guerre dans cette ville ? lui renvoya Victor, fortement irrité et frustré par la douleur à son épaule.

— Pas particulièrement, non, répondit Laévarden d'un ton calme. Après tout, c'est votre faute, Pelham. J'ai envoyé ce robot à vos trousses. Mais c'est vous qui vous êtes caché derrière les obstacles de cette ville. C'est votre faute, si cette ville et ses habitants subissent actuellement d'énormes dégâts. Cause et conséquences, Pelham. Cause... et conséquences.

Dermasiz se leva d'un bond, avant d'observer les alentours d'un air dérangé, comme s'il avait entendu quelque chose.

— Ma faute ? lui renvoya Victor, furieux. Vous dites n'importe quoi !

— Évidemment, répondit Laévarden d'un ton dégagé et même distrait.

Le métacurseur ne répondit rien de plus, il se contenta de rester immobile, donnant l'impression d'être à l'affût du moindre bruit ou mouvement, tournant la tête dans un sens, puis dans l'autre. Victor, lui, gisait toujours dans son sang au beau milieu de la rue, se retenant sur un coude avec sa main gauche plaquée contre son épaule droite. Celle-ci lui faisait un peu moins mal, probablement à cause de l'adrénaline, mais sa blessure était toujours très douloureuse.

S'il en avait eu la possibilité, Victor se serait redressé et aurait pris ses jambes à son cou. Malheureusement, ce n'était pas vraiment possible. Avec le temps qu'il lui faudrait pour se relever dans un état pareil, il ne pouvait même pas espérer tenir sur ses deux pieds avant que Laévarden le remarque. En silence, le jeune homme espérait que quelqu'un passe dans le coin, que ce soit une patrouille des forces de l'ordre ou un civil, un véhicule quelconque… en fait, n'importe qui ayant la capacité de faire fuir Dermasiz. Comment se faisait-il que personne n'ait entendu le coup de feu ?

L'idée d'attaquer le métacurseur, qui lui tournait le dos, lui traversa l'esprit, mais encore une fois, qu'aurait-il pu faire ? Il avait toujours son glaive, mais puisqu'il était dans l'incapacité de simplement se relever, il ne pouvait pas faire grand-chose. C'était probablement pourquoi Laévarden n'avait pas même jugé bon de le désarmer. À force de patienter dans son propre sang, cloué au sol, Victor devenait de plus en plus irrité et frustré.

Si seulement il avait pensé à jeter un coup d'œil à sa carte, et pas seulement à son compas, il aurait bien remarqué que le métacurseur se dirigeait droit vers lui ! Le jeune homme remarqua alors la flaque de sang dans laquelle il gisait et réalisa avec horreur combien elle était large. Il allait mourir à bout de son sang.

L'épaule de Victor fut alors traversée par un bref élan de douleur, qui le fit gémir.

— Pourquoi ne m'avez-vous pas abattu, hein ? demanda le pianiste en grimaçant de douleur. Pourquoi me tirer dans l'épaule, alors que j'étais dans votre ligne de mire ?

— Parce que je vous ai raté, répondit Laévarden d'un air distant, sans se retourner. Je vous visais la tête, mais vous avez bougé au dernier moment.

Cette réponse provoqua un frisson glacial dans le dos de Victor.

— Qu'est-ce que vous faites à patienter ainsi? lui renvoya le pianiste d'une humeur noire. Vous attendez qu'il pleuve, peut-être?

— J'attends simplement le gardien de marque six afin qu'il termine son travail, répondit Laévarden avec nonchalance, en jetant cette fois-ci un regard vers Victor par-dessus son épaule.

— Pourquoi faites-vous cela? lui lança le pianiste, dont le ton trahissait une forme de détresse.

Comme s'il avait été personnellement insulté, Dermasiz se retourna vivement vers Victor avant de marcher dans sa direction. Il lui envoya un solide coup de son pied squelettique et métallique au visage. L'impact fut si fort que Victor en perdit la vue et l'ouïe pendant de longues secondes douloureuses. Il sentit ensuite sa tête fragile s'engourdir encore plus, et ses yeux pleins d'eau l'empêchaient de voir quoi que ce soit. Pendant que Victor s'étouffait et crachait de bonnes quantités de sang dans des bruits gutturaux, Laévarden lui envoya d'une colère noire :

— Parce que vous chassez comme la peste ceux qui ont vu leur existence changer radicalement à cause de ces maudits fragments, Pelham! Vous ne vous êtes jamais arrêté à songer un instant qu'il y avait peut-être une autre manière d'agir? Non et non! Vous attaquez et tuez les êtres vivants qui, comme moi, ont été infectés par ces satanés fragments!

Victor se sentit alors soulevé par le col, mais sa tête était tellement lourde et sensible que le jeune homme n'eut pas la force de rendre son regard au métacurseur, qui avait approché son visage du sien.

— Regardez-moi! lui envoya Dermasiz avant de lui envoyer une gifle de sa main froide et métallique. Regardez-moi, Pelham!

Avec difficulté, Victor obéit. Sa crainte de la mort s'était dissipée, non pas par courage, mais parce que tout son corps devenait de plus en plus engourdi, y compris sa tête. Il avait même de la difficulté à garder les yeux ouverts.

— Vous avez chassé les miens en vous proclamant juge de notre sort, continua Laévarden d'un ton plus calme. Alors, je ferai de même.

— En tuant au passage des innocents ? lui rétorqua Victor avec difficulté, son sang lui dégoulinant du nez jusque dans la bouche. Belle logique.

Comme s'il s'agissait d'un vulgaire objet, Dermasiz lâcha le col de la chemise du pianiste, qui s'effondra au sol. À ce moment, les paupières du jeune homme se refermèrent à moitié, laissant place à une vue floue, puis à un écran entièrement noir. Il était toujours conscient, mais il préférait accorder ses derniers instants à des pensées de son choix, comme le doux visage de sa Maeva. Il regrettait toute cette aventure. Il regrettait de s'être mêlé d'une histoire qui n'était pas la sienne… Il aurait pu, en ce moment même, être avec les personnes qui lui tenaient à cœur. Le rythme cardiaque du jeune homme se mit à décélérer, et son esprit s'engourdissait doucement. C'est alors que Victor entendit un coup de feu, qui le fit sursauter et le força à ouvrir les yeux en grand.

— Vous venez pour votre camarade, n'est-ce pas ? cria la voix de Laévarden à l'intention d'une personne que le jeune homme ne pouvait voir. Alors, venez le chercher !

Plusieurs coups de feu, tirés par la carabine de la Liche, détonèrent dans une direction inconnue. Quelqu'un venait à lui. Se rattachant à cette lueur d'espoir, Victor se redressa difficilement sur son coude gauche afin de déterminer qui avait engagé un combat contre la Liche. Une pierre sortie de nulle part atteignit le métacurseur en plein visage, le déséquilibrant.

— Sale emmerdeur ! grogna-t-il.

Victor entendit ensuite une série de pas frapper le pavé de la rue à grande cadence. C'était Caleb. Le demi-gobelin se ruait à toute allure vers le métacurseur, tentant visiblement de réduire la distance le plus possible avant qu'il puisse relever sa carabine contre lui. Caleb était armé d'une seule épée, qu'il tenait à l'envers, probablement pour faciliter sa course. Victor aurait bien voulu l'aider d'une manière quelconque, mais le simple fait de regarder la scène, appuyé sur son coude gauche, lui était déjà extrêmement exigeant.

Juste avant que Caleb arrive à portée de la Liche, celle-ci retrouva son équilibre et leva sa carabine vers son assaillant. Juste à temps, ce dernier écarta le bout du canon de l'arme de son avant-bras, détournant le coup de feu vers le ciel. De sa main libre, Laévarden agrippa le poignet de la main armée du demi-gobelin. Visiblement soumise à une énorme pression due à l'étreinte de la Liche, la main de Caleb s'ouvrit lentement, laissant tomber au sol son épée.

Pourtant, le demi-gobelin ne chercha pas à la récupérer. Il assena plutôt une série de coups de poing violents dans la tête de la Liche, avant que tous les deux se retrouvent pris dans un corps à corps. Les deux adversaires échangèrent des coups de poing, de tête et de genou, luttant pour la carabine qui était maintenue dans une autre direction.

Victor craignait pour la vie de son meilleur ami, car il savait que le demi-gobelin était en désavantage. Frapper contre un corps métallique qui ne ressentait pas de douleur était presque inutile et, pire encore, à voir la force avec laquelle Caleb envoyait ses coups, Victor était certain qu'il se blessait lui-même.

Après avoir envoyé une série de coups de poing presque inutiles dans la mâchoire de la Liche, Caleb en reçut lui-même trois en pleine figure, et son sang éclaboussa. Le bruit des coups était horrible, voire douloureux à entendre pour Victor, qui gisait au sol, impuissant.

Contre toute attente, sous une pluie de coups de poing métalliques, Caleb réussit à agripper de sa main droite les quelques câbles de la nuque du métacurseur qui montaient du torse jusqu'à sa tête, avant de les arracher brusquement. Laévarden lâcha un cri rageur et porta aussitôt sa main gauche aux câbles, d'où giclait un liquide noir.

Profitant de cette ouverture, Caleb saisit la carabine de ses deux mains avant de repousser la Liche d'un solide coup de pied à l'abdomen. La carabine pivota dans les mains habiles du demi-gobelin, qui leva l'arme contre son propriétaire.

Chapitre 16

L'anatomie de Victor Pelham

Repoussé par le coup de pied du demi-gobelin, Dermasiz faillit trébucher. Lorsqu'il retrouva l'équilibre, il porta bien vite la main à sa nuque, dont les câbles dégoulinaient d'un épais liquide noir. Quant à Caleb, il tenait sa carabine sous son œil, pointée vers la Liche. La respiration du demi-gobelin était haletante, et du sang coulait de son nez jusqu'à son menton.

– Vous bougez un membre et je vous troue de balles, c'est clair ? lui envoya Caleb d'un air mauvais.

Laévarden ne répondit pas ; il resta là, immobile. Caleb jeta alors un regard rapide à son meilleur ami, sans pour autant détacher son attention du métacurseur, qu'il pointait de son arme.

– Victor, parle-moi, lui envoya Caleb.

– Ça va, mentit le jeune homme, qui se tenait avec peine sur son coude gauche.

– Tu peux te redresser et marcher ?

– N…non, répondit le pianiste qui luttait pour rester conscient. Aucune chance, mon vieux.

– D'accord, ne bouge pas, c'est compris ? Je vais te…

À cet instant, Laévarden s'élança à pleine course dans l'une des rues avoisinantes, sa longue cape en lambeaux virevoltant derrière sa silhouette squelettique. L'ayant remarqué, Caleb tira un coup de feu en direction de la Liche et l'atteignit au coude, faisant éclater une bonne partie de son bras au passage. Caleb tira deux autres coups de feu, qui éclatèrent contre le mur d'une bâtisse, avant que Laévarden disparaisse au tournant d'une rue.

Caleb lâcha un juron avant de courir vers son meilleur ami et de s'agenouiller auprès de lui. Après avoir déposé la carabine au sol, Caleb regarda avec gravité la blessure à l'épaule de Victor.

— Merde, il ne t'a pas raté, murmura-t-il.

— Ne le... laisse pas s'échapper, souffla difficilement Victor, dont la vue devenait sérieusement trouble.

— Tais-toi, lui dit Caleb en passant le bras gauche de Victor par-dessus son épaule. Je vais t'aider à te relever, les autres ne doivent pas être très loin et...

Le sol trembla soudain. Un objet pesant plusieurs tonnes s'était écrasé à quelques dizaines de mètres d'eux, au bout de la rue. Victor et Caleb regardèrent l'immense silhouette recouverte de petites lumières du gardien de marque six. Le robot, en position accroupie, se redressa dans un bruit de décompression mécanique, et les joints de ses membres éjectèrent des jets de vapeur. Cette vision éveilla tous les sens du pianiste, qui sentit ses entrailles se contracter. Le colosse de métal se mit alors à marcher en direction des deux camarades, son unique œil orangé tournant sur lui-même, comme l'objectif d'un appareil photo.

— Caleb, sauve-toi, lui murmura Victor. C'est moi qu'il veut.

Le demi-gobelin ne répondit pas, il hissa plutôt Victor sur ses pieds. Dans cinq ou six secondes, ils ne seraient pas mieux que morts, et jamais Caleb ne serait en mesure de le sauver.

— Fous le camp ! envoya Victor d'un air sévère à l'intention de Caleb. Sauve-toi ! Tu ne pourras pas nous...

— Je ne te laisse pas ici, alors ferme-la ! l'interrompit le demi-gobelin, qui, tenant son ami de son bras gauche, se mit à marcher en direction opposée au colosse.

Voyant bien que la raison ne convaincrait pas son meilleur ami, Victor utilisa toute la force qui lui restait pour tenter de repousser ce dernier, mais sans succès, car Caleb était bien plus fort que lui. Le demi-gobelin le fit basculer sur ses épaules, avant de le soulever entièrement. Victor se trouva donc sur les épaules de Caleb, qui le retenait par le bras et la jambe gauche, dans une position fâcheuse, inconfortable et très douloureuse pour sa jambe.

Accablé par le poids de Victor, le demi-gobelin était incapable de courir ; il trotta donc jusqu'au coin de la rue opposée, avant de prendre un tournant dans la direction qu'avait prise Laévarden.

La position inconfortable de Victor l'avait entièrement éveillé, tandis que son cœur lui martelait la poitrine. Juste derrière eux, le jeune homme et son ami pouvaient entendre le son grandissant des pas du robot, qui faisaient trembler le pavé des rues de Casablanca. La tête bondissant au rythme des pas de Caleb, Victor vit alors l'énorme silhouette du gardien de marque six tourner au coin de la rue, quelques mètres derrière eux, s'aidant de ses gros bras de gorille pour accélérer la cadence.

Le pianiste aurait aimé dire à son ami d'aller plus vite, mais il savait bien que c'était impossible. Caleb, dont la respiration était haletante, trottait dans une longue rue qui, à son grand malheur, était en côte. D'ailleurs, lorsqu'il réalisa que la rue s'inclinait fortement, le demi-gobelin lâcha une série de jurons. Même dans sa fâcheuse position, Victor fut en mesure de repérer une petite allée à leur gauche.

— Prends à gauche, marmonna Victor, très inconfortablement installé sur les épaules de son meilleur ami. À gauche, Caleb !

— J'ai vu ! grogna le demi-gobelin d'une humeur noire.

Caleb s'engouffra dans une ruelle bien trop étroite pour que le robot puisse les poursuivre. Ce dernier y glissa tout de même l'un de ses énormes bras dans le but d'agripper ses proies, mais en vain, car Victor et Caleb l'avaient déjà bien distancé. Au-dessus de leur tête, de nombreuses cordes à linge traçaient des zigzags.

Lâchant encore plusieurs jurons, le demi-gobelin se mit à escalader un petit escalier qui menait à une rue plus haute. De ce fait, sa poigne se resserra grandement sur la jambe faible de Victor, le faisant grincer des dents. Il dut combattre intérieurement pour ne pas crier à Caleb combien il lui faisait mal en s'agrippant ainsi à sa jambe.

En haut de l'escalier, Caleb déboucha dans une grande rue qui semblait traverser la cité technologique de part en part. En effet, la grande voie descendait jusqu'à la place publique, qu'ils voyaient deux kilomètres plus bas. Une immense foule s'y trouvait, divertie par toutes sortes de jeux et d'événements ainsi que par une musique festive et une pluie de feux d'artifice. Le long de la rue était décoré par des aménagements de palmiers, dont les feuilles étaient colorées par les diverses affiches holographiques qui ornaient les bâtiments avoisinants.

Le demi-gobelin s'arrêta une fraction de seconde avant de reprendre sa route, traversant la grande allée éclairée par les affiches et les majestueux lampadaires de Casablanca. Après avoir fait une dizaine de pas, Victor et Caleb furent éclairés par un projecteur aveuglant, ce qui fit s'arrêter de nouveau le demi-gobelin, qui faillit lâcher le pianiste. Ils entendirent ensuite le bourdonnement des hélices du drone des forces de l'ordre, qui les avait repérés.

Mais à cet instant, le gorille métallique réapparut tout en haut de l'une des bâtisses qui longeaient la ruelle que venaient d'emprunter Caleb et Victor, avant de se laisser tomber sur le drone, qu'il réduisit en miettes lors de l'impact. Dans le tremblement de terre causé par le gardien, Caleb faillit perdre l'équilibre, mais se récupéra très vite avant de se remettre à trotter vers la rue d'en face.

— Allez… allez ! s'écria Caleb, ruisselant de sueur et mort de fatigue tout en grinçant des dents.

Le demi-gobelin parvint à attendre la rue opposée, dans laquelle se trouvait une boîte de nuit bruyante. La lueur des nombreuses affiches holographiques de la bâtisse était reflétée sur les quelques flaques d'eau qui gisaient sur le pavé de la rue. Celle-ci était bondée d'individus qui patientaient devant les portes de l'établissement et, bien évidemment, tous regardaient en direction de Victor et de Caleb, probablement attirés par la nature du tremblement de terre qu'ils venaient d'entendre.

Plusieurs cris d'affolement émergèrent alors en provenance de la foule, avant que celle-ci cède à la panique. À la vue du gardien qui courait aux trousses de Caleb et de Victor, la foule se dispersa dans tous les sens. De sa position désavantageuse, le jeune homme vit la machine de guerre arracher un lampadaire au passage, avant de le projeter dans leur direction. Le lampadaire fouetta l'air en tournoyant lourdement.

— Attention ! cria Victor à pleins poumons.

Voyant bien que Caleb ne réagissait pas assez vite, le pianiste fit tout ce qui était en son pouvoir pour faire basculer son poids vers la gauche, causant leur chute. Juste au-dessus d'eux, le lampadaire passa dans un grand coup de vent avant de terminer sa chute contre un véhicule qui était stationné dans une rue parallèle, au loin. Par chance, aucune des personnes fuyant la scène n'avait été atteinte.

Avant même que Victor puisse faire le moindre mouvement, Caleb s'était déjà redressé, tirant son meilleur ami par le bras, le forçant ainsi à se lever, avant de le passer sur ses épaules. Cette fois-ci, cependant, le demi-gobelin manqua de perdre l'équilibre ; son genou droit eut une faiblesse qui faillit leur coûter une seconde chute. Victor voyait bien que son meilleur ami était exténué et qu'il avait de la peine à poursuivre leur fuite, qui semblait d'ailleurs inutile, mais afin d'éviter de mettre à mal la conviction de son ami, le jeune homme s'abstint de le lui faire savoir.

Malheureusement, il n'y avait ni ruelle ni allée sinueuse aux alentours, ce qui ne laissait à Caleb d'autre option que de poursuivre sa route en ligne droite, trottant d'un pas difficile et fatigué derrière la foule de gens qui se sauvaient, eux aussi. Sa respiration était bruyante et ses bras tremblaient, pourtant, le demi-gobelin s'entêtait à continuer, alors qu'à une vingtaine de mètres derrière eux, le robot se ruait vers ses proies dans sa démarche lourde et bruyante.

De sa vue tremblante, Victor remarqua alors un détail anodin à travers la foule : une haute silhouette se tenait immobile et leur faisait face. Son regard spiralé et verdâtre ainsi que sa chevelure blanche étaient facilement reconnaissables, au milieu de la centaine de personnes qui déferlaient autour de lui.

— Naveed ? lâcha Caleb d'une voix éteinte par l'effort excessif.

Le démon vint à la rencontre des deux amis, entièrement désarmé, avant d'accélérer le pas jusqu'à se mettre à courir. Dans sa course, les mains et les extrémités des pattes du démon prirent progressivement une couleur rougeoyante, et de petites flammèches en jaillirent. Sans même accorder un regard aux deux jeunes hommes, qui étaient persuadés qu'il leur venait en aide, Naveed passa à toute vitesse à côté d'eux, filant droit vers le gardien de marque six. Ce fut avec étonnement que Victor vit un crâne bien attaché au côté de sa taille par une bandoulière en cuir.

— Aidez-moi ! couina Manuel au passage.

Déboussolé par la conduite du démon, Caleb s'arrêta, avant de se retourner vers ce dernier. Arrivé à portée du gorille de métal, Naveed bondit sur le mur de la bâtisse avoisinante, y courant trois ou quatre pas, avant de se propulser en direction du robot. Les traces de pas de Naveed étaient restées marquées sur la paroi de la bâtisse, brûlées et rougeoyantes. Le démon heurta alors le gardien en pleine poitrine dans un bruit d'impact métallique, et des étincelles jaillirent dans tous les sens. Sous l'impact, le gardien recula de quelques pas.

Le demi-gobelin s'écroula alors sur un genou, tous ses membres tremblotant en raison du poids de Victor.

— Dépose-moi, lui ordonna le jeune homme. Allez !

Sans riposter, Caleb déposa Victor sur ses jambes en lâchant un grognement de satisfaction.

— Je te tiens, lui dit le demi-gobelin en le retenant quand même par le bras, qu'il passa par-dessus sa nuque.

Un peu plus loin, le colosse métallique à l'œil unique balançait ses énormes bras dans tous les sens, martelant le sol à pleine force dans l'espoir d'écraser le démon perse, qui évitait les coups avec une agilité incroyable. Ce dernier bondissait à gauche et à droite en tournoyant avec grâce, et des étincelles jaillissaient de ses mains et de ses pieds.

Profitant du fait que le gorille de métal venait d'enfoncer son poing dans le sol, Naveed se jeta contre son bras, avant de l'escalader avec une rapidité surprenante. Arrivé à la jointure de son coude, le démon y enfonça sa main droite d'un geste vif. La main griffue du démon transperça le coude du gardien de marque six, faisant jaillir de longs jets de vapeur. Naveed retira alors sa main, qui s'était refermée sur un bon nombre de câbles et de fils.

Avec une férocité presque bestiale, le démon se mit à assener de nombreux coups de poing sur le coude affaibli du gorille de métal. Puis, d'un seul et puissant coup de pied, il parvint à déloger l'avant-bras du gardien de marque six, qui s'affaissa au sol. Le robot tenta de riposter en balançant un coup de son bras restant vers Naveed, forçant ce dernier à bondir à terre et à reculer. Les deux adversaires reprirent ensuite le combat. Le démon évitait de justesse les puissants coups envoyés par le gardien, qui l'attaquait sans relâche ; le fait d'avoir perdu un bras ne l'avait pas rendu moins dangereux pour autant.

Victor et Caleb, qui regardaient la scène de leur visage exprimant à la fois épuisement et étonnement, furent rejoints par quelques curieux, qui venaient assister au combat. Pendant que Naveed envoyait de puissants coups de poing et de pied, dont les impacts causaient des éclats d'étincelles, Victor, qui n'arrivait pas à décrocher ses yeux du combat, demanda au demi-gobelin :

– Tu crois qu'il... a besoin d'aide ?

Caleb, qui retenait toujours son ami par le bras, fut incapable de répondre quoi que ce soit d'autre qu'un marmonnement incompréhensible. À cet instant, Naveed s'accroupit pour éviter un coup latéral qui fendit l'air au-dessus de lui. Pendant que le robot récupérait de sa posture fâcheuse, le démon se lança à l'attaque de l'une de ses jambes. Naveed se mit à envoyer une volée de coups de poing et de griffes sur la rotule gauche du colosse, avant de parvenir à en extirper une poignée de câbles, qu'il déchira brusquement.

Plusieurs jets de vapeur jaillirent dans tous les sens, et les petites lumières rondes qui étaient allumées le long de la jambe du robot s'éteignirent.

– Il... il est cloué sur place, marmonna Caleb, dont l'attention était absorbée par la scène.

En effet, le robot était dans l'incapacité de bouger sa jambe gauche, qui avait visiblement été désactivée par l'attaque du démon. Sa proie maintenant affaiblie et nettement moins dangereuse, Naveed put facilement lui escalader le dos, avant de plaquer ses mains rougeoyantes autour de la petite tête à l'œil unique du colosse. Ce dernier tenta de se débattre avec son seul bras restant, mais sa conception l'empêchait d'atteindre sa propre tête.

En utilisant ses jambes pour exercer une forte poussée, Naveed disloqua la tête mécanique du gardien dans des éclats d'étincelles et de flammèches. Celle-ci fut ensuite entièrement arrachée, traînant derrière elle une bonne trentaine de câbles qui pendouillaient et dégoulinaient d'huile, avant d'être vulgairement balancée au sol.

Quelques derniers jets de vapeur furent propulsés des joints de la machine de guerre, qui cessa de bouger. Ses moteurs s'éteignirent, ainsi que toutes les petites lumières qui recouvraient sa carapace blanche. Naveed bondit au sol et, comme si de rien n'était, marcha en direction de Victor et de Caleb. Les quelques curieux qui avaient été attirés par les prouesses du démon prirent aussitôt leurs jambes à leur cou.

Les pas du démon laissèrent des traces brûlées dans le sol, rougeoyantes et fumantes. Ce dernier s'arrêta en face du pianiste et du demi-gobelin, qui furent incapable de dire quoi que ce soit. Victor s'écarta de son meilleur ami, car ses membres commençaient à devenir ankylosés, à cause de leur position.

— Aidez-moi, les gars, balbutia Manuel d'une petite voix. Je ne veux pas être coincé sur ce fou !

Ni Victor ni Caleb ne répondirent aux plaintes du crâne.

— Avez-vous tué Laévarden Dermasiz ? leur demanda Naveed, à peine essoufflé.

— Non, lui répondit Caleb, qui prit un certain temps avant de détacher son regard du robot et d'observer son interlocuteur. Je n'ai pas réussi à l'abattre. Je l'ai atteint au bras, mais il s'est sauvé. Écoutez, les gars, ajouta le demi-gobelin en observant les alentours, il vaudrait peut-être mieux filer d'ici et… quitter cette ville.

— Nous ne pouvons pas vraiment, dit Victor, qui avait de la peine à se tenir debout.

Les mains et les pieds de Naveed avaient perdu leur couleur rougeoyante, indiquant que leur température devait être revenue à la normale.

— Écoute, mon vieux, continua Caleb, je sais que coincer ce type te tient à cœur, mais nous nous sommes vraiment enfoncés profondément dans les problèmes, et je crois que nous devrions...

Avant même que le demi-gobelin ait pu finir sa phrase, Victor l'interrompit :

— C'est lui, la Liche. C'est Laévarden !

Caleb et Naveed échangèrent un regard, avant que le démon demande au jeune homme :

— Tu es sûr, Victor Pelham ?

— Plus que certain. Il l'a avoué lui-même.

— Alors là, ça change tout, dit Caleb, qui se massait la mâchoire. Tant qu'à être enfoncés dans la merde jusqu'au cou avec les autorités marocaines, autant faire en sorte que ça vaille le coup : tuons ce fou.

— Non, non ! lâcha Manuel, hystérique. Ne restons pas ici ! Foutons le camp ! J'en ai ma claque d'être mêlé à vos histoires débiles !

— Pourquoi il est là, lui, d'ailleurs ? demanda Caleb en désignant le crâne du menton.

— Udelaraï me l'a confié, répondit Naveed. Il dit que le crâne pourra nous aider.

— Je ne vous aiderai même pas, de toute manière ! rétorqua Manuel. Alors, vous pouvez vous foutre vos demandes d'aide dans le c...

Victor fut soudain traversé par une vague d'étourdissement, ce qui lui fit presque perdre l'équilibre. Évidemment, Caleb le rattrapa aussitôt, avant de lui repasser son bras par-dessus la nuque.

— Toi, tu es vraiment mal en point, commenta le demi-gobelin avec inquiétude.

— C'est mon langage ordurier qui te brûle les oreilles ? ricana Manuel.

— Assez ! lui grogna aussitôt le démon perse. Ne dis plus un mot, sinon je te ferai très mal.

Comme par magie, le crâne se tut. Ayant bien remarqué le comportement du pianiste, Naveed fronça ses muscles sourciliers.

— Tu es blessé, n'est-ce pas ?

— Oui, répondit Victor, qui ne voyait aucune raison de faire semblant de bien aller. Je suis... assez mal en point...

— La Liche lui a tiré dans l'épaule, expliqua Caleb d'un air grave. Il a perdu beaucoup de sang. Nous ne devons pas traîner.

Le démon observa les alentours, comme s'il cherchait quelque chose, avant de ramener son attention vers les deux jeunes hommes.

— Ne restons pas ici. Les forces de l'ordre seront sur place d'un instant à l'autre. Je sais où Laévarden Dermasiz vit, c'est près d'ici. Je vais ramener Pelham à la machine volante de vos amis, déclara-t-il de sa voix caverneuse. Nous n'aurons qu'à monter sur le toit d'une bâtisse et à allumer ceci.

Naveed sortit de l'une des bourses qui pendaient à son harnais un petit objet cylindrique que Victor reconnut comme étant une fusée éclairante.

— Je partirai ensuite aux trousses de la Liche, continua Naveed. Sans vous.

— Si nous utilisons cette fusée, dit Victor, qui s'était mis à faire des liens dans sa tête, alors toutes les autorités sauront où nous trouver..., ce qui veut dire que nous risquons d'être forcés d'abandonner la chasse à la Liche et de quitter le pays... tout en te laissant derrière ?

Le démon garda le silence.

— Même si tu restes, Naveed, comment comptes-tu nous ramener le fragment ? continua Victor, presque énervé. Tu es tout aussi recherché que nous ! Et puis, je devrai aussi mettre le corps de Laévarden en stase et, sans vouloir t'offenser, je ne peux pas te laisser le métronome.

— Victor, écoute, dit Caleb, qui voulait visiblement calmer le jeu, tu dois penser à ta santé et...

— Non ! l'interrompit Victor dans un déni total. Je ne veux pas, un point c'est tout.

Caleb s'apprêtait à répondre, mais soudain, ils entendirent les moteurs d'un appareil volant. C'est alors que l'un des gyrocoptères des forces de l'ordre passa au-dessus d'eux, éclairant les rues de ses phares, qui passèrent sur la carcasse du robot. Sans prendre la peine de le lui demander, Naveed agrippa Victor par le col de sa chemise et le balança sur son dos, avant de le retenir de sa main gauche.

Le jeune homme détestait l'idée de se faire traîner et supporter ainsi. Il se sentait comme un fardeau et en avait presque honte. Cependant, il n'avait pas vraiment d'autre choix.

– Tu peux courir ? demanda le démon à l'intention du demi-gobelin.

– Ouais, confirma Caleb, malgré son air épuisé.

– La machine volante de vos amis se trouve plus au sud, à l'opposé de l'atelier de Laévarden Dermasiz.

– Allons directement chez Dermasiz, intervint Victor.

– Tu veux rire ? lui répondit le demi-gobelin. Tu as tellement perdu de sang que tu es presque aussi blême que moi. Naveed et moi allons nous occuper de Laévarden. Ne me regarde pas comme ça, Victor ! Il te faut sérieusement de l'aide médicale, et...

– Caleb, l'interrompit le pianiste d'une voix calme. S'il te plaît. Je suis un grand garçon. Je peux prendre mes propres décisions. Lorsque nous utiliserons cette fusée éclairante pour appeler nos amis, ce sera parce que nous en aurons fini avec Dermasiz.

– Ouais, c'est un grand garçon, le petit Victor ! lança Manuel avec un rictus désagréable. Il peut faire pipi tout seul, maintenant ! Alors, laisse-le prendre ses décisions !

– Plus un mot, sinon je te tue, l'avertit Naveed d'un air totalement calme et sérieux.

– Tu ne peux pas me tuer ! rétorqua le crâne d'un ton défiant. Udelaraï dit que vous avez besoin de moi. Gna gna !

– Je n'ai pas besoin de toi, lui dit le démon cornu. Si tu parles encore, je fais fondre la carcasse de ton crâne.

Encore une fois, Manuel n'ajouta absolument rien.

– Naveed, reprit Victor, allons-y.

À la suite des paroles du pianiste, le démon perse s'élança dans la direction opposée à la carcasse du gardien de marque six, dévalant les rues de Casablanca à toute vitesse, tout en retenant d'un seul bras Victor, blessé, contre son dos. Caleb suivait de très près, même si son visage affichait une expression d'effort considérable.

Victor savait très bien qu'il aurait dû simplement retourner au gyrocoptère de ses amis, qui auraient pu le conduire dans une clinique d'une autre ville ou quelque chose du genre. Néanmoins, il aurait été incapable de laisser ses amis terminer son travail à sa place. Car après tout, Laévarden avait bien raison : c'était en partie sa faute si lui et les siens se trouvaient actuellement dans ce pétrin.

Au moment où ils arrivaient dans une rue considérablement bondée, Naveed coupa dans une ruelle. De nombreux obstacles s'y trouvaient, comme des barils, des caisses et même un muret, mais le démon les enjamba sans aucune difficulté, comme si le poids de Victor ne l'affectait même pas.

Le bras droit du jeune homme était parcouru d'élancements de douleur en provenance de son épaule blessée, qui commençait à lui faire de plus en plus mal. Il était persuadé que la balle était toujours dans son bras, et c'était probablement ce qui aggravait la douleur. Le pianiste espérait du fond du cœur que la douleur ne progresserait pas, sinon cela voulait dire qu'il devrait être ramené au gyrocoptère de ses amis.

Naveed et Caleb coururent ainsi pendant quelques minutes, sans que Victor ait la moindre idée d'où le démon les menait. Le jeune homme aurait bien voulu en savoir davantage, mais son esprit était constamment accaparé par la douleur grandissante à son épaule droite. Au bout de quelques longues minutes, le pianiste n'en pouvait plus.

— Naveed… Naveed ! lui dit Victor d'une voix coupée par la douleur. Arrête, s'il te plaît, arrête-toi.

Le démon s'arrêta quelques secondes plus tard, au coin d'une allée sombre au bout de laquelle se trouvait une taverne bondée, depuis laquelle ils pouvaient entendre rires et musique arabe. Une fois descendu du dos du démon, Victor s'adossa au mur d'une bâtisse avant de se laisser tomber en position assise, le visage marqué par une grimace de douleur.

— Je t'avais dit qu'il fallait te ramener à nos amis ! lui envoya Caleb, qui avait l'air hors de lui, la main plaquée sur le front. Qu'est-ce qui te prend, merde ?

Victor garda le silence, se contentant d'ajuster sa posture en grimaçant à cause de la souffrance. Caleb s'accroupit alors devant son ami, donnant l'impression d'avoir oublié sa colère.

— Laisse-moi voir, lui dit-il.

Le front ruisselant de sueur, Victor laissa Caleb s'approcher de sa blessure afin qu'il puisse l'observer. Ce dernier agrandit le trou causé par la balle dans les vêtements de Victor, pour mieux voir. Avec peu — ou pas — de délicatesse, le demi-gobelin manipula le bras de Victor, trop au goût de celui-ci.

— Caleb, fais attention ! grogna-t-il à travers ses dents serrées.

Le demi-gobelin lui lâcha alors le bras, l'air d'en être venu à une conclusion.

— La balle s'y trouve toujours. Il faudra te l'extraire. Et comme tu peux voir, je ne possède ni matériel médical ni gants stérilisés.

Victor appuya la tête contre la bâtisse, avant de fermer les yeux.

— Il faut que tu retournes auprès des autres et que tu te fasses soigner ! lui envoya Caleb avec insistance. Combien de fois faut-il te le dire ?

— Je sais, je sais ! rétorqua le pianiste, qui avait rouvert les yeux, l'air frustré. Laisse-moi réfléchir, deux secondes !

Naveed, qui était resté à l'écart depuis un moment, vint se planter devant Caleb et Victor, son ombre les recouvrant tous les deux. Ses yeux aux pupilles spiralées s'étaient attardés sur le demi-gobelin.

— Nous sommes près de l'atelier de Laévarden Dermasiz, dit-il de sa voix caverneuse. Nous ne devrions pas attendre.

— Tu veux bien attendre un instant ? lui renvoya Victor, irrité. J'essaie de réfléchir !

Alors que Caleb semblait un peu choqué que Victor ait parlé ainsi au démon perse, ce dernier n'avait pourtant eu aucune réaction.

— Ne nous fais pas perdre notre temps, Victor Pelham, lui renvoya-t-il simplement. Nous n'en avons pas beaucoup.

Le jeune homme resta silencieux et referma les yeux.

Il pensait avoir une idée. Il avait déjà été blessé par balle, auparavant, lorsqu'il n'était qu'un jeune adolescent, et, étrangement, son grand-père avait miraculeusement atténué sa douleur. Pourquoi ne pourrait-il pas en faire de même ?

Le pianiste devait à tout prix stabiliser son état, sinon ses amis seraient forcés d'utiliser la fusée éclairante pour appeler leur gyroptère, et ça, Victor s'y refusait. Il s'efforça alors d'oublier la douleur constante qui lui traversait l'épaule et de faire le vide dans sa tête. Il s'imagina son propre corps.

— Qu'est-ce que tu fais ? lui demanda Caleb d'une voix impatiente, mais curieuse.

— J'essaie de me sauver la vie, répondit Victor d'un air absent.

Lorsqu'il rouvrit les yeux, Victor ouvrit la paume de sa main droite, qui était posée au sol. Soudain, un corps humain miniature apparut juste au-dessus de la bague, tournoyant dans le vide. Seulement, le corps était dépourvu de peau, seuls ses muscles, ses os et ses veines étaient visibles.

À la vue de l'hologramme qui venait d'apparaître au-dessus de la main de Victor, Naveed eut un mouvement de recul.

— C'est vraiment bizarre que tu puisses faire ça, tu sais ? commenta Caleb, qui était toujours accroupi, le haut de son corps faiblement illuminé par la lueur de la projection.

Victor ne répondit pas, se concentrant plutôt sur la partie du corps qui l'intéressait : son épaule. L'image du corps tournoyant fut alors prise de distorsions, avant d'être remplacée par une vue rapprochée du muscle de son épaule droite. Victor pouvait y voir sa propre blessure et la balle qui était enfoncée de plusieurs centimètres dans sa chair déchirée.

— Tu as un couteau ? demanda Victor à Caleb avant d'étouffer un grognement de douleur.

— Juste deux épées sur trois, répondit le demi-gobelin en tapotant les pommeaux de ses armes. L'autre, je l'ai laissée dans cette rue où Laévarden t'a tiré dessus.

Victor dirigea son regard vers Naveed. Ce dernier dégaina alors une lame d'un étui dissimulé sous l'une des bourses qui étaient accrochées à son harnais. Le démon la fit tourner dans sa main avant de la tendre au jeune homme par le manche. Le pianiste prit l'arme blanche de sa main gauche. C'était une lame en silex rudimentaire, mais très coupante, qui avait très probablement été façonnée par son propriétaire. Victor tendit alors la lame à Caleb.

— Sors la balle, lui ordonna-t-il simplement.

Caleb sembla frappé par la surprise, comme s'il avait reçu un seau d'eau froide sur le visage.

— Tu es malade ? Ce couteau doit être infecté de sang et de toutes sortes de fluides différents ! Sans vouloir t'offenser, ajouta-t-il à l'intention de Naveed. Non mais, Victor, tu es fou ? Ça infecterait ton bras et cela pourrait te tuer !

Après un long soupir, Victor répondit :

— Je suis immunisé contre les maladies, Caleb. À moins bien sûr que mon immunité soit détruite à cause de ma vulnérabilité soudaine à la radioactivité. Dans tous les cas, ça ne change pas grand-chose. Ce n'est pas comme si j'étais en parfaite santé.

Caleb parut incapable de répondre.

— Nous n'avons pas beaucoup de temps, lui dit Victor en agitant le couteau vers son meilleur ami. Alors, tu prends cette lame et tu retires la balle que j'ai dans le bras, car la souffrance devient de plus en plus intolérable. Tu veux m'aider ou pas ?

Sans dire quoi que ce soit, le demi-gobelin saisit la lame de la main de son ami.

— Tu n'as qu'à te fier à la représentation de mon épaule qui flotte dans ma main, lui suggéra Victor.

— Non, vraiment ? répondit sarcastiquement Caleb, de mauvaise humeur. Saleté de conneries de…

Tout en marmonnant des jurons dont la moitié était inaudible, le demi-gobelin s'approcha de l'épaule du pianiste. Puis, après avoir pris une bonne inspiration, il glissa la lame dans la blessure de Victor, qui étouffa un cri de douleur. Le jeune homme pouvait sentir la pointe du couteau lui gratter la chair et les nerfs, qui lui envoyaient des décharges de douleur.

— Dépêche-toi ! lâcha Victor, qui grinçait des dents, essayant tant bien que mal de supporter l'intense douleur.

— Arrête de gesticuler ! lui renvoya Caleb. J'essaie de bien me centrer par rapport à ton hologramme !

Durant de pénibles et interminables secondes, Victor tenta de contrôler ses convulsions de douleur et de rester cloué au sol tout en étouffant ses propres grognements de douleur du mieux qu'il le pouvait. Les larmes coulaient le long de ses joues, pendant que le demi-gobelin lui jouait toujours dans l'épaule avec cette maudite lame…

— Ça y est ! lâcha finalement Caleb en portant ses doigts vers la plaie du jeune homme. Je l'ai… je l'ai ! C'est bon. Regarde.

Entre son pouce et son index gantés et recouverts de sang, le demi-gobelin tenait la balle qu'il avait extraite de l'épaule du pianiste.

— Ça te fera un souvenir, dit Caleb en déposant la balle dans la main gauche de Victor.

Ce dernier l'observa avec peu d'intérêt, avant de faire disparaître la représentation de son épaule qui avait, jusqu'à maintenant, flotté au-dessus de sa main. D'un geste nonchalant, Victor lança la balle dans la rue qui longeait la bâtisse contre laquelle il était assis.

— Nous devons y aller, dit Naveed. Nous n'avons plus de temps. Tout porte à croire que Laévarden Dermasiz va s'enfuir dans la machine qu'il garde chez lui.

— Il… il a une machine ? répéta Caleb d'un air inquiet. Tu veux dire un véhicule ou un moyen de transport ?

Naveed confirma d'un hochement de tête.

— Quel genre de véhicule ? continua le demi-gobelin, qui s'était redressé.

– Je ne sais pas, répondit le démon aux cheveux blancs et aux quatre cornes. Je ne connais pas votre technologie. C'est une machine qui vole. Nous devons nous dépêcher. Maintenant.

Caleb et Naveed échangèrent d'autres répliques, mais Victor n'écoutait plus. Il était toujours assis, adossé contre la bâtisse, les yeux fermés. Il devait faire ce que son grand-père avait fait pour lui par deux fois : se soigner à l'aide de la technologie des bagues mayas.

Il se laissa donc sombrer, ses sourcils légèrement froncés par la concentration. Quelques images de Maeva et de Clémentine lui traversèrent momentanément l'esprit, mais il parvint finalement à chasser tout ce qui n'avait pas rapport avec la situation immédiate. Maintenant que la balle avait été extraite de son épaule, la douleur était nettement moins grave. Cependant, il n'était pas sorti des problèmes ; sa cheville gauche était probablement foulée et son corps avait été vidé d'une bonne quantité de sang.

Ne sachant pas trop comment s'y prendre, Victor décida d'opérer par logique. Il approcha donc la main droite de sa cheville gauche en y allant avec douceur et précaution, étant donné l'état de son bras. Au contact de sa main droite sur sa jambe faible, il sentit alors que celle-ci s'engourdissait de plus en plus.

Curieux et intrigué par cette sensation, le jeune homme garda la main sur sa cheville, tout en s'efforçant de canaliser ses pensées sur sa jambe. C'est alors que quelque chose apparut dans sa tête ; il s'agissait de vaisseaux sanguins et de globules qui circulaient dans des conduits rougeâtres, avant qu'il en aperçoive d'autres, verdâtres tirant sur le mauve, qui se joignaient à sa composition sanguine. À peine le pianiste s'était-il interrogé à leur sujet que leur composition chimique fut décryptée, comme si elle avait été tout droit sortie d'une banque de données. Il s'agissait de globules qui avaient muté à cause des radiations et qui se répandaient de plus en plus à travers son corps.

Le plus étrange pour Victor était que même s'il avait les yeux fermés, plongé dans sa propre tête, il pouvait voir ces images avec une clarté déconcertante. Même si sa curiosité naturelle le poussait à tenter d'en savoir plus au sujet de ce qui circulait dans son corps, le jeune homme s'attarda uniquement sur sa jambe affaiblie. Allait-il finalement découvrir ce qui causait son handicap depuis toujours ? Le simple fait de s'accorder cette pensée lui emballa le cœur.

Une image tournante de sa jambe apparut soudain dans sa tête, montrant toutes ses composantes, y compris ses muscles et ses vaisseaux sanguins. C'est alors que quelque chose d'anormal lui sauta aux yeux : comparativement au reste de ses veines, celles qui traversaient sa jambe gauche étaient plus pâles et légèrement illuminées. Une fraction de seconde après que Victor se fut interrogé à leur sujet, les projections mentales provoquées par la bague qu'il portait au doigt lui montrèrent avec de longues descriptions que les veines de sa jambe faible agissaient depuis toujours comme un filtre de la radioactivité. En contrepartie, cette purification du système par ces veines particulières ankylosait les nerfs et muscles de la jambe, rendant celle-ci peu fonctionnelle et beaucoup plus sensible.

Seulement, depuis peu, les veines de la jambe gauche de Victor avaient cessé de purifier son système des radiations terrestres… à cause d'une particule dorée qui flottait devant les yeux du jeune homme. Celle-ci portait un nom indéchiffrable, écrit dans un dialecte maya, mais son nom se traduisit aussitôt dans un français parfaitement lisible :

Élément de stase

Puis, un écran noir recouvrit tout ce que Victor avait vu dans sa tête. Son esprit était dérangé par une multitude de questions, qui s'empilaient les unes sur les autres. Qu'est-ce que cela signifiait ? Qu'est-ce que l'élément de stase avait à voir avec sa propre résistance physique ? Victor aurait bien voulu accorder plus de temps à sa curiosité, mais dans l'immédiat, il avait autre chose à faire.

Maîtrisant entièrement sa curiosité et ses sentiments d'excitation, d'envie et d'espoir, Victor fit le point sur la partie inférieure de sa jambe. Une image mentale de son pied apparut alors, montrant ses muscles ainsi que toutes ses terminaisons nerveuses. Sans grande surprise, Victor vit que les muscles de sa cheville étaient enflés, bien rougis et tendus.

Il fallait qu'il trouve un moyen d'apaiser sa souffrance, pour au moins lui permettre de marcher. C'est alors qu'il vit les muscles de sa cheville dégonfler légèrement, perdant en même temps de leur rougeur. Au même moment, Victor sentit son ventre et ses poumons se contracter, et une forte pression fut exercée sur son doigt, celui qui portait la bague. Une intense douleur parcourut ensuite son bras droit, ramenant l'image de celui-ci à son esprit.

Victor voulut crier de douleur, mais aucun son ne sortit de sa bouche. Tout à coup, la douleur disparut entièrement, laissant place à un simple engourdissement.

Le pianiste fut alors brusquement ramené à lui. Le demi-gobelin était penché sur lui, ses yeux scrutant son visage avec inquiétude.

— Victor ! Victor, mon vieux, ça va ?

Le jeune homme observa son meilleur ami d'un air absent pendant un court instant, avant de se redresser le dos et de jeter quelques regards aux alentours. Victor était parfaitement lucide et, aussi incroyable que cela lui semblât, il ne ressentait plus aucune douleur, à part sa jambe normalement affaiblie. Même s'il ignorait comment... il avait réussi.

— Je vais bien, dit-il finalement à l'intention de son meilleur ami.

Sans plus de difficulté qu'auparavant, Victor se redressa sur ses pieds. Naveed et Caleb reculèrent tous deux d'un pas, observant Victor avec une incompréhension totale.

— Assez perdu de temps, dit-il. Naveed, tu peux me porter jusque chez Laévarden ?

Après un bref moment, le démon cornu aux cheveux blancs hocha la tête.

Chapitre 17

La rencontre avec l'ingénieur

— Attends, attends..., tu... tu te sens bien ? lui renvoya Caleb, grimaçant d'incompréhension. Tu veux dire que... tu t'es soigné en quelques secondes ?

— Comment ça, en quelques secondes ? répéta Victor. Ça a pris cinq minutes, je dirais...

Caleb détacha son regard incrédule du jeune homme avant de croiser celui de Naveed. Le démon lui-même semblait trouver les propos du pianiste peu crédibles.

— Nous avons parlé du véhicule que Laévarden possède chez lui et... tu t'es mis à crier. Puis, tu t'es relevé, comme si de rien n'était.

Victor ne sut quoi répondre. Il était pourtant persuadé d'avoir passé un bon moment à utiliser la technologie des bagues mayas pour analyser son corps. Tout cela avait-il réellement été l'affaire de quelques secondes, et non de minutes ?

— Caleb, lui dit finalement le jeune homme, nous en reparlerons plus tard.

— Ton épaule est guérie ? lui demanda le demi-gobelin d'un ton pressé.

— Non, mais elle ne me fait plus mal. Naveed, on y va ?

Ce dernier le hissa sur ses épaules, avant de reprendre sa route à travers les allées de Casablanca. Se faisant le plus discret possible, le petit groupe avançait rapidement, mais avec précaution. En effet, ils croisèrent quelques patrouilles de gardes armés de leurs lances pneumatiques et de leurs boucliers rétractables. C'est avec difficulté que Victor, Naveed et Caleb purent passer inaperçus, bougeant rapidement d'une zone d'ombre à l'autre.

– Vous ne m'avez même pas dit comment vous vous êtes retrouvés ici, leur murmura le pianiste pendant qu'ils traversaient une ruelle.

– Lorsque tu es tombé de votre machine volante, expliqua Naveed à voix basse, Caleb a demandé à être déposé au sol pour pouvoir partir à ta recherche.

– Il a voulu me suivre, reprit Caleb en désignant Naveed d'un coup d'œil, mais le gyrocoptère a dû reprendre de l'altitude à cause d'un vaisseau des forces de l'ordre, qui était sorti de nulle part. Puisque tu es là, Naveed, je dois conclure que tu as sauté de l'appareil un peu plus loin ?

Le démon cornu répondit d'un simple grognement. Victor, lui, était déjà bien ankylosé par le fait d'être accroché au cou du démon. Si bien qu'à un moment, il décida de marcher. Certes, il suivait ses amis d'un pas rapide et titubant, mais au moins, il ne se sentait plus comme un fardeau inutile.

À mesure que le groupe progressait vers l'atelier de la Liche, le ciel commençait à s'éclaircir, et ses étoiles disparaissaient de plus en plus. En mettant les pieds au coin d'une rue, Victor vit tout de suite que c'était celle qui abritait la demeure, ou plutôt l'atelier de Laévarden. En effet, l'une des bâtisses sortait très visiblement du lot.

C'était une bâtisse haute et crochue, qui avait probablement été belle autrefois, avant d'être ainsi recouvertes de plaques de tôle, de câblage et de fils. Une tourelle pointue et recouverte de tôle se trouvait tout en haut de la bâtisse, accessible grâce à un escalier en colimaçon. La tourelle avait visiblement été construite récemment, car elle était faite de toutes sortes de matériaux comme des planches de bois, de tôle et de ferraille rouillée. Sur le toit en pointe de la tourelle se trouvait une énorme antenne dirigée vers le ciel. La plupart des fenêtres de l'étrange demeure étaient illuminées, constituant de petits carrés de lumière jaune. Flottant près de la tourelle de la demeure se trouvait un dirigeable de petite taille, amarré à une plateforme.

D'une démarche claudicante, le jeune homme fit quelques pas vers un poteau planté à l'intersection de la rue. Dessus, il put lire :

Rue Massavah

Même s'il n'avait pas vraiment de doutes, il s'agissait bel et bien du nom de la rue de Laévarden Dermasiz, comme Victor l'avait découvert sur l'une des cartes mères qu'il avait décryptées dans leur appareil volant, lorsqu'ils étaient en route pour Casablanca. Soudain, quelqu'un agrippa Victor par l'épaule et le tira d'un trait en arrière, avant qu'une main gantée se plaque sur sa bouche et le traîne de force jusque dans une ruelle avoisinante.

Affolé, le jeune homme se débattait sans cesse, donnant des coups de coude dans tous les sens. Il chercha alors à dégainer son glaive, mais une autre main lui agrippa le bras.

— Arrête de te débattre ! lui chuchota Caleb à l'oreille. C'est moi, mon vieux !

À cet instant, le demi-gobelin lâcha son meilleur ami, qui se retourna brusquement avant de l'observer dans un mélange de frustration, de colère et d'incompréhension. Juste derrière le demi-gobelin se trouvait Naveed, qui observait par-dessus leur tête en direction de la rue de Laévarden.

— Il y a une patrouille ! lui chuchota Caleb.

Quelques instants plus tard, une patrouille de gardes des forces de l'ordre composée de deux gobelins, d'un graboglin et de deux humains passa devant la ruelle. Fort heureusement, aucun d'eux ne se donna la peine de jeter un coup d'œil vers l'allée juste à leur droite, où se trouvaient Victor, Caleb et Naveed. Une fois la patrouille passée, le pianiste se glissa discrètement au coin de la bâtisse avant de jeter un coup d'œil en direction du petit groupe de gardes, qui marchaient vers l'atelier de Laévarden.

— C'est quand même dur à croire, lâcha l'un d'eux. Pourquoi se seraient-ils débarrassés de leur propre machine de guerre, hein ?

Les cinq individus s'arrêtèrent à une dizaine de mètres de la maison de Dermasiz. Un humain et un gobelin s'assirent sur un banc ancré au trottoir, tandis que le graboglin buvait de grandes gorgées d'eau à sa gourde. Victor reconnut le grabgolin comme étant celui qu'il avait sauvé des mains de la machine de guerre, un peu plus tôt.

— Une pause ne nous fera pas de mal, soupira l'humain, qui s'était assis et se massait maintenant une cheville. Mes pieds me font souffrir…, tu parles d'une nuit…

— Ça n'a pas de sens, dit le gobelin assis sur le banc, ses petites jambes pendant dans le vide. Je ne comprends vraiment rien à tout ça, moi…

— Je crois que ces pauvres types n'avaient rien à voir avec tout ça, dit le graboglin.

— On s'en fiche, rétorqua l'autre gobelin, qui était debout et tenait une lance pneumatique qui faisait presque trois fois sa taille. Et puis, tu n'es pas payé pour te poser des questions.

— Il marque un point, ajouta l'humain assis sur le banc.

— Tu n'as pas eu à affronter ce robot monstrueux et à voir tes camarades se faire piétiner, à ce que je sache ! s'emporta le graboglin.

— Akoum, laisse tomber, tu veux ? lâcha l'autre humain qui, lui, se tenait debout. Contentons-nous de monter la garde dans cette rue.

— J'aurais dû être renvoyé chez moi, soupira le graboglin en passant sa main sur son gros visage verdâtre. Après ce qui s'est passé…

— Toutes les unités ont été déployées, cette nuit, lui renvoya le gobelin appuyé sur sa lance, juste à côté de lui. En plus du festival, nous avons des fugitifs à capturer, un tireur à coincer et un vaisseau non identifié à abattre. Tu n'es pas blessé, alors fais ton boulot et arrête de te plaindre.

Les hommes des forces de l'ordre se mirent ensuite à discuter des derniers résultats sportifs, avant de reprendre leur route.

— La voie est libre, murmura Victor en jetant un regard par-dessus son épaule à l'intention de ses deux camarades. Allons-y.

Le dos voûté, en file indienne, les trois camarades marchèrent rapidement en direction de l'atelier de Dermasiz. Une fois arrivé sur le seuil de la porte, Victor s'immobilisa. Le démon voulut prendre les devants et ouvrir la porte, mais le pianiste lui fit un signe de la main lui indiquant de ne pas bouger. Le jeune homme, qui analysait maintenant les alentours, était persuadé que quelque chose ne tournait pas rond. Comment se faisait-il qu'ils n'aient pas été confrontés à un système de défense quelconque ?

— Je n'arrive pas à croire que ces bouffons ne se doutent pas une seconde de l'implication de Laévarden, dit Caleb à voix basse. Non mais, merde, regardez un peu sa maison ! Il est clair que ce fou y est pour quelque chose ! N'importe quel imbécile verrait bien que…

— Tais-toi, l'interrompit Victor, qui inspectait la porte d'entrée.

Celle-ci n'avait rien d'extraordinaire ; elle était faite d'un bois foncé et usé. Pourtant, Victor était persuadé qu'un piège les attendait. Il s'efforça donc de bien analyser la porte de bois qui se trouvait devant lui. Sa poignée était ronde et son métal, très oxydé, indiquant une usure normale, tandis que la serrure de la porte était traditionnelle. Après avoir vérifié et vérifié encore, Victor ne trouva rien. Il s'était réellement attendu à ce qu'un quelconque gadget éclate dès leur arrivée, ou encore une sorte d'alarme… n'importe quoi digne d'un « ingénieur dément qui n'aime pas les gens ».

— Qu'est-ce que tu fais ? lui chuchota Caleb, qui semblait trouver bizarre le comportement de son meilleur ami.

Victor observa les alentours avec la plus grande attention, mais rien ne lui sautait à l'œil. Il fallait croire que la porte principale de la demeure de la Liche était dépourvue de tout piège.

— C'est trop facile, marmonna le jeune homme, qui s'adressa ensuite à ses deux amis. Peut-être devrions-nous trouver une autre entrée ?

— Ce n'est pas comme si nous avions toute la journée, alors ouvre cette foutue porte ! lui répondit Caleb d'un chuchotement sec.

En effet, le demi-gobelin avait raison sur ce point. Après une bonne inspiration, le jeune homme mit la main droite sur la poignée de la porte et la tourna doucement.

— Ce n'est même pas verrouillé ! chuchota Victor à ses deux complices. Ce n'est vraiment pas normal !

Le jeune homme poussa la porte, qui s'ouvrit dans un grincement de gonds. Un long couloir mal éclairé et poussiéreux s'étendait devant eux. Les murs étaient recouverts d'une tapisserie hideuse et à moitié décollée, et le plancher de bois était blanchi par la saleté. De vieilles lampes étaient accrochées au mur, mais une seule fonctionnait, son ampoule bourdonnant faiblement.

Les trois camarades pénétrèrent quand même dans la maison, refermant la porte sur leurs talons. Ils restèrent silencieux, à l'affût du moindre bruit. Ils n'entendirent rien du tout. À peine Victor avait-il fait un pas que le plancher de bois se mit à grincer lourdement sous son poids. N'importe qui dans la maison aurait remarqué leur présence, et puisque la plupart des fenêtres étaient illuminées depuis l'extérieur, il était très probable qu'ils aient été entendus. Par-dessus son épaule, le jeune homme envoya un regard désolé à ses amis.

— Inutile d'être silencieux, maintenant, dit Caleb d'une voix normale tout en affichant un sourire mesquin.

Étant donné que le corridor était plutôt étroit, les trois camarades se suivirent, Victor en tête, ensuite Caleb et, finalement, Naveed. La lueur vacillante de la seule et unique lampe qui fonctionnait projetait les ombres élancées de Victor et de ses amis d'une manière un peu sinistre.

— Tu sais que dans une autre situation, envoya le demi-gobelin à l'intention du rahk d'un air taquin, j'aurais été pétrifié de me retrouver dans un couloir sinistre avec un démon cornu derrière moi ?

Naveed ne répondit rien, et Victor s'arrêta pour envoyer un regard lourd de reproches à son meilleur ami.

— Quoi ? renvoya ce dernier d'un air irresponsable.

Une porte fermée se trouvait à gauche du jeune homme. Curieux, Victor l'ouvrit. Une salle à manger spacieuse se dévoila alors à eux. Elle était impeccablement rangée, comme si personne ne l'avait utilisée. Cependant, une épaisse couche de poussière gisait sur le plancher et le mobilier. Même le chandelier fixé au-dessus de la table était recouvert de lourdes toiles d'araignée, qui pendaient sous le poids de la poussière. Au bord de la fenêtre se trouvait une lampe allumée, liée à un câble qui montait le mur jusqu'à l'étage supérieur. Voilà donc pourquoi la demeure de Laévarden paraissait illuminée depuis l'extérieur ; des lampes étaient allumées dans ce seul but. Visiblement, il n'y avait absolument rien à voir dans cette pièce.

Ne prenant pas la peine de refermer la porte, Victor continua d'avancer dans le corridor. Une seconde porte se trouvait à sa droite. Celle-ci débouchait sur une chambre à coucher poussiéreuse et infectée par une intense odeur de moisissure. Mis à part un lit bien fait – qui n'avait apparemment pas été touché depuis des années –, un petit bureau et une chaise ainsi qu'une lampe allumée au pied de la fenêtre, il n'y avait aucun mobilier.

– C'est dégueulasse, lâcha Caleb, qui se bouchait le nez. Oh, c'est infect !

Refermant la porte derrière lui, Victor reprit son chemin dans le couloir, qui tirait bientôt à sa fin. Pendant que ses deux camarades et lui avançaient sur le plancher grinçant du corridor, ils entendirent une voix sinistre s'élever derrière eux :

– Ooouh ! Je suis… l'esprit maléfique qui rôde dans ces lieux… Donnez-moi… votre argent et vous aurez la vie sauve !

Victor et Caleb se retournèrent vers Naveed, plus précisément vers le crâne qu'il tenait à la taille.

– Quoi ? lâcha Manuel comme si de rien n'était. Faut bien s'amuser, pas vrai, les gars ?

N'ajoutant rien aux bouffonneries du crâne, les camarades reprirent leur traversée du corridor. Une autre porte se trouvait à leur gauche, et celle-ci débouchait sur un garde-robe qui n'avait pas dû être utilisé depuis bien des années, tandis qu'une autre porte se trouvait à droite, juste un peu plus loin.

Lorsqu'il l'ouvrit, Victor s'aperçut qu'il s'agissait d'un atelier. Ce dernier, qui était bien éclairé de lanternes et d'ampoules, regorgeait de matériel en tout genre : outils, ordinateurs, pièces de carrosserie, armes démantelées en petites pièces et tout un tas de gadgets dont même Victor n'aurait pu deviner l'utilité. Il remarqua aussi plusieurs composantes communément utilisées pour la conception de bombes. Considérant les dernières créations de l'ingénieur, Victor ne trouva pas cela très étonnant. Une grande double porte en bois se trouvait sur un mur, tout au fond, donnant visiblement accès à l'extérieur. Ce devait être par là que le gardien de marque six avait quitté son atelier. La pièce ressemblait fortement à l'état de son propre atelier, lorsque Balter vivait encore à sa maison.

— Tiens, tiens, lâcha Caleb en balayant l'endroit du regard. Pas si désert que ça, finalement !

Tout au centre de l'atelier se trouvait un escalier en colimaçon qui menait à un étage supérieur, que Caleb venait d'approcher.

L'attention de Victor s'attarda alors sur une table au fond de l'atelier. S'en approchant, le pianiste remarqua que des membres de robot démantelés comme des bras, des jambes, des torses et des têtes faites de matériel de mauvaise qualité y étaient étendus. Au plafond, juste au-dessus de la table, se trouvait une batterie électrique ainsi que plusieurs câbles, servant probablement à envoyer une décharge électrique dans les robots afin de les activer.

— Allons voir en haut, dit Caleb, une main sur la rampe et un pied sur une marche.

— Attendez, dit Victor en levant une main de robot qu'il porta sous ses yeux. Regardez ça.

Le demi-gobelin retira son pied de la marche de l'escalier et marcha jusqu'au jeune homme, avant d'attarder son regard froncé sur la table.

— Ces robots venaient donc de Casablanca, dit le demi-gobelin en donnant un petit coup sur l'un des câbles qui pendaient du plafond. Pas étonnant, finalement.

D'un geste nonchalant, le pianiste laissa tomber la main de robot sur la table avant de jeter un coup d'œil à un ordinateur qui se trouvait juste à sa droite. Il y vit son visage ainsi que ceux de Pakarel et de Caleb, de même que leur localisation exacte sur une carte mondiale. Tout ce qui les concernait de près ou de loin était décrit : leur emploi, leurs collègues, le nom de leurs proches ainsi que l'heure à laquelle ils quittaient généralement leur domicile, le matin. Étrangement, seuls le jeune homme et ses deux grands amis étaient apparemment suivis sur ce moniteur.

— Caleb, lui dit Victor sans détourner le regard. Viens ici.

En continuant de lire les données qui défilaient à l'écran, le jeune homme comprit qu'ils étaient suivis non pas par un robot miniature ou un traceur quelconque, mais bien par leur simple signature thermique. Le fait que Laévarden avait été en mesure de créer et d'utiliser une telle technologie était stupéfiant. Ils n'avaient pas affaire à un amateur, bien au contraire.

Lorsque son meilleur ami arriva finalement à ses côtés, le pianiste lui fit signe du menton de regarder l'écran.

— C'est nous, lui marmonna-t-il. C'est ainsi qu'il nous suivait. Ce type savait absolument tout sur nous. Tout. Il savait que toi et Pakarel m'accompagneriez, peu importe où j'irais.

Caleb, qui avait l'air sincèrement irrité, ne répondit rien et continua de lire les données qui apparaissaient sur l'écran. Lorsqu'il détacha son regard jaunâtre de l'écran, il se contenta de passer la main sur son visage découragé.

— C'est probablement comme ça qu'il a trouvé Nika et Nathan, lança-t-il en soupirant. Ce n'est pas croyable. Comment est-il parvenu à trouver notre signature thermique, de toute manière ?

Le jeune homme ne sut quoi répondre ; au fond de lui, il était convaincu qu'ils ne le sauraient très probablement jamais.

— Allons à l'étage, dit Naveed d'un air froid. Maintenant.

Après quelques secondes, le jeune homme et le demi-gobelin s'éloignèrent finalement de l'ordinateur afin de rejoindre le démon. Suivant Caleb, Victor monta l'escalier tout en s'aidant de la rampe et en grimpant les marches une à une. Évidemment, le demi-gobelin l'avait bien devancé, mais le pianiste ne voulait absolument pas risquer de forcer sur sa jambe, déjà qu'il avait bien négligé sa propre santé. Naveed était tout juste derrière, montant au rythme du jeune homme.

Lorsque Victor arriva à quelques marches de l'étage supérieur, il vit que Caleb se tenait dos à eux, immobile. Ce dernier observait quelque chose, mais depuis sa position, le pianiste ne voyait pas ce dont il s'agissait. Victor et Naveed le rejoignirent, chacun d'eux se rangeant de chaque côté du demi-gobelin. Ils avaient abouti dans une pièce spacieuse et relativement vide, dans laquelle se trouvait une double porte ouverte qui menait à un balcon. D'ailleurs, un grand courant d'air circulait dans la pièce très faiblement éclairée par les premières lueurs du jour. Droit devant Victor, il y avait un lit simple et défait ainsi qu'une pile de livres sur laquelle se trouvait une chandelle allumée.

Seulement… un détail sauta aux yeux de Victor : un énorme pantin était adossé au mur, près du lit, à peine éclairé par la lueur de la chandelle. Fait de tissu en patchwork, le pantin était relativement large et gonflé, donnant l'impression d'être très rembourré. Il possédait une paire de courtes jambes ainsi que de petits bras mécaniques, entièrement faits de fer. Sa tête était directement incrustée dans son corps et inclinée vers l'avant.

— Mais… qu'est-ce que c'est que ça ? demanda Victor.

C'est alors que la tête se releva vers les trois camarades, qui eurent un mouvement de recul, mis à part Naveed. Deux yeux vitreux, jaunâtres et illuminés apparurent sur le visage du pantin, et une énorme bouche cicatrisée de coutures croisées s'ouvrit. Dans un mouvement de mâchoire très simple et qui ne suivait aucunement ses mots, l'être croassa de sa voix artificielle et sans intonation :

— Bonjour. Vous venez voir mon ami ?

À la suite de ses paroles, l'être de patchwork fit bouger ses bras dans un bourdonnement mécanique, avant de faire de même pour ses jambes. Il s'avança de deux pas, le dos voûté et d'une démarche presque difficile, et se planta devant les trois camarades. La créature semblait bien avoir du mal à se mouvoir, comme si ses petites jambes ne pouvaient supporter son corps gonflé.

Caleb envoya un bref regard incertain à Victor, qui observait toujours le pantin rondelet. Ce dernier leva la main droite, pliant ses quatre doigts mécaniques avant de la rabaisser. Visiblement, il s'agissait d'une machine, plus précisément d'un robot, déguisé en pantin.

– Comprenez-vous ma langue ? demanda-t-il.

Cette fois, Victor répondit :

– Oui, nous te comprenons.

Depuis le harnais de Naveed, Manuel lâcha d'un chuchotement peu subtil :

– Première règle, on ne négocie pas avec l'ennemi !

À la suite du commentaire du crâne, le pantin inclina la tête vers la droite, donnant l'air d'être amusé par ce dernier, ou peut-être simplement de le trouver curieux. Il ramena cependant son attention vers Victor et ses deux camarades.

– Venez-vous voir mon ami ? redemanda-t-il de sa voix monotone et artificielle.

– Oui, répondit le pianiste, qui ne voyait pas l'intérêt de mentir à une machine. Nous venons voir Laévarden Dermasiz. Est-il ici ?

– Mon ami est ici, confirma le pantin en hochant la tête. À l'étage. Dans la tourelle. Vous devrez passer par le balcon derrière vous pour l'atteindre, ajouta-t-il en pointant l'endroit de son bras mécanique.

Victor, Caleb et Naveed suivirent la direction pointée par le bras du pantin et jetèrent un coup d'œil vers le balcon, avant de ramener leur attention vers lui.

– Un escalier monte à son bureau, continua-t-il. Il vous attend. Il ne partira pas sans vous avoir parlé.

– Que veux-tu dire ? l'interrogea Caleb d'un air confus. Dermasiz nous attend ?

– Mon ami vous attend, répéta le robot. Il ne partira pas sans vous avoir parlé.

Après quelques secondes de pause, Victor demanda à la créature :

— Vas-tu tenter de nous empêcher de voir ton… ami ?

— Non, répondit-il en hochant la tête de gauche à droite, dans un bourdonnement métallique. Je ne vous veux aucun mal. Je ne suis pas programmé pour le combat.

Naveed s'avança alors en démontrant un langage corporel hostile ; ses poings fermés commençaient à virer au rouge. Victor intervint, lui agrippant doucement l'avant-bras.

— Naveed, ce robot n'est pas dangereux.

Les mains du démon perse perdirent leur couleur rougeoyante. Naveed recula ensuite, avant de se retourner et de se diriger vers le balcon.

— Attends ! lui lança Caleb, qui le rattrapa d'un pas rapide. Naveed, tu veux bien attendre ?

Le démon se retourna brusquement vers le demi-gobelin avant de l'observer de son regard spiralé et intimidant.

— Nous n'avons pas de temps à perdre, lui rappela-t-il d'un ton froid.

— Naveed, s'il te plaît, intervint Victor, peux-tu me donner une minute ?

Le démon ne répondit pas, mais resta immobile, ce qui constituait une réponse en soi. Le jeune homme s'approcha alors du pantin, qui les observait toujours de sa tête légèrement inclinée, comme s'il les trouvait particulièrement curieux.

— Excuse-moi, lui demanda Victor d'un air intrigué, est-ce… est-ce que tu peux me dire pourquoi ton… ton ami nous attend ?

— Mon ami vous attend parce qu'il a beaucoup de choses à vous raconter. Allez rejoindre mon ami avant que les forces de l'ordre arrivent.

Ne sachant pas quoi répondre, le pianiste se mordit la lèvre inférieure, tout en cherchant une question à poser. Cependant, Caleb l'interpella :

— Victor…

— J'arrive, renvoya-t-il à son ami sans se retourner. Merci pour les renseignements, robot.

Laissant le pantin mécanique, Victor se dirigea vers Caleb et Naveed, qui mettaient déjà les pieds sur le balcon. Une fois qu'il y fut arrivé à son tour, le pianiste y découvrit une vue splendide sur la ville de Casablanca, même s'il dut lever la main pour masquer le soleil matinal qui lui éblouissait les yeux. Il pouvait voir de nombreuses rues, qui sillonnaient autour des hautes bâtisses de la ville que les rayons du soleil levant faisaient luire.

Caleb fit signe à Victor de le suivre vers une sorte de passerelle artisanale, qui avait été installée de l'autre côté de la balustrade, à sa gauche. Celle-ci menait assurément à la tourelle qu'ils avaient vue depuis la rue. Naveed venait déjà d'enjamber la balustrade et se trouvait sur la passerelle.

Avant de suivre ses camarades, Victor lança un dernier regard vers le pantin mécanique, qui était retourné s'installer près du lit de son maître. Pour une raison qui lui échappait, le pianiste ressentait une sorte de sympathie envers le robot, car quelque chose lui disait que cette créature était liée à Laévarden, un peu comme D-rxt était lié à lui.

Victor s'approcha alors de la balustrade, qu'il enjamba avec lenteur et précaution, avant de poser les pieds sur la passerelle. Celle-ci consistait en une série de plaques de fer soutenues par une structure métallique, qui avait été soudée à même le mur du bâtiment. Naveed était déjà bien avancé sur la passerelle et venait de tourner au coin de la bâtisse, quittant ainsi le champ de vision du jeune homme.

— Fais attention, l'avertit Caleb en tendant le bras vers lui. Ce n'est pas très stable… et pas très sécuritaire.

En effet, un simple coup d'œil à ses pieds apprit au jeune homme qu'un faux pas l'enverrait sur le pavé de la rue, plusieurs étages plus bas. Une petite vague de vertige traversa la poitrine du pianiste, qui ravala difficilement le peu de salive qui lui restait, car il était déjà bien assoiffé. Étrangement, le simple fait d'avaler lui contracta l'estomac, lui rappelant ainsi combien il était affamé.

La main gauche posée contre le mur extérieur de la bâtisse, Victor traversa la passerelle avec une grande précaution. Celle-ci tremblotait à chacun des pas du jeune homme et du demi-gobelin.

— Tu sais à quoi je pense ? lui demanda alors Caleb, brisant le silence qui s'était installé.

Victor lui répondit d'un grognement interrogatif pendant qu'il avançait toujours sur la passerelle.

— Une pièce de viande de surlonge juteuse et bien rosée, continua le demi-gobelin. Arrosée d'une petite sauce crémeuse à la moutarde très, très légère. Avec des frites. Beaucoup de frites.

— Ahhh, tais-toi avec tes fantasmes de nourriture ! lui renvoya Victor, qui souriait. Je meurs de faim. Je mangerais même du serpent, comme Pakarel m'avait fait manger, lorsque nous étions au Belize.

Le demi-gobelin venait d'arriver au pied de l'escalier en colimaçon qui menait au sommet de la tourelle. Naveed s'y trouvait déjà et attendait patiemment.

— Lorsque nous retournerons à la maison, je te ferai goûter ! continua Caleb, qui s'était retourné vers Victor. C'est la spécialité de la cuisinière de mon pub. Tu aimes la viande, j'espère ?

— J'adore, répondit Victor, qui était arrivé au bout de la passerelle et s'apprêtait à mettre le pied sur la première marche de l'escalier en colimaçon.

— Vous parliez de nourriture ? leur demanda Naveed, une fois que le jeune homme et le demi-gobelin furent arrivés à côté de lui.

— Pourquoi pas ? répondit Victor en souriant. Tu aimes la viande, Naveed ?

— Pas vraiment, répondit-il d'un air désintéressé avant de se mettre à monter l'escalier.

— Moi aussi, j'ai faim ! commenta Manuel depuis le harnais du démon. Hé ! les gars, on devrait se faire une bonne petite bouffe, ça vous tente ?

— La ferme, Manuel, lui envoya Caleb.

Puisqu'il n'y avait pas de rampe à l'escalier et que ce dernier était encore plus dangereux que la passerelle qu'ils venaient de traverser, Victor monta l'escalier une marche à la fois tout en s'efforçant de bien garder son équilibre et de ne pas accorder un seul regard à la rue, en bas. Cela s'avéra plus difficile que prévu, puisque les yeux de Victor semblaient être attirés vers le sol comme des aimants.

— Espérons qu'aucun garde de cette ville ne se donne la peine de lever les yeux en l'air, commenta le demi-gobelin en ricanant.

— Que… quoi ? lâcha Victor, qui avait combattu tant bien que mal son désir malsain de regarder plus bas. Il y a des agents des forces de l'ordre en bas ?

— Juste là, répondit-il en tendant le bras vers un immeuble d'appartements, plus loin. Tu vois, sous les toiles orangées qui recouvrent la ruelle entre les deux bâtisses ?

Victor suivit du regard la direction pointée par son meilleur ami. Sous les énormes paravents qui couvraient une allée à quelques rues de là, il pouvait voir une patrouille de cinq ou six individus. Une sensation de vertige envahit soudain la poitrine et la gorge du pianiste.

— Ça va ? lui demanda Caleb, qui avait bien remarqué le haut-le-cœur que son meilleur ami venait d'avoir.

— Continue d'avancer, lui répondit Victor d'une voix difficile, tout en tentant de se reprendre.

Les trois camarades montèrent l'escalier qui tournait tout autour de la structure avant de déboucher sur la plateforme à laquelle le dirigeable était amarré. C'était un appareil relativement âgé, fait d'une coque de bois qui ressemblait à celle d'un bateau et surmonté d'un vieux ballon. De longs câbles rouges étaient reliés aux moteurs de l'appareil et serpentaient sur la plateforme jusqu'à entrer à l'intérieur de la tourelle par un portail grand ouvert. Laévarden devait être en train de charger les batteries de son engin volant. Quelques caisses, mallettes et sacs de voyage étaient déposés près du dirigeable.

— Quelqu'un s'apprête vraiment à partir, commenta Caleb en observant ce dernier.

La toile usée du ballon ovale du dirigeable était recouverte de patchworks, indiquant qu'elle avait été rafistolée bien des fois. Sans vraiment l'analyser, Victor déduisit tout de suite, en raison de la taille de ses réacteurs arrière, qu'il s'agissait là d'un véhicule très rapide et qui ne pouvait pas supporter une très grande capacité. Pas plus d'une douzaine d'individus pouvait monter à bord de ce petit dirigeable.

Sans accorder plus d'attention à l'appareil volant, le trio se dirigea vers l'entrée. Le rythme cardiaque du jeune homme s'accéléra lorsque ses camarades et lui pénétrèrent dans la tourelle. L'intérieur de celle-ci se résumait à une seule pièce, qui était dans un désordre total ; le plancher était recouvert d'ouvrages et de livres, tandis qu'une étagère entrouverte se trouvait à leur droite, juste à côté d'un tableau sur lequel étaient griffonnées des tonnes de formules incompréhensibles. Les câbles qui serpentaient au sol se rendaient jusqu'à une génératrice qui se trouvait à gauche, sur laquelle se trouvaient plusieurs lumières qui s'allumaient et s'éteignaient par intermittence. Tout au centre de la pièce se trouvait un bureau en bois, sur lequel étaient déposés un encrier et une plume, ainsi que de nombreux rouleaux de parchemin.

— Vous voilà enfin, déclara la voix de Laévarden.

Le squelette métallique traversa la pièce d'un pas décidé, sans même leur accorder un regard, tenant de son seul bras valide une valise de cuir.

— Je croyais que vous vous étiez perdus en chemin, ajouta la Liche d'un air insignifiant tout en continuant de vaquer à ses occupations. Peu importe, ajouta-t-il en retirant quelques flacons d'une étagère avant de les glisser dans sa valise.

— C'est toi, la dernière Liche ? demanda Naveed d'une voix ténébreuse.

Le métacurseur, qui s'était apprêté à récupérer un livre sur son étagère, s'immobilisa, avant d'observer le démon de son visage squelettique.

— Tiens, tiens, dit-il, vous n'êtes peut-être pas aussi futé que vous en avez l'air !

D'une humeur tout à fait neutre, Naveed avança vers Laévarden avant de lui envoyer un solide coup de pied à l'abdomen. Le métacurseur lâcha sa mallette sous l'impact avant de percuter son bureau, auquel il se retint de son unique bras. La main droite de Naveed avait viré au rouge, indiquant que sa température corporelle venait de grimper.

— Si vous m'attaquez à nouveau, lui envoya Dermasiz d'un air frustré, alors vous aurez un grave problème.

— Quel problème ? demanda Victor, un peu alarmé.

— Cela ne m'intéresse pas, répondit le démon en saisissant Laévarden à la nuque avec sa main rouge de chaleur.

Victor entendit le sifflement causé par l'intense chaleur en contact avec la carcasse métallique du métacurseur. Quelques câbles de la nuque déjà blessée de Dermasiz se mirent à éclater sous la chaleur, et plusieurs jets de fumée montèrent au plafond.

— Vous êtes un fou, lui renvoya Laévarden. Ce que vous vous apprêtez à faire coûtera la vie de bien des gens !

— Lâche-le ! intervint Victor en tentant de bousculer le démon perse. Lâche-le, Naveed !

Même si l'intervention physique du jeune homme ne l'avait pas fait bouger d'un centimètre, le démon orangé laissa tomber Laévarden à ses pieds. Naveed se retourna ensuite vers Victor, qu'il observa d'un regard empreint de colère.

— Ah, allez ! intervint Manuel, désappointé par la tournure des événements. Pourquoi tu n'en finis pas avec lui ?

— Je ne te comprends pas, Victor Pelham, lui dit le démon, qui gardait tout de même son calme. Je croyais que nous étions ici pour rassembler les fragments et reconstruire ta machine. Je croyais que tu voulais détruire cette malédiction. M'as-tu menti, humain ?

Caleb regardait tour à tour le démon orangé et le pianiste.

— Non, lui répondit Victor, qui soutint le regard spiralé du démon. Je vais purifier l'écosystème, Naveed. Crois-moi.

Tournant la tête vers Laévarden, Victor continua :

— Je veux simplement entendre ce que ce fou voulait tant nous faire savoir. Alors, Laévarden, pourquoi avoir attendu notre arrivée ? Pourquoi êtes-vous toujours ici ?

— Le robot à l'étage inférieur nous a fait savoir que vous aviez des choses à nous raconter, ajouta Caleb. Je vous suggère de faire vite.

Laévarden récupéra la mallette qui se trouvait au sol et ramassa les quelques flasques et flacons vides qui s'étaient répandus sur le sol.

— Si vous me tuez, dit le métacurseur, vous signez l'arrêt de mort de tous les êtres vivants à 150 kilomètres à la ronde. Ah, vous semblez choqué, Pelham ! Évidemment que vous l'êtes. Vous pensiez venir ici, me tuer et récupérer mon fragment avant de retourner poursuivre la quête de la destruction de votre propre vie ?

— La quête de la destruction de ma propre vie ? répéta Victor, incrédule. Mais de quoi diable parlez-vous ?

Laévarden posa la mallette sur le bureau qui se trouvait derrière lui avant de continuer :

— Vous êtes tellement insatisfait de ce que vous possédez que vous cherchez toujours à tenter d'améliorer le sort des autres autour de vous, et ce, par pur égoïsme. Oh oui, Pelham ! ajouta-t-il lorsque Victor fronça les sourcils. Vous agissez ainsi pour vous sentir mieux. Car votre vie ne vous satisfait pas. Pas même votre compagne, ni votre petite sœur, ni vos soi-disant amis. Au fond de vous, vous êtes seul et misérable.

Le pianiste resta sans voix. Se faire décrire ainsi le choqua, mais étrangement, il ne trouvait pas la force de le contredire… Peut-être Dermasiz avait-il raison sur un point ou deux.

— Il est déplorable que vous tentiez de trouver un sens à votre vie en fourrant le nez dans ce qui ne vous regarde pas, continua le métacurseur.

Caleb étouffa alors un rire.

— Vous avez vraiment un problème d'ordre social, fit-il savoir au métacurseur. Allez, revenons à nos moutons. Sérieusement, vous feriez un horrible psychologue. Pourquoi vous tuer signerait-il l'arrêt de mort de tous ces gens ?

— Parce qu'il a une bombe dans le corps, marmonna Victor, toujours à moitié perdu dans ses pensées. J'ai vu les composantes, dans son atelier. C'est probablement pour cette raison qu'il n'est pas encore parti. Parce qu'il vient de la créer. S'il explose, toutes les radiations de son corps se répandront dans l'atmosphère... Ce sera...

Le pianiste ne termina pas sa phrase, il hocha simplement la tête de gauche à droite. S'il advenait que Laévarden se fasse exploser... les conséquences seraient horribles.

— Tout juste, Pelham ! répondit Dermasiz. Je dois avouer que ça n'a pas été facile de concevoir une bombe aussi rapidement, surtout avec un seul bras.

En effet, sur l'abdomen du squelette métallique se trouvait maintenant un objet rectangulaire muni d'un cadran à aiguilles. De nombreux fils étaient connectés directement dans le corps de Laévarden. Ce dernier ajouta alors :

— Si mes organes vitaux cessent de fonctionner, ou même si ma tête est séparée de mon corps, alors le compte à rebours s'activera. Il ne peut être désactivé que par ma volonté, puisque cette bombe est connectée à mon système nerveux. Vous aurez neuf secondes pour... vous trouver un coin où vous allonger et fermer vos yeux.

— Tu ne mérites pas de vivre, dit Naveed à l'intention du métacurseur. Tu te caches derrière les gens de cette cité. Tu es faible.

— Faudra retravailler tes insultes, marmonna Manuel d'une petite voix à l'intention du démon. Ce n'est pas très...

— Je n'ai rien à faire de votre opinion ! renvoya Laévarden au démon, interrompant au passage le crâne, que personne n'écoutait.

— Vous êtes malade ? lâcha Caleb à voix basse, l'air outré. Vous voulez vous faire sauter et tuer tous ces gens ?

— Bien sûr que non, répondit Laévarden en continuant de ramasser ses affaires un peu partout dans son bureau. Enfin, si j'y suis forcé, qu'il en soit ainsi, je n'ai aucune sympathie pour cette ville. En fait, je n'ai aucune envie de mourir. Cette bombe est plutôt là pour me garantir une porte de sortie. Voyez-vous, je devais charger les batteries de mon dirigeable et il me fallait gagner du temps, car vous étiez à mes trousses. La bombe est la seule solution qui s'est présentée à moi dans l'immédiat. Ah, j'oubliais. Je vous félicite d'avoir détruit mon gardien de marque six. Près de cinq ans de travaux jetés aux poubelles. Bravo, vraiment.

Victor observa alors son meilleur ami, qui lui renvoya un regard incertain. Il était clair qu'il ne savait pas quoi faire, ni comment réagir. Quant à Naveed, il observait autour de lui, grinçant des dents, l'air irrité.

– Alors, vous me laissez partir ? leur demanda Dermasiz en fermant les panneaux de son armoire. De cette façon, Pelham, vous et vous amis éviterez une catastrophe monumentale. À moins bien sûr que vous vouliez condamner bien des gens ainsi que vous-même ? Vous ne pouvez pas gagner, Pelham.

Le pianiste se mit à balayer la pièce du regard et, lorsque ses yeux s'arrêtèrent sur le crâne qui était accroché au harnais du démon, il eut une idée.

Chapitre 18

La fin d'un cauchemar... et le début d'un autre

Dans les jours qui avaient précédé, Victor et les siens avaient parcouru le monde, cette fois-ci dans une quête périlleuse pour sauver la population mondiale d'une catastrophe. Ils avaient encore une fois affronté des dangers incroyables et avaient même failli y laisser leur peau à plusieurs reprises. Ils avaient été blessés aussi bien physiquement que moralement, et leurs amitiés avaient été testées jusqu'au plus haut point. Victor et ses amis avaient même été accusés de terrorisme par les médias de Casablanca, ce qui voulait dire que leur vie allait forcément changer. Pire, le pianiste était même devenu vulnérable aux conditions terrestres, ce qui lui mettait un compte à rebours au-dessus de la tête avant que les radiations viennent à bout de son corps.

Ils se trouvaient finalement devant la toute dernière Liche... et celle-ci leur demandait simplement de la laisser filer comme si de rien n'était. Laévarden allait leur échapper, alors qu'ils avaient tout donné pour le coincer. Néanmoins, Victor avait d'autres plans.

Le jeune homme tourna ses yeux verts à la rencontre de ceux du démon aux quatre cornes. Puis, il lui dit d'un ton des plus calme :

– Naveed, arrache-lui la tête. Mais prends ton temps, d'accord ?

– Que... quoi ? lâcha Laévarden, plus qu'étonné, et qui eut ensuite un brusque mouvement de recul.

Sous le regard interrogateur de Caleb, Naveed avança vers le métacurseur, qu'il souleva du sol en le tenant par la nuque de sa main droite. Les jambes du squelette battaient dans le vide, pendant qu'il essayait de se défaire de l'étreinte du démon du seul bras qu'il lui restait. La main droite du démon se mit à prendre une couleur plus vive, virant de plus en plus au rouge luminescent.

– Est-ce que tu viens de signer notre arrêt de mort, Victor ? lui demanda Manuel d'un ton tout à fait normal. Parce que…, si c'est le cas…, je tiens à te dire que j'aurais aimé te casser la figure et te tuer trois fois de suite pour ce que tu viens de faire.

– Vous… vous êtes malade, Pelham ! s'affola Laévarden Dermasiz, dont la nuque s'était mise à fumer sous la chaleur de la main du démon. Vous allez condamner toute une ville… tout un pays, même plus ! Vous serez pointé du doigt pour cet attentat ! Les gens demanderont justice ! Votre famille et vos amis seront mis sur un bûcher par votre faute !

– Victor, qu'est-ce que tu fais ? lui demanda Caleb, dont la voix indiquait qu'il commençait à être sérieusement inquiet.

Le jeune homme ne répondit rien, ni à son meilleur ami, ni aux plaintes du métacurseur qui allait se faire décapiter. Non, Victor se dirigea plutôt vers Naveed et décrocha Manuel de son harnais.

– Tu peux essayer de me balancer par la fenêtre ? lui demanda gentiment le crâne. Au moins, je pourrai peut-être survivre à l'explosion et aux radiations.

À mesure que les câbles de la nuque de Laévarden se sectionnaient un à un sous l'effet de la chaleur causée par la main du démon, la Liche criait de rage.

– Je vous maudis, Pelham ! lança Dermasiz. J'espère que votre famille souffrira pour ce que vous avez fait !

Seulement, Victor n'écoutait pas les plaintes de Laévarden. Il leva Manuel à la hauteur de son visage.

– Écoute, lui dit-il d'un ton amical et presque implorant. Tu te souviens de la promesse que je t'ai faite ? Celle de prendre Carmen dans mon institut ? Si nous mourons, je ne pourrai jamais offrir une meilleure vie à Carmen. Aide-moi une dernière fois, Manuel, et je veillerai à ce que Carmen ait toute l'éducation et le soutien dont elle a besoin pour construire sa vie.

– Tu viens de signer notre arrêt de mort, sac de viande, lui rétorqua Manuel d'un air calme. Comment veux-tu que nous survivions, hein ?

Ils entendirent alors un bruit de dislocation métallique. La tête de Dermasiz venait de tomber au sol, et son corps s'écroula lui aussi, sans vie. Les aiguilles du cadran se mirent à bouger, avançant d'un cran chaque seconde dans un tic tac angoissant. La Liche lâcha alors d'une voix désespérée :

— Pauvres fous… Qu'avez-vous fait…

— Tu voulais un autre corps, non ? Alors…, prends celui-là, dit Victor en désignant le corps de Laévarden à Manuel, d'un hochement de tête. Tu n'auras qu'à ordonner à ton système nerveux de désactiver la bombe, et le tour sera joué.

Le compte à rebours de la bombe continuait d'avancer. Bientôt, les neuf secondes seraient écoulées.

— Manuel, allez ! l'encouragea Caleb, qui semblait énervé. Aide-nous !

— Bon, d'accord ! répondit Manuel.

— Pelham ! s'écria Laévarden, impuissant. Je vous maudis ! Je vous maudis !

À toute vitesse, Victor se baissa près du corps de Laévarden, avant de placer Manuel sur le trou de sa nuque. Les câbles brûlés se levèrent alors comme des serpents animés, avant de se connecter au crâne du métacurseur.

— Oh ! oh ! oh ! lâcha Manuel d'un air excité. Comme c'est amusant ! J'ai un corps, maintenant. Je vais pouvoir vous arracher la tête un à un…

— Manuel ! s'écria Victor avec un regard implorant.

À cet instant, le décompte de la bombe s'arrêta, son aiguille fixée sur la dernière seconde du cadran.

— Je rigolais, dit Manuel d'un air amusé en se redressant en position assise grâce à son unique bras. Ha ! ha ! ha ! Vous auriez dû voir vos têtes…

Victor était resté au sol, incapable de dire quoi que ce soit, la mâchoire pendante tout en fixant le cadran situé sur l'abdomen du métacurseur. Caleb lâcha un grand soupir de soulagement mélangé à un grognement. Seul Naveed n'avait pas semblé réellement surpris par la tournure des événements. Se reprenant, Victor s'attarda alors à ce qui importait le plus dans l'immédiat : la bombe.

— Je vais jeter un coup d'œil à... à la bombe que tu portes à l'abdomen, dit-il à l'intention du métacurseur, le souffle coupé par l'émotion. Ne bouge pas...

Il s'approcha de Manuel et analysa la bombe et ses composantes. Puisqu'il ne s'y connaissait pas vraiment en engins explosifs, il utilisa son savoir d'apprenti ingénieur et de bricoleur pour tenter d'en comprendre le fonctionnement. Malheureusement, rien ne laissait croire que la bombe pouvait être désarmée, à moins bien sûr de l'ouvrir, ce que Victor n'était pas prêt à faire.

— Merde, lâcha-t-il en essuyant son front en sueur. Je ne sais pas quoi faire.

— Nathan pourra s'en occuper, dit Caleb. Il s'y connaît.

Manuel s'était apprêté à se redresser d'une manière assez brusque, mais Caleb intervint :

— Hé ! Fais attention, tu veux ? Tu portes une bombe, tu te souviens ? Alors, ne fais pas de gestes brusques !

Manuel ne répondit que par un rire dément avant de se redresser entièrement. Il leva ensuite son unique bras devant son visage, avant d'en faire bouger les doigts.

— Je m'ennuie déjà de mon corps, fit-il savoir d'un air nostalgique. Au moins, j'avais deux bras, dans le temps.

Le pianiste se redressa à son tour avant de s'avancer de sa démarche boiteuse jusqu'au crâne métallique qui gisait au sol. De toute sa stature, le jeune homme observa le crâne de Laévarden, qui était incliné vers lui, sur le côté. Victor pouvait sentir son corps s'engourdir de plus en plus et ses paupières s'alourdir, mais son esprit était tout à fait éveillé. Il ne lui restait plus qu'une chose à faire.

Caleb se rangea alors aux côtés de Victor, observant lui aussi le crâne qui gisait au sol. Derrière eux, Manuel essayait de soulever le bureau d'une posture un peu ridicule, mais malgré ses plaintes et ses grognements, il n'y parvint pas.

— Ton corps est aussi impuissant qu'une moule prépubère ! envoya-t-il à l'intention de Dermasiz tout en le pointant de son unique main. Merde, qu'est-ce que je vais faire avec un tel corps ?

— Finissez-en, Pelham, lui dit Dermasiz d'un ton abattu tout en l'observant des petits points rouges au fond de ses orbites sombres.

— Où se trouve le fragment qui vous a transformé ainsi ? lui demanda Victor.

— Vos efforts sont vains, jeune homme, lui répondit Laévarden après un soupir. Vous ne parviendrez pas à vos fins.

— Si vous ne voulez pas nous dire où se trouve le fragment, intervint Caleb, qui semblait manquer de patience, alors je m'en moque. Nous trouverons bien. Tiens, à l'intérieur de votre tête, peut-être ? Je suis sûr que Naveed se fera une joie de vous fendre le crâne en deux pour vérifier.

Dermasiz lâcha un grognement d'indifférence.

— Le fragment se trouve derrière ma tête, Pelham. Vous devrez ouvrir un compartiment avec un tournevis spécial que vous trouverez au fond de ma mallette.

— Pourquoi ne pas juste vous écrabouiller la tête, hein ? demanda Manuel. Ça marche avec la plupart des métacurseurs. Tu te souviens de Jorba, Victor ? Ha ! ha ! ha !

En effet, le jeune homme se souvenait très bien du métacurseur qui l'avait capturé à Alexandrie et qui avait ensuite tenté de le tuer, ainsi que Pakarel et Hector, le père de Manuel.

— Parce que si vous compressez mes organes vitaux d'une façon ou d'une autre, dit Dermasiz, vous libérerez toutes les radiations qui les enveniment. Et dans cette ville, ce serait un peu stupide. Alors que si vous utilisez le tournevis pour n'ouvrir qu'une partie de ma tête, vous allez pouvoir limiter les dégâts.

Ce que disait Laévarden était plausible aux oreilles du jeune homme. Lorsqu'il ouvrirait la tête de l'ingénieur, il allait devoir se dépêcher. Victor tendit alors le bras vers la mallette de cuir qui se trouvait au sol, et Caleb la lui donna aussitôt. Après l'avoir déposée sur le bureau, le jeune homme se mit à la fouiller de fond en comble, vidant son contenu au passage.

— Le gros méchant change de camp ? rigola Manuel, qui s'était accroupi auprès du crâne. On ne veut plus jouer les vilains ? Au moins, moi, je reste fidèle à mes convictions, même quand je n'ai plus de corps. Mauviette. Hé, Victor, je peux le tuer, cet emmerdeur ?

— Non, lui répondit simplement le pianiste, qui venait tout juste de mettre la main sur le tournevis, qu'il tira de la mallette avant de l'observer.

C'était un outil d'apparence relativement normale, sauf sa tête, qui représentait une demi-lune. À cet instant, les puissants rayons du soleil matinal atteignirent l'intérieur de la tour de la demeure de Dermasiz, la baignant ainsi de sa chaude lueur.

— En ouvrant le compartiment arrière de ma tête, continua Laévarden, vous trouverez le fragment planté dans mon cœur.

— Dans ton cœur ? répéta Naveed, confus. Tes propos sont insensés, créature ! Tu es une machine !

— Les organes vitaux des métacurseurs se trouvent dans leur tête, lui fit savoir Caleb. Les métacurseurs ne sont pas des machines…

Au lieu de répondre quoi que ce soit au demi-gobelin, Naveed s'adressa au jeune homme :

— Victor Pelham, dépêchons-nous.

Le pianiste se pencha alors vers le crâne, qu'il leva d'une main avant de le déposer sur le bureau, près de la mallette de cuir.

— Comment… est-ce que le fragment s'est retrouvé dans votre tête ? demanda Victor, poussé par sa curiosité.

— Je l'y ai placé volontairement, répondit Dermasiz. J'étais atteint d'un cancer généralisé et j'allais mourir. Le seul traitement possible était ce fragment, qui a la particularité surprenante de faire cesser toute dégénérescence biologique. J'ai choisi la vie à la mort, comme n'importe qui d'autre.

— Et comment vous êtes-vous retrouvé en possession du fragment ? demanda Victor.

— Pendant que je conduisais mes recherches en Sibérie, répondit Dermasiz d'un air abattu, où j'étudiais la présence de divers métaux dans le sol glacé et le sol marin, l'un de mes détecteurs s'est mis à réagir à une matière inconnue qui provenait de l'océan. À ma grande surprise, le métal en question était en constant mouvement. Mon cerveau scientifique étant intrigué, je me suis lancé à la poursuite de cette étrange anomalie. C'est ainsi que j'ai découvert le fragment, incrusté dans le corps d'un narval, que j'ai dû abattre afin de le récupérer.

— Et ce narval, demanda Caleb, était-il… différent ?

— Très, acquiesça Laévarden. Son corps s'était grandement modifié sous les effets du fragment et était devenu fortement radioactif. Par chance, ses émanations étaient minimes, et les dommages sur l'écosystème, négligeables. C'est par la suite, en étudiant son cadavre, que j'ai compris que cet animal était atteint d'une défaillance cardiaque qui aurait dû venir à bout de lui. Cependant, cela ne l'avait pas tué. Après plusieurs tests concluants, j'ai découvert que ce bout de métal annulait toute dégénérescence ou maladie. Étant moi-même condamné, j'ai tenté le tout pour le tout.

— Attendez une minute, continua Caleb, qui se massait le front dans une incompréhension assez visible, vous venez de parler d'émanations radioactives… cela veut dire que vous êtes vous-même irradié ?

— Certes, acquiesça Dermasiz, qui était toujours déposé sur la table, mais étant donné que je suis un métacurseur, ma carapace métallique renferme toutes les radiations émises par mes organes vitaux. Je n'ai donc jamais été un risque pour cette ville.

Voilà ce qui expliquait bien des choses, se dit Victor, très heureux de réaliser que Casablanca elle-même n'était pas infectée par la présence de l'ingénieur.

— C'est bien, tout ça, ajouta Manuel, qui s'était mis à faire les cent pas tout en faisant gesticuler son unique bras, mais moi, j'ai une bombe dans le corps et j'aimerais foutre le camp avant que nos copains armés des forces de l'ordre débarquent ici et me trouent de balles et qu'en même temps, j'explose et tue tous les gens de cette ville. Je possède le corps de cet abruti, ajouta-t-il en pointant l'autre crâne du doigt, n'oubliez pas ! Ils me prendront pour lui et n'hésiteront pas à me flinguer, dès qu'ils réaliseront que c'est lui qui s'est amusé à tuer les gens de cette ville. Et croyez-moi, ils l'ont certainement réalisé, s'ils ont porté un minimum d'attention au robot-machin qui détruisait la ville. Un plus un égale deux, hein !

Ce commentaire laissa un silence dans la pièce, et Victor et Caleb échangèrent un regard. Pour la première fois de sa vie, songea le jeune homme avec étonnement, il semblait que Manuel avait porté un jugement juste et tout à fait logique.

— Ce qu'il dit n'est… pas bête, admit Caleb après un certain temps. Nous devrions en effet… nous dépêcher.

— Allez, finissons-en, dit ensuite Laévarden d'un ton froid.

Même s'il était clair que le temps allait leur manquer, Victor n'arrivait pas à passer à l'étape suivante. Quelque chose le dérangeait fortement, comme s'il était persuadé que Laévarden ne lui avait pas dit tout ce qu'il savait.

— Pourquoi est-ce que vous avez décidé de coopérer, tout à coup ? demanda Victor, qui n'arrivait pas à suivre la logique de la Liche.

— Parce que je n'ai plus aucune chance de survie, Pelham, répondit Dermasiz. Pourquoi continuer à combattre lorsque nous avons perdu ? Je ne connais pas l'orgueil. Et en réalité, c'est aussi parce que j'ai pitié de vous.

— Pitié ? répéta Victor, interloqué.

— Votre quête est perdue d'avance, continua Laévarden. Elle n'a jamais été vouée à autre chose qu'à un échec colossal. Tous vos efforts ainsi que ceux de vos amis sont vains. Vous n'avez fait qu'égratigner la surface du problème, sans vous attaquer à son cœur.

Énervé, Naveed bouscula alors Victor, qui faillit perdre l'équilibre, puis agrippa le crâne de Dermasiz et le leva devant son visage furieux.

— Parle, démon ! Parle !

— C'est un peu ironique, marmonna Manuel d'une voix à demi éteinte, surtout venant d'un gros type orangé avec des cornes et des cheveux blancs. Mais bon…

Se faire bousculer ainsi par Naveed avait fortement refroidi Victor. Il le considérait comme un ami, mais peut-être avait-il eu tort. Il était maintenant évident que le démon orangé n'était poussé que par son désir d'en finir avec les Liches. Néanmoins, Victor savait très bien qu'il avait mis la patience de Naveed à l'épreuve, surtout au cours de la dernière journée.

La main du démon perse qui tenait le crâne se mit à virer au rouge, tandis qu'une fumée ocre et nauséabonde s'échappait du crâne de Laévarden.

— La seule Liche qui représentait un réel problème pour l'écosystème n'a jamais été abattue, répondit l'ingénieur métacurseur. Elle rôde toujours dans ce monde.

— De qui parles-tu, créature ? beugla Naveed, frustré. Parle !

Laévarden ne répondit pas, et son crâne continua à surchauffer sous l'intense chaleur causée par la main brûlante du démon perse. Voyant bien que Naveed allait finir par tuer Dermasiz, Victor intervint.

— Naveed, dépose-le ! lui envoya Victor, frustré par son comportement. Dépose-le ! Nous parviendrons à nos fins, continua-t-il en essayant d'adopter un ton plus posé et neutre, et pour ce faire, nous devons écouter ce qu'il a à nous dire ! Ne rends pas la tâche plus difficile qu'elle l'est déjà !

Sans prendre le moindre soin, Naveed posa rudement le crâne sur le bureau, avant de se tourner vers le jeune homme, qu'il observa d'un air mauvais. Sa poitrine se gonflait sous sa respiration accélérée par l'énervement.

— Oh ! oh ! lâcha Manuel avec un petit rire dément. À ta place, Victor, je n'aurais pas provoqué ce type. Moi, je crois que je vais m'en aller.

Manuel fit quelques pas vers le portail qui menait à la plateforme du dirigeable, mais Caleb l'arrêta en lui retenant l'épaule.

– Toi, tu ne vas nulle part.

– Tout doux, petit troll aux cheveux bleus, ricana Manuel. J'ai une bombe sur l'abdomen…

– Justement. Si tu veux t'en sortir, tu restes avec nous. Je n'ai pas l'intention de te laisser partir ainsi, qui sait ce que tu pourrais faire. Nathan est ta seule chance.

Quant à Victor, il soutenait en silence le regard verdâtre et spiralé du démon sans aucune difficulté.

– Je crois avoir été assez patient, Victor Pelham, laissa savoir Naveed entre ses dents serrées.

– J'ai besoin de toi pour souder la dernière pièce de la roue de l'engrenage manquante, lui fit savoir le pianiste d'un ton froid. Si tu veux sauver l'écosystème, tu vas devoir coopérer avec moi et me supporter jusqu'à ce que notre tâche soit accomplie. Parfois, il faut s'attarder à d'autres choses que notre petite personne, Naveed.

Après avoir envoyé cette remarque au démon, Victor la regretta aussitôt. Insulter ainsi Naveed n'était pas correct, car il savait bien que le démon perse avait fait de grands efforts pour se rendre jusqu'ici, avec eux. Il avait parlé avec frustration, ce qu'il n'aurait pas dû faire. Le jeune homme ouvrit la bouche pour s'excuser, mais le démon prit la parole.

– Très bien, Victor Pelham, lui dit-il avant de le pousser à l'épaule. Mais ne t'avise plus de m'insulter, sinon je te tue.

– Peu importe ce que tu feras avec ton métronome, Pelham, continua Laévarden, cela ne changera absolument rien. Tu parviendras à épargner quelques endroits sur Terre, mais au final, le pire reste invaincu.

– De quoi parles-tu ? lui demanda Caleb, qui semblait à la fois curieux et énervé. Arrête de tourner autour du pot et crache le morceau.

– De qui parlez-vous, Laévarden ? reprit Victor d'un ton calme.

– Je parle d'Abim-Kezad.

Cette révélation, aussi incroyable fût-elle, envoya tout de même un frisson glacé à travers la colonne vertébrale du jeune homme. Ce dernier voulut parler, mais sa bouche, qui était pourtant ouverte, ne produisait aucun son.

— Le mort-vivant que mon oncle gardait dans sa tour ? demanda Caleb à l'intention de Victor.

— C'est impossible, lâcha finalement le pianiste dans un certain déni. Je l'ai moi-même tué !

— Est-ce que son corps a été immolé, Pelham ? L'avez-vous vu prendre feu, mmmh ?

À bien y penser, Victor ne pouvait pas dire si c'était le cas ou non. Plongeant dans sa mémoire, le pianiste tenta de se rappeler ce qui s'était passé, lors de cette nuit hivernale à l'extérieur de Paris.

Il venait d'abattre Abim-Kezad à sa demande, en utilisant un pistolet, après que ce dernier lui eut offert le fragment. Après l'avoir abattu, Victor ne se souvenait pas d'avoir prêté attention à la dépouille du mort-vivant égyptien. En fait, il avait même volontairement évité de le faire, s'empressant de rejoindre le niveau supérieur de la tour de l'antiquaire. Puis, après avoir rencontré les automates, Victor se rappela avoir entendu une explosion, celle du carrosse que ses amis et lui avaient utilisé pour se rendre jusqu'à l'observatoire de l'antiquaire. Ensuite, Victor s'était précipité au rez-de-chaussée... sans non plus porter attention au corps d'Abim-Kezad. Comment ce dernier pouvait-il être encore en vie ? C'était impossible.

Victor revint à lui, dans le bureau de Laévarden Dermasiz, et Naveed, Manuel et Caleb l'observaient en donnant l'impression d'être en attente qu'il réagisse.

— Je... je ne peux pas dire si Abim-Kezad a pris feu ou non, balbutia-t-il finalement.

— Voilà, dit Laévarden. Abim-Kezad est bel et bien en vie, Pelham. Je sens sa présence, car nous sommes liés par le même sort.

— Il y aurait donc vraiment une autre Liche ? demanda Naveed, en colère, à l'intention du crâne de Laévarden. Réponds, créature !

Dermasiz ne répondit pas au démon perse, qui paraissait de plus en plus frustré.

— Pelham, finissez-en avec moi, lui demanda Laévarden. Je suis prêt.

— Comment est-ce que je peux vous croire ? lâcha Victor, à la fois confus et outré. Comment Abim aurait-il pu survivre sans son fragment ?

— Je ne sais pas, répondit l'ingénieur. Tout ce que je sais, c'est qu'il réside quelque part, dans ce monde, et que lorsque son corps s'éteindra pour de bon, une réelle catastrophe se produira.

— Quelle catastrophe, exactement ? lui demanda Caleb avec un certain énervement dans la voix.

— Une créature qui renferme une quantité de radioactivité assez grande pour dévaster un continent ne doit pas être prise à la légère, répondit Laévarden. Abim-Kezad retient volontairement ses émanations d'une façon que j'ignore, car aucune trace de radioactivité excessive n'a pu être détectée, là où il se trouve. Néanmoins, à sa mort, tout le poison qu'il contient se répandra dans l'air. Et un personnage aussi vieux que lui n'a probablement que cinq ou six années restantes avant de mourir de cause naturelle.

— Où se trouve-t-il ? enchaîna ensuite le demi-gobelin.

— Quelque part en Roumanie, répondit Dermasiz d'un ton désintéressé. Où exactement, je n'en ai aucune idée, par contre. Je comptais m'y rendre afin de le retrouver, car j'étais avide d'en apprendre plus au sujet de notre nature particulière... Moi aussi, j'aurais aimé vivre à tout jamais, comme lui.

Naveed se rua alors à l'extérieur, attirant ainsi l'attention de tous, avant de s'immobiliser au bord de la plateforme. Il recula de quelques pas, avant de se tourner vers Victor et les autres.

— Les hommes des forces de l'ordre arrivent, dit-il. Nous devons partir. Maintenant.

L'étourdissement de Victor venait inexplicablement d'augmenter d'un bon cran. De plus, son oreille droite s'était mise à siffler légèrement. Les symptômes des radiations terrestres revenaient en force... il allait devoir se dépêcher. Après s'être énergiquement passé la main droite sur le visage, dans le but de s'éveiller entièrement, Victor demanda à l'ingénieur :

— Pourquoi avoir fait tant d'effort pour nous nuire, à moi et à mes amis ? Pourquoi n'avez-vous pas simplement cherché à m'aider ? Peut-être aurions-nous pu coopérer, je ne sais pas…

— Coopérer ? Vous tuez ceux qui ont été infectés par les fragments, comment vouliez-vous que je réagisse, Pelham ? Je n'ai fait que tenter de sauver ma peau ! Lorsque j'ai senti qu'Abim-Kezad avait été éloigné de son fragment, je me suis attardé à vous espionner, vous et les vôtres, afin de comprendre la réelle motivation qui vous avait poussé à lui prendre son fragment.

— Victor Pelham, lui fit savoir Naveed, qui se trouvait juste au bord de la plateforme, la tête inclinée vers le bas, nous n'avons plus de temps. Ils pénètrent dans la demeure.

— Il a raison, ajouta Caleb, qui avait posé sa main sur l'épaule du jeune homme, emmenons-le, lui fit-il savoir en désignant Laévarden de la tête, et tentons de voir si nous pouvons utiliser son dirigeable. Nous devons vraiment partir, Victor.

— Je vais jeter un coup d'œil à l'état des batteries, leur envoya le jeune homme, qui se dirigeait déjà vers la génératrice. Vous, allez m'attendre à l'extérieur et voyez si vous pouvez préparer le dirigeable pour le faire décoller.

Caleb et Manuel sortirent de la pièce, laissant Victor seul avec le crâne qu'il tenait dans la main gauche. En observant la génératrice, le pianiste put voir sur l'un de ses écrans qu'elle envoyait du courant vers quatre batteries, qui étaient maintenant entièrement chargées. Satisfait, il pivota sur lui-même dans le but de rejoindre ses camarades. Seulement, son mouvement fut un peu trop brusque et causa une vague d'étourdissement particulièrement intense, si bien que le jeune homme s'effondra sur le coin du bureau. Le crâne et le tournevis, qu'il avait fait tomber, roulèrent sur le sol.

— Un problème, Pelham ? lui renvoya le crâne, incliné sur le côté et l'observant d'un air mauvais.

Quelqu'un souleva alors Victor par son épaule qui n'était pas blessée. C'était Caleb.

— Toi, il va te falloir de l'aide, lui fit-il savoir en aidant son ami à relever. Tu peux marcher ?

— Ça va. J'ai juste eu une petite faiblesse... Ça va, je te dis, renvoya-t-il à son ami, qui le regardait avec peu d'assurance. Les batteries sont chargées, nous pouvons partir.

Victor récupéra le crâne de Dermasiz ainsi que le tournevis spécial, qui fort heureusement, ne s'était pas retrouvé bien loin. Les deux jeunes hommes rejoignirent Naveed, qui observait toujours en bas de la demeure de Dermasiz depuis la plateforme.

— Ils sont tous entrés, leur fit-il savoir après s'être reculé du bord de la plateforme.

Manuel venait quant à lui de traverser la petite passerelle de bois qui menait au dirigeable, à un peu moins d'un mètre de distance de la plateforme.

— J'ai souvent piloté des engins comme ça ! lâcha-t-il avec une certaine fierté tout en escaladant les trois marches qui menaient à l'étage supérieur, là où se trouvaient les commandes du dirigeable, à l'arrière. Dans mon temps, j'étais un pirate sanguinaire qui... Quoi ?

Le simple regard de Caleb fit taire Manuel, qui se mit à marmonner d'un air renfrogné tout en appuyant sur une série d'interrupteurs qui se trouvaient devant le tableau de bord.

— Y a assez de jus, lâcha-t-il avec mauvaise humeur. Faudra déconnecter les câbles et nous détacher du quai d'amarrage, et ce sera bon.

— Monte à bord et va t'asseoir, ordonna Caleb à Victor. Je m'occupe de débrancher les câbles. Naveed, tu peux...

Le demi-gobelin n'eut pas à finir sa phrase, car le démon s'était déjà mis à la tâche ; il déroulait rapidement l'immense corde qui retenait le dirigeable à sa plateforme d'amarrage.

Pendant que Caleb déconnectait chacun des câbles qui étaient liés à l'engin volant, le pianiste traversa la passerelle d'un pas lent, tout en prenant soin de ne pas s'étourdir davantage, avant d'aller s'asseoir près d'un baril, dans le coin de l'appareil.

En observant le dirigeable, qui avait vraisemblablement été construit avec la coque d'un vieux bateau, Victor se remémora celui que Pakarel, Caleb et lui avaient utilisé pour se rendre jusqu'à Alexandrie depuis Ludénome ; la ressemblance était plutôt frappante.

Naveed monta à bord quelques secondes plus tard après avoir laissé tomber la grosse corde sur le sol de l'engin.

— Tu lui fais confiance pour nous sortir d'ici ? demanda Naveed à l'intention de Victor en pointant très ouvertement Manuel du doigt.

Afin de fournir une réponse au démon, Victor fit pivoter sa tête vers son ami métacurseur et lui demanda :

— Tu peux piloter cet engin sans mon aide, pas vrai ?

— Hé ! Merci pour le vote de confiance ! lui renvoya Manuel, nettement offensé.

— C'est bon ! lâcha Caleb, qui venait de traverser la passerelle.

Au moment où le demi-gobelin venait de replier la passerelle dans le dirigeable, une silhouette apparut tout en haut de l'escalier qui menait à l'étage inférieur de la tour, alarmant Victor et ses amis. À leur grande surprise, il ne s'agissait pas d'hommes des forces de l'ordre qui couraient vers eux, mais bien du pantin mécanique qu'ils avaient aperçu plus bas.

— Mais qu'est-ce que… ? lâcha Caleb, confus.

— Qu'il sèche ! lança Manuel avec un rire macabre avant de tourner les manivelles de la machine volante vers la gauche.

Pendant que le dirigeable s'écartait doucement du bord de la plateforme, la grosse marionnette trotta jusqu'à eux, ses jambes grinçant dans un bruit mécanique, jusqu'à ce qu'elle s'immobilise au bout de la plateforme.

— Ne partez pas sans moi, demanda le pantin de sa voix robotisée et monotone. S'il vous plaît. Ne me laissez pas. Vous aurez besoin de moi.

Caleb jeta une grimace de confusion par-dessus son épaule à l'intention de Victor, qui posa quant à lui son regard sur Laévarden.

— Laissez-le monter, dit-il, visiblement à contrecœur. Allez, ramenez l'engin !

Puisque le dirigeable s'éloignait toujours de la plateforme, Victor n'eut pas le temps de demander l'avis de ses camarades. C'est sur un coup de tête qu'il envoya à Manuel :

— Ramène-nous, allez !

Manuel lui répondit en levant le majeur. Frustré, Victor voulut se relever, mais son étourdissement l'en empêcha.

— Pauvre idiot, marmonna Laévarden.

Le jeune homme vit alors la silhouette dodue du pantin en patchwork sauter en direction du dirigeable, avant de s'écraser contre sa balustrade. Il se mit à glisser, et il allait forcément tomber, mais Caleb et Naveed s'empressèrent de le rattraper et de le hisser à bord.

Aussitôt, une pluie de balles venue de nulle part se mit à grêler contre la coque en bois du dirigeable, dispersant des éclats dans tous les sens.

— À couvert ! leur cria Naveed, dont la poitrine avait reçu quelques balles. Baissez-vous !

Victor se mit à plat ventre, lâchant Laévarden pour se protéger la tête de ses mains et de ses bras.

— Arrêtez ! s'écria une voix masculine. Arrêtez immédiatement cet engin !

Couché au sol, le jeune homme vit Caleb imiter son comportement, tandis que Naveed projetait de force le pantin sur le plancher, plusieurs autres balles atteignant son épiderme rocheux. Avec horreur, Victor réalisa que Manuel n'avait pas lâché le gouvernail et tentait de manœuvrer le dirigeable hors de portée.

— Manuel ! s'écria Caleb, qui l'avait aussi remarqué. Couvre-toi, espèce d'imbécile ! Tu as une bombe sur la poitrine !

Manuel lâcha plutôt un rire triomphal, manœuvrant toujours le dirigeable, sa cape déchirée voltigeant au vent.

— Enfin, un peu d'action ! ricana-t-il d'un air dément. Hé, bande d'emmerdeurs ! envoya-t-il à l'intention des hommes des forces de l'ordre, qui se trouvaient sur la plateforme et tiraient toujours vers lui, vous tirez comme des filles !

— Naveed ! s'écria le pianiste, l'impact des balles projetant toujours des éclats de bois tout autour de lui. Manuel ne doit pas être atteint !

Le démon s'élança vers le métacurseur, traversant le pont du dirigeable à la vitesse de l'éclair, avant de bondir par-dessus les trois marches menant à l'étage où se trouvait Manuel. Au même moment, une balle atteignit la main gauche du métacurseur, la faisant exploser d'un seul coup. Tandis que le démon se ruait vers lui, Manuel observait bêtement son moignon, duquel jaillissaient des étincelles.

— Merde ! cria-t-il avant de se faire plaquer par le démon. Merde ! Je n'ai plus de main, maintenant ! Bande d'enfoirés !

Pendant que Manuel proférait des insultes à qui voulait bien les entendre, Naveed se pencha par-dessus lui afin de protéger la bombe qui était fixée à son abdomen.

— Attention ! s'écria alors Caleb. Préparez-vous, ça va barder !

Ne comprenant pas trop ce dont son meilleur ami voulait parler, Victor leva la tête pour observer les alentours. Il réalisa alors de quoi il s'agissait : puisque personne n'était aux commandes de l'engin, ce dernier s'était mis à s'incliner vers la gauche. Pire encore, le dirigeable prenait de plus en plus de vitesse, filant un peu trop près d'un grand édifice vitré et recouvert de plantes grimpantes. Ce n'était qu'une question de secondes avant que le dirigeable entre en collision avec la bâtisse, de laquelle il frôlait pour l'instant les nombreuses vitres, qui reflétaient les puissants rayons du soleil, matinal et éblouissant.

Chapitre 19

Zara, l'enfant perdue

Victor chercha à s'agripper à quelque chose, mais malheureusement, rien d'assez solide ne se trouvait à portée de main. Comme dernier recours, le jeune homme n'eut d'autre choix que de planter ses ongles entre les planches du pont, dans l'espoir de ne pas être envoyé par-dessus bord. Puis, l'impact survint, faisant trembler toute la surface du dirigeable, qui se mit à percuter les nombreuses vitres recouvertes de végétation de l'édifice, les brisant ou les fissurant au passage, dans un raffut épouvantable.

Dans la collision, le dirigeable s'inclina malheureusement vers l'arrière, envoyant le jeune homme valser le long de la coque jusqu'à ce que Caleb le rattrape par sa jambe gauche, faisant jurer et grogner Victor de douleur.

– Oh non! lâcha Caleb d'une voix éteinte, laissant paraître une certaine impuissance.

Juste au-dessus d'eux, une pluie de morceaux de vitre se mit à tomber dans tous les sens, étincelant sous le soleil marocain. Incapable de se protéger d'une façon ou d'une autre, Victor n'eut d'autre choix que de se couvrir la tête de ses bras tout en espérant qu'ils s'en sortent indemnes. La pluie de verre meurtrière s'abattit alors sur la coque du dirigeable. Victor sentit plusieurs lacérations lui fendre la peau avec une désagréable sensation de brûlure, quand soudain une ombre les recouvrit, Caleb et lui, les protégeant de la pluie de verre. La tête toujours enfouie dans ses bras, Victor leva finalement les yeux pour réaliser que le gros pantin s'était allongé juste au-dessus d'eux afin de les protéger.

Quelques instants plus tard, le dirigeable s'éloigna finalement de la bâtisse, reprenant brusquement son inclinaison normale.

Caleb se retourna sur ses coudes, avant de se relever tout en grognant de douleur.

– Tu vas bien, mon vieux ? lui demanda-t-il en lui tendant la main.

– Je... je crois, répondit Victor, qui attrapa la main de son meilleur ami.

Une fois le pianiste debout, Caleb et lui échangèrent un regard. Tous deux étaient ensanglantés, considérablement blessés et recouverts de morceaux de verre dont la moitié étaient plantés dans leur peau. Jetant un regard vers l'arrière du dirigeable, Victor vit que leur engin volant s'était bien éloigné de la demeure de Laévarden et qu'ils étaient hors de portée de tir des hommes des forces de l'ordre.

– Ça aurait pu être pire, dit Victor à Caleb avant d'accorder son attention au robot qui était planté juste à côté d'eux. Merci..., vraiment. Tu nous as sauvé la vie.

Le tissu en patchwork recouvrant le pantin était sérieusement déchiré à plusieurs endroits, dévoilant son squelette de robot et ses terminaisons nerveuses artificielles. On pouvait aussi voir une bonne couche de rembourrage fait de plumes et de mousse dépasser des déchirures.

– Je n'aime pas voir les gens mourir, leur répondit le robot de sa voix artificielle. Ce n'est pas bien. Je vais retrouver mon ami, maintenant.

– Et moi, dit Caleb en indiquant d'un signe de pouce le gouvernail de l'appareil, je vais voir à ce que l'on n'entre pas en collision avec un autre édifice...

D'une démarche difficile, indiquant que ses articulations avaient été endommagées par le verre, le pantin se déplaça jusqu'au crâne de Laévarden, avant de s'asseoir sur le sol et de prendre son ami dans ses mains. En les observant, Victor ressentit une sorte de sympathie envers le robot, qui, de toute évidence, n'était absolument pas dangereux.

Pendant ce temps, Caleb s'était rendu jusqu'au gouvernail de l'appareil et en avait repris le contrôle, puisque Manuel n'était plus en mesure de le faire. D'ailleurs, ce dernier s'était relevé d'un bond, bousculant Naveed, qui l'avait protégé des tirs ennemis et de la pluie de verre, avant de se mettre à hurler tout en agitant son moignon en l'air :

— Saleté de malchance ! Pourquoi est-ce que je me retrouve toujours infirme d'une façon ou d'une autre, merde ?

— Tu crois que tu peux nous tirer de là ? envoya Victor d'une voix forte à l'intention de Caleb, étant donné que le bruit du vent leur fouettait les tympans.

— Je vais essayer, du moins, lui renvoya le demi-gobelin, dont les longs cheveux bleus voltigeaient au vent.

Pendant ce temps, Manuel faisait les cent pas tout en continuant de se lamenter sur sa vie, difficile et injuste, le tout agrémenté de jurons particulièrement vulgaires.

— Naveed, tu veux bien le faire asseoir ? lui demanda Caleb d'un air sombre. Il m'énerve royalement…

Le démon agrippa Manuel par le cou pendant que ce dernier marchait près de lui, avant de l'asseoir au sol de force.

— Tu restes là, lui ordonna-t-il en le pointant du doigt.

Évidemment, Manuel répondit en lui criant une panoplie de noms et d'insultes, mais le démon y resta indifférent. Quant à Victor, il se mit à retirer de son corps tous les bouts de verre qu'il pouvait repérer, délogeant dans des grimaces de douleur ceux qui s'étaient plantés dans sa chair. C'est alors qu'il réalisa que quelque chose n'allait pas. En regardant ses mains, il comprit qu'il avait fait tomber le tournevis que Dermasiz lui avait demandé d'emporter. Une montée de désespoir lui envahit la poitrine et la gorge.

— Ce n'est pas vrai, lâcha-t-il d'une voix à demi éteinte.

Pourquoi ne l'avait-il pas fourré dans une des poches de son pantalon, ou même dans son sac, qu'il portait toujours sur lui ? se demanda-t-il avec frustration. Dans un geste de découragement, Victor se porta la main à la bouche, avant de poser son regard empreint d'accablement vers Laévarden et son pantin.

— Quelque chose ne va pas comme vous le souhaitez, Pelham ? lui demanda Dermasiz depuis les mains de son compagnon.

— Le tournevis, dit le jeune homme en jetant des regards désespérés dans tous les sens. Je l'ai perdu !

— Quel dommage, répondit Laévarden avec peu d'intérêt. Je devrais vous aider, peut-être ?

À cet instant, le dirigeable passa au-dessus d'une rue recouverte de longues toiles et banderoles orangées et rouges, qui claquèrent sous les courants d'air causés par l'appareil.

— Qu'est-ce que vous dites ? lui répondit Victor, confus, en s'approchant du crâne d'une démarche boiteuse.

— Mais, voyons ! reprit Dermasiz depuis les mains mécaniques de son robot, qui était toujours assis sur le pont, contre la balustrade du dirigeable. Vous tuez les Liches, vous débarquez chez moi, vous m'arrachez à mon corps et vous volez mon dirigeable. Et vous voulez que je vous aide à me tuer, avec ça ?

— Vous avez essayé de tuer mes amis, lui rappela Victor. Vous m'avez tiré dessus et, pire encore, vous avez tué des innocents en envoyant votre robot dans les rues de Casablanca. Vous aviez même armé votre corps d'une bombe qui aurait pu propager vos radiations à travers tout le Maroc !

— Je ne te reconnais pas, dit le robot à l'intention de Laévarden, qu'il observait entre ses mains. Tu n'as jamais été méchant. Pourquoi cherches-tu à blesser les gens ?

— Je n'ai cherché qu'à me défendre, lui répondit le crâne d'un air grognon.

— Je détecte un mensonge dans ta voix, l'interrompit le robot de sa voix monotone. J'ai toujours dit que ce fragment t'avait changé. Tu n'étais pas comme ça, avant. Tu étais quelqu'un de bien.

Le fragment avait donc changé Laévarden, réalisa Victor. Ce n'était pas très étonnant, car lui-même avait vu son moral changer radicalement lorsqu'il avait porté son fragment sous sa chemise pendant une certaine période. Puisque Dermasiz portait le fragment à l'intérieur même de son cœur depuis des années, sa personnalité avait dû être atteinte, voire irrémédiablement altérée.

– Veux-tu bien me rappeler pourquoi je t'ai créé, espèce de bon à rien ? grommela l'ingénieur dans les mains de sa création. Tu ne cesses de tout me reprocher, on croirait ma mère !

– Ce n'est pas gentil, répondit le pantin d'une voix sans émotion. Je suis ton ami et tu es mon ami. Pourquoi être méchant ? C'est toi qui m'as créé ainsi. C'est toi qui m'as donné une conscience artificielle. Ce n'est pas ma faute.

Il y eut un court silence, que Victor trouva un peu inconfortable. Il se sentait comme un intrus, dans cette discussion.

– Tu as essayé de tuer des gens, continua le pantin. Tu n'aurais jamais fait cela, avant. Pas le Laévarden que j'ai connu.

Dermasiz ne répondit pas, il semblait que son pantin avait touché une corde sensible.

– Pelham, dit-il au bout de quelques secondes, venez ici. Approchez.

Le jeune homme s'agenouilla difficilement auprès du robot et de son maître.

– Babalum, mon robot, pourra vous aider à extraire le fragment de ma tête, dit-il. Ses mains..., elles sont spéciales. Vous verrez. Par la suite, vous voudrez bien vous dépêcher de refermer le compartiment de ma tête. Étant donné que je ne veux pas être confronté à une mort lente, je vais vous demander de m'achever au plus vite.

– Peut-être n'aurez-vous pas à mourir, répondit plutôt Victor. Vous savez, il y a quelques années, j'ai découvert un remède qui possédait des particularités presque... miraculeuses.

– Je sais, le linceul, l'interrompit Laévarden. Je suis au courant. Mais vous l'avez perdu, pas vrai ? Mystérieusement disparu sous votre lit. Étrange, n'est-ce pas ?

Victor fut stupéfait. Non seulement Dermasiz connaissait l'existence du linceul, mais il savait aussi que celui-ci avait disparu sous son lit. Cela avait d'ailleurs toujours été un mystère que le pianiste n'avait jamais été en mesure d'élucider.

— Vous ne devriez pas donner de faux espoirs à tout le monde que vous croisez, Pelham, continua le crâne d'un air détaché. De toute façon, vous ne récupérerez pas ce fragment sans me déchirer le cœur, littéralement, alors... si possible, ne traînez pas.

Sans trop savoir quoi répondre, Victor leva les yeux et regarda aux alentours. Le vent chaud de Casablanca lui fouettait le visage, et leur dirigeable voltigeait toujours entre les nombreuses bâtisses blanches de la cité technologique. D'un instant à l'autre, les gardes de la ville sortiraient sûrement de nulle part dans leurs gyrocoptères, ce qui rendrait l'extraction du fragment beaucoup plus hasardeuse.

— Je sais que je n'ai pas à vous demander quoi que ce soit, reprit Dermasiz, étant donné le mal que je vous ai causé. Vous ferez comme bon vous semble, car au final, le résultat sera le même. Babalum, ouvre la plaque derrière ma tête.

Obéissant à l'ordre de son maître, le robot leva l'une de ses mains avant de tendre son index métallique vers l'arrière du crâne de son maître. Aussitôt, son index s'ouvrit en deux dans un bourdonnement mécanique, dévoilant un tournevis. Son extrémité se mit alors à tourner comme une perceuse.

— Attends un instant, Babalum, dit Laévarden.

— Oui ? répondit le pantin.

— Tu as été un bon ami, le meilleur que j'aie jamais eu, continua l'ingénieur d'un air presque grognon. J'espère que tu pourras me pardonner mon changement de comportement, et surtout le fait que je ne m'en étais pas rendu compte.

— Je ne comprends pas la fonction du mot « pardonner », répondit le robot. Analyse de la banque de données ; terme non trouvé. Erreur 404.

Laévarden grogna de dépit. À cet instant, Naveed et Manuel s'approchèrent de la scène, mais Victor leur fit un signe très clair de la main afin de leur indiquer de ne pas intervenir.

— Tu es mon meilleur ami, lui dit ensuite le pantin. Ne l'oublie pas, Laévarden.

Il y eut un court silence, pendant lequel Victor se demanda ce que la Liche pouvait bien penser.

— Tu peux y aller, maintenant, dit-il enfin.

À l'aide de son index, le pantin dénommé « Babalum » se mit à dévisser une plaque située à l'arrière du crâne de la Liche. Le pianiste fit alors signe à Naveed de le rejoindre. La vis tomba sur le sol, avant de rouler en demi-cercle. Elle s'apprêtait à dévaler le long du dirigeable, lorsque Victor mit le pied dessus juste à temps. Après l'avoir récupérée, il demanda au démon :

— Tu as entendu la conversation ?

Il lui répondit par un simple hochement de tête.

— Parfait, dit le jeune homme. Lorsque j'aurai retiré le fragment, je veux que tu te dépêches de refermer la plaque. Tu es prêt ?

Encore une fois, le démon hocha simplement la tête. Victor adressa alors un regard à Babalum, qui tenait toujours le crâne de son maître.

— Laisse-les faire, Babalum, lui ordonna Laévarden. Au revoir, Pelham. Puissiez-vous trouver ce qui complétera enfin votre vie.

Le pantin leva les bras vers Victor et Naveed, brandissant le crâne de la Liche, tandis que Manuel avançait derrière eux d'un air curieux. Le démon perse et le pianiste approchèrent les mains du crâne, avant d'échanger un regard. D'un hochement de tête mutuel, les deux camarades procédèrent à leur opération.

Naveed glissa doucement ses griffes sous la plaque qui se trouvait derrière le crâne, avant de la soulever d'un trait. Le pianiste repéra aussitôt le cœur de Laévarden, battant au beau milieu de l'espace découvert, et en son centre se trouvait le fragment, planté jusqu'à sa moitié. À cet instant, Victor se sentit légèrement nauséeux, non pas à cause de la vue des organes internes de Dermasiz, mais à cause des émanations radioactives. Sachant que les radiations dissimulées dans le crâne se répandraient dans l'air bien rapidement, Victor se dépêcha d'agripper le fragment et tira dessus brusquement, afin d'abréger les souffrances de la Liche. Le cœur cessa aussitôt de battre, et le jeune homme tenait entre ses doigts le dernier fragment manquant.

Au moment où le pianiste avait retiré le fragment, Naveed s'était empressé de refermer la plaque sur le crâne, dont les points rougeâtres au fond des orbites noires s'étaient éteints. Puis, des jets de fumée jaillirent doucement entre les fentes de la plaque crânienne de Dermasiz, indiquant que ses organes avaient pris feu. Victor replaça alors la vis sur la plaque de la tête du crâne, avant de demander à Babalum de la visser à nouveau en lui faisant un simple signe du doigt. Ce dernier s'exécuta sans répondre, se servant de son index comme d'un tournevis électrique.

– Il est mort, hein ? demanda Manuel avec un mélange de crainte et d'excitation.

Victor se laissa lentement tomber en position assise, adossé à la balustrade du dirigeable, l'esprit et le cœur lourd, tout en observant le fragment ensanglanté qu'il tenait entre les doigts de sa main gauche. Celui-ci luisait faiblement à la lueur du magnifique soleil matinal du Maroc. Il s'agissait du tout dernier fragment, ce qui était un accomplissement en soi ; pourtant, Victor ne ressentait aucune satisfaction, car leur tâche était bien loin d'être terminée. Un élancement de douleur venu du bras droit du pianiste le fit grincer des dents. Il semblait bien que la douleur de sa blessure par balle était revenue, faisant bourdonner tous les nerfs de son bras, rendant sa main droite inutilisable.

Voyant bien que Victor restait au sol à s'attarder à son bras, le démon prit le crâne de Laévarden des mains de Babalum, qui n'opposa aucune résistance, avant de le tendre au jeune homme. Naveed observait le pianiste du haut de toute sa stature, ses pupilles spiralées et vertes fixées sur le pianiste avec une expression qui frisait le mépris, ou peut-être la sympathie, Victor n'aurait su le dire.

– Tu dois le purifier avec ton objet, n'est-ce pas ? lui demanda le démon.

Le jeune homme répondit d'un simple hochement de tête.

– Tu veux bien le déposer au sol, juste là ? lui demanda-t-il ensuite en désignant le plancher de bois du dirigeable d'un geste du menton.

Pendant que le démon s'exécutait, le pianiste plongea la main gauche dans son sac, tout en tenant fermement le fragment entre ses doigts. Il y déposa son fragment avant d'en sortir le métronome, qu'il déposa ensuite sur le crâne de Dermasiz. Évidemment, puisque le dirigeable était loin d'être stable, Victor dut le maintenir en équilibre à l'aide de sa main gauche.

– Tu pourrais appuyer sur le bouton qui se trouve juste sur le dessus du métronome ? demanda le jeune homme à l'intention du démon. Je le ferais bien, mais mon épaule droite recommence à me faire mal.

De son index griffu, le démon appuya sur le seul bouton qui se trouvait sur le métronome. À cet instant, le crâne de Laévarden devint plus pâle, presque doré, et de petites particules lumineuses s'en élevèrent pour flotter aux alentours. Évidemment, le démon perse eut un mouvement de recul, fronçant les sourcils et observant le phénomène avec gravité.

– Ouah ! lâcha Manuel. Il se passe la même chose que dans le manoir du vieux débile qui me prenait pour son grand-père !

– C'est... ce qu'on appelle le phénomène de stase, expliqua Victor, fatigué, au démon, qui, visiblement, n'aimait vraiment pas ce qu'il voyait.

Après avoir récupéré le métronome et l'avoir rangé dans son sac, le pianiste demanda au démon :

– Dis, tu veux bien m'aider à me relever ? Non, pas par mon bras droit, ajouta-t-il lorsque le démon s'était apprêté à l'agripper, prends plutôt ma main gauche...

Une fois hissé sur ses pieds, Victor jeta un coup d'œil aux alentours. Ils volaient toujours au-dessus de Casablanca, évitant de temps à autre les bâtisses assez hautes pour leur obstruer le chemin, à une vitesse plutôt décevante. En fait, le jeune homme s'était attendu à ce que ses amis et lui aient presque quitté l'enceinte de la ville, mais ce n'était vraiment pas le cas. Puisque Caleb était aux commandes de l'appareil, Victor allait devoir aller lui en faire part.

Tout en s'appuyant sur la balustrade du dirigeable, Victor marcha jusqu'à son ami, escaladant au passage les trois marches qui menaient à l'étage des commandes de l'engin volant. Le demi-gobelin se trouvait debout derrière une console de commandes, sur laquelle se trouvaient un gouvernail en bois, plusieurs interrupteurs et quelques leviers. La chevelure bleutée de Caleb voltigeait au vent, dévoilant parfaitement son visage fatigué, sali et meurtri de blessures et de coupures.

— Bien joué, lui dit le demi-gobelin. Laévarden est mort, pas vrai ?

Victor confirma d'un hochement de tête.

— Ça va aller ?

— Pour le moment, ça ira. Je ne me sens pas très bien, mais je vais tenir le coup.

— Il te faudrait prendre le médicament que l'antiquaire t'avait donné, continua le demi-gobelin en manœuvrant le gouvernail. Si ça peut te faire gagner un peu de temps avant que nous trouvions un remède…

— Caleb, l'interrompit le jeune homme d'un air presque désolé, je n'ai plus les petites pierres que l'antiquaire m'avait fournies. Je les lui avais rendues, lorsque nous étions dans le carrosse et qu'il tentait de stabiliser l'état de mon grand-père.

Le demi-gobelin lâcha un soupir exaspéré tout en hochant doucement la tête de gauche à droite.

— Quelle situation merdique, marmonna-t-il à voix basse.

Victor était bien d'accord avec son meilleur ami, mais dans l'immédiat, il y avait quelque chose d'important à régler.

— Crois-tu que nous pourrions accélérer la cadence ? lui demanda-t-il directement.

— Impossible. Sous la pluie de verre, le ballon a dû se percer, car nous perdons toujours de l'altitude sans que je puisse y faire quoi que ce soit. Alors…, à moins que tu aies une idée, je suggère que nous gardions cette cadence.

— Nous allons forcément nous faire rattraper. Nous ne passons vraiment pas inaperçus, tout le monde peut nous voir, les gens de Casablanca n'ont qu'à lever la tête.

— Je sais, dit Caleb. Je vais tenter de nous diriger en dehors de l'enceinte de cette ville. Nous finirons par tomber au sol, mais au moins, si nous sommes bien loin d'ici, ce sera déjà ça.

Victor se mordit la lèvre inférieure en observant les alentours. Certes, il aurait préféré pouvoir simplement s'enfuir hors du Maroc, mais malheureusement, ce n'était pas avec ce dirigeable qu'ils pourraient le faire. Pour le moment, il ne voyait pas vraiment d'autres solutions.

— Si jamais les hommes des forces de l'ordre pointent le bout de leur nez dans leurs gyrocoptères, dit Victor, alors nous utiliserons la fusée éclairante pour indiquer notre position à nos amis, car nous n'aurons plus rien à perdre.

— Je l'ai juste ici, au cas où, lui fit savoir Caleb en agitant légèrement la fusée qu'il venait de sortir de la poche de son pantalon. Naveed me l'a donnée tout à l'heure.

— En parlant de Naveed, je vais essayer de le convaincre de réparer la roue de l'engrenage, pendant que nous avons un moment tranquille.

— Bonne idée. Fais attention, tu veux ? Le soleil commence à monter et il risque de t'épuiser.

Victor, qui descendait les marches, leva le revers de la main en guise de réponse au demi-gobelin, avant d'aller rejoindre Naveed et Manuel, qui se tenaient auprès du gros pantin. Ce dernier tenait le crâne de son maître entre les mains, toujours assis au sol.

— Est-ce que tu peux fusionner ce fragment et les autres ? demanda le pianiste à l'intention du démon perse.

— Ici ? lui renvoya le démon d'un air méfiant, comme s'il trouvait l'idée mauvaise. Sur cette machine volante ?

— À cette vitesse, lui fit savoir Victor, ce n'est qu'une question de temps avant qu'on nous rattrape, et, à ce moment-là, je doute que nous ayons une autre occasion de travailler tranquillement. Alors, peux-tu le faire ?

— Oui, répondit le démon. J'aurai besoin d'un certain temps.

— Et on parle de combien de temps ?

— Du temps, lui répondit simplement Naveed sans chercher à préciser. Tu devras m'aider. Ton grand-père m'a bien expliqué que je ne peux pas manipuler les fragments comme toi. Je vais aller me préparer.

Pendant que Naveed marchait le long du pont, probablement pour se trouver un coin plus tranquille et à l'écart, Manuel demanda en désignant Babalum d'un hochement de tête :

— Que faisons-nous de lui ? Il appartient à l'ennemi. Moi, je sais ce que je ferais avec des bouffons dans son genre…

— Nous ne lui faisons rien, répondit le pianiste avec froideur. Manuel, puisque tu ne peux te rendre utile d'aucune façon, va t'asseoir dans un coin et tâche de ne pas exploser, d'accord ?

— Qu'est-ce qui t'arrive, Victor ? ricana le métacurseur d'une voix un peu surprise, tout en suivant le jeune homme du regard. On dirait que tu as l'humeur dans le c…

— C'est ça, l'interrompit le jeune homme en continuant de marcher vers Naveed.

L'air étrangement morose, Victor rejoignit le démon, qui s'était assis en tailleur tout au bout du pont du dirigeable, le revers de ses mains déposé contre ses cuisses. Les yeux fermés et fronçant les sourcils de temps à autre, Naveed paraissait être en pleine concentration.

— Bon, dit le pianiste en ouvrant son sac et en s'apprêtant à fouiller à l'intérieur, je vais te sortir le fragment et la roue de…

— Tais-toi, le coupa le démon d'un grognement sec.

Une vague noire traversa le visage du jeune homme, qui resta sans voix devant le manque de tact du démon perse. Légèrement frustré de s'être fait parler ainsi et ne sachant pas trop où s'installer, le jeune homme décida de rester planté devant le démon, en attendant que ce dernier termine ce qu'il faisait.

L'humeur du pianiste n'était pas très rayonnante, il s'en rendait un peu compte. Manuel avait raison ; son humeur avait flanché, il était devenu trop négatif. Ses amis et lui s'étaient rendus jusque là, après des jours et des nuits de périples, à braver tous ces obstacles pour finalement apprendre qu'Abim-Kezad rôdait toujours dans le monde, quelque part. Certes, ils pouvaient reconstruire la roue de l'engrenage et réparer les dégâts radioactifs que les Liches avaient causé à l'écosystème, mais il n'en restait pas moins qu'une dernière Liche arpentait les terres du monde. Et selon les dires de Laévarden, c'était la pire de toutes.

Au bout de longues secondes passées à regarder en l'air, à essayer du mieux qu'il le pouvait de lutter contre son étourdissement grandissant et à tenter de trouver un intérêt aux bâtisses qu'ils frôlaient, Victor commença à devenir sérieusement impatient. C'est alors qu'il remarqua que seules les extrémités des doigts de Naveed avaient rougi.

– Sors le fragment et la roue de l'engrenage, ordonna simplement ce dernier.

En silence, Victor s'exécuta et retira les deux objets demandés de son sac, sans pour autant savoir quoi en faire.

– Ensuite ? demanda-t-il au démon, qui était toujours dans un état de profonde concentration.

– Ton grand-père m'a dit que je ne peux pas manipuler la roue de l'engrenage, lui fit savoir Naveed, alors tu devras la maintenir à ma place pendant que j'y joins le fragment.

– Mais je vais me brûler les doigts ! protesta Victor.

– C'est toi qui as insisté pour que nous fusionnions le fragment et la roue ici, lui rappela Naveed d'un ton calme au moment où il rouvrait les yeux. Tu veux reconstruire la roue ou non ?

– Bon, très bien, répondit le pianiste d'un ton sec. Oui, je veux que nous reconstruisions cette roue. Tu n'auras qu'à me dire quoi faire.

Le jeune homme s'assit par terre auprès du démon, avant de déposer au sol la roue de l'engrenage et le fragment. Quelques secondes après qu'il se fut séparé du fragment de Laévarden, Victor sentit son humeur s'alléger grandement, ce qui le surprit profondément. Le fragment de Laévarden avait donc causé les sautes d'humeur dont il était victime, même s'il n'avait pas réellement été en contact avec sa peau. L'objet, que Victor fixait maintenant avec un mélange de crainte et de stupéfaction, était donc vraiment plus dangereux que les autres fragments. Le changement de personnalité de Laévarden avait donc dû être radical, d'autant plus qu'il avait porté le fragment en lui pendant très longtemps, alors que le jeune homme l'avait à peine manipulé pendant quelques minutes.

D'un air calme, Naveed saisit délicatement le fragment du bout de ses doigts surchauffés, avant de se mettre à le manipuler ; il fit doucement tourner le fragment entre ses doigts, y exerça une pression uniforme, avant de recommencer encore et encore.

— Qu'est-ce que tu fais ? lui demanda Victor, curieux.

— Je tente de rendre le métal moins rigide, répondit le démon d'un air froid. Ne me pose plus de question et fais ce que je te dis.

Sachant très bien que le fragment devait maintenant être en train de corrompre l'humeur de Naveed, Victor choisit de ne rien ajouter et de suivre les instructions à la lettre, car il ne voulait surtout pas le frustrer, au risque qu'il cesse son travail.

Au bout de quelques instants passés à manipuler le fragment du bout de ses doigts rougeâtres et luminescents, le démon le déposa au creux de sa main. Au contact de son épiderme rocheux et orangé, de fins filaments de fumée s'élevèrent, indiquant qu'il se brûlait lui-même.

— Prends la roue, lui ordonna ensuite le démon. Je vais y souder le fragment. La roue ! répéta-t-il d'un ton agressif et impatient.

Victor se dépêcha de la ramasser, avant de la tenir dans un angle propice pour que Naveed y glisse le dernier fragment.

— Ne bouge surtout pas, lui ordonna Naveed en le fixant de son regard intimidant.

Mais à cet instant, Victor entendit quelque chose qui le fit grandement sursauter : le bruit de canons mitrailleurs sortis de nulle part. Une rafale de balles atteignit la coque du dirigeable, à quelques mètres d'où se trouvaient Victor et Naveed, projetant des éclats de bois dans toutes les directions. Trois gyrocoptères apparurent alors de directions différentes, passant près d'eux à toute vitesse avant de tracer un demi-cercle et de revenir à l'assaut.

— À couvert ! hurla la voix de Caleb.

Sans préavis, le dirigeable chavira violemment vers la droite avec une inclinaison alarmante, envoyant le pianiste et le démon glisser le long de la coque. Par instinct, Victor tenta de planter ses ongles entre les planches de bois du pont, mais il parvint seulement à s'enfoncer quelques échardes dans les doigts. Pendant qu'il dévalait vers le côté droit du pont, le jeune homme sentit son cœur se crisper et sa respiration se bloquer. Le seul obstacle qui le séparait d'une chute mortelle était la balustrade en bois du dirigeable, qui était bien usée et devait être haute d'un peu plus d'un mètre. Un peu plus bas, Naveed venait de s'écraser à pieds joints contre la balustrade du dirigeable, qui n'avait pas cédé sous son poids.

Forcé par la gravité et l'inclinaison du dirigeable, Victor allait le retrouver d'un instant à l'autre. Glissant sur le dos, sa main moite bien refermée sur la roue de l'engrenage, Victor percuta la balustrade et s'y écrasa de tout son long, et son sac lui glissa de l'épaule, sa bandoulière filant entre ses doigts. Par chance, il tendit le bras au dernier moment, saisissant la bandoulière au moment où le sac pendait au-dessus du vide.

Le cœur lui martelant la poitrine, le pianiste se trouvait dans une position fâcheuse ; il s'était accroupi sur la balustrade, le dos appuyé au pont du dirigeable, qui était dangereusement incliné, son pied gauche pendant dans le vide. Mais que s'était-il passé ? se demanda le jeune homme en observant aux alentours. Pourquoi le dirigeable était-il aussi incliné ?

C'est alors qu'il vit que bon nombre des cordes qui retenaient le ballon à la coque du dirigeable avaient été sectionnées, pendant dans le vide, probablement par le tir des appareils ennemis. L'écrasement de leur dirigeable était donc imminent, et même s'il restait à la même altitude, il était maintenant impossible de le contrôler.

Inquiet pour son meilleur ami, Victor leva la tête et tenta de l'apercevoir quelque part sur le dirigeable incliné. Il vit alors Babalum, qui se trouvait un peu plus haut sur le pont, se retenant d'une main qu'il avait plantée dans le bois et tenant le crâne de Laévarden de l'autre. Quant à Caleb… il n'était plus là.

— Est-ce que tu as la roue ? lui beugla Naveed, de mauvaise humeur.

— Je l'ai, lui renvoya Victor, qui cherchait toujours le demi-gobelin du regard. Tu as toujours le fragment ? Naveed ?

Puisque ce dernier ne répondait pas, le pianiste jeta un coup d'œil par-dessus son épaule. Il vit alors le démon perse en train d'escalader le pont en y plantant ses doigts surchauffés, maintenant entre ses dents le fragment rougeoyant.

— Merde ! s'écria Manuel d'une voix affolée. Je n'ai même pas de bras pour me retenir ! C'est injuste !

Le pianiste vit le métacurseur aux moignons débouler le long du pont d'une manière un peu ridicule, battant des membres dans tous les sens, avant de s'écraser lourdement contre la balustrade. Dans l'impact, Victor entendit le bruit inquiétant d'un craquement de bois.

— C'est pas bon signe, ça, couina Manuel, dont la mâchoire claquait sous la détresse.

En effet, un second craquement survint, envoyant une partie de la balustrade vers la ville, plus bas. D'ici quelques secondes, Naveed et lui glisseraient en dehors du dirigeable dans une chute libre qui, d'après les bâtiments qu'ils survolaient et frôlaient, devait faire bien plus d'une centaine de mètres. Pire encore, si Manuel tombait, la bombe située dans le corps de Laévarden allait exploser… tuant ainsi des milliers de citoyens.

Même si son estomac était renversé à l'idée que son meilleur ami soit passé par-dessus bord sous l'attaque ennemie, Victor se concentra sur ce qui importait dans l'immédiat : faire en sorte que la bombe qui se trouvait dans le corps de Manuel n'explose pas. De sa position précaire et dangereuse, le pianiste se redressa, avant de se mettre à avancer tranquillement le long de la balustrade, en testant la résistance avec son pied avant d'y mettre son poids. Il devait se rendre jusqu'à Manuel. Et que pourrait-il faire, réellement ? Il n'en savait rien, mais c'était mieux que de rester là à prier pour son sort.

— Oh merde, je glisse, je glisse ! couina Manuel d'une voix de fillette, tout en agitant ses moignons dans tous les sens.

— Arrête de gesticuler ! lui gronda Victor, qui s'approchait de plus en plus du métacurseur.

Une fois à portée de Manuel, le pianiste voulut lui agripper un bras, mais puisqu'il ne cessait de gigoter comme une truite hors de l'eau, Victor en fut incapable.

— Manuel ! lui cria le jeune homme d'un ton noir tout en tentant de saisir l'un de ses bras. Arrête... arrête !

Ils entendirent alors une explosion, avant qu'un impact les bouscule tous les deux hors du dirigeable. Le cœur du jeune homme se contracta douloureusement, manquant plusieurs battements, tandis qu'il tombait en chute libre et que l'air lui sifflait fortement aux oreilles. Le paysage tournoyait devant ses yeux, défilant à une vitesse vertigineuse, à s'en rendre malade. Tandis que l'air lui emplissait la bouche et fouettait violemment ses vêtements, Victor écarta ses jambes et ses bras, dans l'espoir de stabiliser sa chute. Au bout de deux ou trois secondes, il cessa de tournoyer et put repérer Manuel, qui chutait une dizaine de mètres plus bas que lui, tournant dans tous les sens et hurlant comme un dément.

Tous deux tombaient le long d'une bâtisse et, dans une dizaine de secondes, ils s'écraseraient sur le pavé d'une allée bondée de gens. Les yeux mouillés et entrouverts, tout en étant pris de puissants haut-le-cœur, Victor trouva quand même la force de s'incliner vers l'avant, collant ses bras le long de son corps, dans le but de prendre de la vitesse et d'atteindre Manuel. Il tendit sa main droite, ignorant la douleur mortifiante à son épaule, et parvint à agripper le pied du métacurseur.

Sans trop savoir ce qui lui traversait l'esprit, Victor leva la main gauche, celle munie d'une bague, vers le ciel, avant de fermer les yeux et de faire le point sur ce qui allait lui sauver la vie. Même s'il tenait fermement la roue de l'engrenage dans sa main, le pianiste espérait que cela ne nuirait en rien au fonctionnement de son bijou maya.

Aussitôt, un énorme parachute bleuté se matérialisa au bout de sa bague, d'une forme rectangulaire et marqué d'un glyphe étrange. Une forte pression traversa le corps de Victor, tandis que sa vitesse de chute venait d'être radicalement réduite. Malgré la secousse, le jeune homme n'avait pas lâché prise du pied de Manuel, qui hurlait toujours comme une fillette et lançait des mots grossiers.

Une bourrasque de vent poussa le parachute et son propriétaire vers la droite, les envoyant bientôt survoler la toiture d'une bâtisse sur laquelle se trouvaient de nombreux coussins, paravents et toiles orangées.

Seulement, la main du jeune homme devenait de plus en plus moite et la surface lisse et métallique du corps du métacurseur ne l'aidait en rien à le retenir, au contraire, son pied commençait dangereusement à lui glisser de la main, et bientôt, il lui échapperait du bout des doigts.

Juste au-dessus du toit, Victor coupa le lien mental avec son parachute, qui disparut de sa bague, les envoyant, Manuel et lui, chuter de deux mètres avant de tomber sur une grande toile, qui devait servir à masquer le soleil. Contrairement à ce que le pianiste croyait, la chute fut bien plus brutale que prévu, et ce, même s'il s'était retrouvé dans un nid de coussins.

Meurtri de douleur dans tous ses membres, n'osant même pas ouvrir les yeux, Victor lâcha un grognement de douleur avant de refermer la main gauche. Un objet s'y trouvait toujours, rassurant aussitôt le jeune homme, dont la principale crainte avait été de perdre la roue de l'engrenage. Le jeune homme pouvait sentir la brûlure du puissant soleil marocain contre son visage en sueur, l'incitant à reprendre ses esprits au plus vite. Il se tourna vers la droite, écrasant quelques coussins au passage, avant de se redresser doucement, complètement abasourdi, et d'ouvrir les yeux.

Il vit une femme et un homme, vêtus de robes amples et de turbans, qui étaient en train de déguster un petit-déjeuner copieux, constitué de fromages et de fruits exotiques. Dès que le jeune homme eut croisé leur regard, tous deux se mirent à crier à pleine voix. Ils se levèrent alors d'un bond, avant de prendre leurs jambes à leur cou et de s'enfuir par une trappe ouverte, qui menait probablement à l'appartement d'en dessous, et de la refermer derrière eux. Victor entendit ensuite le cliquetis du loquet.

Une information se rendit soudain au cerveau de Victor : il était en vie. Ce qui voulait dire que Manuel l'était aussi et que la bombe n'avait pas éclaté. Tournant la tête vers la gauche, il vit deux paravents fortement inclinés l'un vers l'autre, retenant une masse complexe dans leur toile orangée en suspens à une trentaine de centimètres du sol.

— M… Manuel ? marmonna difficilement le pianiste. Tu es en vie, mon vieux ?

— Je te hais, lui renvoya le métacurseur d'une voix obstruée par la toile et par sa position ridicule. Sors-moi de là, bordel !

Un sourire apparut sur le visage de Victor, qui fut pris d'un petit rire douloureux pour son abdomen et sa poitrine.

— Oh, Manuel, lâcha-t-il en se relevant, pendant qu'il tentait tant bien que mal de cesser de ricaner. Attends… attends que je me relève.

— Qu'est-ce qui te fait rire, espèce d'huître infirme ! protesta Manuel, gigotant au fond de la toile suspendue. Sors-moi de là, que je te mange les yeux !

Sans trop de difficulté, Victor fut en mesure de libérer le métacurseur de la toile qui l'avait piégé et, par le fait même, sauvé de sa chute. Ce dernier se redressa finalement d'un bond, repoussant Victor de ses moignons métalliques.

— Ne me touche pas ! lui cria-t-il d'une colère noire tout en s'éloignant du jeune homme. Laisse-moi tranquille !

Manuel se mit à marcher le long du toit d'une démarche frustrée, sans trop savoir où aller. Quant au jeune homme, il ne put s'empêcher de rire à en pleurer, même si cela lui causait une vive douleur abdominale. Pourquoi riait-il ainsi ? Parce qu'il venait de se sauver d'une mort certaine d'une manière si incroyable et improbable que lui-même n'en revenait pas.

— Arrête de rire ! lui envoya Manuel, lorsqu'il réalisa que Victor ricanait encore. Tu m'énerves !

Dans un énorme soupir libérateur, le jeune homme parvint à contrôler son rictus et à revenir à lui.

— Je n'arrive pas à y croire, lâcha-t-il en tentant de reprendre son souffle. Ça alors… Nous devrions être morts, en ce moment même. Tu réalises, Manuel ?

À cet instant, ils virent l'énorme dirigeable fendre l'air à quelques mètres d'eux, traversant directement leur champ de vision. Leur envoyant une puissante bourrasque d'air en plein visage, l'appareil enflammé fila par chance entre deux bâtisses, laissant derrière lui une épaisse fumée ocre, avant de survoler les fortifications de l'enceinte de Casablanca et de disparaître du champ de vision du jeune homme.

Le peu de bonne humeur que Victor avait retrouvée venait de disparaître, siphonné à travers sa poitrine dans une déglutition difficile et presque douloureuse. Caleb et Naveed étaient à bord de cet appareil, et le crâne de Laévarden sous effet de stase l'était aussi. Si le dirigeable venait à s'écraser, il exploserait, puisque son ballon était rempli de gaz hautement inflammable. Si le ballon éclatait, cela ne signifiait pas seulement la mort de ses amis, mais aussi la destruction du crâne de Dermasiz et, de ce fait, la libération des radiations sur le site de l'écrasement.

Cette pensée lui glaça le sang. Il ne pouvait qu'espérer que, comme lui, Naveed et Caleb soient parvenus à s'en tirer ou encore que par miracle, le dirigeable n'explose pas.

— Victor, il faudrait foutre le camp d'ici ! lui envoya Manuel d'un air précipité, avant de se mettre à grogner une panoplie de jurons.

Pivotant sur lui-même, le pianiste vit le métacurseur en train de tenter d'ouvrir la trappe menant aux appartements inférieurs à l'aide de ses pieds, sans aucun succès, bien sûr.

— Faut pas rester ici, marmonna le métacurseur, dont la longue cape trouée voltigeait au vent pendant qu'il continuait à s'acharner contre la trappe. Reste pas planté là et viens m'aider !

Voyant bien qu'il n'y avait pas d'autre manière de descendre au niveau des rues, Victor se mit à marcher jusqu'à Manuel. Son étourdissement empirait, rendant sa vue de plus en plus trouble, ce qui le força à s'arrêter pendant un court moment afin de se calmer.

— On n'a pas toute la journée ! vociféra Manuel, furieux, en gesticulant frénétiquement d'une façon un peu ridicule.

En traversant l'espèce de petit havre de paix aménagé par les locataires, l'attention du pianiste fut attirée par un plat de fruits et fromages qui était à moitié renversé sur un coussin. Il n'avait pas mangé depuis longtemps, et sa faim et son manque d'énergie ne devaient certainement pas aider son état. Après avoir rangé la roue de l'engrenage dans sa poche de pantalon, le pianiste succomba à sa faim et récupéra du plat renversé quelques morceaux de fromage et une banane.

En fourrant les morceaux de fromage dans sa bouche, Victor s'en alla donner un coup de main au métacurseur.

— Tu… tu manges ? s'étonna Manuel. Merde, donne-moi cette banane, je crève de faim ! Allez, donne !

Sans prendre la peine de l'éplucher, le pianiste fourra la banane dans la gueule du métacurseur, qui se mit à la mâcher voracement. Victor tira deux coups sur la poignée de la trappe, mais celle-ci resta fermée, refusant de bouger de plus qu'un millimètre. Victor se rappela avoir entendu le loquet se verrouiller après la fuite des propriétaires.

— C'est inutile, dit-il la bouche pleine. C'est barré.

— Utilise tes pouvoirs magiques ! lui renvoya Manuel, dont la mâchoire était recouverte de morceaux à moitié mâchés de banane et de pelure.

Victor s'était en effet préparé à utiliser la technologie de sa bague maya afin de leur permettre de déverrouiller la trappe, mais ils entendirent le bourdonnement des moteurs d'un appareil volant. Pivotant sur eux-mêmes, Victor et Manuel virent un gyrocoptère des forces de l'ordre monter à leur niveau, à quelques mètres d'eux à peine. L'appareil était si proche qu'ils purent croiser le regard froid de son pilote. Les vêtements du jeune homme et la cape du métacurseur violemment fouettés par les courants d'air causés par les énormes hélices de l'engin volant, ils entendirent une voix portée par haut-parleur leur dire :

— Victor Pelham, Laévarden Dermasiz ! Vous êtes tous deux en état d'arrestation. Il est inutile de fuir ! Déposez votre glaive à terre !

— Ils me prennent pour ce vieil idiot ? marmonna Manuel, offensé. Ouvre tes yeux, espèce d'imbécile ! cria-t-il ensuite à l'intention du gyrocoptère. Si j'en avais encore, je t'enverrais un doigt d'honneur, bouffeur de m...

— Tais-toi, le coupa aussitôt Victor, qui avait levé les mains de chaque côté de sa tête. C'est inutile.

Tout doucement et sans gestes brusques, le pianiste baissa sa main gauche et fit doucement glisser son glaive hors de son fourreau, avant de le déposer au sol.

— Lève les bras ! lâcha le jeune homme à l'intention de Manuel à travers ses dents serrées.

Après avoir échangé un regard avec Victor, le métacurseur leva ses moignons métalliques dans les airs en lâchant un soupir morose. Seulement, le gyrocoptère ne bougea pas ; il resta là, volant sur place en basculant légèrement de gauche à droite. Après avoir plissé les yeux pour contrer le soleil qui lui frappait le visage, Victor remarqua que le pilote de l'appareil volant semblait être en discussion avec quelqu'un, probablement sur sa radio.

— Qu'est-ce qu'il attend, tu crois ? lui marmonna le métacurseur après de longues secondes d'attente.

— Je... je ne sais pas, répondit le jeune homme, qui observait toujours le comportement un peu louche du pilote.

Victor vit alors le pilote lever un bras avant de se mettre à activer plusieurs interrupteurs dans son cockpit. Intrigué, le jeune homme marmonna :

— On dirait qu'il...

Victor s'interrompit, car le pilote venait de lever les yeux vers les siens, avant de soutenir son regard pendant quelques secondes. C'est alors que le canon qui se trouvait sous la machine volante se mit à tourner à toute vitesse, dans un bourdonnement mécanique.

– Oh merde ! couina Manuel.

En une fraction de seconde, le jeune homme se précipita devant le métacurseur pour protéger la bombe des balles, récupérant son glaive de sa main droite au passage. Par instinct, le pianiste leva alors la main gauche vers le canon qui s'était mis à cracher une pluie de balles.

Un bouclier énergétique bleuté et semi-translucide de forme rectangulaire s'étendit à quelques centimètres de la paume de Victor, les recouvrant, lui et Manuel, qui se trouvait juste derrière. La pluie de projectiles incessante frappa de plein fouet la surface du bouclier, et les balles se désintégrèrent dans des ondes de choc qui envoyaient de profondes vibrations à travers tout le bras du pianiste.

Seulement, au fur et à mesure que le bouclier vibrait et encaissait les tirs de la machine volante, Victor sentit un épuisement considérable se répandre à travers tous ses membres. Son doigt qui portait l'anneau maya s'engourdit vivement, et une désagréable sensation de succion étouffait sa jointure. Manuel, lui, criait à pleine voix derrière le jeune homme, marmonnant des jurons bien salés à travers ses plaintes.

La respiration de Victor devenait de plus en plus difficile et saccadée, lui donnant bientôt l'impression de suffoquer. Clignant des yeux, le jeune homme réalisa que sa vision se dédoublait légèrement, et son énergie continuait de se faire siphonner par la bague. Bientôt, il n'aurait plus de forces.

C'est alors qu'à travers son bouclier bleuté, Victor vit quelque chose de gros entrer en collision avec le gyrocoptère ; il s'agissait d'un énorme corbeau au plumage noir et rouge. C'était l'antiquaire. L'oiseau venait d'agripper le côté de l'appareil avec ses serres, qui se plantèrent dans sa carrosserie dans un bruit de déchirement métallique. Victor vit le visage apeuré du pilote, qui tira fortement sur les commandes de son vaisseau, lequel chavira aussitôt vers la gauche, envoyant une dernière traînée de balles perdues s'écraser contre les bâtisses avoisinantes.

Le bouclier de Victor se dématérialisa ensuite, et le jeune homme tomba sans forces sur les genoux. Du coin de l'œil, le pianiste vit l'appareil, incliné dans un angle alarmant sous le poids du corbeau géant, qui tentait d'en arracher la portière latérale, la tête bien inclinée sous l'hélice du gyrocoptère tournant juste au-dessus.

Victor aurait bien voulu observer ce qui allait se produire, mais son corps refusait d'obéir ; il s'effondra sur le sol, le visage tourné vers le ciel, et un goût métallique lui emplit la bouche, un goût de sang. Son glaive se détacha de ses doigts engourdis et tomba sur le toit. Après avoir été pris d'une toux gutturale, qui projeta un liquide rougeâtre sur sa bouche et sa mâchoire, il ferma les yeux et sombra.

Manuel était incliné au-dessus du pianiste, qu'il observa pendant un moment. Ses détecteurs optiques lui indiquaient que les signes vitaux de Victor étaient faibles, mais qu'il était encore bien en vie, malgré la forte dose de radioactivité qui circulait dans son corps. Le métacurseur se mit alors à lui envoyer des coups de pied dans le ventre, dans le but de le réveiller.

— Réveille-toi ! lui gronda-t-il en continuant de botter le jeune homme, qui se trouvait au sol. Debout, espèce de sac de chair ! Allez, remue-toi !

Même après huit coups de pied, Victor Pelham n'avait pas rouvert les yeux et n'avait eu aucune réaction. Il restait couché sur le dos, les bras et les jambes inertes. Ses joues étaient salies et meurtries de coupures, et son menton noirci par sa barbe était recouvert de sang luisant au soleil.

— Espèce d'idiot ! lui hurla-t-il en lui envoyant un dernier coup de pied. Regarde où nous sommes coincés à cause de toi ! Sale petit humain inutile de…

Il entendit alors une explosion mélangée à un puissant impact. Ramenant son attention en direction du bruit ; Manuel comprit que l'oiseau démesuré venait d'entraîner l'écrasement du gyrocoptère derrière une bâtisse qui masquait son champ de vision.

— Bon, c'est déjà ça, marmonna-t-il.

L'humeur moins massacrante, Manuel se mit à jeter des regards aux alentours dans le but de trouver une façon quelconque de sauver sa propre peau.

— Si tu crois que je vais rester coincé ici avec toi, tu peux toujours bien rêver ! envoya-t-il à l'intention de Victor Pelham, qui gisait toujours sur le sol, inerte.

Manuel recommença à s'acharner contre la trappe menant à l'appartement du dessous, pendant que son cerveau fonctionnait à toute allure. Jamais plus il ne se laisserait embarquer dans les histoires sans queue ni tête de Victor Pelham, pensa-t-il. Jamais. Le métacurseur savait très bien que sa colère n'était peut-être pas uniquement dirigée vers le pianiste, mais il était bien plus facile de balancer la faute sur quelqu'un d'autre que de perdre son temps à méditer sur la situation.

— Veux-tu bien t'ouvrir ! grogna Manuel au bout d'une longue minute d'efforts à tenter d'ouvrir la trappe avec ses pieds.

Dans son dernier élan, le métacurseur fit un mauvais mouvement, lui faisant perdre l'équilibre et le faisant tomber au sol en position assise. La frustration le faisait bouillir de rage, l'incitant à hurler tous les jurons qu'il avait appris tout au long de son existence. Seulement, au lieu de se laisser envahir par sa colère grandissante, Manuel eut une idée. Après s'être timidement éclairci la gorge, Manuel mima la voix d'une fillette et cria :

— Hé ! Quelqu'un, venez m'aider ! Je suis coincé en haut ! Les deux malfrats ont été abattus ! S'il vous plaît, aidez-moi !

Quelle idée stupide, se dit aussitôt Manuel. Quel imbécile tomberait dans le panneau avec une voix aussi peu convaincante ? Au moment où il allait abandonner et simplement lâcher une série de jurons pour se défouler, le métacurseur entendit quelque chose :

— Qui… qui est là ? répondit la voix incertaine et étouffée d'un homme, sous la trappe.

Pris d'une soudaine jubilation, qui le fit presque rire à gorge déployée et, par conséquent, trahir son rôle, Manuel poursuivit :

— Je… je suis votre petite voisine ! Je suis vraiment apeurée. J'ai… j'ai peur ! Les deux malfrats sont assommés et ils pourraient se réveiller à tout moment !

— Comment t'es-tu retrouvée sur ce toit, ma petite Zara ? lui demanda l'homme d'une voix suspicieuse.

— Je… je voulais profiter du lever du soleil ! continua Manuel avec sa voix de fillette peu convaincante. Mais lorsque vous êtes monté avec votre conjointe, je me suis cachée derrière… quelques coussins ! continua le crâne avec retard, cherchant du regard une cachette propice.

La voix venue d'en dessous se mit alors à parler avec quelqu'un d'autre, d'un ton bien plus bas. Manuel ne put qu'entendre :

— … une arnaque, je te dis ! Non, je n'ouvre pas la trappe. Attendons les forces de l'ordre et…

— Je reconnais sa voix ! protesta la voix craquelée d'un vieillard. C'est Zara ! Tu ne laisserais pas cette fillette seule avec ces malfrats ?

— Et comment ces malfrats se sont-ils assommés, hein ? renvoya la voix de l'homme à l'intention de la fillette interprétée par Manuel.

Après un court délai, ce dernier répondit :

— Ils se sont querellés et se sont frappés mutuellement ! Vite ! Aidez moi !

Manuel entendit alors l'homme et le vieillard se mettre à se chamailler pendant quelques instants, avant que le vieillard vocifère :

— Ouvre-lui la trappe, sinon je te flanque une raclée avec ma canne, petit vaurien !

— Très bien ! capitula la voix de l'homme. Très bien !

N'en croyant pas ses oreilles, Manuel entendit des marches craquer sous les pas de quelqu'un, qui s'approchait de plus en plus de la trappe. Bondissant sur ses pieds, le métacurseur vit la trappe s'ouvrir, dévoilant un homme barbu portant un turban.

— Zara, ma petite, dit-il en cherchant l'enfant du regard, viens vite et…

L'homme s'interrompit, son regard fixé sur les pieds métalliques du robot squelettique. Ses yeux se levèrent progressivement jusqu'à ce qu'ils croisent le regard du métacurseur.

– Hello, lui dit Manuel d'un air amusé.

Avant même que l'homme ait pu réagir, Manuel lui envoya un coup de pied en plein visage, l'envoyant valser dans le petit escalier de bois.

– Tu vois, le pianiste ? envoya Manuel d'un air triomphant et vantard à l'intention du jeune homme, qui était étendu au sol. C'est comme ça que l'on se sort des situations précaires ! Va te faire foutre et bonne journée !

En ricanant comme un dément, Manuel dévala l'escalier, avant de tomber nez à nez avec une femme ; celle-ci était accroupie auprès de l'homme qu'il avait envoyé au bas de l'escalier, en train de lui tapoter le visage pour le réveiller. Lorsqu'elle vit la silhouette de Manuel, elle lâcha un cri de terreur avant de s'enfuir hors de la pièce à pleine course, laissant son conjoint derrière elle.

L'appartement était très petit, peu éclairé et surchargé d'une désagréable odeur d'encens qui brûlait sur un buffet, dans le coin de la pièce. Manuel s'apprêtait d'ailleurs à faire un commentaire désobligeant, mais il entendit alors :

– Zara ?

Manuel repéra le vieil homme dans le coin de la pièce, en train de se balancer sur un fauteuil à bascule, ses petits yeux plissés comme des raisins secs, tout en fixant le mur.

– C'est toi, Zara ? répéta-t-il.

Dans son imitation de fillette peu convaincante, Manuel répondit d'une voix incertaine :

– Oh, euh, oui, monsieur… monsieur le vieillard ! Je… je ne fais que passer !

– Bonne petite Zara, répondit le vieillard d'un grand sourire. Quelle enfant aimable !

« Espèce de vieux cadavre sénile ! » pensa Manuel en riant intérieurement, au moment où il s'apprêtait à franchir la porte menant à l'extérieur de l'appartement. Ce vieil ancêtre était probablement aussi aveugle qu'une taupe, en plus d'être aussi facile à berner ! Pas étonnant qu'il vécût avec un jeune couple, il avait probablement donné sa maison à un mendiant en pensant la vendre à une agence immobilière. Manuel enjamba le corps de l'homme qu'il avait frappé au visage ; son plan avait fonctionné à merveille. Il était enfin débarrassé de Victor Pelham, maintenant il ne lui restait plus qu'à…

Le métacurseur se figea sur place, sur le seuil de la porte, le pied levé au-dessus du sol. Victor Pelham. Pourquoi venait-il d'accorder une pensée à ce jeune homme désagréable, menteur et égoïste, qui n'avait fait que lui gâcher l'existence ? Il ne pouvait pas le laisser là, comme ça… Pas parce qu'il comptait pour lui, bien sûr, car Victor Pelham ne comptait certainement pas pour lui, même si c'était probablement la seule personne sur Terre qu'il pouvait considérer comme son ami ! Non, il ne faisait pas ça pour Victor, mais bien pour améliorer le sort de Carmen… du moins c'était ce qu'il s'efforçait de croire.

– Merde, marmonna-t-il à voix basse en revenant sur ses pas, vers l'escalier menant au toit. Victor Pelham, tu me le paieras très cher, petit emmerdeur.

– Zara ? dit le vieil homme d'un visage intrigué. C'est toi, tendre enfant ?

Chapitre 20

Une fuite rocambolesque

Manuel escalada l'escalier menant au toit de la bâtisse de Casablanca tout en grommelant son mécontentement par rapport à la situation. Victor Pelham l'attendait, toujours étendu sur le toit, sous le soleil. Puisqu'il n'avait plus de mains, Manuel fit bouger le pianiste en le poussant avec son pied, le faisant rouler jusqu'à l'escalier.

– Attention à la marche, petit Victor ! ricana Manuel, levant le pied pour bousculer le jeune homme en bas de l'escalier.

Un brin de conscience le retint cependant de s'exécuter, étant donné que le jeune homme était déjà bien assez blessé ainsi. C'était le désavantage d'avoir pour corps un sac de viande et d'os bourré de nerfs, se dit le métacurseur, qui riait tout seul avant de descendre quelques marches. Au milieu de l'escalier, il mordit la chemise de Victor et le tira vers lui, afin de le faire glisser sur son dos, tout en le retenant ainsi par sa puissante dentition métallique.

Avec le pianiste sur le dos, Manuel descendit le reste de l'escalier avant de passer devant le vieillard.

– Bonne fin de journée, *monchieu l'anchêtre* ! lui envoya le métacurseur, ses dents refermées sur la chemise du pianiste, tout en utilisant sa voix de fillette.

– Sois sage, petite Zara ! couina le vieil homme de sa voix cassée.

Manuel déboucha dans un corridor beige, inondé par la lueur du jour, provenant d'une fenêtre, tout au bout. Quelques plantes exotiques étaient accrochées aux murs et déposées sur de petits tabourets, que Manuel renversa en y accrochant le jeune homme qu'il tenait sur son dos.

– Oups ! lâcha-t-il en renversant le troisième et dernier pot contenant une grande plante. Regarde où tu vas, Victor ! Ha ! ha ! ha !

Arrivé au bout du corridor, Manuel découvrit un escalier et, après y avoir jeté un coup d'œil, il vit que celui-ci descendait une vingtaine d'étages plus bas.

– Moi qui déteste les escaliers, marmonna-t-il d'un ton grincheux avant d'entreprendre sa descente.

Dévalant étage après étage l'immeuble, qui semblait désert, Manuel ne porta aucune attention à faire en sorte que Victor ne percute pas les murs, bien au contraire, il le cognait un peu partout sans trop s'en soucier. Chantonnant à travers sa mâchoire refermée contre la chemise du jeune homme, Manuel devait bien avoir dévalé une dizaine d'étages lorsqu'il entendit des voix précipitées depuis le bas de l'immeuble.

Intrigué, le métacurseur passa la tête par-dessus la rampe de l'escalier afin de vérifier la source de ce brouhaha. Le bras de Victor glissa le long de son cou, pendant au-dessus du vide. Manuel remarqua alors la bague que le jeune homme portait à la main. Et s'il la lui prenait pour l'utiliser lui-même ? Il pourrait utiliser sa magie bizarre pour conquérir des peuples, piller des villages et devenir le maître d'une armée de laquais !

Seulement, lorsque Manuel se rappela qu'il n'avait pas de doigts, encore moins de mains, ses plans machiavéliques s'évaporèrent aussitôt. Le métacurseur reporta alors son attention sur l'escalier, lorsqu'il vit, bien plus bas, une vingtaine de silhouettes l'escalader au pas de course, leurs pas résonnant de plus en plus fort à mesure qu'ils se rapprochaient.

– Allez, encore quelques étages ! lâcha l'une des voix, celle d'un homme.

– Oh merde, des copains pas très gentils ! lâcha Manuel entre ses dents refermées. Va falloir trouver une autre *chortie*, pas vrai, Victor ?

Se trouvant au milieu d'une volée de marche, le pirate fit volteface et remonta jusqu'au palier supérieur, où il trouva une porte fermée, qu'il enfonça d'un solide coup de pied. Contrairement à ses attentes, celle-ci ne céda pas.

– Quand j'avais mon corps, marmonna-t-il d'un ton grognon tout en continuant d'assener des coups de pied dans la porte, je *défonchais* des murs de brique *chans* aucun problème !

Au bout du septième coup de pied, la porte céda finalement, dévoilant un corridor semblable à celui que Manuel avait emprunté plus tôt, si ce n'était de l'éclairage, différent étant donné la position du soleil. Et maintenant, se demanda-t-il, que faire ? Où aller ? N'ayant pas trop le choix, le métacurseur traversa le corridor, tout en essayant d'ouvrir d'un coup de pied toutes les portes qu'il voyait, mais malheureusement, aucune ne céda.

– Et il a fallu que mon unique main se fasse tirer dessus, se plaignit-il à la neuvième porte qu'il tenta d'enfoncer de ses coups de pied peu convaincants. Non mais, merde ! continua-t-il en reprenant son chemin le long du corridor, quel est le pourcentage de chances pour qu'un gyrocoptère vous tire dans la main et la fasse exploser ? C'est débile. Je hais la vie.

C'est alors que l'une des portes menant à un appartement s'ouvrit en grand, et une vieille dame, qui ne devait pas mesurer plus de 1 m 50, en émergea en maniant un lourd poêlon en fonte. Elle était vêtue d'une robe très ample et fleurie, et arborait une chevelure complexe attachée en un chignon impressionnant.

– Qui est-ce qui s'amuse à cogner aux portes, hein ? beugla-t-elle en dirigeant son regard mauvais vers Manuel. C'est vous, jeune impoli ?

– Oh ! bonjour, mère-grand, lui renvoya le métacurseur en prenant un air idiot. Vous avez fait des tartes ?

– Petit voyou ! rétorqua la vieille dame en agitant son poêlon vers Manuel. Qu'as-tu fait à ce jeune homme que tu retiens par la bouche ?

Le métacurseur ouvrit la mâchoire afin de libérer le bout de chemise qui y était coincé, envoyant ainsi Victor s'écrouler sur le plancher telle une masse morte.

— C'est mon laquais, mère-grand, lui dit Manuel d'une petite voix suppliante, il a dévalé l'escalier et s'est cogné la tête. Vous voudriez bien me laisser entrer afin que je puisse l'aider ?

Le métacurseur fit un pas vers la vieille dame, mais celle-ci lui balança un coup de poêlon, qu'il évita de justesse.

— Arrière, petit vaurien ! lui beugla-t-elle en poursuivant son assaut.

Après avoir pris trois ou quatre coups de poêlon sur la poitrine, l'épaule et la tête, Manuel profita d'une ouverture pour assener un coup de tête directement sur le front de la dame. Celle-ci lui envoya un regard complètement stupéfait avant de s'effondrer sur le dos, inconsciente.

— Espèce de vieille peau ! lui vociféra Manuel. Vous devriez être morte depuis au moins 150 ans, de toute manière !

Voyant bien qu'il était inutile de s'acharner sur une vieille femme assommée, Manuel se tourna vers Victor, qui gisait toujours sur le sol dans une position qui n'avait pas l'air très confortable. À cet instant, un homme des forces de l'ordre apparut au bout du corridor.

— Halte ! cria-t-il à son intention. Ne bougez plus !

Même si Manuel n'avait pas bougé d'un millimètre, le garde leva sa lance pneumatique dans sa direction et fit feu. Par chance, le projectile manqua largement sa cible, brisant une fenêtre tout au bout du corridor.

— T'es malade ? lui cria Manuel d'un air noir en gesticulant avec ses moignons. Je n'avais même pas bougé, espèce d'arriéré !

L'homme des forces de l'ordre fit feu à nouveau, obligeant le pirate à s'incliner rapidement et à mordre le bas du pantalon de Victor, avant de le traîner dans l'appartement sous les coups de feu, qui faisaient éclater des bouts de mur aux alentours. Après être entré dans la pièce, Manuel referma brusquement la porte derrière lui. Étant incapable de la verrouiller, il balaya la pièce d'un regard rapide.

Il venait de mettre les pieds dans un salon dont les murs étaient peints d'un rose vif et recouverts d'assiettes en porcelaine hideuses, d'une multitude d'horloges et de statuettes de chérubins grassouillets complètement monstrueux. Une insupportable odeur de parfum vieilli de grand-mère flottait dans l'air. Les détecteurs olfactifs de Manuel lui indiquèrent la présence de baies fermentées ainsi que d'alcool. Le métacurseur s'immobilisa, paralysé pendant un moment à la vue de l'épouvantable endroit dans lequel il venait de déboucher.

– Horrible, lâcha-t-il d'une voix éteinte. Complètement horrible.

Manuel entendit alors les bruits de pas des hommes des forces de l'ordre marteler le sol en direction du logement dans lequel il s'était réfugié. N'ayant repéré absolument aucune issue, le pirate sanguinaire tenta le tout pour le tout :

– Que personne n'entre ! cria-t-il d'une voix forte en tentant d'ouvrir, à l'aide de ses moignons, les portes d'une armoire afin de s'y cacher, même si de toute évidence celle-ci était bien trop petite pour lui. J'ai une bombe et je n'hésiterai pas à la faire sauter, si quelqu'un met les pieds dans ce logement !

Malheureusement, même après plusieurs essais, Manuel dut vite abandonner sa tentative de se cacher dans l'armoire, car il lui était impossible d'ouvrir les poignées avec ses moignons. Puisque de longues secondes s'étaient écoulées, le métacurseur s'attendait à ce que la porte s'ouvre en grand et qu'on vienne lui tirer dessus, mais à sa grande surprise, il semblait que ses menaces avaient porté fruit. Qui aurait pu croire une chose pareille ?

Étant donné que personne n'avait apparemment tenté d'ouvrir la porte pourtant déverrouillée du logement, contrairement à ses attentes, le pirate utilisa sa vision thermique pour mieux observer la situation. Sa vision vira alors au bleu, et plusieurs masses rouges, jaunes et verdâtres apparurent dans le corridor, près de la porte, adossées au mur. Ils devaient être cinq ou six. Profitant de l'occasion, le métacurseur se rendit sur la pointe des pieds jusqu'à une fenêtre.

— Je suis armé ! envoya-t-il par-dessus son épaule à l'intention de la porte, tandis qu'il venait d'ouvrir les volets de la fenêtre en poussant simplement ceux-ci. Armé et... et dangereux !

Il vit alors que la fenêtre donnait sur une corniche, mais puisqu'il n'avait pas de mains, il ne pourrait jamais passer de l'autre côté et s'agripper convenablement. Il renonça donc à l'idée, avant de se diriger à pas feutrés jusqu'à la chambre à coucher, tout aussi horriblement décorée que le salon. Les capteurs thermiques du métacurseur détectèrent alors une source de ventilation provenant d'un placard qui était, par chance, grand ouvert.

Au plafond se trouvait une grille qui menait aux conduits d'aération de l'immeuble. Remerciant mentalement son ingéniosité et ses talents d'investigateur dans une soudaine montée de joie presque euphorique, Manuel retourna jusqu'à Victor, sur la pointe des pieds.

— Je libérerai un otage dans cinq minutes, si personne n'entre ! cria-t-il au passage.

Il entendit alors, à l'aide de son ouïe surdéveloppée, de très faibles chuchotements qui provenaient des hommes des forces de l'ordre. L'un d'eux dit d'une voix très basse :

— Monsieur, je ne crois pas qu'il ait d'otage.

— Comment pouvez-vous en être certain ? lui répondit un autre garde, probablement le sergent de l'unité. Vous l'avez vu ?

— Oui, monsieur. La dame qui vit ici est évanouie sur le sol, monsieur. Et... il y a autre chose.

— Parle !

— Le métacurseur n'a pas de bras, monsieur. Il ne peut donc pas être armé. Il... il nous prend pour des idiots, monsieur.

Pendant ce temps, Manuel en avait profité pour traîner Victor jusqu'à la chambre en tirant sur le col de sa chemise, qu'il avait fortement mordue. En poussant ses pattes du pied, le métacurseur était parvenu à traîner une chaise, qui se trouvait dans le coin de la chambre, jusqu'au garde-robe. Il monta ensuite dessus et, sans difficulté, parvint à déloger la grille avec ses moignons et sa tête, avant de la glisser dans le conduit.

L'intérieur du conduit d'aération était sombre, s'étendant dans deux directions opposées. Tandis que la vision de Manuel passait en mode infrarouge, rendant le conduit verdâtre avec un contraste noir, ses capteurs détectèrent une importante quantité de poussière, de moisissures et de fientes de rongeurs.

– Joie, grogna-t-il.

Heureusement, le corps de Laévarden était assez grand pour que Manuel puisse grimper dans le conduit sans trop de problèmes, même s'il n'avait pas de mains. Le seul problème du métacurseur était le pianiste, étendu au sol. Comment diable allait-il le hisser là-haut ? Avec ses dents, sans doute, aussi insolite que cela pouvait être. Manuel s'inclina et sauta à terre, au pied du placard, sa vision redevenant aussitôt normale. Avant tout, il allait devoir gagner un peu de temps.

– Ces bouffons vont bientôt débarquer, murmura-t-il au jeune homme en se dirigeant vers la porte de la chambre, qu'il referma silencieusement. Alors, ce serait bien que tu te réveilles, espèce d'infirme !

Les détecteurs optiques de Manuel lui indiquaient que les signes vitaux du jeune homme s'affaiblissaient de plus en plus et que d'ici une dizaine de minutes, son cœur cesserait de battre. Si jamais ce dernier en venait à mourir, qui d'autre serait en mesure de l'aider à emmener Carmen à l'orphelinat ? Mis à part Victor lui-même, Manuel n'avait aucun ami.

Mécontent à l'idée de devoir traîner le jeune homme, qu'il considérait presque comme une charge inutile, Manuel lui mordit le bas du pantalon avant de se hisser lui-même sur la chaise. Le corps de Laévarden n'était pas aussi puissant que le sien, mais il était assez fort pour soulever sans problème le corps du pianiste.

– J'parie que tu n'es jamais monté dans un conduit d'aération la tête à l'envers, envoya Manuel en grognant à travers ses dents refermées sur le bas de son pantalon.

En effet, Victor se trouvait dans une position bien ridicule ; le haut de son dos et sa tête touchaient au sol, tandis que ses jambes étaient soulevées par Manuel, qui venait de s'engouffrer dans le conduit d'aération en appuyant son seul coude sur une tablette du garde-robe.

— Heureusement que j'ai une dentition en métal, marmonna Manuel, dont la voix était amplifiée par le conduit assombri dans lequel il s'engouffrait. Sinon, tu serais mort depuis longtemps, petit Victor !

Au bout de quelques secondes d'effort, le métacurseur réussit l'impossible ; il s'était hissé lui-même, sans mains, ainsi que le corps de Victor Pelham, qu'il maintenait depuis son pantalon bien coincé entre ses dents.

— Attention à la tête ! lui envoya Manuel en tirant un bon coup sur la jambe du jeune homme afin de le hisser complètement dans le conduit.

Mais le bruit sourd qu'il venait d'entendre lui indiqua que la tête de Victor avait fortement cogné contre le rebord de la trappe d'aération, ce qui lui fit lâcher un rire sadique. Accroupi dans le conduit, sa vision passant à nouveau en mode infrarouge, Manuel se demanda quelle direction il allait prendre, mais il entendit soudain un second bruit, cette fois-ci plus mou et léger.

Intrigué, Manuel jeta un coup d'œil derrière lui et aperçut Victor, allongé sur le dos, la tête inclinée sur le côté. Seulement, un détail manquait : son sac. Sur le coup, le métacurseur haussa les épaules, mais il se remémora bien assez vite que le métronome et la roue de l'engrenage s'y trouvaient. Tout en lâchant silencieusement juron après juron, Manuel recula, passant par-dessus le pianiste, avant de jeter un coup d'œil en bas du garde-robe. Le sac s'y trouvait bel et bien.

— Connerie ! marmonna-t-il en sautant à terre.

À peine venait-il de mordre la bandoulière du sac qu'il entendit le bruit d'une porte qui volait en éclats sous un solide coup de pied.

— Les nains viennent de se réveiller, ricana le pirate, qui s'engouffra une seconde fois dans le conduit d'aération. Essayons de gagner du temps.

Avant de s'y introduire entièrement, le métacurseur donna un coup de pied dans la chaise, qui tomba à la renverse hors de portée du garde-robe, puis referma la porte depuis l'intérieur. Maintenant à quatre pattes dans le conduit poussiéreux et assombri, Manuel poussa du pied la grille sur la trappe. Celle-ci ne se referma pas complètement, mais à première vue, elle avait l'air normale.

Maintenant prêt à poursuivre ses aventures dans les conduits d'aération, Manuel parvint à passer la bandoulière par-dessus sa propre tête après un mouvement de cou complexe. Maintenant, quelle direction devait-il emprunter ?

Ses capteurs thermiques indiquèrent alors qu'un important courant d'air provenait de la direction qu'il avait choisie pour hisser Victor, ce qui voulait dire que le système de ventilation devait s'y trouver. Et qui disait système de ventilation disait aussi pièce de maintenance. C'était là que lui et Victor devaient se rendre. À quatre pattes, tirant Victor par le bas de son pantalon, qu'il maintenait entre ses dents, le métacurseur avança lentement dans le conduit d'aération, causant un bruit d'enfer. D'ailleurs, lorsque Manuel le réalisa, il entendit :

– Attendez ! Ne bougez plus !

Le pirate s'immobilisa, ses détecteurs de bruit à l'affût.

– Je... je crois que j'ai entendu quelque chose venant d'en haut, continua l'homme de sa voix masquée. Attendez...

Pendant plus de 30 secondes, Manuel demeura parfaitement immobile, dans l'attente d'une réaction quelconque des hommes des forces de l'ordre, jusqu'à ce qu'il entende ces derniers reprendre leurs recherches. En prenant bien soin de ne pas faire de bruit, Manuel traversa le conduit d'aération sur une trentaine de mètres avant d'arriver devant une intersection. Les deux chemins s'étendaient sur une bonne distance.

Les capteurs sensoriels de Manuel lui indiquèrent très clairement la provenance du courant d'air, qui venait de la droite. Malgré une certaine curiosité à savoir ce qui se trouvait vers la gauche, le métacurseur opta pour la droite tout en tirant toujours le jeune homme par les dents.

Il entendit alors une voix lointaine et étouffée dire :

– Il n'est pas là ! Il n'est pas dans la chambre !

— C'est impossible, répondit une autre voix masquée par les épaisseurs de murs et par le plafond. Il ne peut pas être sorti à l'extérieur. Vous avez fouillé le garde-robe de la chambre ?

— Je… euh… Non, monsieur.

« Merde », se dit Manuel, tout en continuant de ramper difficilement le long du conduit d'aération. Le métacurseur accéléra la cadence, voulant atteindre au plus vite la salle de maintenance. C'est alors qu'il se posa une question pertinente : pourquoi atteindre cette pièce, au juste ? En quoi cela les aiderait-il, lui et Victor ? Manuel fut alors traversé d'une soudaine frustration, car il n'y avait pas vraiment réfléchi.

— Connerie ! marmonna-t-il d'une voix presque inaudible, tandis qu'il s'arrêtait pour jeter un regard en arrière.

Revenir sur ses pas n'était pas vraiment une option, encore moins avec le corps inconscient qu'il tirait entre ses dents. Et s'il abandonnait Victor ici ? Personne ne le blâmerait, il pourrait inventer quelque chose et…

Cette idée s'évapora aussitôt, puisqu'il n'aurait aucune crédibilité et, de toute façon, Victor représentait la seule chance qu'il avait de pouvoir offrir à Carmen une meilleure vie.

Légèrement frustré, Manuel reprit sa route dans le conduit d'aération, tout en tentant de faire le moins de bruit possible, ce qui ne s'avérait pas très évident. Tant et aussi longtemps que ces crevettes armées ne réalisaient pas qu'il se trouvait dans les conduits de ventilation, tout irait pour le mieux…

— Il est dans les conduits d'aération ! lâcha alors une voix masquée provenue d'en dessous. Dans les conduits !

Lâchant quelques jurons, le pirate jeta un coup d'œil derrière lui et fit basculer sa vue thermique, qui lui montra trois ou quatre individus en bas du placard dans lequel se trouvait la trappe.

— Bouchez toutes les issues ! rétorqua une voix étouffée par les murs. Allez, remuez-vous !

Représentées uniquement par la chaleur qu'elles dégageaient, les silhouettes jaunes et orangées se dispersèrent sous Manuel, qui accéléra encore la cadence, ne faisant plus attention au bruit qu'il causait. De toute manière, ses capteurs lui indiquaient que d'ici une trentaine de mètres, il allait déboucher dans une pièce où se trouvait le système de ventilation de l'immeuble, autrement dit, la salle de maintenance.

Quelques rats, venus de l'arrière, dépassèrent Manuel à toute vitesse en couinant, avant de tourner vers la gauche, au fond du conduit d'aération.

– Beurk, marmonna le métacurseur à travers ses dents, qui retenaient fermement le pantalon du jeune homme. Je déteste les rats..., c'est dégueulasse.

Après avoir tourné vers la droite, puis à gauche, Manuel arriva finalement devant une grille métallique qui le séparait d'une petite pièce illuminée. D'ailleurs, la source de lumière provenant de la pièce rendait sa vision nocturne très réduite, le forçant ainsi à revenir à sa vision normale. La source de lumière était une simple ampoule accrochée au plafond et qui projetait les ombres de chacun des barreaux sur les parois intérieures du conduit d'aération. Manuel se trouvait donc en hauteur.

– *Ch'est* pas trop tôt, marmonna le pirate, qui pivota sur lui-même avant de donner plusieurs coups de pied sur la grille.

Celle-ci céda sans trop de résistance, avant de tomber au sol dans un bruit métallique assez sonore. Manuel tenta de sortir du conduit d'aération, ce qui s'avéra plus difficile que prévu. Après quelques plaintes et jurons, qui furent grandement amplifiés par le conduit d'aération, le métacurseur parvint finalement à en sortir, laissant Victor dans le conduit, seules ses jambes pendant en dehors.

Manuel avait débouché, tout comme il l'avait prévu, dans une salle de maintenance dans laquelle se trouvaient d'énormes ventilateurs, qui faisaient circuler l'air dans tout l'immeuble. Dans un coin de la pièce, près de la porte, se trouvait une petite table surmontée d'une chandelle allumée et d'un jeu de cartes étalé et récemment utilisé, comme si les joueurs avaient abandonné leur partie.

Deux tabourets se trouvaient aux extrémités de la table et l'un d'eux avait été renversé, renforçant ainsi l'idée que les occupants avaient dû partir à toute vitesse.

Balayant la pièce du regard, Manuel s'accorda un court moment de répit pour réfléchir à la suite des événements. Sa meilleure chance de survie était de rejoindre le niveau des rues, ou même des égouts, si évidemment c'était possible, car plus il passait de temps en hauteur, plus il lui serait difficile de s'en tirer, surtout sans bras et avec les hommes des forces de l'ordre qui fourmillaient autour.

— Bon, se dit-il avec un certain manque d'enthousiasme, il va falloir trouver un moyen de descendre.

C'est alors qu'un détail retint l'attention du métacurseur : une chute à linge se trouvait sur un mur du fond, devant laquelle se trouvaient de grands bacs bourrés de vêtements sales et de nappes.

— Un immeuble d'appartements avec un service de buanderie ? J'en connais qui baignent dans le luxe…

C'est alors qu'une lumière s'alluma au fond du cerveau du pirate. S'il y avait une chute à linge à cet étage, il devait y avoir, quelques niveaux plus bas, un grand bac prêt à recevoir les vêtements souillés.

— Et si ces bacs sont pleins, se dit Manuel d'un air songeur en analysant les bacs de vêtements, c'est parce que… la pile d'en bas doit être bien pleine aussi !

Le métacurseur se déplaça donc vers la chute à linge, et poussa le panneau de protection à l'aide de sa tête afin de contempler le long tunnel noir qui menait vers une pile de vêtements, bien des étages plus bas. C'est avec un grand sentiment d'autosatisfaction que Manuel réalisa qu'il avait, encore une fois, eu raison.

Revigoré, il lâcha un grognement libérateur et presque viril avant de se diriger vers la paire de jambes qui dépassaient du conduit d'aération, un peu en hauteur sur un mur à l'opposé. À l'aide de ses dents, Manuel tira le bas du pantalon de Victor, qui se trouvait toujours à moitié dans le conduit de ventilation, faisant tomber ce dernier sur ses épaules. Ils pouvaient finalement poursuivre leur petite évasion.

Après avoir ramené Victor, inconscient, sur ses épaules jusqu'à la chute à linge, Manuel jeta à nouveau un coup d'œil dans le long tunnel noir, qui descendait jusqu'à un grand bac à linge.

– Tu veux ouvrir la marche, Victor? demanda Manuel au jeune homme. De toute façon, c'est toi le chef, d'habitude, non? C'est toi, le capitaine, pas vrai? Alors...

Sans trop de difficulté, Manuel hissa Victor sur le rebord de la chute à linge.

– Prends les devants comme tout bon capitaine, mon pote! ricana Manuel avant de botter vulgairement le jeune homme, qui tomba comme une poupée sans vie. La chute, qui dura quelques secondes, se termina dans un bruit semblable à celui d'oreillers moelleux.

Il entendit alors des cris de femmes venus d'en bas. Il fallait croire que l'arrivée de Victor avait effrayé les ménagères.

– Oups! dit innocemment Manuel avant de lâcher un rire hystérique.

À son tour, le métacurseur passa une jambe par-dessus le rebord de l'entrée de la chute à linge. À peine Manuel venait-il de quitter le rebord qu'une pensée lui frappa alors à l'esprit : il portait toujours une bombe au torse, et voilà qu'il venait de se laisser tomber en chute libre. Maintenant tout à fait conscient de son erreur, le métacurseur se mit à crier comme une petite fille jusqu'à ce qu'il atterrisse dans un nid confortable, rembourré de vêtements et de couvertures, auprès de Victor, immobile.

Le cœur lui palpitant dans la tête, Manuel prit un instant pour se reprendre. Il venait d'avoir la frousse de sa vie.

– Merde..., ça aurait vraiment pu mal tourner, se dit-il en jetant un coup d'œil aux alentours.

Le métacurseur et Victor se trouvaient bel et bien dans une buanderie, maintenant vide à cause de l'entrée remarquée du pianiste, qui avait dû donner une peur bleue aux ménagères qui travaillaient dans la pièce. Cette dernière était d'une taille considérable, bien plus grande que ce à quoi Manuel s'était attendu, et accueillait une bonne dizaine de chutes à linge qui tombaient toutes dans de larges bacs identiques à celui dans lequel ils gisaient maintenant. Il semblait que tous les habitants de l'immeuble avaient accès à un service de buanderie assez poussé. De grandes fenêtres laissaient largement entrer la lumière dans la pièce, la rendant très claire.

Manuel accorda ensuite son attention au pianiste, qui avait le visage contre le tas de vêtements.

– Hé, Pelham. Ça va ? lui demanda-t-il en le bousculant du pied.

Évidemment, le jeune homme ne répondit pas. Les capteurs optiques de Manuel lui indiquèrent alors que les signes vitaux de Victor diminuaient doucement et que son espérance de vie était actuellement de moins d'une heure. Il allait devoir se dépêcher... surtout avec ces types armés qui étaient à ses trousses.

Puisqu'il n'avait pas de mains, le simple fait de se sortir du bac bourré de vêtements sales fut pour Manuel un vrai défi. C'est avec un total manque de grâce que le métacurseur parvint finalement à s'en extraire, avant de se redresser sur le sol, recouvert d'une grande couverture tachée de café et de sous-vêtements sales.

– Sale... connerie... dégueulasse ! se plaignit Manuel en gesticulant comme un damné pour se libérer de l'emprise des vêtements.

Une fois libéré, il canalisa toute sa frustration dans un coup de pied qui poussa le tas de vêtements à un mètre de distance à peine. Manuel s'occupa ensuite de tirer Victor hors du bac, en le mordant cette fois-ci par le col de sa chemise.

Avec le pianiste sur son dos voûté, le métacurseur se dirigea d'un pas rapide jusqu'à la double porte de la buanderie. Après avoir passé la tête dans le corridor et s'être assuré que la voie était libre des deux côtés, Manuel choisit d'aller à gauche, avant de se mettre à trotter le long du corridor.

Seulement, une fois qu'il fut arrivé tout au bout, Manuel vit que le corridor tournait vers la droite, où se trouvait une patrouille de trois ou quatre hommes des forces de l'ordre. Comme s'il avait heurté un mur invisible, le métacurseur s'arrêta brusquement et revint sur ses pas afin de se cacher à l'angle du mur. Heureusement, personne ne l'avait aperçu. D'un vif coup d'œil, il vit que les gardes étaient en pleine discussion avec une femme habillée en ménagère. Celle-ci leur disait :

– Oui, c'était un homme ! Il devait avoir... je ne sais pas moi, dans le début de la vingtaine.

– D'accord, madame, répondit l'un des gardes, qui se retourna ensuite vers ses compagnons. Venez les gars, nous allons faire un tour à la buanderie.

Avant même qu'ils puissent terminer leur phrase, Manuel avait pris ses jambes à son cou et rebroussé chemin vers la buanderie, optant cette fois pour le corridor de droite. Par chance, le métacurseur fut assez rapide et put parcourir la longueur du corridor et tourner à l'angle de celui-ci, quittant ainsi le champ de vision des gardes, qui arrivèrent peu après en direction de la buanderie. À son grand soulagement, le pirate repéra tout au bout du couloir une grande double porte en bois, sous laquelle il pouvait voir la lumière du jour. C'était une porte de sortie !

Comme s'il avait le feu aux trousses, Manuel se rua à toute vitesse vers les portes qui allaient lui offrir, enfin, sa liberté vers les rues de Casablanca. Un petit écriteau était apposé sur la porte, mais dans sa hâte, le métacurseur ne jugea pas nécessaire de s'arrêter et de le lire. À toute vitesse et de tout son poids, Manuel enfonça fébrilement la double porte à l'aide de ses épaules, pour finalement arriver... dans le vide.

Pris d'une soudaine impression de vertige, Manuel était déjà en chute libre, criant à pleins poumons. Cependant, tout s'arrêta rapidement et son atterrissage fut bien plus délicat qu'il le redoutait. En effet, le métacurseur réalisa que Victor et lui s'étaient simplement retrouvés au fond d'une benne à ordures. Abasourdi par le fait qu'il soit encore intact et que la bombe n'ait pas explosé, Manuel observa rapidement autour de lui, puis en hauteur. C'est là qu'il réalisa qu'il avait fait une chute d'à peine trois mètres, la double porte ballottant lentement juste au-dessus de lui.

– Ça... ça aurait pu être pire, couina-t-il d'une petite voix presque honteuse.

Après s'être redressé afin de mieux voir, Manuel comprit qu'il se trouvait au fond d'une ruelle et qu'un grand mur blanc et lisse en marquait le fond. Si le métacurseur avait eu des bras et des mains, il aurait peut-être pu l'escalader, mais puisque ce n'était pas le cas, la fuite n'était possible que dans une seule direction : les rues déjà bondées.

Depuis la benne à ordures, Manuel vit combien l'immeuble sur lequel Victor les avait fait atterrir était haut. En effet, il comportait une quarantaine d'étages, rivalisant sans peine avec les plus hautes bâtisses des alentours. De larges rayons du soleil marocain pénétraient dans la ruelle, la baignant dans une chaude atmosphère dorée, et de longues banderoles décoratives, suspendues aux deux bâtiments qui encadraient la ruelle, flottaient au gré du vent.

Sans facilité, Manuel s'extirpa hors de la benne à ordures, avant d'en sortir Victor à son tour. Étant encore une fois parvenu à faire basculer le pianiste sur son épaule tout en le retenant par le col de sa chemise bien mordue entre ses dents, le pirate s'éloigna rapidement dans la seule direction possible.

Étant donné que la ruelle déboucherait bientôt dans la rue principale, Manuel se mit à longer le mur afin de réduire le risque de se faire repérer. À peine s'était-il approché de la rue bondée de gens qu'il y vit trois gyrocoptères posés au sol. Une vingtaine de gardes étaient postés devant l'immeuble, armés de leur lance pneumatique et de leur bouclier rétractable. Juste derrière eux, il y avait une foule de curieux, qui devaient se demander ce qui se passait.

— Merdouille, grogna le métacurseur, qui trouvait sa situation bien désagréable.

Et maintenant, que pouvait-il faire ? Prendre la fuite à travers la foule et les hommes des forces de l'ordre en espérant qu'on ne lui tire pas dessus ? Si cela devait arriver, il tuerait des centaines d'innocents. À cet instant, un autre gyrocoptère passa au-dessus de l'immeuble, ses hélices et moteurs bourdonnant dans le ciel, faisant sursauter Manuel qui avait, sans pouvoir se retenir, lâché un petit hurlement.

C'est alors que les capteurs de mouvement du métacurseur se mirent à vibrer, lui indiquant que quelqu'un courait dans sa direction, droit derrière lui. Pivotant sur lui-même, le mouvement faisant voltiger sa cape déchirée, Manuel vit nul autre que Naveed en personne, qui venait de tomber sur ses pattes depuis le haut du mur, au fond de la ruelle.

— Naveed ! s'exclama-t-il avec un mélange de joie et d'interrogation. Tu es encore en vie ! Je dois avouer que je suis bien content de…

Le démon agrippa Manuel par la mâchoire, l'empêchant en même temps de parler. Il approcha alors le visage du métacurseur du sien et c'est d'un air féroce qu'il lui demanda :

— Victor Pelham est-il encore en vie ?

— Ouais, répondit Manuel, dont la voix était étouffée par la main rocheuse du démon. Est-ce que tu…

Naveed secoua la tête du métacurseur, lui coupant la parole, avant de la rapprocher encore plus de son visage sévère, sur lequel une expression meurtrière était affichée.

— Et vous avez toujours la roue de l'engrenage ainsi que le métronome ?

C'est d'une petite voix apeurée que Manuel couina :

— Oui.

Les yeux aux pupilles vertes et spiralées de Naveed s'abaissèrent alors sur le sac que Manuel portait en bandoulière.

— C'est le sac de Victor Pelham ? demanda simplement l'être aux quatre cornes.

Manuel répondit d'un faible hochement de tête. Le démon libéra le robot sans bras de son étreinte, comme s'il se débarrassait d'un simple et vulgaire déchet.

— Hé, dit alors Manuel, qu'est-ce que tu…

Le démon lui retira sauvagement le sac, qu'il passa par-dessus sa propre tête. Sans répondre au métacurseur, il lui prit le pianiste évanoui avant de l'installer comme un sac de patates par-dessus son épaule, sans difficulté. Naveed adressa ensuite un regard meurtrier à Manuel, qui eut plus que jamais peur de se faire arracher la tête. Ce dernier recula d'un pas, mais le démon perse le rattrapa aussitôt, avant de l'empoigner par la nuque.

— Ayez pitié, ô grand Naveed ! l'implora Manuel d'une voix de petite fille.

Au lieu de lui écrabouiller la tête, comme le métacurseur s'y était attendu, Naveed balança simplement Manuel sur son autre épaule, avant de reprendre sa course en direction du mur de pierre blanche. Tel un véritable acrobate, défiant presque la gravité, le démon aux cheveux blancs bondit sur la paroi bien lisse du mur longeant la ruelle, sur lequel il courut à peine trois pas, avant de se propulser à l'aide de sa jambe gauche sur le mur, qu'il atteignit de justesse avant de se retrouver dessus, en position assise.

Depuis le sommet du mur, Victor et Manuel sur ses épaules, Naveed balança ses pattes de l'autre côté et, avec grâce, se laissa tomber au sol. Manuel aurait bien voulu faire savoir au démon qu'il était plus qu'impressionné par ses prouesses physiques, mais depuis les récentes menaces que ce dernier lui avait proférées, il préféra s'abstenir et rester muet.

Un instant plus tard, le démon déboucha dans une avenue principale à pleine course, forçant les piétons à sauter hors de son chemin. Les quelques personnes qui avaient été bousculées par Naveed parurent toutes outrées, offensées et surtout surprises de voir un tel personnage traverser la rue en tenant deux corps sur les épaules.

— Hé ! Les manières, ça existe ! cria un homme à l'intention de Naveed, qui était déjà rendu de l'autre côté de la rue.

— Mais… c'est… ce sont ces gars que l'on voit dans les médias ! dit la voix d'un autre homme tandis que le démon venait de disparaître au coin d'une bâtisse.

Bondissant par-dessus bennes à ordures, murs et clôtures, le démon s'engouffrait dans le cœur de Casablanca. À plus d'une occasion, la tête de Manuel heurta des obstacles, jusqu'à ce qu'il en soit sincèrement frustré.

— Tu peux faire attention, un peu ? grommela-t-il à l'intention de Naveed. Et puis, où est-ce que tu nous emmènes ?

Le démon à la chevelure blanche et aux quatre cornes ne répondit pas ; il s'arrêta plutôt et laissa tomber Manuel au sol, tel un vulgaire objet.

— Hé ! protesta le pirate en se redressant uniquement avec l'aide de ses jambes. Merde, j'ai une bombe dans le corps, tu l'as oublié ? Et pourquoi est-ce que tu t'arrêtes comme ça ? envoya-t-il d'un air furieux à l'intention du démon perse, qui ne lui accordait aucune attention.

Observant les alentours, Manuel vit qu'ils se trouvaient au bord d'un canal dont l'eau, quelques mètres plus bas, sillonnait à travers la ville. De grandes banderoles festives étaient suspendues au-dessus du canal, accorchées aux hautes bâtisses des alentours. Seule une allée étroite les séparait d'une rue assez achalandée, ce qui n'était pas encourageant.

Lorsqu'il ramena son regard vers le démon, Manuel réalisa que ce dernier s'était déjà bien éloigné, marchant le long du canal.

— Hé ! lui cria-t-il en rattrapant Naveed au pas de course. Pourquoi est-ce que tu me laisses ici ?

Sans lui répondre, le démon déposa délicatement Victor au pied d'un immeuble en position assise, entre deux gros barils souillés.

— Pourquoi est-ce que tu l'assois à cet endroit ? lui redemanda le métacurseur. Tu veux nous abandonner, c'est pour ça que...

Naveed se retourna brusquement, ce qui coupa la parole de Manuel. Le démon perse s'avança vers le métacurseur et lui dit :

— Trouve-toi une cachette ou sauve-toi.

Le démon glissa alors ses doigts griffus dans l'une des pochettes qui étaient suspendues au harnais qui traversait sa poitrine en diagonale. Il en sortit un objet qui ressemblait fort à une fusée éclairante.

— Qu'est-ce que tu... comptes faire avec ça ? demanda Manuel, qui, en fait, connaissait très bien la réponse.

Brusquement, Naveed déchira le bout de la fusée éclairante, qui se mit à cracher une multitude d'étincelles, avant qu'une épaisse fumée rouge en jaillisse. C'est d'un geste nonchalant qu'il laissa tomber la fusée au sol, depuis laquelle jaillissait toujours une épaisse fumée, et celle-ci roula tranquillement sur quelques centimètres avant de s'immobiliser.

Donnant l'impression d'être tendu, Naveed se mit à faire les cent pas en secouant légèrement ses bras jusqu'à ses mains, comme pour mieux y faire circuler son sang. Manuel l'observa ainsi, immobile, pendant plusieurs secondes, tandis que l'épaisse fumée rouge vif montait tranquillement au ciel.

– Tu... tu veux que le gyrocoptère vienne nous chercher ici ? lui demanda le métacurseur. L'engin n'aura même pas assez de place pour se poser !

– Cache-toi ou fiche le camp ! lui beugla Naveed d'une colère noire tout en le pointant d'un geste vif. Je ne te le répéterai certainement pas, l'être métallique !

C'est à ce moment qu'ils entendirent le rugissement des moteurs de véhicules qui s'étaient immobilisés de l'autre côté de la ruelle, dans la rue principale. Il s'agissait de carrosses flottants assez larges et qui n'avaient même pas de roues. Puisque les engins étaient bien trop gros pour s'introduire dans l'allée qui les séparait de l'endroit où se trouvaient les fugitifs, leurs passagers furent forcés de descendre. Quelques secondes plus tard, une dizaine de gardes armés de lances pneumatiques et de boucliers rétractables se ruèrent en direction de Naveed et de Manuel, qui se trouvaient tous deux au bout de l'allée.

Manuel alla se réfugier entre les deux barils et tenta de s'accroupir auprès de Victor, mais dans sa hâte, il perdit l'équilibre et, sans ses bras pour se retenir, chavira maladroitement sur le jeune homme. Pendant que Manuel grommelait quelques jurons tout en tentant d'adopter une posture moins stupide, il entendit les grognements du jeune homme.

Lorsqu'il ouvrit les yeux, Victor ne vit qu'une silhouette floue indiscernable se trouvant devant une lueur rougeâtre éblouissante. Progressivement, la silhouette se précisa jusqu'à ce que Victor puisse discerner qu'il s'agissait du métacurseur sans bras, qui se trouvait littéralement par-dessus lui.

– M... Manuel ? dit difficilement le pianiste, dont la mâchoire semblait bien lourde.

Chapitre 21

Le début de la fin

– Ben merde ! lâcha le métacurseur d'une voix ébahie malgré son visage sans expression. T'es *inmourable* !

Victor se mit à se masser délicatement le front, puisque sa tête lui semblait très fragile et douloureuse, comme s'il y avait reçu plusieurs coups.

– Ce n'est même pas un vrai mot, grogna le jeune homme, qui regardait autour de lui, les yeux plissés par la lueur aveuglante du jour. Qu'est-ce que tu fais sur moi, Manuel ?

– J'ai été bousculé, répondit le métacurseur, qui se redressa sans trop de misère malgré son absence de bras. Ne te fais pas d'idée, espèce de...

Le pianiste remarqua aussi que Manuel portait son sac. Il allait lui en faire mention lorsqu'il réalisa tout bêtement la présence de la fumée rouge qui montait au ciel, qu'il avait pourtant aperçue plus tôt.

– Est-ce... est-ce que c'est la fusée éclairante ? demanda-t-il en fronçant les sourcils.

Une fraction de seconde plus tard, Victor entendit une série de coups de feu détoner non loin de lui, le faisant grandement sursauter. Un homme traversa alors son champ de vision avant de s'écraser au sol, sur lequel il roula sur un ou deux mètres avant de s'immobiliser, face contre terre. Son corps fumait, comme s'il avait été grièvement brûlé.

Pris d'un mélange d'effroi et de surprise, Victor se redressa fébrilement en s'aidant maladroitement des barils qui se trouvaient à sa gauche et à sa droite. Le dos au mur et la respiration haletante, il vit alors Naveed en plein combat contre une demi-douzaine d'hommes des forces de l'ordre. Certains tentaient de l'attaquer avec les épées qu'ils portaient à la taille, tandis que d'autres, qui se tenaient à une courte distance, tentaient de trouver une ouverture pour lui tirer dessus avec leur lance pneumatique.

Tel un diable enragé, le démon perse se précipitait entre ses adversaires tout en assenant de grands coups de poing, de griffes et de pied contre les malheureux qui se risquaient au corps à corps avec lui. Les mains et les pieds de Naveed étaient rougeoyants de chaleur, si bien qu'à chacun de ses coups, des étincelles jaillissaient. Les quelques gardes qui brandissaient leur lance en sa direction firent feu, et leurs balles éclatèrent contre la peau rocheuse du démon.

La main puissante du démon cornu agrippa le visage de l'un des gardes, un gobelin, qui lâcha aussitôt un terrible cri de douleur, sa peau brûlant sous la chaleur intense de la main de Naveed. Ce dernier souleva d'une main le gobelin qui tentait de se libérer de son étreinte, ses petites jambes battant dans le vide, avant de le lancer sans effort dans le canal.

D'autres gardes apparurent des allées avoisinantes, gobelins, humains et satyres, dégainant leurs épées tout en se ruant vers Naveed. Ce dernier fut atteint à quelques reprises, mais son épiderme rocheux suffisait à rendre inutile toute tentative de le blesser avec des armes blanches. Néanmoins, cela ne semblait pas décourager les pauvres âmes qui tentaient d'enlever la vie au démon, ce qui semblait bien irriter ce dernier.

Son visage était crispé dans une expression féroce et animale, tandis qu'il griffait et frappait ses adversaires avec fureur. Naveed ne cherchait pas simplement à repousser ses adversaires ; il cherchait à les tuer… chose qui fut vite confirmée lorsqu'il brisa le cou d'un garde humain, qui avait eu la mauvaise idée de l'attaquer à mains nues.

Cette scène dégoûta royalement Victor, car lui et les siens se trouvaient au cœur d'un énorme malentendu, et les gardes de la ville n'étaient en aucun cas leurs ennemis. Il s'agissait simplement d'hommes et de femmes qui tentaient de gagner humblement leur vie en répondant aux ordres. Le jeune homme aurait voulu intervenir, mais son corps lui semblait bien trop affaibli et dépourvu d'énergie pour pouvoir faire quoi que ce soit.

— Naveed ! lui cria-t-il malgré sa voix pâteuse. Naveed, arrête !

— Arrêter quoi ? lui renvoya Manuel, outré.

Le démon l'ignora, continuant ainsi de tuer les hommes des forces de l'ordre qui osaient l'attaquer. Lorsque le quatrième garde trouva la mort sous les griffes de Naveed, Victor en fut si révulsé qu'il décida de se lever afin d'intervenir d'une façon ou d'une autre. Il détestait voir des innocents se faire massacrer, surtout pour une cause aussi stupide.

Il fut très difficile pour Victor de se relever tellement il était vidé de toute énergie, si bien qu'il avait l'impression que quelques muscles refusaient littéralement de lui obéir.

— Qu'est-ce que tu fais, espèce d'idiot ? lui grogna Manuel.

Sans répondre au métacurseur, le pianiste parvint à se hisser sur ses pieds en s'agrippant aux barils, qu'il faillit renverser. À travers les coups d'épée et les détonations d'armes à feu, Naveed envoya un regard sévère à Victor.

— Reste à terre ! lui cria-t-il avant de griffer sauvagement un satyre au visage.

L'un des hommes des forces de l'ordre qui s'attaquaient au démon perse se tourna alors vers le jeune homme. Après une fraction de seconde, il déclara :

— C'est Victor Pel...

L'homme fut incapable de terminer sa phrase, car la main rouge de chaleur de Naveed lui agrippa la nuque avant de le balancer dans le canal qui sillonnait à travers Casablanca.

— Cache-toi ! lui beugla Naveed, enragé.

À cet instant, une ombre gigantesque sortit de nulle part, masquant partiellement la scène avant que la luminosité revienne à la normale. Il s'agissait d'un grand gyrocoptère noir, qui venait de tracer un arc dans le ciel et qui perdit de l'altitude jusqu'à ce qu'il s'immobilise au-dessus du canal, à trente centimètres du rebord de l'allée. La portière de l'appareil s'ouvrit en grand, dévoilant Caleb et Udelaraï.

– Venez ! leur cria le vieil homme, dont la longue barbe et les cheveux argentés voltigeaient au vent.

Nathan apparut alors entre Caleb et Udelaraï, brandissant sa carabine dont la crosse était décorée de lumières jaunes. Nathan tira sur la molette de l'arme, armant ainsi une balle dans le canon, avant de diriger son arme vers la droite du pianiste. Intrigué, ce dernier suivit du regard la direction de l'arme. C'est avec stupeur qu'il réalisa qu'un gobelin se ruait vers lui, à deux mètres de distance à peine, sa lance pneumatique braquée dans sa direction. Avant même que Victor ait pu réagir, le gobelin fut heurté par un éclat bleuté, ce qui l'envoya voler sur deux ou trois mètres avant de retomber au sol.

Le jeune homme vit alors le garde gobelin se redresser en position assise, se massant le crâne d'un air sérieusement abasourdi. Avec soulagement, Victor se rappela que les balles électromagnétiques tirées par la carabine spéciale de Nathan étaient inoffensives contre les êtres non mécaniques.

– Dépêchez-vous ! cria Nathan, qui baissa son arme avant de leur faire signe de les rejoindre. Allez, allez !

Manuel ne se fit pas prier une seconde fois ; il se rua à pleine course vers le gyrocoptère. À son tour, Victor voulut faire un pas, mais son corps était tellement dépourvu d'énergie que ses genoux vacillèrent sous son poids, et il s'effondra sur un genou. Étourdi, il fut forcé de fermer les yeux pour se reprendre.

– Victor ! cria la voix de Caleb, suivie d'une bonne série de pas martelant le pavé sec de l'allée.

Le pianiste se sentit alors soulevé, et quelqu'un lui passa son bras par-dessus l'épaule. Ouvrant les yeux, Victor vit qu'il s'agissait de son meilleur ami ; son visage était lourdement cerné, recouvert de coupures et considérablement taché de saletés. Le jeune homme put voir les canines proéminentes du demi-gobelin, qui grinçait des dents sous le poids de son ami.

– Tu vas t'en tirer, lui murmura Caleb d'un ton encourageant. On y est presque…

Une fois qu'ils furent arrivés près du gyrocoptère, Udelaraï et Nathan hissèrent Victor à bord sans que ce dernier eût à faire d'effort. Un instant plus tard, la silhouette inclinée de Naveed apparut dans la portière, qu'il glissa derrière lui.

— C'est bon! cria Nathan en tapotant l'épaule du pilote. Marcus, sors-nous de là!

Les moteurs du gyrocoptère ronronnèrent bruyamment, tandis que l'engin s'élevait dans le ciel. C'est alors qu'ils entendirent le claquement de balles tirées contre la coque de l'engin volant. N'ayant même pas eu le temps d'observer qui se trouvait à ses côtés, Victor se crispa au fond de son siège, et le gyrocoptère vira fortement vers la gauche dans une manœuvre de fuite. Les tirs cessèrent quelques secondes plus tard, probablement parce que l'appareil était hors de portée. Par chance, tout portait à croire que les projectiles n'avaient qu'éraflé la coque. L'engin fila droit entre les bâtisses, tout en prenant de plus en plus d'altitude, et un court instant plus tard, ils volaient à toute vitesse au-dessus des fortifications de la ville, droit vers le ciel bleu marocain.

— C'était... c'était moins une, lâcha Nathan tandis qu'il se laissait glisser en position assise, adossé à la coque du vaisseau. Tiens, depuis quand tu as un corps, toi? envoya-t-il ensuite à l'intention de Manuel en le désignant du menton.

— Mêle-toi de ce qui te regarde, pauvre mortel, lui rétorqua le métacurseur d'un ton blasé.

Victor, qui n'avait même pas remarqué la présence du métacurseur en montant à bord, réalisa que ce dernier se trouvait immédiatement à sa gauche.

— Vous croyez que l'on va encore s'écraser? demanda alors la voix de Pakarel.

Ramenant son regard vers l'avant, le jeune homme vit que le raton laveur était installé sur un coin de la banquette qui se trouvait juste en face de lui. Croisant aussitôt son regard, ce dernier lui envoya un sourire radieux. Juste à côté du petit personnage au gros chapeau se trouvait Caleb, complètement affaissé sur la banquette, les yeux fermés. Il paraissait mort de fatigue.

– Espérons que nous ne te perdrons pas, cette fois, hein! lui dit alors la voix d'Ichabod, qui venait d'incliner la tête depuis le siège du copilote.

Victor n'avait même pas remarqué la présence de son ami l'épouvantail, même avec le chapeau haut de forme qu'il portait. Ce dernier se retourna vers l'avant après avoir envoyé au jeune homme un clin d'œil ainsi qu'un grand sourire encourageant.

– Tu as une mine épouvantable, Victor, lui dit la voix de Rudolph d'un ton à la fois grognon et amical.

Se tordant le cou, le jeune homme repéra le hobgobelin près de la porte coulissante, debout, la tête baissée, se maintenant d'une main à une poignée au plafond. Son plastron étincelait sous les rayons de soleil qui pénétraient par les hublots de l'engin volant. Son visage carré et au nez retroussé comme celui d'un cochon était empreint d'une expression joviale.

Ne sachant pas quoi dire, Victor répondit d'un simple grognement et d'un sourire. Tournant la tête à sa droite, le pianiste vit son grand-père, affichant un sourire sage et profond qui faisait plisser les rides de son visage. Malgré sa bonne humeur, Udelaraï paraissait bien mal en point ; son teint était bien plus pâle qu'à l'habitude et il avait de lourds cernes foncés.

– Comment vas-tu, jeune homme ? lui demanda-t-il d'une voix faible.

Victor lâcha un court rire, d'un air épuisé.

– Ça va. Espérons juste que je n'aurai plus à abuser de mon corps encore bien longtemps, car j'ai l'impression qu'il ne me laissera plus beaucoup de chances… Et vous, grand-père ?

– J'ai vu de plus beaux jours, mais ça ira, lui répondit-il en lui envoyant un clin d'œil. J'ai quelque chose pour toi.

Udelaraï tira de la poche de son pantalon un petit sachet, avant de l'ouvrir et d'en faire tomber deux pastilles dans sa paume.

– Tiens, dit-il à l'intention du jeune homme en secouant un peu sa main.

Sans protestation, Victor prit les deux pastilles et tenta de les avaler, ce qui s'avéra plus difficile que prévu, étant donné que sa gorge était sèche comme le désert. Après plusieurs essais infructueux, Nathan finit par lui tendre une gourde. Victor la porta à sa bouche pour boire son contenu et sentit alors une forte odeur alcoolisée.

— C'est du rhum, lui dit Nathan, qui avait remarqué la réaction du pianiste. Ce n'est pas de l'eau, mais ça fera l'affaire.

— Du rhum ? lâcha Manuel. Où il est, le rhum ? J'en veux !

Le jeune homme haussa les épaules et but quelques gorgées du liquide qui, au final, s'avéra bien meilleur qu'il s'en souvenait. D'ailleurs, l'homme au mohawk blond et au visage fortement cicatrisé remarqua que Victor appréciait le liquide.

— Fais attention de ne pas devenir accro, ricana-t-il. Sinon, tu vas virer comme Rauk…

Après que Victor eut avalé ses pastilles et rendu sa bouteille à Nathan, Manuel lui envoya d'un air grognon :

— À boire, merde ! Amène cette gourde par ici, sac de chair !

— Ta mère ne t'a jamais appris les bonnes manières, espèce de tas de ferraille ? lui rétorqua Nathan d'un air joueur avant d'approcher la gourde de la bouche du métacurseur.

— Boire ! réclama Manuel comme un assoiffé qui n'avait pas bu une seule goutte depuis une semaine.

Les dents coincées sur le goulot de la gourde, ce dernier but la totalité de son contenu, dont la moitié ruissela sur sa mâchoire métallique et se déversa sur la banquette. D'ailleurs, Marcus en paraissait fortement dégoûté et frustré.

— Tu ne sais pas vivre ? lui envoya-t-il d'un ton bourru.

— Viens me dire ça en face, si t'es un homme ! rétorqua Manuel sur un ton défiant.

Marcus fit un mouvement d'épaule brusque, comme s'il allait se lever, ce qui suffit à faire lâcher au métacurseur un petit cri de fillette. Cela en fit rire plusieurs et cloua le bec du pirate, maintenant grognon et honteux.

Depuis sa position, Victor pouvait voir l'arrière du gyrocoptère. Par-dessus les épaules de Caleb et de Pakarel, qui étaient assis sur la banquette du fond, il vit la soute, dont l'obscurité était percée par quelques hublots qui filtraient de vifs rayons lumineux.

L'antiquaire s'y trouvait, assis au sol, le visage incliné vers l'avant et l'air assoupi. Baroque était confortablement installé contre une caisse, ses pattes reptiliennes allongées sur le sol. Il salua Victor d'un hochement de sa grosse tête de lézard surmontée d'une crête jaune. Naveed se trouvait aussi à l'arrière, appuyé contre la paroi de l'appareil, juste en face du lozrok. Ses yeux étaient fermés et son visage, crispé dans une intense concentration. Ses mains et ses pieds n'étaient plus rougis par la chaleur, mais une fine fumée s'en échappait encore.

C'est avec une certaine surprise qu'il vit également, installé dans l'ombre, le pantin, qui tenait entre ses mains métalliques le crâne de son maître, toujours sous l'effet de stase causée par le métronome. Cette vision frappa Victor et lui fit avoir un mouvement de recul ; comment un robot pouvait-il démontrer des sentiments ?

C'était insensé, mais Victor choisit de ne pas trop s'attarder à la chose et de profiter du fait que tous ses camarades semblaient là, et voir ainsi ses amis tous sains et saufs représentait pour Victor non seulement un grand bonheur, mais aussi une grande satisfaction d'avoir mené à bien sa quête, sans que personne ait à y laisser la vie. Lorsque le pianiste, qui observait le visage de ses camarades, posa à nouveau son regard sur Naveed, il se rappela alors un détail important, qui lui sauta au visage, le faisant presque sursauter.

— Il faudrait… trouver un endroit où se poser, dit-il simplement, l'air embêté.

Ses propos, pourtant compréhensibles, semblaient en avoir choqué plus d'un.

— Ça ne va pas entre tes deux oreilles, mon gars ? lui envoya Marcus, qui, depuis le siège du pilote, lui jeta un regard féroce pardessus son épaule.

— Hein ? Pourquoi nous poser ? l'interrogea ensuite Pakarel, plus que surpris, voire affolé.

— Pour réparer la roue de l'engrenage avec le dernier fragment, expliqua brièvement Victor avant de diriger son regard vers le démon perse. Naveed, tu possèdes toujours le fragment, n'est-ce pas ?

— Il est dans ma pochette, oui, répondit le démon d'un air froid et distant.

— Attends une seconde, intervint Caleb, qui se redressa sur son siège. Tu sais très bien que les gardes de Casablanca vont très probablement se mettre à nos trousses dès qu'ils auront le feu vert, et toi, tu veux que nous nous posions en plein désert marocain ? De plus, si l'on en croit les dires de Laévarden, une autre Liche est toujours en vie…

La dernière phrase de Caleb souleva tout un émoi parmi les passagers du gyrocoptère. Victor dut donc leur raconter tout ce qui s'était passé depuis la destruction du robot de marque six par Naveed, mais lorsqu'il révéla à ses camarades qu'Abim-Kezad était apparemment toujours en vie, Hansel Hainsworth explosa de colère, interrompant aussitôt le récit raconté par le pianiste.

— Vous n'aviez pas mis fin aux jours de ce parasite mangeur de cadavres, Pelham ? rugit-il depuis l'arrière du gyrocoptère. Quel genre d'incompétent êtes-vous ?

Étant donné qu'il s'agissait là de la première fois que l'antiquaire ouvrait la bouche depuis l'arrivée de Victor, plusieurs regards étonnés furent échangés à l'intérieur du gyrocoptère.

— Je lui avais tiré une balle en pleine tête ! lui répondit le jeune homme sur la défensive. Et si ce n'était pas assez, vous auriez dû vous en occuper vous-même, vieil imbécile !

À la suite de cette insulte, un silence froid s'installa dans l'habitacle des passagers, laissant place au bourdonnement des moteurs du gyrocoptère. Insulter ainsi autrui n'était pas dans les habitudes du pianiste, mais son état physique sapait grandement sa patience et le rendait très irritable.

— Merde, lâcha Rudolph d'un air exaspéré après avoir produit un bruit semblable à un soupir et à un grognement. Ce que tu nous dis, Victor, c'est que nous n'en avons pas terminé avec ces Liches ?

Le hobgobelin observait le pianiste avec un mélange d'écœurement et d'anéantissement. Il était très facile de lire dans son regard qu'il n'avait aucune envie de poursuivre cette aventure. Victor n'en fut pas vraiment offensé, car même s'il avait voulu continuer, son état physique ne le lui permettrait pas. Après tout, son corps se désagrégerait en raison des radiations terrestres, jusqu'à ce qu'il finisse par en mourir, comme les autres Mayas venus sur Terre avant lui. L'état d'âme du jeune homme bascula vers la morosité, surtout après s'être remémoré qu'il allait mourir.

Le pianiste fut donc incapable de répondre au hobgobelin, mais son silence en disait long, et Rudolph hocha la tête en expirant bruyamment. Malgré le fait que sa propre vie arrivait à son terme, Victor n'avait aucune envie de simplement tout abandonner et de retourner chez lui. Il voulait au moins terminer ce que ses amis et lui avaient entrepris : réparer le métronome et l'activer afin de purifier l'écosystème de la radioactivité propagée par les Liches.

— Alors, voilà, reprit-il à l'intention de tous. Il nous faudrait trouver un endroit où s'arrêter et entreprendre la réparation finale du métronome, ainsi... que le retrait de la bombe que Manuel possède au torse.

— Quelle bombe ? lâcha Ichabod d'une voix affolée en se retournant vivement depuis son siège du copilote.

Les yeux fermés, Victor se massa alors les tempes tout en laissant sortir une profonde expiration entre ses lèvres. Il n'avait pas pu mentionner la bombe qui se trouvait dans le corps de Laévarden, maintenant gouverné par Manuel, car l'antiquaire avait interrompu son récit. Impatient et fatigué, Victor n'avait aucune envie de raconter comment Manuel s'était retrouvé avec un nouveau corps dont la poitrine était munie d'une bombe.

Voyant bien le peu d'enthousiasme démontré par son meilleur ami, Caleb se chargea de raconter la suite du récit. Il expliqua que Laévarden avait tenté de se faire sauter et que leur seule solution avait été de lui sectionner la tête et de la remplacer par celle de Manuel, qui avait alors été en mesure d'arrêter le décompte de la bombe.

– Nous l'avons simplement arrêtée, continua Caleb à l'intention de Nathan, sans pour autant la désamorcer. Tu crois pouvoir y jeter un coup d'œil ? Tu t'y connais un peu en bombes, non ?

– Difficile de dire si je pourrai la désamorcer, répondit Nathan, qui grattait son menton recouvert d'une longue barbiche blonde et divisée en deux tresses. Il me faudra de l'espace, ajouta-t-il en observant l'habitacle du gyrocoptère d'un air plutôt incertain. Voire ... un endroit plus stable qu'ici. Tout ne cesse de trembler, sous les bourrasques de vent. Victor a raison, fit-il savoir d'un soupir, nous devrions peut-être nous poser.

– Non! beugla Naveed d'une manière si imprévue qu'il fit sursauter tout le monde. Nous ne nous poserons pas ici!

Tous se tournèrent vers l'arrière du véhicule, où le démon se trouvait en compagnie de l'antiquaire, de Baroque et du pantin nommé Babalum.

– Ce n'est pas toi qui prends les décisions, lui rappela le grand lézard d'un air calme.

– Ne me cherche pas, museau écailleux! rétorqua aussitôt Naveed d'un air furieux.

– Sinon, tu risques de perdre patience, comme avec cette pauvre enfant humaine ? répondit alors le grand reptile d'une voix lente et posée.

Cette réplique envoya alors un frisson glacé traverser la colonne vertébrale de Victor, dont le cœur se figea. Il savait très bien quelle accusation Baroque venait d'envoyer à l'intention du démon perse ; une accusation grave et profonde d'un horrible événement qui avait changé à tout jamais la vie de Naveed. Lors de leur séjour sur l'île des Antilles, Baroque avait expliqué à Victor comment il avait surpris Naveed sur le cadavre d'une fillette, avant de s'enfuir en plein désert, vers une bande de gnolls des sables. Baroque avait pourchassé le démon perse avec ses hommes de la milice des sept lames, mais cette chasse avait tourné au cauchemar. Tous les hommes de Baroque avaient trouvé la mort sous les griffes de Naveed, sauf le lozrok lui-même.

Victor n'avait jamais eu le moindre doute concernant Naveed. Non pas parce qu'il le considérait innocent, mais bien parce qu'il n'avait jamais pu confirmer, car le moment ne s'était jamais présenté, si le démon avait réellement commis les atrocités décrites par Baroque. Après tout, chaque histoire possédait toujours deux versions.

Afin d'observer ce qui allait se produire entre ses deux camarades, qui étaient installés dans la soute du gyrocoptère, le jeune homme se redressa de son siège de manière assez rigide, se tordant un peu le cou pour mieux voir. Quant aux autres, ils ne semblaient pas vraiment comprendre ce qui se passait.

Absolument persuadé que Naveed allait soudainement sauter à la gorge de Baroque, Victor resta figé dans une position à moitié assise, à moitié debout, prêt à intervenir, les yeux rivés sur le grand lézard et le démon perse. Ces derniers se trouvaient assis l'un devant l'autre, les extrémités de leurs pattes se touchant presque, et pourtant, ni l'un ni l'autre ne bougèrent d'un millimètre.

— Je n'ai pas tué cette jeune fille, répondit Naveed d'un ton calme. Je n'ai jamais levé la main sur un enfant.

— Évidemment, répondit Baroque, ne le croyant manifestement pas. Qu'aurais-tu pu répondre d'autre ?

— Ton opinion ne m'importe pas, lézard, lui renvoya Naveed. Victor Pelham, envoya-t-il au jeune homme, qu'il observa ensuite de ses yeux aux pupilles spiralées, tu m'as fait une promesse.

Victor resta à l'écoute, car il croyait bien que le démon allait poursuivre, mais ce dernier se tut. Le pianiste entreprit donc :

— Celle de te ramener chez toi, sur ton île…

— Oui. Mais nous n'avons pas terminé. Il reste la Liche mentionnée par l'ingénieur fou.

— Abim-Kezad ? dit Pakarel, volant les mots de la bouche de Victor.

— D'après Laévarden, dit le jeune homme d'un air incertain et perdu, Abim-Kezad se trouve quelque part en Roumanie, mais je ne sais pas exactement où. Et honnêtement, je crois qu'il serait inutile de s'élancer sur ses traces dès maintenant… surtout dans mon état actuel. Je ne sais même pas si je serai toujours en vie la semaine prochaine.

Cette dernière phrase plongea l'intérieur du gyrocoptère dans un silence glacial. Apparemment, ses camarades avaient oublié que la protection de Victor contre les émanations radioactives terrestres avait été détruite, et que son système immunitaire mourait à petit feu.

— Alors, ramène-moi sur mon île, ordonna Naveed. Là, je réparerai la roue de l'engrenage avec le dernier fragment. Cela purifiera quand même les endroits infectés par les Liches qui ont été tuées.

Après une brève réflexion, Victor étira son bras et tapota sur l'épaule de Marcus, qui pilotait l'appareil. Ce dernier tourna son visage à l'expression sévère vers le jeune homme et lui fit signe du menton afin de l'inciter à parler.

— Tu sais où est située l'île sur laquelle Rauk se trouve actuellement ? lui demanda le jeune homme.

— Ouais, confirma le grand homme noir et musclé, j'y suis allé pour y prendre les autres qui étaient restés sur place.

— Alors, ramène-nous vers l'île, lui ordonna simplement Victor en se renfonçant au fond de son siège. Nous allons y réparer l'engrenage et y laisser Naveed.

Cette décision n'avait pas l'air de plaire à tout le monde, particulièrement à Pakarel et à Ichabod, qui affichaient tous deux un visage fort contrarié, mais ils ne firent aucun commentaire. Une heure passa, durant laquelle ils discutèrent de la situation. Nathan en profita pour sortir une vieille trousse de premiers soins poussiéreuse et soigna la blessure par balle de Victor, ainsi que sa main gauche, qui avait subi une vilaine coupure lorsque le jeune homme avait glissé sur le tentacule en métal du sous-marin. Une fois son épaule et sa main soignées et bandées, Victor plongea dans un demi-sommeil qui engourdit tous ses sens et le laissa seul avec ses pensées.

Leur aventure tirait maintenant à sa fin, et qu'avait-il gagné de celle-ci ? En fait, ses camarades et lui avaient souffert de grandes pertes pour le peu qu'ils avaient gagné. Ils étaient maintenant perçus comme des terroristes ou des malfrats : non seulement ils avaient gâché une période de festivités, mais pire encore, aux yeux des habitants de Casablanca, ils étaient ceux qui avaient lâché le gardien de marque six à travers la ville et qui étaient à l'origine des meurtres perpétrés en plein jour par Laévarden, lorsqu'il avait ouvert le feu sur eux.

Chaque action avait ses conséquences, se dit le jeune homme, les yeux fermés, dont la tête était lourdement appuyée contre le dossier de sa banquette. Leur retour à Québec ne serait probablement pas très agréable, car Casablanca enverrait assurément un avis aux forces de l'ordre de la ville fortifiée pour qu'ils les appréhendent, ses amis et lui, dès leur arrivée. Ils feraient probablement face à de lourds chefs d'accusation, mais si le système judiciaire jouait en leur faveur, ils ne pourraient être accusés des crimes qu'ils n'avaient pas commis.

« Mais encore », soupira Victor, qui avait ouvert les yeux et observé chacun de ses camarades. Ils seraient tous accusés et très probablement envoyés au cachot de la ville le temps de leur procès. Après tout, sa dernière expérience avec la justice aurait pu se terminer en catastrophe, si Dujardin n'avait pas été là.

Quant au sort de Nathan et de Marcus, les forces de l'ordre de Casablanca seraient peut-être en mesure de déterminer que leur appareil, même masqué par une solide couche de peinture, venait des hangars du Consortium. Et s'ils parvenaient à le prouver, la compagnie qui tentait si difficilement de redorer sa réputation depuis des années se trouverait pointée du doigt par les nations comme étant une unité terroriste. Le Consortium ne survivrait pas à un autre coup de ce genre.

Leur accomplissement n'avait littéralement aucune récompense ; ils avaient tous commis un grand sacrifice en acceptant cette quête, ce que Victor lui-même aurait refusé s'il avait su comment les choses tourneraient. Et voilà qu'il se sentait encore plus mal, sachant que ses camarades perdraient très probablement leur réputation, leur travail et peut-être même leur domicile. Victor aurait pu avertir ses amis de ce qui allait se produire dès qu'ils mettraient les pieds à Québec, mais il était persuadé qu'ils le savaient déjà, et en parler ouvertement rendrait les choses bien pires.

Quant à Victor, il allait très probablement mourir, à moins qu'un miracle survienne. Sa vie tirait à sa fin, et ce fait le rendait malade de peur. S'il n'avait pas été vidé d'énergie et déjà bien blême, les autres verraient sûrement combien la peur le tenaillait. Savoir que son temps était compté était la pire chose à laquelle le pianiste avait fait face. Jamais auparavant il n'avait eu aussi peur de quitter ce monde, et ce, probablement parce qu'il n'avait jamais cogné à la porte de la mort.

Il laisserait derrière lui son amoureuse, complice et meilleure amie, Maeva. Celle qui avait partagé sa vie pendant quelques années et qui représentait, pour lui, la plus belle chose que la Terre lui ait jamais apportée. Il laisserait aussi celle qu'il considérait comme sa petite sœur, Clémentine, cette gobeline si intelligente, avant-gardiste et rebelle. Il allait perdre de nombreux amis et collègues qu'il avait croisés durant sa courte existence…

C'est alors qu'il se remémora les premiers repas qu'il avait mangés dans la demeure souterraine de Nika, qui l'avait si gentiment hébergé. Victor se souvint aussi d'Eirenaios, ce satyre qui lui avait sauvé la vie après sa visite chez Abigail Hainsworth, en Norvège. Le jeune homme se rappelait très bien ses premières soirées au cabaret en tant que pianiste, ainsi que cette journée où il avait signé les papiers d'achat de l'orphelinat. Il se souvint de ce qu'il avait accompli à Paris, ainsi que de ceux qui l'avaient aidé, comme Laurence, cette gobeline qui s'occupait des blessés, ainsi qu'Hubert, ce gros bonhomme qui avait laissé sa vie dans le conflit.

Chacun des visages des amis qu'il avait rencontrés dans sa vie envahit son esprit, rendant sa respiration de plus en plus saccadée, jusqu'à ce qu'il ne puisse plus se contenir en silence.

Victor ouvrit les yeux et se redressa sur son siège, avant de poser son visage dans ses mains. De lourdes et chaudes larmes coulaient sur ses joues, et il était pris de grands sanglots, le visage tordu par la peine et la peur. Son grand-père le serra aussitôt dans ses bras, avant que Pakarel et Caleb s'approchent de lui pour le soutenir à leur tour.

– Pourquoi est-ce que tu pleures, Victor ? lui demanda finalement le raton laveur en l'observant de ses grands yeux mouillés.

– Je… j'ai la frousse, admit Victor, dont la voix était coupée par les sanglots. J'ai peur. Je ne… je ne veux pas…

Le jeune homme fut incapable de terminer sa phrase. Son grand-père resserra son étreinte autour de l'épaule de son petit-fils et le secoua doucement.

– Repose-toi, jeune homme, lui souffla-t-il à l'oreille. Tout ira bien.

Même si les paroles d'Udelaraï n'étaient que des promesses vides, Victor y trouva un certain réconfort, qui lui permit de cesser ses sanglots. La grande main de Rudolph se referma alors sur son épaule.

– Ça ira, mon gars, lui dit-il en tentant visiblement de lui remonter le moral. Tu es solide comme un chêne. Si quelqu'un peut s'en sortir, c'est bien toi. Tiens bon, tu veux ?

Victor lui répondit d'un hochement de tête positif. Quelques instants plus tard, les pleurs du pianiste s'étaient asséchés, et ses peurs s'étaient atténuées. Certes, il était au courant qu'il allait mourir et que leur vie allait être bien misérable dès leur arrivée à Québec, mais Victor avait maintenant la certitude que ses amis seraient là pour lui, et ce, jusqu'au bout. Cherchant à changer de sujet afin d'oublier ce qui venait de se produire, Victor tourna la tête vers son meilleur ami.

– Caleb, je peux te poser une question ? Comment avez-vous survécu à l'écrasement du dirigeable ?

– Je te poserais bien la même question, lui répondit le gobelin, qui avait regagné son siège, sur lequel il était bien enfoncé.

– J'ai fait une sorte de parachute avec cette bague, dit Victor en observant sa main gauche fraîchement entourée de bandages, j'ai réussi à agripper Manuel et… nous nous sommes retrouvés sur le toit d'une bâtisse. Je vous ai vus vous écraser peu après, en dehors de la cité. Puis…

Le jeune homme fronça les sourcils, fouillant dans sa mémoire, qui semblait lui jouer des tours.

— Je me souviens… oui, reprit-il d'un air incertain, je me souviens d'avoir été attaqué par un gyrocoptère, et l'antiquaire est apparu à ce moment. Pour le reste…, je me rappelle simplement m'être éveillé dans cette allée, où vous nous avez trouvés.

— Tu ne t'en souviens pas parce que c'est moi qui t'ai sauvé la peau, encore une fois ! rétorqua Manuel d'un air presque insulté.

Tout le monde tourna alors la tête en direction du métacurseur, qui se trouvait juste à côté de Victor.

— Si j'avais des bras, ajouta le métacurseur d'un ton sec et coupant, je les croiserais.

Manuel, immature comme il était, refusa catégoriquement d'en dire plus, jusqu'à ce que Caleb, Pakarel et Victor parviennent à lui tirer les vers du nez. Ils apprirent finalement qu'après l'apparition de l'antiquaire dans sa forme d'oiseau gigantesque, Manuel avait été en mesure de s'infiltrer à travers les étages de l'immeuble en se faufilant à travers les conduits d'aération.

— C'est ça, ricana Caleb, qui n'en croyait pas un mot. Tu veux me faire croire que tu as traîné Victor à travers les conduits d'aération sans mains ? Manuel, tu es vraiment quelque chose…

— Je dis la vérité, espèce de troll aux poils de fesse bleus ! rétorqua le métacurseur d'un air frustré.

— Comme la fois où tu as sauvé Victor des griffes d'un peuple d'indigènes et comme celle où tu as vaincu Drext à mains nues ? lui envoya Pakarel d'un air taquin en lui faisant un clin d'œil.

Toujours sur la défensive, le métacurseur reprit :

— Ce n'est pas la… Hé !

Comme s'il avait été frappé par une vague d'eau au visage, Manuel tourna la tête vers Victor, avant de lui envoyer d'une manière presque suppliante, mais d'un ton dur :

— J'ai réellement battu Drext à mains nues ! Dis-leur ! J'avais détruit ton scorpion-jouet en métal sans aucune difficulté !

— C'est… c'est vrai, acquiesça Victor avec tout de même un certain retard, puisqu'il avait failli nier les faits pour son malin plaisir. Manuel a bel et bien combattu Drext et l'a détruit à mains nues. Balter et moi avons d'ailleurs eu du mal à le réparer.

– Ça ne change rien au fait qu'il raconte toujours des mensonges, fit savoir Pakarel en levant les yeux au ciel.

– En fait, reprit Victor, laissant sa phrase en suspens pour observer ses vêtements considérablement poussiéreux, je crois que Manuel dit vrai. Regardez mes manches, ajouta-t-il en étirant ses bras devant lui.

– Pfff, lâcha Pakarel.

Tandis que le raton laveur et le métacurseur se lançaient dans un combat d'arguments, Caleb tourna la tête vers Victor.

– Alors, tu l'as finalement perdue ? lui envoya-t-il en le désignant du menton.

Le pianiste fronça légèrement les sourcils, incrédule, s'apprêtant à rétorquer qu'il ne comprenait pas ce dont son meilleur ami voulait parler, jusqu'à ce qu'une lumière s'allume au fond de sa tête.

– Ah, répondit Victor en hochant lentement la tête. Ma canne. Eh bien, il semblerait que je l'ai bel et bien perdue, cette fois.

Caleb sourit en coin.

– Tu ne l'avais pas ménagée, au cours des années, dit-il. Elle en avait vu, des aventures.

– Ça, tu peux le dire, admit le jeune homme, qui soupira ensuite avec nostalgie. De toutes les situations où j'aurais pu la perdre…, il aura fallu que ce soit une simple chute d'un gyrocoptère…

Le jeune homme se mit à rire légèrement.

– Comme si ce n'était qu'une simple chose, ajouta le demi-gobelin avec sarcasme en envoyant un clin d'œil à son meilleur ami.

Chapitre 22

La protection

Quelques heures plus tard, le gyrocoptère survolait l'archipel des Antilles. Plusieurs centaines de mètres plus bas, ils pouvaient voir l'eau turquoise et étincelante sous les rayons du soleil de l'après-midi. Tandis que l'appareil perdait de l'altitude, passant entre deux îles montagneuses et paradisiaques, un vol d'oiseaux multicolores passa devant le cockpit de l'appareil, se dirigeant probablement vers l'une des nombreuses îles de l'archipel.

— On arrive ! envoya joyeusement Ichabod, qui s'était retourné vers l'arrière de l'appareil depuis son siège de copilote.

En effet, Victor repéra l'île de Naveed par l'énorme calmar en fer qui était échoué sur la côte ouest. Le jeune homme fut cependant surpris de réaliser combien l'île, recouverte par une couche d'énormes arbres exotiques, était énorme. Au sud, il pouvait voir la zone irradiée, qui traçait une démarcation très prononcée avec la forêt qui l'entourait. En son centre, entouré d'arbres sans feuilles, s'élevait le manoir décrépi. Un peu plus loin sur l'île se trouvait une montagne masquée par la végétation s'érigeant sur plusieurs centaines de mètres, trouée à sa base par une crique dans laquelle se trouvaient les épaves de deux caravelles, ces anciens navires en bois utilisés par les commerçants et pirates d'autrefois.

— J'aurais bien aimé visiter cet endroit, mentionna Rudolph, qui observait par-dessus les autres. On dirait un lieu tout droit sortit des histoires de pirates… Pourquoi est-ce que tu me regardes ainsi ? envoya-t-il d'un air presque outré à l'intention de Nathan, qui affichait un air rieur.

— Je ne t'imaginais pas du tout du genre à aimer les bateaux ! répondit l'homme au mohawk blond d'un air joueur.

— Quand j'étais petit, expliqua le hobgobelin d'un air nostalgique, mon père faisait des répliques quasi parfaites de vieux navires…

— C'est vraiment nul de faire des bateaux en bois ! lâcha Manuel dans un rire moqueur.

Rudolph se tourna brusquement vers le métacurseur et approcha son visage menaçant du sien.

— Mon poing, tu le veux où ? lui murmura-t-il en lui présentant son poing gros comme une patte d'ours.

— J'ai une bombe au torse ! lâcha Manuel d'une petite voix.

— Mais pas au visage, tête de conserve, lui rappela le hobgobelin d'un air à la fois menaçant et amusé.

Les mains d'Udelaraï se glissèrent entre Rudolph et Manuel afin de les séparer.

— Du calme, messieurs, du calme… Nous devrions profiter du voyage en toute quiétude.

— Quand même, admit Caleb, qui observait toujours les navires dans la crique. C'est toujours impressionnant de voir de telles épaves aussi bien conservées… Attendez. Est-ce que… est-ce que je vois une tente et des lumières, sur la coque de l'épave ?

— Oui, confirma Naveed d'une voix reposée. Les navires échoués sont habités par de petits êtres sournois. On dirait de petits diablotins à l'épiderme bleuté.

— Des imps ? proposa Victor, qui avait prononcé le mot avec une curiosité pointue.

— Je crois que c'est ainsi qu'on les appelle, confirma le démon orangé.

Victor avait déjà rencontré une paire d'imps nommés Frel et Grel, lors de son voyage vers la maison de Leafburrow, lorsqu'il était allez leur rendre visite, quelques années plus tôt. Les imps étaient de petits diables désagréables et mesquins à la peau turquoise. Ils avaient de longues oreilles, un nez trop allongé, de petits yeux vilains et ne mesuraient pas plus de 30 centimètres de haut.

— Regardez, il y a un village, juste là ! s'écria Pakarel, qui avait collé son visage sur l'un des hublots et tapait avec énergie sur ce dernier avec son index. Regardez, regardez !

À l'est de l'île de Naveed se trouvait une autre île, tout aussi grande, sur laquelle ils pouvaient voir, à travers les arbres exotiques, un village de maisons en bois, de tentes et de huttes artisanales.

— Et moi qui croyais que nous étions perdus, bien loin de la civilisation, fit remarquer Caleb d'un air ébahi.

— C'est avec ce village que je fais du commerce, fit savoir Naveed, qui n'avait pas pris la peine de se lever pour observer la découverte.

Après avoir grimpé sur le dossier de son siège, Pakarel envoya jovialement à l'intention du démon :

— Je ne te voyais pas comme le type qui marchande avec les locaux !

À vrai dire, même si personne n'avait émis d'autres commentaires, il était évident que tous pensaient la même chose. Il était encore plus étrange pour Victor de visualiser le démon aux quatre cornes comme un potier et sculpteur, comme Udelaraï l'avait mentionné. Comment un être au tempérament si instable pouvait-il s'adonner à de tels arts, qui demandaient pourtant une grande patience ? Il semblait bien que l'habit ne faisait pas le moine…

Le gyrocoptère s'inclina vers la droite, passant au-dessus de la crique avant de couper au-dessus des feuillus exotiques de l'île, afin d'atteindre la plage sur laquelle se trouvait le calmar. Depuis l'engin volant, Victor vit plusieurs silhouettes s'adonnant encore à la réparation de ce dernier. Il repéra alors un gros bonhomme à la jambe de bois qui leur faisait de grands signes de bras, et dont la chemise entrouverte voltigeait au vent et dévoilait son gros ventre poilu. C'était Rauk.

Une minute plus tard, le gyrocoptère se posait sur le sable chaud tout en douceur, à une trentaine de mètres du calmar mécanique. Après avoir fait glisser la portière de l'engin, Pakarel fut le premier à sortir, suivi d'Ichabod et de l'antiquaire, qui avait bousculé Marcus pour sortir en premier.

– Pas gêné, grommela le grand Noir d'un air grognon.

Au moment où Udelaraï mettait le pied sur le sable, Victor s'appuyait au plafond de l'appareil pour passer sa tête à l'extérieur et suivre son grand-père. Il vit alors Babalum du coin de l'œil, toujours assis dans l'ombre de la soute. Une lumière s'alluma au fond du cerveau du jeune homme, qui resta immobile. Il devait parler au pantin en patchwork.

– Qu'est-ce que tu fais ? lui demanda Caleb, lorsque le pianiste s'immobilisa devant l'ouverture.

– Tu peux sortir, lui dit Victor en lui laissant la place. Je reviens.

Sentant le regard intrigué du demi-gobelin sur sa nuque, le jeune homme se dirigea jusqu'à l'arrière du gyrocoptère, tout en s'appuyant sur les parois. Arrivé près du robot, dont la silhouette était cachée dans l'ombre de la soute, Victor l'interpella d'un ton amical :

– Babalum ?

Le robot leva alors la tête vers son interlocuteur.

– Oui ? répondit-il de sa voix monotone et artificielle.

– Comment… vas-tu ? lui demanda le jeune homme, après un instant d'hésitation.

Le robot ne répondit rien.

– Victor…, qu'est-ce que tu fais ? lui demanda le demi-gobelin d'une voix lente et posée, qui laissait très bien sous-entendre qu'il jugeait inutile la démarche du jeune homme.

Ce dernier se retourna vers son meilleur ami, l'observant avec agacement, ce qui suffit à le faire sortir du gyrocoptère en soupirant et en hochant la tête. Ramenant son regard vers Babalum, Victor répéta sa question, cette fois d'un ton plus enjoué :

– Alors, comment vas-tu, cher ami ?

Le pianiste savait très bien que poser une telle question à un être artificiel était totalement inutile, car les intelligences artificielles ne ressentaient aucune forme d'émotion ou d'état d'esprit.

Néanmoins… Babalum lui semblait bien différent, et son petit doigt lui disait que cette question dévoilerait quelque chose de bien unique chez le curieux pantin.

À la suite de sa question, le pantin avait baissé les yeux, restant silencieux pendant un court moment, avant de les relever vers le jeune homme.

– Je me sens perdu, répondit finalement le pantin, dont le tissu en patchwork était partiellement déchiré à plusieurs endroits, révélant son squelette ainsi que des câbles et des fils. Je ne comprends pas. Je me sens seul.

De tels propos, surtout provenant d'une créature mécanique, confirmaient ce que Victor avait pensé : Babalum était un être doté d'une intelligence naturelle et non pas artificielle. En tenant ainsi son maître défunt entre ses mains depuis le début de leur voyage, Babalum avait montré une réaction émotive, de l'attachement.

C'est avec un mélange de fascination et de curiosité que le jeune homme observait Babalum, la bouche entrouverte, les lèvres étirées en un sourire. Aucune machine n'avait jamais possédé de conscience auparavant, il s'agissait là d'un fait scientifique indéniable. Alors comment se faisait-il que Babalum, un robot qui avait de toute évidence été créé par Laévarden, fît preuve d'émotions ? C'était pourtant évident ; Babalum n'était pas une machine ordinaire.

– Pourquoi te sens-tu perdu, Babalum ?

– Je ne comprends pas la requête, répondit le robot de sa voix artificielle et monotone. Erreur 404.

C'était la seconde fois que Babalum mentionnait cette erreur 404, et contrairement à la première fois où il l'avait dite, dans la demeure de son maître, Victor n'en croyait cette fois-ci pas un mot.

– Tu comprends très bien ce que je te dis, alors pourquoi mens-tu ?

Babalum fixa Victor pendant un moment avant de détourner le regard.

– Tu fais preuve de comportements qui sont habituellement inconnus des robots…

Victor pointa le crâne que le pantin en patchwork maintenait toujours entre ses mains métalliques.

– Tu es attaché à Laévarden, que tu tiens dans tes mains en ce moment, continua-t-il.

– Je ne comprends pas votre… requête.

Victor aurait pu jurer avoir discerné une certaine forme d'incertitude, mais il préféra ne pas confronter davantage le robot sur ce sujet. Après l'avoir salué, il fit volte-face et descendit de l'appareil.

En s'avançant doucement sur le sable, Victor demeurait songeur et un peu perdu. Les autres n'avaient pas remarqué que Babalum possédait une conscience, car il était de coutume de ne pas surestimer les intelligences artificielles. Souvent, on leur attribuait une conscience et une présence d'esprit quelconque, car à travers leurs faits et gestes, la plupart des gens qui étaient en contact avec eux pendant un temps prolongé finissaient par se persuader que les machines avaient une conscience, alors que ce n'était pas le cas.

En effet, il ne s'agissait que de machines complexes qui obéissaient à ce pour quoi elles étaient programmées. Victor était bien placé pour en parler ; souvent, il avait agi comme si D-rxt, sa propre sentinelle, était un être conscient, alors qu'en vérité, elle n'était qu'une machine de guerre qui ne faisait qu'obéir à ses ordres.

Toutefois, une chose restait certaine : Babalum faisait preuve d'une présence d'esprit ainsi que d'une conscience émotive. Cela voulait-il dire que le pantin en patchwork était un être vivant, ou était-ce réellement une machine hautement avancée ?

– Victor ! s'écria alors une grosse voix masculine et familière, qui tira le jeune homme de ses pensées.

Avant même qu'il ait pu réaliser quoi que ce soit, deux gros bras poilus l'entourèrent dans une étreinte douloureuse. La forte odeur d'alcool et la barbe hirsute révélèrent à Victor qu'il s'agissait de nul autre que Rauk, son vieil ami à la jambe de bois.

– Oh… Tout doux, dit le pianiste d'une voix faible, tout en tapotant légèrement le dos du vieux bonhomme. Rauk… Rauk. Tu me fais mal, mon vieux.

Le bonhomme à la jambe de bois le libéra aussitôt de son étreinte, avant de reculer d'un pas.

— Oh ! c'est vrai, on vient de me dire que tu t'es fait tirer dessus, lui répondit Rauk avec maladresse. Désolé, hein !

— Il n'y a pas de mal, lui mentit Victor en tentant d'afficher un sourire convaincant, alors qu'il avait un élan de douleur au niveau de l'épaule.

Fronçant les sourcils, Rauk continua :

— Les autres m'ont dit dans quel genre de pétrin vous vous êtes mis... Alors, peut-être serait-il préférable de ne pas rentrer directement à Québec, si tu comprends où je veux en venir...

Son crâne chauve luisant au soleil, le teint bien bronzé et le regard plein d'énergie malgré ses lourds cernes, Rauk regardait Victor en attente d'une réponse.

— Non, nous allons rentrer quand même, lui répondit Victor, qui observait les alentours dans l'espoir de repérer ses amis.

Ces derniers se trouvaient à quelques pas sur la plage, près du calmar mécanique. Certains s'étaient installés sur le sable, tandis que d'autres, comme Nathan et Marcus, discutaient avec les quatre ou cinq hommes du Consortium qui avaient visiblement pris une pause dans la réparation du sous-marin. Naveed, quant à lui, s'était installé sous un palmier, près de la lisière de la jungle.

— Bon..., comme tu veux, répondit Rauk avec retard, clairement déçu de la réponse du pianiste. Écoute, nous en reparlerons ! Viens donc t'asseoir avec nous. Reprendre des forces ne te fera pas de mal...

Même s'il savait que son temps était compté, Victor acquiesça. D'un pas lent, le jeune homme traversa la plage en compagnie de Rauk, avant que tous deux s'installent sur le sable, près des autres. Tous s'y trouvaient, dégustant des bananes et des mangues tout en s'abreuvant à des gourdes d'eau qui avaient sans aucun doute été amenées par les hommes du Consortium. Manuel se trouvait un peu plus loin, assis sur une caisse en bois, Nathan à ses côtés, inspectant visiblement la bombe qu'il portait à la poitrine.

Caleb offrit alors quelques fruits et une gourde au pianiste, qui était bien trop affamé pour refuser. Après s'être rassasié d'eau, il entreprit de déguster une mangue et une banane. Pendant quelques minutes, le petit groupe resta silencieux, profitant d'un moment de tranquillité tropicale à manger et à s'abreuver. C'est alors que Victor réalisa que quelqu'un manquait à l'appel : Hansel Hainsworth.

— Où se trouve Hansel ? demanda le pianiste à l'intention de tous.

— Je l'ai vu se diriger directement dans la jungle, répondit Pakarel, qui avait la bouche pleine. J'ai vu qu'il…

Les paroles du raton laveur devinrent alors incompréhensibles et distantes, tandis que la vision du jeune homme devenait de plus en plus floue. Victor cligna des yeux à plusieurs reprises, mais ça ne changea rien. Levant ses mains dédoublées devant ses yeux, le pianiste réalisa qu'il ne les sentait pratiquement plus et qu'il était incapable de plier tous ses doigts.

Caleb et Rudolph s'approchèrent alors du jeune homme, l'air tous deux alarmés, avant que tout devienne noir.

Lorsque Victor rouvrit les yeux, il vit six visages inclinés au-dessus de lui : Pakarel, Rauk, Ichabod, Udelaraï, Caleb et Hansel Hainsworth. Tous affichaient une mauvaise mine. Rudolph et Baroque se trouvaient un peu plus loin, l'observant d'un air sévère, tandis que Marcus et Nathan étaient assis à ses côtés. Victor se trouvait exactement au même endroit que quelques instants plus tôt, sur la plage. Il réalisa alors que sa tête reposait sur une surface moelleuse ; on lui avait fait un oreiller avec un manteau qui dégageait une forte odeur d'alcool… celui de Rauk, évidemment.

— Reste couché, lui ordonna Caleb en retenant de sa main le jeune homme, lorsqu'il essaya de se redresser.

Il entendit alors le bruit de moteurs qui toussotaient avant de s'étouffer. Quelqu'un essayait de démarrer les moteurs du calmar, mais sans succès. Apparemment, les réparations avaient repris.

— Qu'est-ce qui se passe ? marmonna le jeune homme, qui avait l'impression d'être atteint d'une forte fièvre.

Caleb et Pakarel échangèrent un regard hésitant, sans pour autant dire quoi que ce soit.

– Rien... rien de grave! répondit Ichabod d'une petite voix qui sentait le mensonge à plein nez. Ne... ne t'inquiète pas, Victor!

L'expression sévère affichée sur le visage du jeune homme fut suffisante pour qu'ils lui révèlent la vérité.

– Tu es tombé sans connaissance pendant 20 minutes, lui dit Caleb d'un air calme, mais grave. Et... tu as cessé de respirer.

Victor réalisa alors qu'en effet, sa respiration lui était très difficile. Alarmé, il se redressa en position assise, malgré la consigne de Caleb, la main droite contre sa gorge. Le simple fait de s'être redressé causa un étourdissement considérable, qui le découragea de se lever. Tournant lentement son regard vers Hansel, le pianiste lui demanda :

– C'est la dégradation de mon système immunitaire, n'est-ce pas?

– Tout juste, Pelham, lui répondit l'antiquaire, qui l'observait de son regard orangé. J'ai bien peur que les pastilles qui aident votre grand-père n'aient pas le même effet sur vous.

– Qu'est-ce que vous voulez dire? demanda le jeune homme d'un air confus. Comment ça, elles n'ont pas le même effet?

– Elles empirent votre cas, répondit Hansel. Durant vos crises, nous aurions dû vous laisser ainsi, sans vous faire avaler ces pastilles. Je doute qu'elles vous aient été réellement fatales. Certes, les pastilles ont atténué vos symptômes, mais elles accentuent la dégradation de votre système immunitaire.

– Ramenons-le à Québec, dit Caleb à l'intention des autres. Il doit revoir Maeva et Clémentine, c'est impératif qu'il...

– Non, Fislek, le coupa sèchement Hansel. Pelham n'a plus de temps. Nous ne savons pas s'il survivra à sa prochaine crise. Les poumons, c'est une chose, mais si c'est le cœur qui cesse de battre, nous ne pourrons plus rien faire pour lui.

Même s'il devait faire dans les 40°C, l'ambiance se refroidit radicalement et plus personne n'osa dire un mot. Derrière Pakarel, Caleb, Udelaraï et Hansel, Victor vit Rauk en compagnie de Nathan et de Marcus, qui l'observaient d'un air fataliste, comme s'il était déjà mort.

– Où est Manuel ? demanda Victor.

– Dans le calmar, répondit Marcus, qui essuyait la sueur accumulée sur sa lèvre supérieure. Nathan a réussi à désamorcer la bombe, mais même inactive, elle reste une bombe.

Nathan continua alors :

– Tu imagines que Manuel n'a pas vraiment aimé, lorsque nous lui avons fait savoir que nous ne lui faisions pas vraiment confiance, avec une telle bombe sur la poitrine. Contre sa volonté, nous avons détaché sa tête de son corps, et depuis, il ne cesse de gueuler comme un enragé. Alors, nous avons jugé bon de l'enfermer dans le calmar, le temps qu'il se calme...

D'un côté, Victor trouva bien injuste que Manuel se retrouve coincé dans le calmar comme un enfant, surtout après l'aide qu'il leur avait apportée, mais d'un autre côté, il était vrai que laisser le pirate avec une telle bombe n'était pas la meilleure des idées.

Une main se posa alors sur l'épaule du jeune homme, qui tourna la tête. Il s'agissait de son grand-père. Le simple fait de tourner la tête provoqua une fois encore des étourdissements, le forçant à fermer les yeux pendant quelques secondes.

– Victor, tu... tu devrais te reposer, lui dit-il d'un ton calme, mais qui manquait de son habituelle assurance.

Lorsqu'ils se rouvrirent, les yeux du pianiste tombèrent sur le regard de son grand-père. Un regard qui semblait perdu, navré et surtout noyé dans le désarroi de l'impuissance. Les yeux d'Udelaraï, du même vert éclatant que ceux de Victor, étaient rougis et humides, laissant deviner que le vieil homme avait laissé couler quelques larmes. Voir son grand-père ainsi, celui qui avait toujours agi avec sagesse, assurance et optimisme, lui était si étrange que des frissons glacés lui parcoururent le dos.

Victor ouvrit la bouche dans le but de lui demander ce qui n'allait pas, mais la réponse était plus qu'évidente. Le jeune homme la referma donc et baissa le regard, mal à l'aise de ne pas savoir quoi dire.

C'est d'une voix faible et affaissée par l'émotion qu'Udelaraï lui dit :

– Je suis… je suis terriblement… terriblement désolé, Victor…

Le vieil homme venait de porter sa main gauche à son visage, comme s'il voulait le masquer par honte. Quant au pianiste, il ne savait pas quoi répondre. Pendant un instant, il observa son grand-père, dont les cheveux sales voltigeaient doucement au gré du vent, sans savoir quoi lui répondre. Que pouvait-il dire après une telle déclaration ? Udelaraï lui semblait démoli, et en aucun cas Victor n'aurait voulu ajouter à sa douleur.

Après un bref silence, le jeune homme répondit d'un ton apaisant :

– Ne le soyez pas. Nous ne pouvions pas prévoir que les choses tourneraient… ainsi.

Le vieil homme éclata en sanglots, refermant sa main gauche en un poing à la hauteur de ses lèvres avant de se mordre les jointures. Son visage se tordit dans une expression de tristesse profonde, et de lourdes larmes coulèrent sur ses joues ridées jusqu'à sa barbe blanche. Baissant le visage, il balbutia à travers ses sanglots :

– Si j'avais su…, jamais… jamais je ne t'aurais mêlé à ça…

Voir son propre grand-père pleurer à chaudes larmes était presque révulsant pour Victor. Non pas parce que ce fait l'écœurait au sens propre du terme, mais parce qu'Udelaraï représentait pour lui l'incarnation même de l'espoir et de la force d'esprit, et que le voir ainsi anéantissait tous ses espoirs. Pakarel s'approcha du vieil homme et posa sa petite main sur son dos, tandis que Caleb s'était redressé et avait fait volte-face, visiblement parce qu'il ne voulait pas le gêner.

– Grand-père, lui dit Victor avec une certaine raideur, car il n'avait ni l'énergie, ni le temps de s'apitoyer sur son sort. Grand-père.

Le vieil homme leva son regard humide vers son petit-fils, l'observant avec une innocence semblable à celle d'un enfant qui expérimentait la détresse pour la première fois de sa vie.

— Écoutez-moi, dit Victor d'un ton direct. Je ne veux pas que vous pleuriez sur mon sort, et j'aimerais que vous changiez d'attitude. Cela vaut pour vous tous, d'ailleurs, adressa-t-il à l'intention de tous ceux qui l'entouraient. Vous pleurerez ma mort lorsque je serai mort, et pas avant. C'est compris ?

Le pianiste avait lâché cet ordre à travers ses dents, comme s'il était personnellement insulté. Et à vrai dire, c'était presque le cas... mais bien parce qu'il avait une idée derrière la tête. Victor bougea la tête de gauche à droite, cherchant Naveed du regard, mais il avait oublié combien sa tête était devenue sujette aux étourdissements. Les yeux fermés, tentant de retrouver sa concentration, il demanda doucement d'un ton similaire à un faible grognement :

— Où est Naveed ?

Il y eut un silence, percé simplement par des bruits de marteau frappant contre la tôle du calmar ainsi que des vagues qui s'échouaient sur la plage. Même sans voir le visage de ses amis, le jeune homme savait qu'ils ne devaient pas comprendre la nature de sa demande.

— Naveed ? demanda alors la voix de Baroque. Pourquoi veux-tu le savoir ?

— Réparer le métronome, marmonna Victor dans un grognement tout en gardant toujours les yeux fermés, pendant qu'il se massait les tempes à l'aide de ses mains.

— Réparer le métronome ? répéta Caleb d'un ton offensé. Victor, tu es...

Le pianiste ouvrit finalement les yeux et fixa son meilleur ami. Il savait que le demi-gobelin allait dire le mot « mourant », même si ce dernier s'était abstenu de le prononcer.

— Tu n'es pas en état de continuer cette quête stupide ! reformula Caleb. Combien de fois allons-nous avoir ce genre de discussion avant que tu finisses par comprendre ce qui est bon pour toi ?

Toujours assis sur le sable de la plage, le jeune homme sentit les battements de son cœur dans ses tempes, lui donnant l'impression que sa tête était trop petite pour son cerveau, le faisant plisser les yeux et grimacer légèrement. Caleb le remarqua, et son visage s'assombrit, comme s'il en était affecté.

— Pourquoi est-ce que tu fais cette tête ? lui envoya-t-il d'un air sincèrement irrité. Je t'ennuie à ce point, hein ? ajouta-t-il en haussant le ton.

Très doucement, Victor lui signe que non de la tête. S'efforçant de se concentrer sur ce qu'il voulait dire plutôt que sur son malaise, il expliqua :

— Je crois savoir comment sauver ma propre vie. Et pour ça, il faut réparer le métronome… C'est primordial.

Comme il s'y attendait, cette réplique fit naître des expressions de surprise sur le visage de ses camarades.

— Que dites-vous, Pelham ? lui demanda Hansel, qui avait rapproché son visage de celui du jeune homme, l'observant comme si la folie l'avait atteint. Vous êtes fiévreux, n'est-ce pas ?

— N… non, enfin, oui, un peu, répondit Victor, qui voulait revenir sur le sujet, mais ce…

— Victor, dit Pakarel d'une petite voix et avec un regard inquiet, tu devrais vraiment penser à te reposer…

Voyant bien que l'hésitation de ses amis allait lui être pénible, le pianiste décida d'aller droit au but.

— J'ai vu ce qui a brisé mon système immunitaire ! dit-il avec un brin d'irritation. Je sais ce qui ne va pas dans mon corps ! Enfin, je crois…

Tous l'observèrent avec un mélange d'interrogation et d'appréhension. Certains, comme Baroque et Hansel, laissaient très bien voir qu'ils le percevaient comme un fou. D'ailleurs, ce dernier se releva, l'air impatient, et se mit à faire les cent pas. La seule personne qui avait semblé rassurée par ses propos était Udelaraï, dont les yeux s'étaient vivement éclairés. Accroupi auprès de son petit-fils, il l'observa de ses yeux encore humides.

— De quoi parles-tu, Victor ? lui demanda-t-il avec un regard mêlant hâte et appréhension.

— Lorsque j'étais à Casablanca, Laévarden m'a tiré dessus, comme vous le savez. Caleb et Naveed sont venus me secourir, mais à un moment, nous nous sommes arrêtés pour que je puisse soigner ma blessure avec l'aide de ma bague maya.

— Tu… tu y es parvenu ? s'étonna Pakarel, les yeux ronds. Pour de vrai ?

— Oui, enfin, plus ou moins. Ce n'est pas important, ajouta-t-il à l'intention des autres, les observant à tour de rôle. Ce qui est important, c'est que j'ai vu ce qui se passait dans mon corps et je crois savoir ce qui a tout déréglé… et je pense aussi savoir comment sauver ma propre vie.

Le jeune homme marqua une pause, puisqu'il s'attendait à ce que ses amis le bombardent de questions, mais tous restèrent muets, attendant qu'il poursuive.

— Explique-nous ! lui lança Caleb avec impatience.

— L'effet de stase, dit Victor en gesticulant de sa main droite pour appuyer ses propos. J'ai vu que l'effet de stase s'était appliqué sur les tissus de ma jambe.

— Et en quoi ta jambe a-t-elle rapport avec ton métabolisme, mon gars ? lui demanda Rauk, qui parlait un peu pour tout le monde.

Le jeune homme se passa la main sur le visage. Il n'avait jamais mentionné ce qu'il avait vu dans son corps, lorsqu'il avait utilisé la bague maya pour se soigner. S'il voulait que ses amis comprennent ce dont il voulait parler, il allait devoir donner quelques explications…

— Lorsque j'ai utilisé la bague maya pour me soigner, reprit-il en prenant son mal en patience, j'ai pu voir les composantes de mon propre corps. Comme si… comme s'il se trouvait juste devant moi, et que je pouvais y observer tout ce que je voulais. Tant mes muscles que ma composition moléculaire, mes veines, mes os…

— Venez-en au fait, le coupa sèchement Hansel.

Ignorant l'antiquaire malgré une sérieuse envie de le foudroyer du regard, le pianiste continua :

— J'ai… j'ai alors pris quelques instants pour regarder ce qui se passait dans ma jambe, car je m'étais foulé la cheville et je voulais apaiser la douleur. C'est là que j'ai vu quelque chose d'assez…

unique. Je n'ai jamais vu un tel phénomène auparavant, mais les veines de ma jambe gauche étaient...

– Pâles et légèrement illuminées? termina alors Udelaraï d'une voix monocorde, volant les mots de la bouche de son petit-fils.

Ce dernier tourna les yeux vers son grand-père, qui semblait totalement perdu dans ses pensées, les sourcils froncés.

– Que dites-vous? lui envoya l'antiquaire, observant son vieil ami d'un air presque répugné.

– Comment savez-vous cela, grand-père? lui demanda Victor. Je ne vous ai jamais révélé cette information, ni même à personne d'autre...

Toutes les têtes se tournèrent vers Udelaraï, qui se laissa tomber en position assise, avant de se passer les mains sur le visage, hochant lentement la tête de gauche à droite en guise de négation, donnant sérieusement l'impression de ne pas y croire. Pendant de longues secondes, le vieillard resta muet, fixant le vide sans se soucier des autres, qui l'observaient avec inquiétude. Quelques murmures inaudibles furent échangés entre Pakarel et Ichabod, avant que Caleb finisse par s'approcher du vieil homme.

– Vous... allez bien? lui demanda-t-il, inquiet, en avançant son bras vers lui. Vous me paraissez... bizarre...

Donnant l'impression de n'avoir aucunement remarqué l'intervention du demi-gobelin, le vieillard leva alors les yeux vers le ciel. De lourdes larmes se mirent à couler en silence sur ses joues ridées et masquées par sa longue et fine barbe argentée. D'une voix douce, Victor lui dit :

– Grand-père...

Udelaraï tourna les yeux vers son petit-fils et, contre toute attente, un sourire s'étira sur ses lèvres.

– C'est ta mère, Victor, dit-il simplement en hochant la tête de gauche à droite. Oh, Eliccaï... tu avais réussi...

– Eliccaï? répéta Pakarel en échangeant un regard stupéfait avec Caleb, avant de tourner la tête vers le pianiste. C'est... c'est le nom de ta maman, Victor?

Ce dernier acquiesça d'un hochement de tête.

— Depuis quand est-ce que tu sais… ? lui demanda Caleb, qui laissa sa phrase tomber en suspens.

— Depuis pas très longtemps, répondit Victor, qui voulait vite revenir au sujet précédent. Je n'ai juste pas vraiment eu le temps de vous en faire part.

Accordant alors son attention à Udelaraï, le jeune homme lui demanda d'un air presque insistant :

— Grand-père, que disiez-vous au sujet de ma mère ? Qu'a-t-elle réussi ? Que dois-je comprendre ?

— Ouais, ajouta Rudolph qui s'était joint à la conversation, quelques renseignements supplémentaires seraient les bienvenus, parce que moi, j'comprends rien. Vous comprenez quelque chose, vous ? envoya-t-il à l'intention des autres.

Ichabod envoya un regard lourd et outré à l'intention du hobgobelin.

— Quoi ? rétorqua-t-il bêtement.

— Udelaraï, reprit Caleb après avoir brièvement porté son regard sur Rudolph, s'il vous plaît, continuez.

— Ta mère, Eliccaï, continua Udelaraï à l'intention de son petit-fils, travaillait sur un remède qui était censé fortifier le système immunitaire ainsi que la résistance corporelle des gens de notre peuple aux radiations terrestres. Elle et son équipe n'avaient, bien évidemment, jamais réussi, et leur projet avait été annulé par les gouvernements qui les subventionnaient. Il se trouve aussi que ce gouvernement était, à l'époque, dirigé par moi. C'est… principalement ce qui a mis à mal notre relation, dit-il d'une voix éteinte.

Le vieil homme marqua une pause, le regard perdu vers l'océan turquoise au-dessus duquel volaient des oiseaux tropicaux, qui chantaient.

— Elle était frustrée, continua-t-il. D'une colère noire. Un beau jour, j'ai entendu dire qu'elle s'était mis en tête de revenir sur Terre avec ceux qui travaillaient avec elle. J'ai tenté de l'en dissuader, mais c'était trop tard. Elle était têtue comme une mule.

Par son regard transparent, il n'était pas très difficile de voir qu'Udelaraï se sentait coupable des choix de sa propre fille.

— J'ai tenté de suivre sa trace depuis mes quartiers, poursuivit le vieillard, mais je n'ai jamais rien pu capter d'autre qu'un faible signal de leurs signes vitaux. Quelques années plus tard, leurs signes vitaux ont disparu. Quant aux tiens, Victor, je n'ai jamais pu les capter, sinon j'aurais tenté de te joindre bien avant.

Ne sachant pas trop quoi répondre, le pianiste resta silencieux.

— Donc, en venant sur Terre, résuma Caleb, la mère de Victor est décédée ainsi que le père de Victor et tous les gens de son équipe. Sauf Victor, qui a miraculeusement survécu aux conditions terrestres. C'est bien ça, l'histoire ?

— Oui, confirma Udelaraï d'un hochement de tête.

D'un air songeur et tapotant son petit menton poilu, Pakarel dit :

— Alors..., la maman de Victor aurait réussi à créer ce remède et elle l'aurait administré à son fils après son arrivée ici ?

— C'est... c'est ce que tout porte à croire, confirma Udelaraï.

Pour Victor, entendre de la bouche de son propre grand-père que sa mère lui avait probablement sauvé la vie était... difficile à digérer. En effet, puisqu'il n'avait aucun souvenir de ces gens qui avaient été ses parents, le pianiste ressentait maintenant une certaine forme de reconnaissance mêlée à de la honte. Il se sentait ainsi, car il devait la vie à des gens qu'il avait négligés tout au long de son existence, puisqu'il ne leur avait prêté pratiquement aucune attention.

Le jeune homme n'avait aucun souvenir de ses parents, fort probablement à cause de son très jeune âge lorsqu'ils étaient morts, mais peut-être était-ce dû au traceur que l'on avait implanté dans son corps, lors de sa jeunesse ? Cette puce avait-elle éliminé ses souvenirs ? Victor ne le saurait jamais. Toutefois, il était bien heureux de pouvoir élucider un mystère qui planait autour de lui depuis bien longtemps ; celui de son étrange résistance et de sa jambe. Il avait déjà fait le lien entre sa jambe et sa résistance, mais jamais le jeune homme n'en avait eu de preuve concrète.

— Sans vouloir vous offenser, dit Baroque, qui était demeuré silencieux jusque-là, vous n'aviez jamais pensé un seul instant à cette possibilité ? Vous saviez que votre propre fille travaillait sur un tel projet et voilà que son fils survit miraculeusement à l'air de notre planète. Alors, vieil homme, pourquoi ne pas l'avoir fait savoir à votre petit-fils ? C'est lui qui marche avec une canne depuis qu'il est tout petit, après tout. Ça ne vous aurait pas tué de le lui révéler, non ?

Les regards des amis de Victor se posèrent tour à tour sur le grand lézard à la crête jaune et sur le vieil homme.

— Même si mes raisons peuvent vous sembler mauvaises, répondit Udelaraï après un court délai, la vérité était que je ne voulais pas lui parler de ses parents avant qu'il le fasse par lui-même. Jamais je n'aurais fait exprès de le tourmenter en évoquant un sujet qui aurait pu être difficile et douloureux pour lui.

Victor voyait bien que la réponse de son grand-père ne plaisait pas à tout le monde, spécialement à Rudolph, qui lâcha une expiration sonore, et à Caleb, qui hocha la tête de gauche à droite en signe de désapprobation. Quant au jeune homme, cela ne lui importait plus. Il savait qu'Udelaraï était un personnage particulier et que c'était une perte d'énergie que de lui en vouloir pour ses agissements et motivations parfois douteux.

— Vous croyez réellement que c'est grâce à ma mère et à son équipe que je suis en vie ? demanda Victor à son grand-père.

— Nous n'avons qu'une seule manière de le confirmer, répondit Udelaraï. Veux-tu me laisser inspecter ta jambe ?

— C'est d'accord, mais je tiens à ce que vous m'écoutiez, dit Victor, qui s'adressa ensuite au groupe tout entier. Je veux réparer ce fichu métronome, c'est clair ? Alors, quelqu'un… allez chercher Naveed.

Sans rien dire, Caleb se mit à trotter en direction de la jungle, ses longs cheveux bleutés flottant sous ses pas.

Chapitre 23

La reconstruction du métronome

Après avoir touché, du bout des doigts, la jambe gauche de son petit-fils, Udelaraï ferma subitement les yeux, comme s'il avait été absorbé de force dans son esprit. Le visage du vieillard se crispa dans une concentration si intense que pendant quelques instants, ses paupières furent prises de tressaillements.

Ichabod, Pakarel et Rudolph envoyèrent tous le même regard inquiet vers Victor, lui demandant indirectement si la réaction du vieil homme était normale. Sans trop le savoir, le jeune homme leur renvoya quand même un regard confiant et soutenu. À peine trois ou quatre secondes plus tard, Udelaraï ouvrait les yeux.

– Les veines de ta jambe gauche ont été fortifiées par un agent inconnu qui purifie tout le sang qui traverse ton corps, lui dit le vieillard d'un air sérieux.

Victor savait déjà ce que son grand-père venait de lui révéler, mais afin que les autres comprennent comme lui, il décida de ne pas interrompre le vieil homme, qui poursuivit :

– Le seul problème, c'est que la purification de ton système sanguin a pour effet de réduire fortement les capacités musculaires de ta jambe et rend tes terminaisons nerveuses beaucoup plus sensibles. C'est… un mal pour un bien.

– Pourquoi la jambe ? demanda Nathan, qui était maintenant assis sur le sable et jouait avec sa barbiche blonde.

Tous les regards se tournèrent vers lui.

– Je veux dire…, pourquoi ce produit affecte-t-il seulement la jambe gauche de Victor ?

– Parce que l'antidote que Victor possède dans son corps lui a été administré directement dans la jambe gauche, répondit Udelaraï, pas seulement à Nathan, mais à tout le monde, avant de diriger son regard vers son petit-fils. Je crois que ta mère ne voulait pas t'empêcher d'avoir l'usage de tes deux mains, Victor.

En effet, le jeune homme aurait trouvé bien navrant de ne pas avoir l'usage normal de ses deux mains. Jamais il n'aurait pu faire carrière en tant que pianiste… Et même s'il avait toujours été modeste et détaché par rapport à son lien avec la musique, il n'en restait pas moins qu'elle représentait une bonne partie de sa vie et de ses passions.

En regardant ses jambes, Victor fut pris d'une pensée un peu bizarre : et si sa mère avait choisi sa jambe droite, et non la gauche ? Il percevait mal l'idée d'utiliser principalement sa jambe gauche, car ça ne lui était vraiment pas naturel. Une chose était certaine, il n'en voulait pas du tout à sa mère d'avoir rendu sa jambe aussi faible. Avec l'âge, Victor avait appris à vivre avec sa mobilité réduite, et, encore mieux, sa jambe n'était plus un problème pour lui depuis bien longtemps.

— Victor ? lui demanda Pakarel, arrachant ce dernier de ses pensées.

— Mmmh ? lui répondit-il d'un air un peu perdu.

Le pakamu tourna la tête vers la jungle. Intrigué, le jeune homme suivit le regard de son petit compagnon au gros chapeau et vit Caleb marcher vers lui en compagnie de Naveed.

— Où se trouve le métronome, Victor Pelham ? lui demanda directement le démon sans prendre la peine de lui dire quoi que ce soit.

Instinctivement, le jeune homme porta la main à sa poitrine, où se trouvait habituellement la sangle de son sac. Il envoya alors un regard embêté à l'intention de tous.

— Ton sac est juste ici, Victor, dit Rudolph en tendant son sac au jeune homme. Nous te l'avions enlevé quand tu t'es évanoui…

Le pianiste tendit la main pour agripper son sac par la sangle, mais sa main se referma dans le vide, et son sac tomba sur le sable. Ébahi par ce qui venait de se produire, il fixa alors sa main droite, et celle-ci se dédoubla aussitôt. Quelque chose n'allait vraiment pas.

— Victor, regarde ici, ordonna son grand-père, qui avait approché son visage du sien, avant de le fixer dans les yeux d'un air curieux. Tes pupilles sont dilatées..., est-ce que tu te sens bien? Sens-tu que tu perds connaissance?

Hansel Hainsworth revint alors près du groupe, observant le pianiste de ses yeux plissés et intrigués.

— N... non, répondit Victor après un bref délai. Je me sens parfaitement éveillé...

— C'est déjà ça, répondit Udelaraï au grand soulagement général, avant de détourner son regard vers le démon perse. Naveed, nous devons réparer le métronome afin de sauver Victor. C'est encore moi qui t'aiderai pour fusionner le dernier fragment et la roue.

— Très bien, acquiesça le démon, debout auprès du demi-gobelin, qui observait son meilleur ami avec inquiétude.

Naveed alla s'asseoir sur le sable, non loin de Victor et de ses compagnons. Une fois installé, il sortit son fragment de l'une des poches frontales de son harnais, avant de fermer les yeux dans une profonde concentration. Quand ses mains eurent viré au rouge, indiquant leur haute température, il se mit à manipuler le fragment entre ses doigts, le tournant dans tous les sens, un peu comme s'il tentait de bien répartir la chaleur. Au bout de quelques instants, pendant lesquels Victor et ses amis le regardaient agir, le fragment devint rougeâtre et ses contours, plus orangés. Naveed rouvrit alors les yeux et tourna sa tête cornue en direction du vieil homme.

— Victor, me permets-tu de prendre la roue de l'engrenage dans ton sac? lui demanda Udelaraï.

— Oui, répondit le jeune homme, étourdi. Ne le prenez pas avec vos mains, grand-père... Car vous...

Avant même que Victor ait pu finir sa phrase, Udelaraï lui avait envoyé un clin d'œil rassurant. Le pianiste savait très bien que son avertissement était inutile, mais il avait préféré ne pas courir de risque. Udelaraï tendit le bras dans le vide, et, soudain, la roue de l'engrenage s'éleva du sac, qui gisait toujours sur le sable, comme si elle avait été tirée par un fil. D'un simple geste de la main droite, le vieil homme fit venir la roue jusqu'à lui, et celle-ci se stabilisa à une dizaine de centimètres au-dessus de sa main.

— On ne s'habitue jamais à ce genre de tours, commenta Rudolph d'un air mal assuré.

La roue de l'engrenage flottant maintenant au-dessus de sa main, Udelaraï se leva et parcourut la courte distance qui le séparait de Naveed. Après s'être assis auprès du démon, il échangea avec lui quelques phrases inaudibles. Udelaraï leva ensuite son autre main et la plaça juste au-dessus de la roue de l'engrenage.

— Qu'est-ce qu'il fait, vous croyez ? murmura Ichabod sans quitter la scène des yeux.

— Il répare la roue, répondit Pakarel d'un air évident.

— Je sais qu'il répare la roue ! lui rétorqua l'épouvantail d'un ton coupant. Je veux dire, pourquoi est-ce qu'Udelaraï utilise sa seconde main ainsi ?

— Je n'en suis pas certain, répondit Nathan, mais je crois qu'il vient d'immobiliser la roue entre ses mains, de sorte que Naveed puisse travailler sans qu'elle bouge. Enfin, quelque chose comme ça.

La roue, qui flottait au-dessus de la main du vieillard, se tourna vers le démon de sorte à présenter son côté imparfait. Au moment où Naveed approchait le fragment de la roue, Pakarel s'inclina vers Victor et lui dit :

— Regarde bien ce qu'il va se produire. C'est vraiment particulier !

Au moment même où le fragment était entré en contact avec la roue, il y eut un bruit étrange et puissant, suivi d'une faible onde de choc bleutée qui se répandit dans tous les sens, assez forte pour soulever un nuage de sable sur son passage. Par instinct, Victor se protégea le visage, mais la nuée de sable ne se rendit pas jusqu'à lui.

— C'est cool, non ? ajouta Pakarel d'un air franchement amusé.

Réalisant qu'il avait été le seul à se protéger le visage, le pianiste se rappela que ses amis avaient probablement déjà assisté à la fusion des autres fragments et que rien de grave ne s'était produit. Malgré ses étourdissements, Victor ramena alors son regard vers Naveed et vit qu'il tenait ses doigts bien refermés sur le fragment, sans pour autant toucher la roue de l'engrenage, qui était hautement radioactive.

— Qu'est-ce qu'il essaie de faire? demanda le jeune homme à l'intention de qui voulait bien lui répondre.

— Il tente de faire augmenter la chaleur de la roue sans la toucher, dit Baroque, qui s'apprêtait à allumer la pipe qu'il tenait entre ses mâchoires reptiliennes.

Le lozrok observait Naveed avec méfiance et un brin de dégoût, mais sans pour autant émettre d'autres commentaires. Pendant les minutes qui suivirent, Victor et les autres observèrent en silence Udelaraï et Naveed, concentrés sur leur tâche. Le vieil homme semblait bien souffrir de l'intense chaleur dégagée par la fusion, car en plus de détourner le visage, il ruisselait littéralement de sueur. Cette chaleur se rendait même jusqu'à l'endroit où se trouvaient Victor et les siens. Quelques instants plus tard, la roue elle-même devint rouge de chaleur, tandis que son contour était orangé.

— Seigneur, c'est bien trop chaud! lâcha Rauk, qui se releva maladroitement pour s'éloigner de la chaleur de sa démarche boiteuse.

Le fait de savoir qu'Udelaraï se trouvait aussi près d'une source de chaleur aussi haute rendait le tout bien plus difficile pour Victor, car il savait que son grand-père souffrait. Au bout de quelques longues secondes supplémentaires à observer son grand-père vivre un vrai calvaire, le jeune homme demanda avec un air impatient :

— Est-ce que c'est bientôt terminé?

Comme si on avait exaucé son souhait, Naveed retira ses doigts du fragment et recula, laissant Udelaraï marcher jusqu'à la mer. Le vieillard s'avança jusqu'à ce qu'il ait de l'eau au niveau de la poitrine, et plongea très doucement ses mains ainsi que le fragment dans l'eau. Ils entendirent un *pschhht!* très audible, et une bonne quantité de vapeur s'éleva dans l'air.

— Personnellement, fit savoir Marcus, les bras croisés, d'un air légèrement irrité et maussade, j'aurais peur qu'il perde votre roue dans la mer.

Le grand Noir n'était pas le seul à penser ainsi, car tout le monde semblait un peu inquiet à l'idée qu'Udelaraï se serve de l'eau de la mer pour refroidir la roue. Nathan ajouta alors d'un air méfiant :

— Surtout quand on considère le fait qu'il ne la tient pas directement entre ses doigts, mais bien dans une sorte de... de champ d'énergie entre ses mains... et que nous ne savons pas si ce champ tiendra le coup.

Même Victor, qui avait confiance en l'adresse manuelle de son grand-père, devait admettre qu'il avait une certaine crainte que son grand-père perde la roue et que le courant l'emporte au large. Par chance, Udelaraï tira l'objet de l'eau en le maintenant toujours en suspens entre ses deux mains.

— Ouf ! lâcha le vieil homme en revenant vers le groupe avec bonne humeur, une petite trempette est toujours bien appréciée lors de telles chaleurs !

La roue de l'engrenage, maintenue en suspens dans le vide entre les mains du vieillard, fumait encore légèrement. Malgré son état, Victor se leva sous les regards désapprobateurs et affolés de ses amis.

— Victor, reste assis ! lui envoya Pakarel d'un air noir. Tu dois te reposer !

Malgré tout, le jeune homme s'avança jusqu'à son grand-père d'une démarche boiteuse et difficile. Udelaraï envoya un regard tout aussi désapprobateur que les autres envers son petit-fils, qui lui répondit :

— Ça ira, grand-père. Si je me lève, c'est parce que j'en suis capable. Je peux ? ajouta-t-il en pointant la roue du doigt.

— Dois-je te rappeler que ta résistance aux radiations est détruite, jeune homme ? lui rétorqua Udelaraï d'un air sévère.

En effet, Victor avait ironiquement oublié qu'il n'était plus apte à manipuler des objets irradiés sans risque. Que son grand-père lui parle ainsi éveilla en Victor un sentiment bizarre et inconnu, qui le faisait se sentir un peu honteux, mais reconnaissant. C'était probablement de cette façon qu'on devait se sentir devant une véritable figure paternelle.

— Je… Vous avez raison, dit Victor au bout d'un certain temps. Désolé.

Caleb apparut alors aux côtés du jeune homme, maintenant dans sa main gauche le métronome.

— Et si on le réparait, ce bidule ? proposa-t-il d'un air léger. Je ne sais pas ce que vous en pensez, mais si Victor veut pouvoir revenir chez lui sur un siège et non pas dans un cercueil, ou une boîte, considérant nos moyens actuels, ce serait le moment.

Ce furent encore une fois Naveed et Udelaraï qui se chargèrent de replacer la roue dans l'objet servant normalement à calculer le tempo musical. Une fois assis sur le sable, afin d'avoir une meilleure habileté manuelle, ils s'adonnèrent à leur tâche. Naveed se mit à surchauffer de ses doigts le petit socle de métal sur lequel la roue devait être ancrée, pendant qu'Udelaraï observait son travail en silence.

Laissant le démon à l'œuvre, Victor et les autres profitèrent de ce moment pour observer la roue de l'engrenage. Celle-ci était maintenant complète, mais elle ne ressemblait pas vraiment à une roue dentée classique ; elle n'avait que deux dents, situées à l'opposé l'une de l'autre. Sur sa surface, on pouvait voir les nombreux glyphes incompréhensibles nouvellement liés et reconstitués par la partie manquante.

— C'est prêt ! lâcha alors Naveed d'un ton hâtif. Allez, allez !

Victor et les autres reculèrent alors instinctivement afin de laisser la place au vieillard et au démon. Udelaraï posa un genou sur le sable et, en gesticulant de ses deux mains, fit tourner la roue de sorte qu'elle entre dans son socle.

— Tenez-la ainsi ! ordonna Naveed d'un air sévère.

— Ne vous inquiétez pas, je la tiens ! répondit le vieil homme, tandis que le démon plongeait ses griffes de chaque côté de la roue, sans pour autant la toucher directement.

Le groupe s'approcha de la scène, toutes les têtes inclinées au-dessus du vieil homme et du démon, sans pour autant leur cacher la lumière du soleil. Au contact des griffes du démon, la roue de l'engrenage se mit à fumer légèrement.

– Que fait-il ? chuchota Pakarel à l'intention de Victor.

– La chaleur dégagée par la roue réactivera les entrées d'énergies du métronome, expliqua Udelaraï à l'intention de tous.

Le métronome se mit à fumer à son tour, dégageant une odeur âcre et peu agréable, si bien que Victor, victime de sueurs froides à cause d'une soudaine augmentation de stress, se demanda sérieusement si Naveed n'allait pas briser l'objet. Après tout, la réparation du métronome représentait, pour le pianiste, une question de vie ou de mort.

– Ça y est ! s'écria Udelaraï, à la surprise générale. Lâche tout, Naveed !

Tandis que le démon écartait ses mains de l'objet, Victor et les autres virent de petits filaments verdâtres qui étaient liés à la roue et se répandaient à l'intérieur du métronome, se connectant aux autres roues d'engrenage et à leurs mécanismes. Ils entendirent ensuite une sorte de grondement, indiquant visiblement la réactivation du métronome.

Udelaraï saisit l'objet qui gisait sur le sable et le souleva jusqu'à son visage. Un grand sourire s'étira sur ses lèvres. Tenant le métronome dans la main droite, il se retourna vers le groupe, qu'il balaya brièvement du regard avant de soutenir celui de son petit-fils. Sans dire quoi que ce soit, le vieil homme plaça un doigt sur l'autre interrupteur du métronome, avant d'y faire une pression quelques instants plus tard.

Tous virent alors les mécanismes internes du métronome s'activer, et ses roues d'engrenage tourner à vive allure. Soudain, il y eut une onde de choc qui fit voltiger le sable ainsi que les cheveux et les vêtements de tous. Au même instant, Victor sentit une vive douleur au niveau de la jambe, qui le fit tomber sur le sable.

– Victor ! s'écria Ichabod.

Caleb et Baroque s'étaient accroupis auprès du jeune homme.

— Qu'est-ce que tu as, Pelham ? lui envoya le lozrok d'un air grave.

— Ma jambe, gémit le pianiste à travers ses dents serrées tandis qu'il se l'agrippait. C'est… c'est insoutenable…

Les yeux fermés, Victor était incapable de parler convenablement, ni même de décrire ce qui se passait exactement dans sa jambe. Il avait l'impression que ses veines allaient éclater sous la pression exercée par son flux sanguin, qui lui donnait l'impression de déferler dans son corps à toute vitesse. Le jeune homme sentit plusieurs mains se poser sur lui et le redresser en position assise.

Seulement, au bout de quelques secondes, la douleur s'atténua grandement, pour ne plus devenir qu'un simple engourdissement, similaire à celui d'un membre dont la circulation sanguine a été momentanément coupée. Ouvrant ses yeux humides à nouveau, le pianiste observa ses amis, dont les visages étaient horrifiés.

— Ma jambe…, elle ne me fait plus mal, dit-il d'un air étonné, ayant de la misère à y croire lui-même.

Hansel s'approcha alors du jeune homme et posa la main contre son front, avant de lui palper la gorge et de finalement approcher son visage du sien afin d'observer ses yeux. Victor n'avait jamais été aussi près de l'antiquaire, dont les yeux orangés — qui évoquaient ceux d'un oiseau de chasse — analysaient les siens avec rapidité.

— Comment vous sentez-vous, Pelham ? demanda-t-il d'un ton sec.

— B… bien, répondit Victor qui était encore sous le choc et tentait de se concentrer sur son propre corps. Je… je ne suis plus étourdi et… je me sens bien, ajouta-t-il en balayant du regard les visages de ses amis.

Udelaraï se glissa près de son petit-fils, écartant poliment l'antiquaire d'un geste.

— Hansel, lui dit-il, veuillez m'excuser.

Prenant la place de l'antiquaire, Udelaraï plaça sa main droite sur la jambe gauche de Victor et ferma les yeux. Quelques secondes plus tard, il rouvrit les yeux, l'air serein, avant d'offrir un profond sourire à son petit-fils. Le vieillard ouvrit la bouche, mais c'est seulement après quelques instants qu'il déclara :

— Tu vivras, jeune homme.

Le lourd fardeau que Victor avait porté sur ses épaules depuis un bon moment déjà venait de disparaître entièrement, même s'il ne le réalisait pas encore totalement.

— C'est… c'est réglé ? demanda Pakarel, qui avait du mal à contenir sa joie. Victor ne mourra pas ?

Udelaraï lui confirma que non, d'un simple signe de tête. Rauk lâcha un cri de joie assez virile, Caleb donna une tape amicale sur l'épaule de Victor, tandis que Pakarel et Ichabod bondissaient de joie comme l'auraient fait deux enfants. Rudolph passa la main sur la tête du jeune homme et la secoua légèrement tout en riant de bon cœur.

— C'est bien, Pelham, lui dit Baroque, qui, retirant momentanément sa pipe de sa bouche, inclina la tête en guise de respect avant de la replacer entre ses dents.

Nathan et Marcus vinrent serrer la main du jeune homme avant de s'excuser et de retourner au sous-marin, probablement pour vérifier l'état des réparations effectuées par leurs hommes.

— Grand-père ? lui demanda Victor. Avons-nous réussi ?

Ichabod et Pakarel cessèrent leur danse, avant d'imiter les autres et de tourner la tête vers le vieillard. Ce dernier confirma d'un hochement de tête.

— Oui, Victor, dit-il en tournant le regard vers l'horizon. Oui, toi et tes amis avez réussi.

— Comment en être si certain ? demanda Caleb d'un air mal assuré, mais ne voulant pas, de toute évidence, passer pour le rabat-joie.

— L'air, dit simplement Udelaraï, qui ferma les yeux, ses cheveux bercés par le vent. L'air est déjà meilleur. Il a retrouvé son état normal.

— Je le sens aussi, confirma Naveed, qui observait les feuilles des palmiers danser sous la brise. La malédiction est tombée.

— Dire que c'est l'effet de stase qui a altéré ton immunité ! lâcha Pakarel, enjoué, à l'intention du jeune homme. J'étais persuadé que c'était l'effet de ta bague !

— Moi aussi, admit le pianiste en jetant un coup d'œil à la bague qu'il portait au doigt.

— La technologie maya incrustée dans ces bagues ne peut être nocive pour le corps, leur fit savoir Udelaraï, qui observait toujours à l'horizon. Si elles avaient détecté que leur usage altérait la santé de leur porteur, elles se seraient désactivées. Certes, chez les néophytes, elles peuvent épuiser, étourdir ou même causer des maux de cœur, mais jamais elles ne laisseraient le corps se dégrader à cause de leur utilisation.

— Pourtant, ajouta Rudolph d'un air suspect, quand vous les utilisiez, elles vous affaiblissaient considérablement…

— Si je n'avais pas altéré leur fonctionnement et leurs systèmes de sécurité, répondit Udelaraï, elles se seraient désactivées. Mais en venant sur Terre, je savais bien que la chandelle de mon existence se consumerait entièrement. Coûte que coûte, j'ai donc modifié mes bagues avant ma venue.

Il y eut un bref silence visiblement causé par le rappel de la mort assurée du vieillard.

— Et maintenant, nous brisons le métronome ? demanda l'épouvantail à l'intention de tous.

Personne ne répondit, et les regards s'arrêtèrent tous sur Victor.

— Non, Ichabod, lui répondit le jeune homme, qui s'était levé, avant de jeter un regard autour de lui. Nous ne détruirons pas le métronome. Il reste Abim-Kezad.

— Quand te mettras-tu à la recherche de cette Liche ? lui demanda Naveed d'un ton plutôt direct.

Le jeune homme dirigea son regard vers le démon, qui se trouvait debout non loin de lui. Il lui répondit :

— Dès que j'en aurai la possibilité, Naveed, je me mettrai à sa recherche. Pour le moment, nous n'avons qu'une indication :

qu'Abim se cache en Roumanie. Je ne compte pas m'y rendre tout de suite, car nous sommes tous fatigués et avons probablement les forces de l'ordre à nos trousses… alors, autant ne pas trop les faire attendre, surtout si nous voulons avoir une meilleure chance de laver nos noms.

À peine le pianiste avait-il terminé sa phrase que Nathan revenait en leur direction au pas de course.

— Les réparations du calmar sont terminées, annonça-t-il, le visage luisant de sueur. Les moteurs sont en état de marche et mes hommes ont rempli le réservoir d'essence.

— Et la propulsion nucléaire ? demanda Rauk. Tes gars ont trouvé comment la rétablir ?

— Ouais, confirma Nathan, qui envoya un regard vers le calmar, ça devrait être bon.

Cette nouvelle ravit grandement le groupe, particulièrement Rauk, qui bondit de joie — avec une grande maladresse, toutefois, puisqu'il se retrouva la tête dans le sable. Tout en ricanant, Caleb et Nathan relevèrent le bonhomme, qui se mit à frotter sa barbe avec vivacité dans le but d'en enlever le sable qui s'y trouvait.

— Je ne vois plus de raison de retarder notre retour chez nous, déclara Victor à l'intention de ses camarades. Nous reviendrons à Québec par la voie maritime, pour laisser Nathan et Marcus rentrer au quartier général d'Alexandrie directement. De plus, dans le cas très probable où les forces de l'ordre nous attendraient, il vaudrait mieux que nous ne soyons pas accompagnés de membres du Consortium.

Nathan n'ajouta rien, mais son visage laissait paraître qu'il était reconnaissant des propos du pianiste.

— Donc…, on rentre ? demanda Ichabod, qui avait bien du mal à cacher son impatience.

— Oui, Ichabod, lui répondit le jeune homme avec un sourire en coin. Allez, préparez-vous, envoya-t-il à l'intention des autres. Nous rentrons !

Pendant que les camarades de Victor se préparaient à quitter l'île, le jeune homme vit Naveed entrer dans la jungle en toute discrétion, sans avoir été remarqué par quiconque. Ne voulant pas le laisser partir sans le remercier, Victor délaissa ses camarades et se dirigea sur ses traces. Après avoir écarté quelques fougères, il vit que le démon s'enfonçait toujours dans la jungle, à une dizaine de mètres devant lui. Seulement, à peine le pianiste avait-il fait quelques pas sur le terrain inégal qu'il se prit le pied droit dans une ronce, le faisant trébucher.

Par chance, il put se retenir d'une main habile en s'agrippant sur les longues tiges d'un arbuste. Même si son organisme éliminait maintenant les radiations, il n'en restait pas moins que le jeune homme était grandement affaibli, exténué et affamé. De plus, sans sa canne, il lui serait impossible de rattraper le démon, ni même de le suivre.

– Naveed ? lui envoya-t-il au moment où le démon s'apprêtait à quitter son champ de vision, derrière un arbre gigantesque.

Si Naveed ne s'arrêtait pas, Victor ne pourrait pas le suivre davantage et devrait donc le laisser partir ainsi. Heureusement, le démon à la chevelure blanche s'arrêta, avant de se retourner, de profil. Sans répondre quoi que ce soit, il interrogea le pianiste de son regard vert et spiralé.

– Naveed, attends, reprit Victor.

Tout en s'appuyant d'une main sur les arbres et arbustes qui se trouvaient sur son passage, le jeune homme tenta de réduire la distance entre le démon et lui. Mettant le pied droit sur de la glaise, Victor glissa et se retrouva dans une fâcheuse position, tentant de se retenir tant bien que mal. Cependant, le jeune homme se redressa vite et poursuivit son chemin. Voyant bien la difficulté éprouvée par Victor pour avancer, Naveed revint vers lui.

– Oui, Victor Pelham ?

Le jeune homme tendit la main vers Naveed pour serrer la sienne. Le démon baissa les yeux vers la main de Victor et, pendant un instant, l'observa d'un air indescriptible, que le jeune homme commençait à prendre pour du dégoût. Au moment où Victor allait retirer son bras, Naveed tendit la main et la lui serra.

La main du démon avait la même texture qu'une roche chaude, et Victor pouvait sentir ses longues griffes acérées lui frôler désagréablement la peau. Puisque Naveed ne secouait pas sa main en guise de politesse et qu'il semblait trouver l'acte particulièrement inutile, Victor retira poliment sa main. À voir la réaction du démon, le jeune homme comprit qu'il n'était visiblement pas habituel chez les gens comme Naveed de se serrer la main.

— Merci de nous avoir aidés, moi et mes amis, lui dit le jeune homme d'une voix mal assurée, un peu gêné par la poignée de main ratée. Et… merci de m'avoir sauvé la vie. La fois où je me suis évanoui en sortant de la zone irradiée et l'autre, à Casablanca, lorsque tu es venu nous chercher, Manuel et moi…

Naveed répondit d'un simple grognement. Un peu mal à l'aise et ne sachant pas trop quoi ajouter, même s'il avait une question en tête, Victor prit quelques instants avant de lui demander :

— Alors…, tu… tu vas rester ici ?

— Oui. Ma place n'est nulle part ailleurs. Lorsque tu auras besoin d'aide pour tuer la dernière Liche, tu sauras où me trouver.

Le pianiste acquiesça d'un hochement de tête. Il aurait voulu lui révéler que son grand-père avait orchestré son arrivée sur cette île, mais il ne trouva pas vraiment la force de le lui avouer. De plus, ce n'était pas à lui de le faire.

Puisque le jeune homme était resté silencieux, Naveed avait fait volte-face et s'apprêtait à s'en aller. Réalisant ce fait, Victor revint rapidement à lui et leva le bras.

— Naveed ! J'ai… j'ai une question à te poser.

Le démon pivota à peine, juste assez pour lui envoyer un regard interrogateur. Victor voulait lui poser une question précise, mais il ne savait pas comment lui demander. Il ne voulait surtout pas froisser le tempérament assez explosif de Naveed. Il prit une bonne inspiration, tout en se disant que c'était peut-être la dernière fois qu'il avait l'occasion de le lui demander.

– Baroque porte une accusation contre toi, commença Victor de façon assez douce pour ne pas fâcher le démon.

Le jeune homme marqua une pause dans l'espoir que le démon vienne avec la réponse par lui-même, mais puisque ce dernier ne réagissait pas, Victor fut obligé de continuer.

– As-tu réellement… tué cette jeune fille ?

– Je n'ai jamais tué d'enfant, répondit le démon avec un calme total. Jamais. C'est de ça que le lézard m'accuse ?

Victor acquiesça d'un hochement de tête assez lent, car il venait de réaliser qu'il avait peut-être commis une erreur en lui confirmant cela. Et si Naveed le prenait vraiment mal et se ruait à toute allure vers Baroque ? Le lozrok n'aurait aucune chance.

– Il m'accuse faussement, dit Naveed en ramenant son regard vers l'avant, dos à Victor. Je n'ai jamais tué d'enfant.

– Qu'est-ce qui s'est passé, Naveed ? renvoya Victor en allant droit au but. Pour que tu aboutisses sur cette île ?

– Ce sont des affaires qui ne te concernent pas, Victor Pelham, répondit le démon, dont les quatre cornes étincelaient sous les timides rayons de soleil qui perçaient la végétation en hauteur.

Naveed reprit alors sa marche, laissant Victor planté là. Visiblement, le démon n'avait aucune envie d'élucider le mystère qui l'entourait. Voyant bien qu'il était inutile d'insister, Victor opta pour un autre moyen.

– Si jamais tu as besoin d'aide, lui envoya-t-il en haussant la voix, alors viens me voir. Tu sais que je vis à Québec. Je t'aiderai, comme tu m'as aidé.

Le démon s'arrêta pendant un court instant pour envoyer un regard au pianiste, avant de reprendre sa route à travers la jungle. Le regardant disparaître derrière quelques énormes fougères qui ballottaient toujours sous son passage, Victor sut qu'il ne reverrait pas Naveed avant un bon moment.

Chapitre 24

Le retour à la maison

Le jeune homme rebroussa chemin jusqu'à la plage, pour y découvrir Baroque, Caleb et Ichabod, qui l'attendaient à la lisière de la jungle, l'air plus intrigués qu'inquiets. Victor leur raconta qu'il avait simplement dit au revoir à Naveed, ce qui était la vérité, avant qu'ils retournent à la plage.

Victor demanda ensuite à pouvoir ramener Babalum avec lui à Québec, sous prétexte que le robot pourrait éventuellement lui être utile pour ses travaux de bricolage. À vrai dire, il voulait plutôt parvenir à élucider les mystères qui entouraient le personnage, mais il ne jugeait pas utile de le leur mentionner. Nathan ne vit aucun inconvénient à ce que Victor débarrasse son engin volant d'un étrange robot qui maintenait la tête de son maître contre lui.

Victor alla donc voir le robot, en s'assurant d'être seul, et lui demanda de bien vouloir se départir de Laévarden, lui rappelant que son « ami » était décédé et qu'il lui fallait maintenant un lieu de repos. Babalum accepta de céder le crâne de son maître au jeune homme. Ensuite, il lui demanda simplement de se diriger jusqu'au sous-marin en forme de calmar en lui disant la vérité : qu'il désirait le ramener chez lui. Babalum se leva et traversa la plage en compagnie de Victor jusqu'au calmar.

Le jeune homme installa le robot dans la salle des machines, où ce dernier lui demanda de le désactiver pour qu'il puisse recharger ses batteries. Babalum indiqua à Victor un interrupteur situé derrière sa nuque, sur lequel le jeune homme appuya. Les yeux jaunes et lumineux du robot s'éteignirent alors, indiquant qu'il était désactivé.

Victor retourna à la plage et dit au revoir à Nathan, à Marcus et aux cinq autres hommes qui étaient venus donner un coup de main à Rauk pour réparer le calmar. Les hommes retournèrent ensuite à leur machine volante, qui s'éleva dans le ciel. C'est alors que le pianiste fut frappé par une idée si importante que son rythme cardiaque s'accéléra subitement. Après avoir brièvement observé le gyrocoptère noir s'éloigner vers l'horizon, Victor se dépêcha de rejoindre Hansel Hainsworth, qui se trouvait sur la plage en compagnie d'Udelaraï. Visiblement, d'après leur langage corporel et la poignée de main qu'ils échangeaient, les deux hommes étaient en train de se faire leurs adieux.

– Attendez ! envoya Victor à l'intention d'Hansel, la main levée, pendant qu'il les rejoignait, lui et Udelaraï, de son pas boiteux. Hansel, ne partez pas !

– Que voulez-vous, Pelham ? lui répondit l'antiquaire de son habituel ton froid.

Voyant bien qu'il devait parler en allant droit au but, Victor leur dit directement :

– Je crois savoir comment sauver la vie de mon grand-père.

Tous deux l'observèrent en silence avant que l'antiquaire prenne finalement la parole :

– Vous croyez qu'un jeune tel que vous serait en mesure de trouver un antidote ? Bien sûr, Pelham, bien sûr. Croyez-vous que je n'ai pas essayé de nombreuses fois ?

Hansel approcha son visage ridé de celui du pianiste, l'observant de ses yeux orangés. Ses cheveux mi-longs, blancs et fins tombaient en bataille sur son visage ridé, collés par la sueur.

– Ce n'est pas ce que je dis, répondit Victor d'un air distant en guise de défense.

– Victor, ajouta Udelaraï, qui semblait bien plus fatigué qu'à l'habitude, écoute..., je sais ce que tu as en tête et je ne veux pas que tu prennes ce risque.

Le jeune homme fut frappé d'étonnement ; comment son grand-père pouvait-il savoir ? Hansel paraissait tout aussi étonné, les sourcils froncés et se grattant la joue, recouverte d'une petite barbe.

– Udelaraï, vieil ami, je ne suis pas certain de...

— Il veut que nous prenions une partie de l'antidote qui se trouve dans son corps afin de me l'administrer, l'interrompit Udelaraï avant de tourner son regard vers celui de son petit-fils. C'est bien ça, Victor ?

Le pianiste se sentait un peu déjoué, surtout à cause du regard désapprobateur que son grand-père portait sur lui.

— Oui, répondit-il d'un air irrité.

Hansel détourna le regard vers l'horizon bleuté, l'air songeur, avant d'étirer ses lèvres dans une grimace de concentration.

— Vous voulez vraiment essayer, Pelham ? lui demanda alors l'antiquaire.

Un peu surpris par sa demande, Victor eut besoin d'un instant avant que l'information se rende à son cerveau. C'est avec retard qu'il répondit :

— Oui, je veux essayer. Absolument.

— Victor, reprit Udelaraï d'un air désapprobateur et presque sévère tout en lui posant la main gauche sur l'épaule. Écoute-moi. Je ne veux pas que tu mettes ta vie en danger pour moi. En aucun cas, je n'accepterai que tu réduises ta propre résistance afin d'augmenter la mienne.

Le vieillard marqua une pause, ses yeux plongés dans ceux de son petit-fils. Il continua alors, mais d'une voix plus calme, voire vulnérable :

— Je suis vieux, Victor… Je n'ai… Je n'ai plus autant d'années que toi devant moi. En préparant ce voyage et en venant ici, j'ai fait un choix. Et en ce moment même, je peux t'avouer que je ne regrette en rien la décision que j'ai prise.

Pendant quelques secondes, Victor resta silencieux, au cas où Udelaraï se déciderait à ajouter autre chose. Puisque ce n'était pas le cas, le jeune homme reprit la parole.

— Je tiens à vous rappeler que vous êtes ma seule famille, Udelaraï, lui dit-il d'un ton plus froid et direct. Je n'ai personne d'autre que vous.

Le vieillard ricana avec douceur.

— C'est faux, Victor. Tu as Maeva, Clémentine, et tous tes compagnons. Ce sont eux qui représentent ta famille. Une famille, jeune homme, n'est pas spécialement composée de membres d'une même lignée, mais bien d'êtres qui nous sont chers, peu importent nos liens de sang. Et je peux te dire, Victor, que tu es entouré des meilleurs amis qui soient.

Même si ce que son grand-père venait de dire était noble et résonnait avec vérité dans le for intérieur du pianiste, ce dernier hocha la tête de gauche à droite en guise de négation.

— Je comprends ce que vous me dites, Udelaraï, mais je veux tout de même essayer. Je suis assez grand pour prendre mes décisions. Hansel, ajouta-t-il avant même que son grand-père puisse réagir, vous pourrez m'aider ?

L'antiquaire regarda à tour de rôle le vieux maya et son petit-fils, avant de répondre :

— Tant que vous êtes conscient qu'il y a une probabilité que ce transfert réduise fortement votre résistance, Pelham, alors je veux bien vous aider.

— Ça va marcher, dit Victor en tentant d'avoir une voix confiante, même s'il n'était aucunement sûr du résultat. Grand-père, lui adressa-t-il ensuite, laissez-nous essayer. Je vous en prie. Je ne veux pas vous perdre.

Pour la première fois, Udelaraï observa son petit-fils d'un regard froid et empreint de déception, ce qui ébranla fortement Victor. Cependant, le jeune homme puisa dans ses forces intérieures et ne démontra aucun signe de faiblesse.

— Il faudrait vous asseoir, tous les deux, dit l'antiquaire. Ce rocher serait idéal, dit-il en pointant en direction de la jungle.

Udelaraï détacha son regard de celui de son petit-fils, avant d'aller s'asseoir sur le rocher qui se trouvait près de la lisière de la jungle, non loin de la plage. Victor le rejoignit à son tour, tandis qu'une lourdeur pesait maintenant sur son cœur. Il avait déçu son grand-père et, même s'il combattait pour ne rien laisser paraître, le jeune homme en était troublé.

Évidemment, le fait que Victor, Udelaraï et Hansel se retrouvent tous trois près d'un rocher attira l'attention des autres, surtout qu'ils avaient convenu que c'était le moment de partir. Tandis qu'Hansel sortait de son sac les instruments nécessaires à l'étrange transfusion qu'ils allaient tenter de faire, Pakarel les rejoignit en trottant, avant que Rauk arrive à son tour, suivi par Caleb, Ichabod, Baroque et Rudolph.

Sans l'aide d'Udelaraï, qui ne voulait visiblement rien dire, Victor indiqua à l'antiquaire dans quelle région de sa jambe se trouvait l'antidote qui transformait ses veines en filtres radioactifs. Le jeune homme pointa donc l'arrière de son mollet, à l'endroit où les veines devaient circuler. Pendant qu'Hansel, accroupi, désinfectait une partie de la jambe de Victor avec un agent hautement alcoolisé, ce dernier expliqua aux autres l'idée qui lui avait traversé l'esprit.

Les réactions furent partagées, mais il était évident que personne ne paraissait tranquille à l'idée que Victor y risque sa propre vie. Et même si Caleb n'avait rien dit, Victor savait qu'il trouvait l'idée bien mauvaise, surtout pour sauver la vie d'un homme aussi vieux.

Sous les yeux de tous, Hansel sortit de son sac une petite trousse, dans laquelle se trouvait une seringue particulièrement longue, qu'il désinfecta avec le même agent qu'il avait utilisé sur la jambe du jeune homme. Il interrogea ensuite le pianiste du regard, et celui-ci lui répondit par un hochement de tête. Hansel approcha alors la seringue de la jambe de Victor et l'y introduisit doucement à l'endroit indiqué.

Malgré ses efforts, Victor fut incapable de masquer l'élancement de douleur qui perçait le muscle de sa jambe. De longues secondes s'écoulèrent, pendant lesquelles le jeune homme grognait, les dents serrées, et ses yeux s'humectaient de plus en plus. Finalement, l'antiquaire retira la seringue de la jambe de Victor, avant d'en observer le contenu. Au fond de la seringue se trouvait une petite quantité d'un liquide argenté qui scintillait fortement sous les rayons du soleil.

Pendant que l'antiquaire s'occupait de désinfecter l'aiguille de la seringue, c'est avec un mélange de dégoût et de fascination que Victor et ses camarades observèrent le contenu de la seringue. Hansel se tourna vers Udelaraï, qui était assis auprès de son petit-fils, avant de lui demander :

— Alors, vieil ami, dans quel membre devrais-je injecter ce produit ?

— La jambe gauche, répondit le vieillard sans hésitation.

Pendant que son grand-père remontait son pantalon sur sa jambe, Victor chercha à croiser son regard, voulant le remercier d'un sourire pour son acte d'empathie et de camaraderie envers lui. Même si le regard du pianiste pesait avec évidence sur le visage de son grand-père, celui-ci garda les yeux rivés sur l'antiquaire, qui nettoyait une partie de sa jambe avec l'agent alcoolisé et désinfectant. Décidément, Udelaraï lui en voulait malgré tout.

Lorsque l'antiquaire introduisit l'aiguille de la seringue dans la jambe du vieil homme, ce dernier n'eut pratiquement aucune réaction, contrairement à Victor, dont les muscles et les nerfs étaient nettement plus sensibles. Une fois le liquide argenté entièrement injecté, Hansel retira la seringue, la nettoya rapidement et la glissa dans la trousse, qu'il fourra finalement au fond de son sac.

Démontrant visiblement une envie de quitter cette île au plus vite, Hansel décida tout de même d'attendre une demi-heure supplémentaire afin de voir la réaction chez ses deux patients. Pendant cette demi-heure, Rauk, Baroque et Rudolph retournèrent au calmar afin de préparer les machines pour leur départ. Quant à Victor, même au bout d'une quarantaine de minutes, il ne ressentait aucun changement concernant son état physique, ni même de signes tels que de la fatigue ou des étourdissements.

Lorsqu'il fut questionné par Hansel à savoir comment il se sentait, Udelaraï répondit qu'il ne ressentait aucun changement à son état, ce qui ne pouvait être qu'une bonne chose, car si la transfusion ne fonctionnait pas, au moins, elle n'aggravait pas la situation.

Voyant bien que Victor et son grand-père ne présentaient aucun symptôme néfaste à la suite de la transfusion, Hansel ramassa ses affaires et se dirigea vers la jungle, après avoir uniquement salué son vieil ami. Quelques secondes plus tard, ils virent s'élever depuis la jungle un énorme oiseau noir et rouge, portant un baluchon dans son bec, et qui s'envola vers l'horizon.

Victor, Ichabod, Udelaraï, Caleb et Pakarel marchèrent le long de la plage jusqu'au calmar, dont les moteurs ronronnaient maintenant avec leur vivacité habituelle. Victor profita de leur marche pour aborder son grand-père.

— Vous m'en voulez vraiment ?

Finalement, Udelaraï accorda un regard à son petit-fils, qui en fut d'ailleurs légèrement surpris, puisqu'il ne s'y attendait pas vraiment.

— Ce n'est pas à toi que j'en veux, jeune homme, lui dit son grand-père en ramenant son regard vers l'avant, ses yeux plissés par le soleil tapant. Lorsque j'ai compris que le remède inventé par tes parents et leurs collègues était la source de ton immunité sur Terre, j'ai tout de suite su que l'idée te passerait par la tête et que tu voudrais tenter de partager ta protection avec moi. Je ne t'en veux pas, Victor, ajouta-t-il en s'arrêtant juste devant le calmar échoué, croisant momentanément le regard de son petit-fils, c'est à moi que j'en veux. C'est moi qui, par manque de prudence, ai laissé cette idée t'entrer en tête.

— Qu'est-ce que vous voulez dire ? demanda-t-il, l'air incrédule.

Ichabod et Pakarel venaient de passer devant le pianiste et son grand-père, et tous deux se hissèrent dans le calmar, s'aidant d'un marchepied situé juste sous la grosse portière, grande ouverte.

— Vous croyez que vous auriez peut-être dû me mentir et ne jamais me faire savoir qu'un antidote se trouvait dans ma jambe ? ajouta le jeune homme, irrité.

Même si Udelaraï ne répondit rien, son silence était éloquent. Afin d'être poli, Victor n'ajouta rien non plus. Il se contenta de se hisser à son tour dans le calmar, avant que Baroque vienne l'aider d'une bonne poigne de main.

À peine deux minutes plus tard, de puissantes turbines se trouvant sur les tentacules du calmar mécanique se mirent à tourner, aspirant l'eau et la projetant, faisant lentement reculer l'énorme céphalopode mécanique jusqu'à ce qu'il quitte finalement la plage, laissant une gigantesque traînée boueuse qui s'engouffrait jusque dans la mer.

Une fois que le calmar mécanique eut atteint les eaux profondes de l'océan et que tous ses occupants furent bien assis, Rauk put activer la propulsion nucléaire. Dans une puissante détonation, le calmar accéléra et fendit les eaux océaniques à une vitesse incroyable, ses longs tentacules tendus derrière lui.

Pendant le voyage jusqu'au port de Québec, il régna une atmosphère particulièrement tendue dans le sous-marin. Personne n'était très enthousiaste à l'idée d'arriver, redoutant fortement la présence des gardes de la ville en guise de comité d'accueil. Victor avait donc proposé d'utiliser la radio du sous-marin afin d'appeler Maeva, qui pourrait leur dire si leurs méfaits s'étaient rendus jusqu'à la vieille cité ou non. Il s'agissait aussi d'une excuse pour pouvoir enfin parler à sa douce, à qui le jeune homme n'avait pas parlé depuis que sa radio s'était trouvée brisée en morceaux au fond de son sac, fort probablement à cause de leur écrasement à l'extérieur des portes de Casablanca.

Malheureusement, même après plusieurs essais, personne ne répondit, ni chez Béatrice ni chez Victor lui-même. Le pianiste, tout comme Pakarel et Caleb, d'ailleurs, trouva cela bizarre, voire inquiétant.

Puisque la trajectoire du calmar était, selon leurs radars, complètement sans risque de collision quelconque, Victor se leva afin d'aller rejoindre Manuel, qui se trouvait dans la cabine que le jeune homme avait utilisée pour se reposer, avant de se faire attaquer par un Agas.

– C'est gentil de venir me voir, lui adressa le crâne d'un ton aussi glacé que sarcastique, au moment où Victor refermait la porte derrière lui.

En arrivant dans la pièce, le pianiste réalisa qu'une forte odeur de produits désinfectants baignait dans l'air et qu'au sol, à l'endroit où il avait été agressé par l'Agas, la forme d'une grande tache de sang était visible. Apparemment, quelqu'un avait nettoyé la cabine, mais sans réellement s'y appliquer.

— C'est charmant comme endroit, hein ? ajouta Manuel pendant que Victor observait autour de lui.

Le jeune homme repéra le lit sur lequel il avait failli être tué et dont les couvertures étaient toujours fripées et défaites. Même si le lit lui donnait froid dans le dos, Victor s'y assit avant de lever les yeux vers le crâne, qui séjournait sur une table de chevet ancrée au sol. Une lanterne était allumée juste derrière, dont la flamme faisait valser l'ombre du crâne sur le mur, déformant nettement celle-ci. Ce qui fit d'ailleurs naître un souvenir dans la mémoire du pianiste.

— Tu te rappelles, lorsque nous étions en Égypte ? demanda le pianiste à l'intention du crâne d'un air un peu nostalgique. Nous avions utilisé un jeu d'ombre pour berner un homme, et tu lui avais fait croire que tu étais une sorte d'esprit maléfique…

Manuel lâcha alors un petit rire qui était, pour une fois, sincère et non pas accentué d'un ton théâtral, à la fois ridicule et énervant.

— Oh ouais ! ajouta le pirate. Je m'en souviens ! On l'avait fait se déshabiller pour que tu puisses lui voler ses vêtements ! Ha ! ha ! ha ! C'était le bon temps.

Victor sentit que leur moment de nostalgie avait allégé l'atmosphère, même s'il ne pouvait pas lire les émotions sur le visage d'un crâne métallique.

— Qu'est-ce que tu viens faire ici ? lui demanda Manuel au bout de quelques instants. Je croyais que tu étais mourant. Tu devrais peut-être aller mourir avec tes *vrais* copains, ajouta-t-il en prononçant le mot « vrais » avec un brin de jalousie.

— Je viens te remercier, lui répondit Victor, qui avait judicieusement choisi de ne pas se laisser embarquer dans les immaturités du crâne. Tu m'as sauvé la vie…

— Plus d'une fois, l'interrompit Manuel.

— ... À moi, à Naveed et à Caleb, continua Victor en faisant œuvre de patience. Sans toi, nous n'aurions pas réussi. Merci, Manuel.

— Je tiens à te rappeler ta part du marché, souligna le crâne d'un air plus sombre et sérieux.

— Je n'ai pas oublié ce que je dois faire pour Carmen. Ne t'inquiète pas. Cependant, je veux être honnête avec toi..., je ne sais pas si je pourrai remplir ma promesse dès que nous mettrons les pieds à Québec.

— Et pourquoi pas, hein? l'interrogea Manuel avec un brin de frustration.

— Parce que nous allons être blâmés pour les événements de Casablanca. Le gardien de marque six, les tirs publics de Laévarden, les dégâts dans la ville et toutes ces choses, résuma-t-il en soupirant. C'est sur nous que la faute est rejetée. Alors, il y a de fortes chances pour que nous soyons accueillis en ville par des gardes armés.

— Et où veux-tu en venir? Toi et tes copains allez être arrêtés?

Victor répondit d'un hochement de tête.

— Alors, faites demi-tour et allez ailleurs! lâcha Manuel, comme si de rien n'était. Le monde est grand, tu sais? Ils ne vous retrouveront pas si vous partez à la dérive! Tels de vrais hommes!

Le pianiste ne voyait pas vraiment en quoi le fait de se sauver sans faire face aux conséquences de ses actes était une bonne chose, mais il préféra ne pas en faire part au métacurseur.

— Écoute, Manuel, lui dit Victor après s'être levé. Ce que je suis venu te dire, c'est que je tiendrai ma promesse, même si je suis retardé par les événements, d'accord?

— Mouais, grommela le crâne pendant que Victor passait le seuil de la porte. Et ferme la porte en sortant. L'odeur des produits nettoyants me purifie l'esprit.

Ne sachant pas vraiment si Manuel était sarcastique ou non, Victor lui demanda s'il voulait changer de chambre. Le métacurseur lui répondit, d'un air bougon, qu'il aimerait simplement pouvoir rejoindre les autres et cesser d'être mis à l'écart. Le pianiste revint donc sur ses pas jusqu'au crâne, qu'il prit d'une main et ramena à la table entourée d'une banquette qui se trouvait dans le grand cockpit.

Le jeune homme remarqua que Baroque ne s'y trouvait pas. Après avoir interrogé ses compagnons à ce sujet, Ichabod lui fit savoir que le lozrok se trouvait dans la salle des machines. Victor s'y rendit donc, au bout du corridor opposé au cockpit, et trouva le grand lézard assis par terre, adossé au mur. Ce dernier analysait du regard Babalum, qui était toujours désactivé.

— Drôle de machine, hein, Pelham ? lui envoya Baroque en tournant brièvement la tête vers lui.

Victor répondit d'un simple grognement, avant de vite changer de sujet.

— Je voulais m'excuser, Baroque, lui dit le jeune homme, qui s'était appuyé au mur de son épaule gauche.

— Pour notre très probable et prochain séjour dans les cachots de la ville ? lui répondit le grand lézard avec peu d'intérêt. Ce n'est rien, Pelham. Tu ne pouvais pas savoir. Espérons simplement que les choses aillent pour le mieux. Oh ! et, Pelham ? ajouta-t-il avant même que ce dernier puisse ajouter quoi que ce soit. Ne prends pas la peine de t'excuser auprès des autres..., ils savent dans quelle situation ils se sont embarqués. Crois-moi.

Ne sachant pas quoi dire d'autre, le pianiste laissa Baroque dans la salle des machines en compagnie de Babalum, avant de retourner vers le cockpit de l'appareil. En passant par le corridor principal, Victor croisa Rudolph, qui, bâillant fortement, fit savoir au jeune homme qu'il allait s'assoupir un peu dans l'une des cabines. Après lui avoir fortement déconseillé celle dans laquelle il avait été agressé, Victor souhaita un bon repos au hobgobelin, qui ferma la porte derrière lui.

Une fois de retour au cockpit, le pianiste trouva son grand-père installé à la table en compagnie de Caleb et de Pakarel. Les trois ne discutaient pas ; au contraire, il régnait une atmosphère presque austère dans cette partie du sous-marin. Après avoir déposé

Manuel sur la table, Victor s'assit à la table à son tour, tout en prenant bien soin de ne pas trop forcer sur sa jambe gauche. Puisque le demi-gobelin, le vieillard et le raton laveur observaient tous dans des sens différents, Victor fit de même.

Il remarqua que Rauk et Ichabod étaient installés sur les sièges de pilotage, qui se trouvaient devant les deux vitres qui faisaient office d'yeux du calmar. L'épouvantail semblait être assoupi, car sa tête de pantin était légèrement inclinée vers l'avant, son grand chapeau pendant et menaçant presque de tomber. Rauk, quant à lui, ne faisait que s'assurer que le pilotage automatique du sous-marin se déroule comme prévu, chantonnant tout seul, tout en faisant machinalement pivoter son siège de son unique jambe.

— Alors, les copains, lâcha Manuel avec entrain, vous êtes prêts pour un petit tour dans les cachots de la ville ? Ha ! ha ! ha !

Un sourire s'étira sur le visage du demi-gobelin, tandis qu'une expression frustrée apparut sur le visage du raton laveur.

— Relax, Pakarel, lui dit Caleb. Il ne fait que rigoler.

— Je suis ému, dit Manuel d'une voix théâtrale et bourrée de faux sanglots. Je crois que c'est la première fois que l'on… que l'on comprend mes blagues.

— Tes blagues ne sont pas drôles, lui fit remarquer Pakarel, d'humeur bougonne.

Tandis que Caleb, Manuel et Pakarel continuaient leur discussion, Udelaraï dit d'un ton plus bas :

— Comment te sens-tu ?

— Bien, répondit le jeune homme en confirmant ses propos d'un hochement de tête. Bien mieux qu'au cours des derniers jours, en tout cas.

Ses yeux fixant le vide, le vieil homme enchaîna d'un air songeur :

— Ce qui veut dire que ta résistance aux radiations ne s'est pas estompée, malgré le retrait d'une certaine dose de ton antidote…

Il leva alors le regard vers son petit-fils et, d'un ton humble, lui dit simplement :

— Je tiens à m'excuser, Victor.

Il fallut un certain temps avant que l'information se rende au cerveau du jeune homme. Plus personne ne parlait; Caleb et Pakarel regardaient tour à tour Victor et Udelaraï. Pendant que ce dernier l'observait en silence, le pianiste ne réussit qu'à cligner bêtement des yeux. Le vieillard ouvrit la bouche et, quelques secondes plus tard, annonça :

— Je... je crois que tu m'as réellement sauvé la vie.

Victor lui envoya un regard étonné, et Udelaraï ajouta :

— J'ai observé l'état de mon système immunitaire à l'aide de mes bagues. Il semble que l'antidote qui t'a toujours protégé fasse aussi effet sur moi.

— Waouh! s'écria Pakarel, qui avait bondi de joie. C'est vrai? Vous allez vivre?

— Oui, confirma Udelaraï après avoir hoché la tête, un grand sourire au visage. Je vivrai.

— En prison, ajouta Manuel d'un ton ricaneur.

— Mes oreilles ont bien entendu? beugla Rauk, qui arriva de sa démarche claudicante. Vous n'allez pas crever, le vieux?

— Tout porte à croire que mon vieux corps survivra, répondit-il à l'intention du bonhomme chauve et à la barbe hirsute.

Tous lâchèrent des rires de joie et de triomphe, tandis que Victor, quant à lui, ne réalisait pas encore ce qu'il venait d'entendre. Il s'était fait à l'idée que son grand-père ne survivrait pas sur Terre depuis si longtemps qu'il avait, sans le vouloir, déjà fait son deuil. Cependant, même si cette nouvelle ne devait pas l'étonner à ce point, Victor n'en restait pas moins ébahi. Il finit par étirer un sourire sur son visage fatigué, blessé et sali avant de poser les mains sur ses joues recouvertes d'une petite barbe.

— Vous avez un sale caractère quand vous le voulez, vous saviez? lâcha-t-il d'un air joueur à l'intention de son grand-père.

Ce dernier lâcha un petit ricanement avant de rétorquer :

— Et moi, je connais un jeune homme qui a un caractère tout aussi singulier que le mien!

Malgré l'appréhension générale de leur arrivée au port de Québec, l'atmosphère dans le sous-marin s'égaya nettement. Victor et ses amis se mirent à se raconter des blagues, qui devenaient de plus en plus vulgaires et idiotes à cause de leur grande fatigue. Ichabod fut réveillé par les rires et rejoignit vite les autres, avant que Baroque et Rudolph arrivent à leur tour. Tous avaient été tout aussi ravis d'entendre qu'Udelaraï survivrait malgré tout ce qu'on avait pu penser, et c'est en groupe, avec bonne humeur et bien des rires, qu'ils attendirent leur arrivée vers leur arrestation certaine.

Deux heures plus tard, le calmar fit surface dans le fleuve Saint-Laurent, s'avançant tranquillement vers un quai d'amarrage libre. Lorsque la portière menant à l'extérieur s'ouvrit devant lui, Victor prit une bonne inspiration et fit le premier pas vers l'extérieur, sur le long tentacule tendu en guise de passerelle et qui le mènerait jusqu'au quai.

Une pénombre régnait dans la ville, qui baignait dans un doux coucher de soleil rougeâtre. Un vent frisquet vint rappeler à Victor la saison automnale de sa ville, tandis qu'il avançait lentement et prudemment le long du tentacule, qui valsait subtilement au gré des vagues. Lorsqu'il leva les yeux vers le quai plongé dans la pénombre et qui se trouvait un mètre plus haut que le tentacule, Victor sentit son rythme cardiaque s'accélérer ; il y avait vu les silhouettes de plusieurs individus.

Le jeune homme jeta un regard derrière lui, et vit que tous ses camarades le suivaient, l'un derrière l'autre. Pakarel, qui se trouvait juste derrière Victor, lui chuchota :

— Nous sommes avec toi, Victor. Jusqu'au bout.

Le pianiste tapota la tête du raton laveur de façon amicale avant de poursuivre sa route jusqu'au bout du tentacule. Arrivé au quai, Victor s'apprêta à se hisser, seulement une main se tendit sous son visage. Une main humaine, large et recouverte de cicatrices d'entraînement à l'épée… c'était celle de Dujardin.

Victor agrippa la main de Thomas et se fit hisser jusque sur le quai. D'autres silhouettes se détachèrent de la pénombre — des hommes des forces de l'ordre —, et allèrent donner un coup de main aux autres. C'est alors que Victor sentit contre lui une forte étreinte, familière. Même s'il ne l'avait pas aperçue dans la pénombre, le pianiste avait reconnu Maeva par l'odeur de ses cheveux bouclés. Puisque Victor avait fermé les yeux, il ne comprit pas réellement ce qui se passait autour de lui, ni ce qui allait suivre. Ils restèrent ainsi pendant plusieurs secondes, collés l'un contre l'autre.

– Tu m'as manqué, lui murmura sa douce dans le creux de l'oreille.

– Toi aussi, lui répondit-il en la serrant un peu plus fort.

Le jeune homme s'était attendu à entendre ses amis protester d'une façon ou d'une autre, mais il n'entendit rien de suspect à part le bruit des pas faisant grincer le bois du quai ainsi que les grognements des gardes de la ville, qui hissaient encore ses camarades depuis le tentacule.

– Comment allez-vous, Pelham ? demanda alors Dujardin de sa voix grave, ce qui ramena le pianiste à la réalité.

Ayant rouvert les yeux, Victor vit premièrement le visage souriant et en larmes de Maeva, qui l'embrassa brièvement avant de s'écarter un peu sur sa gauche, tout en gardant un bras autour de sa taille. Thomas Dujardin se trouvait devant lui, son crâne chauve luisant à la lueur du seul réverbère de cette partie du quai. L'inspecteur était vêtu en civil ; portant un long manteau victorien ainsi qu'une écharpe.

– Je… je vais bien, répondit finalement Victor d'une voix affaiblie par sa gorge asséchée par l'émotion, tout en jetant des regards ébahis aux alentours.

Il n'y avait personne d'autre que Dujardin et quelques gardes… qui n'étaient même pas armés. Caleb, Rauk, Baroque, Pakarel, Rudolph, Ichabod et finalement Udelaraï, qui tenait Manuel au bout de son bâton, se rangèrent aux cotés du jeune homme, tous ayant l'air aussi surpris que lui.

– Nous… nous ne… sommes pas en état d'arrestation ? demanda l'épouvantail d'une petite voix.

– Bien sûr que non, répondit Dujardin. Vos actions ont été rapportées dans tous les journaux et médias du monde, et même si au début, on vous décrivait comme des terroristes, les médias ont vite corrigé leur faute et ont rejeté le blâme sur les épaules de Laévarden Dermasiz, un ingénieur métacurseur.

Tout le monde lâcha des soupirs de soulagement, sauf Victor, qui tourna rapidement la tête et chercha Babalum du regard. Par chance, le robot semblait être resté dans le sous-marin et n'avait pas entendu les accusations portées envers son « ami », ce qui aurait pu le blesser inutilement.

— Je voudrais cependant avoir votre version des faits, ajouta Dujardin d'une voix autoritaire, mais sympathique. Voudriez-vous m'accorder une partie de votre soirée pour m'expliquer en détail ce qui s'est passé au cours des derniers jours ?

Son expérience passée en compagnie de l'inspecteur avait appris au pianiste que sa demande n'en était pas réellement une ; c'était plutôt un ordre dissimulé derrière un voile de politesse.

— Bien sûr, inspecteur Dujardin, répondit Baroque à l'intention de tous. Nous irons cependant chez Pelham pour discuter de tout ça. Cela vous convient ?

— Cela va de soi, répondit l'inspecteur de sa voix caverneuse.

— Hé, Victor ! lui dit Rauk en pointant le calmar, qui se trouvait derrière lui. Le robot qui se trouve dans la salle des machines, nous le ferons débarquer demain, ça te va ?

— Bien sûr, répondit le pianiste.

— Quel robot ? demanda Maeva, fronçant les sourcils.

— Je t'expliquerai plus tard, lui renvoya Victor, dont l'attention fut attirée par deux silhouettes qui marchaient rapidement vers eux depuis les rues pavées de la ville fortifiée.

Il s'agissait de Clémentine et de Béatrice. La gobeline aux cheveux bruns enlaça aussitôt celui qu'elle considérait comme son grand frère, sa tête appuyée contre ses pectoraux, en lâchant un grognement de joie.

— Enfin ! s'écria-t-elle.

Béatrice Duval, violoniste et bonne amie du jeune homme, se tenait quelques pas derrière Clémentine, les bras croisés sur sa poitrine pour se couvrir du froid. Ses cheveux blonds voltigeaient doucement au vent, et une expression de gène marquait son visage au nez retroussé. La gobeline s'écarta, laissant son grand frère offrir une longue étreinte amicale à son amie.

— Nika va bien, Victor! lui apprit Clémentine avec joie. Elle va s'en sortir!

— Elle... elle va bien? répéta le jeune homme avec surprise et soulagement. C'est vrai?

— Nous continuerons cette discussion en chemin, leur suggéra gentiment Caleb, qui s'était glissé entre Clémentine, Béatrice et Maeva, avant de prendre Victor par l'épaule. Allez, mon vieux, plus vite nous serons arrivés... plus vite je pourrai aller mourir dans le lit le plus proche.

— Chéri, où... où est ta canne? lui demanda Maeva, un peu surprise de voir le demi-gobelin s'occuper ainsi de son amoureux et cherchant l'objet du regard.

— Quelque part à Casablanca, répondit Victor d'un ton léger. Peu importe.

Même si quelqu'un trouvait la canne du jeune homme, il ne pourrait activer le bouton qui servait à appeler D-rxt à l'aide, tout simplement parce que seules les empreintes digitales de Victor pouvaient envoyer le signal vers la sentinelle. Le jeune homme avait donc l'esprit bien tranquille à ce sujet.

Maeva passa l'autre bras de son amoureux au-dessus de son épaule, aidant ainsi Caleb à soutenir Victor, tandis que Clémentine et Béatrice ouvraient la marche. Au moment où le groupe entreprenait son trajet à travers les rues pavées de la ville fortifiée, la gobeline se retourna, marchant à reculons, et demanda à Victor :

— Est-ce que ton grand-père va bien?

— Je me porte à merveille, jeune fille! répondit celui-ci à voix haute, à la surprise de tous.

Après avoir échangé un sourire avec ses proches, le pianiste jeta un regard derrière lui et croisa celui d'Udelaraï, qui lui envoya un clin d'œil. Son grand-père marchait auprès de Rauk, qui paraissait fatigué, mais d'une excellente humeur. Juste à côté, Victor vit Ichabod, auprès de Pakarel, surexcité, qui bondissait de temps à autre. Le regard de Victor tomba finalement sur Baroque et Rudolph, qui se trouvaient un peu plus loin, à l'arrière du groupe, entre Dujardin et ses hommes, marchant côte à côte, tout en ayant une discussion légère et accentuée de quelques rires bien graves. Il semblait bien que l'animosité entre les deux miliciens était enfin tombée.

Le jeune homme ramena son regard vers l'avant, avant d'entreprendre une discussion animée et joviale avec Clémentine, lui racontant à sa demande comment il avait perdu sa canne. Les derniers rayons du soleil disparurent derrière les toits de la ville, laissant place à un ciel dominé par une énorme pleine lune et sa nappe d'étoiles scintillantes. La quête du métronome et des anomalies causées par ses fragments tirait à sa fin… pour l'instant, car Abim-Kezad résidait toujours quelque part dans le monde, et Victor savait bien que, tôt où tard, il partirait à ses trousses.